Aliments
remèdes
des médecins

D1082512

Aliments
remèdes
des médecins

Selene Yeager

MODUS VIVENDI

Remarque

Le présent ouvrage se veut un livre de référence, et non un guide médical ou un manuel d'autotraitement. Les idées et suggestions qu'il contient ont pour but de vous aider à prendre des décisons judicieuses concernant votre santé et vos efforts en matière de perte de poids. Elles ne sauraient remplacer les éventuels traitements ou les conseils alimentaires qui pourraient vous avoir été prescrits par votre médecin habituel. Si vous pensez avoir tel ou tel problème médical, nous vous invitons à consulter un praticien compétent. Si vous ne faites pas d'exercices physiques sur une base régulière ou n'en n'avez pas fait depuis quelque temps, nous vous suggérons de discuter de votre cas avec votre médecin afin qu'il puisse déterminer le niveau d'activité physique qui vous est approprié.

© MCMXCIII Rodale Press, Inc.
Illustrations © MCMXCII par Kristine Ream
Publié aux États-Unis par Rodale Press, Inc.
sous le titre de: *Doctor's Book of Food Remedies*

Version française, édition révisée:
LES PUBLICATIONS MODUS VIVENDI INC.
5150, boul. St-Laurent
Montréal (Québec)
Canada
H2T 1R8

Design de la couverture: Marc Alain

Dépôt légal: 3ᵉ trimestre 2005
Bibliothèque nationale du Québec
Bibliothèque nationale du Canada

ISBN: 2-89523-328-4

TABLE DES MATIÈRES

INTRODUCTION
LA NUTRITHÉRAPIE,
UNE VÉRITABLE RÉVOLUTION

Depuis des siècles, l'espèce humaine se nourrit à peu près toujours des mêmes aliments. Mais alors, que peut bien avoir à proposer de si révolutionnaire un livre comme *Les Aliments Remèdes des Médecins?*

En réponse à cette question, nous pourrions commencer par la quercétine. Probablement n'en avez-vous jamais entendu parler, comme la plupart des médecins d'ailleurs. Cette substance «nouvelle» aux singulières vertus, que l'on trouve dans la pomme et divers autres fruits, mérite pourtant d'être mieux connue, car elle est extraordinairement efficace pour protéger le muscle cardiaque. Ou encore, prenons le lycopène: présent dans les tomates et les abricots, il peut réduire considérablement le risque de cancer.

Quercétine, lycopène, flavonoïdes, sulforaphane, alphacarotène... Ces noms plutôt rébarbatifs ne représentent qu'un modeste échantillon de toute une palette de substances incroyablement puissantes contenues dans nos aliments – des substances capables de prévenir, voire de stopper radicalement d'innombrables maladies. Dans les pages de cet ouvrage, vous aurez l'occasion de les découvrir en détail, depuis les vitamines et les minéraux jusqu'à certaines substances complexes naturelles récemment découvertes et dotées de noms quasiment imprononçables. Pendant plus de deux ans, les rédacteurs des livres de santé Rodale ont épluché les publications scientifiques et interviewé des centaines d'experts en nutrithérapie. Leur unique objectif est de mettre à votre disposition les conseils les plus récents et les plus judicieux pour vous aider à tirer un meilleur parti de cette occupation qui consiste à manger, et qui nous procure à tous tant de plaisir, de manière à éviter un écueil que nous redoutons tous, la maladie. Ce que nous avons ainsi découvert nous a littéralement remplis de stupéfaction et vous réserve certainement quelques surprises.

Vous aurez ainsi l'occasion de voir au fil des pages qui suivent qu'un aliment, dans la plupart des cas, ne saurait être considéré comme «guérisseur» s'il n'offre pas considérablement plus que des vitamines, des minéraux et des fibres. Bon nombre de nos aliments contiennent également une abondance de phytonutriments, c'est-à-dire des substances microscopiques dotées de propriétés thérapeutiques. Les scientifiques considèrent ces substances comme tellement efficaces que certains d'entre eux vont jusqu'à parler de «vitamines de l'avenir».

La découverte des phytonutriments a bouleversé toutes nos connaissances dans le domaine alimentaire. L'avoine, par exemple, grâce aux fibres qu'elle contient, jouit de longue date d'une excellente réputation pour son aptitude à faire baisser le cholestérol. Toutefois, cela ne saurait suffire pour expliquer son effet protecteur sur le cœur. Les scientifiques savent aujourd'hui que l'avoine contient certaines substances chimiques naturelles dont l'efficacité est de 50% supérieure à celle de la vitamine E pour réduire le risque de maladies cardiovasculaires.

La pomme est un autre aliment qui n'a pas fini de nous étonner. Elle contient en effet une substance extrêmement utile, la quercétine. Une étude récente a d'ailleurs démontré que les sujets qui absorbent chaque jour le quart d'une pomme (ainsi qu'un peu d'oignon et de thé) réduisent de moitié le risque de maladie cardiovasculaire par rapport aux individus qui n'en mangent jamais.

L'une des découvertes les plus fascinantes est que certains aliments peuvent littéralement stopper les transformations chimiques capables de produire un cancer. Les chercheurs ont par exemple constaté que le cresson de fontaine pouvait neutraliser certains effets nuisibles de la fumée de cigarette.

D'autre part, les scientifiques ont trouvé divers moyens d'augmenter l'efficacité des aliments que nous mangeons. Sans doute savez-vous déjà que le bêtacarotène (présent dans les carottes, le brocoli et divers autres fruits et légumes de couleur orange et vert intense) est bénéfique pour le cœur. En revanche, les chercheurs ont constaté que l'organisme ne peut absorber le bêtacarotène que si ce dernier est accompagné d'un peu de matière grasse. C'est la raison pour laquelle un filet d'huile d'olive ou un peu de yaourt sur des carottes cuites peut multiplier leur pouvoir thérapeutique.

Quant à l'ail, si nous en absorbons une gousse entière, nous n'y gagnons guère plus qu'une haleine empestée. Mais il suffit de le couper menu pour libérer les substances complexes protectrices qu'il contient.

La liste des aliments dotés de propriétés thérapeutiques quasi magiques pourrait ainsi s'allonger presque à l'infini.

Comme tous les livres de santé Rodale, *Les Aliments-remèdes des médecins* vous apportent l'information et les conseils pratiques indispensables pour vous permettre de prendre vous-même en main votre santé de la manière la plus naturelle qui soit. L'enjeu revêt une telle importance à nos yeux que nous n'avons cessé, pratiquement jusqu'à la mise sous presse, d'apporter au texte de cet ouvrage des modifications de dernière minute, tant il nous tenait à cœur de vous fournir un ouvrage qui reflète les tout derniers progrès de la recherche, et qui fasse autorité quant au pouvoir thérapeutique de nos aliments. Croquez donc une pomme et commencez à lire, en mangeant, pour le plus grand bien de votre santé !

Première Partie

Les alliés et les ennemis de notre santé

LES ANTIOXYDANTS
MIEUX PROTÉGER NOS CELLULES

POUVOIR THÉRAPEUTIQUE

CONTRIBUENT À :

Atténuer le risque
de maladies
cardiovasculaires

Prévenir certains
cancers

Diminuer le risque
de dégénérescence
maculaire

Prévenir les douleurs
musculaires

Pour mieux comprendre le rôle des antioxydants, revenons à l'époque de la Seconde Guerre mondiale.

Dans leur zèle à défendre leur île natale, les pilotes de guerre japonais se sacrifiaient en lançant leur bombardier chargé d'explosifs droit sur les navires envahisseurs. Les antioxydants, qui jouent dans notre corps le même rôle que ces kamikazes, sont de même nos serviteurs les plus courageux et les plus agressifs.

Notre organisme subit chaque jour quelque 10 000 assauts des radicaux libres, ces redoutables pilleurs de nos molécules saines. Ayant perdu l'un de leurs électrons par suite de l'exposition à la lumière du soleil ou à la pollution, ou tout simplement en raison de l'usure quotidienne, ces molécules instables et dégénérées circulent à travers tout l'organisme afin de rétablir leur équilibre en arrachant un électron à d'autres molécules. Ce pillage moléculaire génère un nombre toujours croissant de molécules instables et entraîne des lésions de nos cellules saines.

Les ravages dus aux radicaux libres sont à l'origine du cholestérol LDL (lipo-protéines de faible densité) qui vient s'accumuler sur la paroi de nos artères. Le durcissement de ces dernières est un facteur majeur de troubles tels que les maladies cardiovasculaires. Lorsque les radicaux libres endommagent l'ADN des cellules, cela peut entraîner des mutations cellulaires pouvant faire le lit du cancer. Au niveau des yeux, l'impact des radicaux libres peut provoquer une cataracte ou la dégénérescence maculaire, qui sont les principales causes de cécité à partir de la cinquantaine. Nombre de scientifiques sont d'ailleurs convaincus du rôle crucial des radicaux libres dans le vieillissement.

3

Si rien ne vient s'y opposer, ce pillage moléculaire peut provoquer des dégâts irréparables, et c'est précisément sur ce plan qu'interviennent les antioxydants. Chaque fois que nous mangeons un fruit, un légume ou tout autre aliment contenant des substances antioxydantes, notre courant sanguin s'enrichit d'un afflux de ces éléments complexes protecteurs. Les antioxydants circulent à travers tout l'organisme, s'interposant entre les molécules saines et les radicaux libres, auxquels ils offrent leurs propres électrons. En faisant ainsi bouclier, ils neutralisent les radicaux libres et protègent nos cellules.

TROIS CHAMPIONS

Notre organisme génère non seulement des radicaux libres, mais aussi des antioxydants. Ainsi, certaines enzymes n'ont d'autre but que de neutraliser les radicaux libres. Comme les kamikazes de nos livres d'histoire, ces défenseurs peuvent toutefois se trouver submergés en cas d'attaque trop vigoureuse, lorsque nous sommes par exemple exposés aux émissions nocives de la circulation automobile ou à la fumée de cigarette, ou même si nous pratiquons le sport avec trop d'intensité.

C'est alors qu'il convient de faire appel aux forces de réserve que sont les substances complexes antioxydantes. Il existe des centaines de substances naturelles contenues dans nos aliments qui jouent dans l'organisme le rôle d'antioxydant. Mieux encore, la pénurie n'est jamais à craindre, puisqu'il suffit d'en manger davantage pour augmenter nos réserves!

Quoique les recherches continuent à explorer chaque jour de nouvelles substances antioxydantes, la majorité des études scientifiques portent sur trois d'entre elles en particulier: les vitamines C et E et le bêtacarotène.

«Il est certain que les antioxydants jouent un rôle crucial en diminuant le risque d'innombrables maladies, souligne Alfred Ordman, professeur de biochimie. Les preuves scientifiques sont tout simplement écrasantes.»

LA VITAMINE C

Comme les patrouilles de la marine, les molécules de vitamine C (ou acide ascorbique) circulent dans notre corps, s'emparant des radicaux libres véhiculés par le sang et par divers autres fluides, comme ceux des yeux ou des poumons. En absorbant beaucoup de vitamine C par notre alimentation, nous pouvons mieux nous protéger contre les lésions dans de nombreuses zones du corps où ces liquides organiques sont particulièrement abondants, notamment le cœur, les artères et les yeux.

Cet antioxydant aquatique, présent surtout dans les fruits tropicaux et les agrumes, les poivrons rouges et le brocoli, se caractérise surtout par la rapidité de son action. Il est démontré que la vitamine C fait obstacle aux radicaux libres bien avant que d'autres substances antioxydantes ne puissent seulement parvenir sur les lieux.

L'une des constatations les plus prometteuses des chercheurs est que la vitamine C semble retarder le vieillissement. Une équipe de scientifiques s'est donné pour tâche d'analyser un sondage sur dix ans, effectué aux États-Unis à l'échelle nationale, portant sur la quantité de vitamine C absorbée et le taux de mortalité parmi 11 348 individus âgés de 25 à 74 ans. Les chercheurs ont ainsi constaté que les hommes et les femmes qui absorbaient le plus de vitamine C en provenance tant d'aliments que de compléments, soit à peu près 300 milligrammes par jour, présentaient un risque beaucoup plus faible de décès par maladie cardiovasculaire que ceux qui en absorbaient une quantité moins importante. Pour tout dire, le risque s'abaissait de 42 % chez les hommes et de 25 % chez les femmes. Même lorsque les participants n'absorbaient que 50 milligrammes de vitamine C par jour, voire moins encore, on signalait chez les femmes une diminution de 10 % du taux de mortalité par maladie cardiovasculaire et une réduction de 6 % de ce même risque parmi les hommes.

«D'autres études ont mis en évidence des résultats similaires», note le Dr James Enstrom, chargé de recherches en université.

Comme la plupart des antioxydants, la vitamine C est également reconnue par la grande majorité des chercheurs pour son aptitude à protéger du cancer, en particulier celui de l'estomac. Lorsque les chercheurs ont comparé la quantité de vitamine C absorbée durant 25 ans par les habitants de sept pays différents, ils ont constaté que plus un groupe de population absorbait de vitamine C – jusqu'à environ 150 milligrammes par jour –, moins ces individus étaient exposés au risque de décès dû à un cancer de l'estomac.

«La Valeur quotidienne pour la vitamine C, qui n'est que de 60 milligrammes, est probablement insuffisante; d'un autre côté, il est préférable de ne pas dépasser 1 000 milligrammes par jour, afin d'éviter que cette vitamine ne bouleverse trop l'équilibre des autres nutriments dans l'organisme», ajoute le Dr Robert R. Jenkins, professeur de biologie.

Le Dr Ordman recommande d'absorber 500 milligrammes de vitamine C deux fois par jour afin de maintenir nos réserves au niveau optimal. Il ajoute qu'il est toujours préférable d'en obtenir la majeure partie grâce à nos aliments.

Si vous êtes fumeur ou si vous partagez la vie d'un fumeur, il est encore plus important de maintenir de bonnes réserves de vitamine C. En effet, il faut environ 20 milligrammes de ce nutriment pour éponger les radicaux libres générés par une seule cigarette.

LA VITAMINE E

Tandis que la vitamine C s'active en patrouillant nos liquides organiques, la vitamine E (également appelée alphatocophérol) explore des territoires plus denses, protégeant nos tissus adipeux contre l'invasion des radicaux libres.

C'est précisément cette prouesse au sein des tissus graisseux du corps qui rend la vitamine E particulièrement efficace dans la lutte contre les maladies cardiovasculaires. Les chercheurs ont découvert que la vitamine E, qui se dissout dans les corps gras, joue un rôle stratégique en empêchant le «mauvais» cholestérol LDL de s'oxyder et d'adhérer aux parois de nos artères.

Un certain nombre d'études de population de grande envergure, portant sur des dizaines de milliers d'individus, ont établi un lien entre l'absorption de vitamine E en grande quantité et une diminution importante du risque de maladie cardiovasculaire. Au cours d'une étude portant sur 80 000 infirmières, les chercheurs ont constaté que chez les femmes qui absorbaient le plus de vitamine E, soit environ 200 unités internationales par jour, le risque de maladie cardiovasculaire diminuait d'un tiers par rapport aux femmes qui n'en absorbaient que 3 unités internationales par jour environ.

L'une des découvertes les plus prometteuses pour la santé des femmes fut faite dans le cadre d'une étude à l'université de New York (Buffalo). Ayant examiné les taux de vitamine E chez des femmes que leurs antécédents familiaux exposaient à un risque élevé de cancer du sein, les chercheurs ont découvert que celles d'entre elles qui maintenaient en permanence des taux élevés de vitamine E présentaient un risque considérablement plus bas d'être victimes de ce cancer que les femmes qui n'avaient qu'un faible taux de ce nutriment. Cet avantage statistique était particulièrement frappant chez les femmes plus jeunes, mais leurs consœurs ménopausées jouissaient elles aussi d'une certaine protection.

Il est tout aussi important pour l'homme d'absorber suffisamment de vitamine E par son alimentation. Ce nutriment est surtout présent dans les huiles culinaires, le germe de blé et les graines de tournesol. Plus de 50 % des hommes diabétiques, par exemple, ont des difficultés pour avoir une érection; ce désagrément est souvent lié aux lésions provoquées par les radicaux libres dans les artères chargées de véhiculer le sang jusqu'au pénis. Les recherches suggèrent qu'en absorbant suffisamment de vitamine E par l'alimentation, il est possible de maintenir une circulation sanguine adéquate à travers ces artères.

Le Dr Ordman précise que la vitamine E, déjà efficace par elle-même, devient plus active encore lorsqu'elle est absorbée en même temps que la vitamine C. «On pourrait presque dire que la vitamine C aide la vitamine E à se remettre d'aplomb. Quand la vitamine E s'est oxydée sous l'effet des radicaux libres, la vitamine C vient à la rescousse pour la régénérer, ce qui lui rend son efficacité», explique ce spécialiste.

La Valeur quotidienne pour la vitamine E n'est que de 30 unités internationales, mais le Dr Ordman recommande d'essayer d'en absorber 400 unités internationales par jour afin de maintenir la meilleure protection possible.

LE BÊTACAROTÈNE ET AUTRES ALLIÉS DE LA SANTÉ

Depuis quelques dizaines d'années, le bêtacarotène fait l'objet de discussions animées. Ce pigment rouge orangé qui se transforme en vitamine A dans l'organisme a connu une immense popularité lorsque les scientifiques ont établi son rôle dans la diminution du risque de cancer et de maladies cardiovasculaires. En revanche, un tout autre son de cloche s'est fait entendre lorsque des chercheurs ont découvert que la prise de compléments de bêtacarotène semblait augmenter le risque pour certains de ces troubles. Aujourd'hui, à mesure que la science médicale en apprend davantage sur cet antioxydant énigmatique, la réputation du bêtacarotène est à nouveau en hausse, quoique tempérée par une certaine prudence.

«Le bêtacarotène présente d'incontestables avantages, mais la dose nécessaire à l'organisme peut être obtenue très facilement en mangeant chaque jour au moins cinq portions de fruits et de légumes, explique le Dr Ordman. Les quantités indispensables ne sont pas à proprement parler gigantesques. Quant aux compléments, ils présentent des risques certains.»

Comment expliquer que les sources alimentaires de bêtacarotène soient tellement supérieures aux compléments alimentaires? Sans avoir encore de certitude, les scientifiques formulent néanmoins une hypothèse selon laquelle le bêtacarotène n'est qu'une substance parmi quelque 500 autres, regroupées collectivement sous le nom de caroténoïdes. Ils précisent que le bêtacarotène n'est peut-être pas, à lui seul, responsable de tous les mérites qui lui sont attribués, mais que ces bienfaits proviennent probablement de son action synergique avec les autres membres de sa grande famille, jusqu'ici restés dans l'ombre.

Dans la lutte contre le cancer, par exemple, il est tout à fait possible que le lycopène, un caroténoïde présent dans les tomates, soit considérablement plus puissant que le bêtacarotène. Lorsque les chercheurs ont entrepris de tester en laboratoire l'efficacité de chacun de ces éléments complexes, ils ont constaté que le lycopène était plus efficace que le bêtacarotène pour bloquer la croissance de certains types de cellules cancéreuses.

Une étude, conçue dans le but de prouver que les carottes sont essentiellement bonnes pour les yeux, a permis aux chercheurs de constater que les individus qui avaient les taux les plus élevés de caroténoïdes présentaient un plus faible risque de dégénérescence maculaire. Le risque s'abaissait de un tiers, voire de moitié, par rapport à ceux des participants qui avaient des taux plus faibles.

Par conséquent, la prochaine fois que vous irez au supermarché, ne manquez pas de remplir votre Caddie de toutes sortes d'aliments riches en caroténoïdes comme des épinards et autres légumes verts feuillus de couleur sombre, ainsi que des fruits et légumes de couleur orange intense: citrouille, patate douce, melon cantaloup et carottes.

SYNERGIE BÉNÉFIQUE

Même si chaque antioxydant possède une certaine efficacité, l'activité de ces nutriments est bien plus grande encore lorsqu'ils agissent de concert. À la manière d'un orchestre bien harmonisé, c'est lorsqu'ils interviennent tous ensemble que leur action est la plus efficace.

Les meilleures sources

Tous les fruits et légumes contiennent une abondance de substances complexes anti-oxydantes. Comment savoir, dans ces conditions, lesquels en sont les meilleures sources? Les chercheurs de l'université Tufts de Boston ont dressé la liste des aliments qui contiennent le plus de vitamine C et de bêtacarotène. (Il est difficile d'obtenir suffisamment de vitamine E par nos seuls aliments, même si les huiles culinaires, les noix et graines et le germe de blé en sont de bonnes sources.) Voici quelques-uns de leurs aliments préférés.

Aliment (portion de 100 g)	Vitamine C (mg)	Bêtacarotène (µg)
Brocoli (cuit)	60	430
Choux de Bruxelles (cuits)	60	230
Courgette (cuite)	6	210
Fraises	60	40
Kiwi	80	50
Melon cantaloup	25	1 750
Orange navel	53	120
Papaye	64	948
Pastèque (en dés)	11	288
Patate douce (cuite)	25	4 000
Poivron rouge (haché)	165	3 480

Dans le cadre d'une étude, des chercheurs écossais ont administré à 50 hommes un «cocktail» d'antioxydants contenant 100 milligrammes de vitamine C, 400 unités internationales de vitamine E et 25 milligrammes de bêta-carotène. Aux 50 hommes du groupe de contrôle, ils n'ont donné qu'un placebo (pilule d'aspect identique mais dénuée d'activité). Après 20 semaines, les chercheurs ont constaté que chez les hommes qui avaient reçu des antioxydants, l'ADN des globules blancs chargés de lutter contre la maladie n'avait subi que deux tiers des lésions par rapport au même ADN chez les hommes qui ne recevaient qu'un placebo. Il s'agit là d'une constatation importante, car les lésions de l'ADN peuvent dégénérer en cancer.

En outre, lorsqu'il s'agit de préserver la fonction cardiaque, il est bien possible que rien ne soit aussi efficace qu'un mélange de vitamine C (pour un tiers) et de vitamine E (pour deux tiers), selon une étude de l'Institut national du vieillissement à Bethesda (Maryland). Dans le cadre d'une étude portant sur 11 178 individus âgés de 67 à 105 ans, les chercheurs ont découvert que ceux qui absorbaient chaque jour ces deux vitamines diminuaient de moitié leur risque de décès par maladie cardiovasculaire.

Les antioxydants ont certes fait leurs preuves dans la lutte contre des dangers majeurs pour la santé tels que le cancer et les maladies cardiovasculaires, mais ils sont également utiles pour prévenir des troubles moins graves. Considérons par exemple les douleurs musculaires. Une étude a permis de constater que des individus ayant un mode de vie essentiellement sédentaire, qui se mettent brusquement à pratiquer à outrance une activité physique, pourraient trouver un soulagement à leurs douleurs musculaires en prenant de la vitamine E. Il semblerait que ce nutriment soit capable d'atténuer les lésions dues aux radicaux libres qui peuvent provoquer des douleurs musculaires.

Le reste des effectifs

Si les vitamines C et E, ainsi que le bêtacarotène, sont les antioxydants les mieux étudiés jusqu'ici, ils ne constituent néanmoins qu'une toute petite proportion de l'immense armée des substances complexes protectrices contenues dans nos aliments. Le zinc et le sélénium(deux

Protection fruitée

La prochaine fois que votre conjoint(e) vous lancera un regard noir parce que vous aurez succombé à la tentation d'un morceau de tarte aux fraises nappée de crème, contentez-vous de lui répondre que vous en avez besoin pour combattre les radicaux libres. Peut-être aurez-vous droit à un regard sceptique, mais au moins vous aurez dit vrai.

Des chercheurs de l'université Tufts de Boston et d'autres universités ont passé au crible 12 fruits très courants ainsi que cinq jus de fruits, afin de déterminer ceux d'entre eux qui possèdent le plus grand pouvoir antiradicalaire. Les fraises se sont révélées championnes par excellence dans ce domaine.

Il faut savoir tout d'abord que les fraises contiennent une abondance de vitamine C; 100 grammes de fraises en apportent en moyenne 60 milligrammes de la Valeur quotidienne. En outre, elles contiennent toutes sortes d'autres substances complexes antioxydantes, notamment de l'acide ellagique.

Divers autres fruits ont ainsi obtenu des résultats particulièrement impressionnants, tels que pruneaux, oranges, raisins rouges et kiwis.

minéraux), par exemple, sont également de puissants antioxydants. Il en va de même des composés phénoliques du thé vert et des flavonoïdes que contient le vin rouge. «Les spécialistes s'accordent tous à dire que chaque personne devrait absorber au moins cinq portions de fruits et de légumes par jour afin d'être sûre d'obtenir des quantités bénéfiques de tous ces antioxydants, explique le

Dr Ordman. En revanche, il est préférable de n'en prendre sous forme de compléments alimentaires que dans le cas des nutriments qui ont fait l'objet d'études très approfondies et qui se sont avérés dénués d'effets indésirables dans le cadre d'essais cliniques à long terme. Il s'agit dans ce cas des vitamines C et E. Tous les autres nutriments doivent provenir exclusivement des aliments.»

LES CAROTÉNOÏDES
BIEN PLUS QUE DES TEINTES ÉCLATANTES

POUVOIR THÉRAPEUTIQUE

CONTRIBUENT À:
Abaisser le cholestérol

Diminuer le risque
de cancer et de maladies
cardiovasculaires

N'importe quel chef sait que le plaisir des yeux est aussi important que celui des papilles. C'est bien pour cela que la présentation joue un si grand rôle au restaurant, où la couleur vive de certains légumes sert d'abord à égayer notre assiette.

En réalité, la gastronomie a connu une longue période durant laquelle ces trésors pittoresques de la nature – verdure éclatante des scaroles et autres laitues, tranches de tomates écarlates, allumettes orange découpées dans des carottes – ne servaient qu'à garnir les quelques espaces vides entre la viande et les pommes de terre.

Aujourd'hui, nous savons au contraire que les légumes méritent leur place dans notre assiette pour des raisons tout à fait judicieuses. Les pigments (ou caroténoïdes) qui confèrent aux fruits et légumes leurs couleurs si gaies sont bien davantage que de jolies teintes, ils pourraient même nous sauver la vie.

Les chercheurs ont constaté que les individus qui absorbaient le plus de légumes riches en caroténoïdes (il s'agit des légumes de couleur jaune, orange ou rouge comme la citrouille, la patate douce, la pastèque et le poivron rouge) étaient bien moins exposés au risque de décès par cancer ou par maladies cardiovasculaires. Il en va de même des légumes feuillus de teinte vert sombre comme les épinards et le chou frisé. (En fait, la chlorophylle qu'ils contiennent dissimule les teintes plus claires des caroténoïdes.)

Comment est-il possible que de simples colorants naturels soient aussi bénéfiques? L'explication, comme c'est souvent le cas dans le domaine de la nutrition, tient à leur composition chimique. Notre organisme est constamment en butte aux assauts des radicaux libres, ces molécules d'oxygène qui ont perdu un électron et circulent à travers le corps, cherchant à remplacer leur électron manquant en en arrachant un à une cellule saine. À la longue, ce processus provoque des lésions internes des tissus de l'organisme tout entier, ce qui pourrait être à l'ori-

Les rois des caroténoïdes

Tous les fruits et légumes de couleur jaune, orange et rouge intense contiennent de généreuses quantités de caroténoïdes. Il en va de même des légumes feuillus de couleur vert sombre, comme les épinards et le chou frisé. Afin de bénéficier au maximum par votre alimentation de ces précieuses substances complexes, voici quelques-unes des meilleures sources alimentaires.

Carotte

Chou frisé

Citrouille

Épinards

Légumes verts feuillus

Melon cantaloup

Oranges

Patate douce

Pêche

Tomate

gine du cancer, des maladies cardio-vasculaires et d'un grand nombre d'autres troubles graves. Les caroténoïdes contenus dans les légumes neutralisent les radicaux libres en leur offrant leurs propres électrons. Cet acte héroïque met fin au processus destructeur et contribue donc à protéger nos cellules.

«Le rôle des caroténoïdes semble tout à fait capital dans la prévention des maladies, déclare le Dr Dexter L. Morris, professeur universitaire. Le meilleur moyen d'en obtenir est d'absorber cinq à neuf portions de fruits et de légumes par jour. En agissant ainsi, vous serez certain d'obtenir une grande variété de ces substances complexes, dans les proportions exactes prévues par la nature.»

Les chercheurs ont identifié plus de 500 caroténoïdes, mais 50 à 60 d'entre eux seulement sont présents dans les aliments courants. Les principaux caroténoïdes identifiés à ce jour sont l'alphacarotène, le bêtacarotène, le gammacarotène, la bêtacryptoxanthine, la lutéine, le lycopène et la zéaxanthine, mais les scientifiques continuent à en étudier d'autres.

DES CAROTÉNOÏDES POUR LE CŒUR

La plupart des gens se préoccupent du cholestérol depuis le jour fatidique où les médecins ont commencé à parler de durcissement des artères. Pour être gagnant dans ce domaine, il ne s'agit pas seulement d'éviter les aliments gras, mais aussi de manger chaque jour des fruits et des légumes riches en caroténoïdes, comme la patate douce, les épinards et le melon cantaloup.

Les caroténoïdes favorisent une bonne santé du muscle cardiaque en contribuant à empêcher le processus d'oxydation du dangereux cholestérol LDL (lipoprotéines de faible densité), à l'origine des plaques d'athérome qui se déposent sur les parois de nos artères. Diverses études montrent que le risque de maladie cardiovasculaire est considérablement plus faible chez les individus qui ont un taux élevé de caroténoïdes, par rapport à ceux qui en ont un taux plus faible.

Des chercheurs à l'université Johns Hopkins de Baltimore ont découvert que les fumeurs qui avaient déjà subi une crise cardiaque étaient moins exposés à une récidive lorsqu'ils avaient un taux sanguin élevé de quatre caroténoïdes importants: le bêtacarotène, la lutéine, le lycopène et la zéaxanthine.

SE PROTÉGER DU CANCER

Le même processus par lequel les caroténoïdes nous protègent des maladies cardiovasculaires semble également offrir une protection contre le cancer. Selon les chercheurs, ces substances complexes qui neutralisent les radicaux libres peuvent aussi protéger l'ADN (le codage génétique qui gère le comportement de nos cellules) contre les lésions infligées par les radicaux libres.

Au cours d'une étude, les chercheurs de l'université de l'Arizona à Tucson ont découvert que des doses élevées de bêtacarotène (environ 30 milligrammes) étaient capables de faire diminuer des lésions buccales précancéreuses, ces dernières allant jusqu'à diminuer de moitié dans certains cas.

«Nous disposons à présent d'un certain nombre d'études qui ont toutes donné les mêmes résultats, souligne le Dr Harinder Garewal, spécialiste du cancer. Ces découvertes sont d'importance, car elles suggèrent qu'il est possible de prendre certaines mesures pour faire régresser le cancer.»

Un autre caroténoïde qui semble prometteur contre le cancer est le lycopène, le pigment qui confère aux tomates leur belle teinte rouge vif et que l'on trouve également dans la pastèque, la goyave et le pamplemousse rose. Une équipe de chercheurs de l'école de la santé publique de Harvard a ainsi constaté une diminution de 45 % du risque de cancer de la prostate chez les individus qui absorbaient chaque semaine au moins 10 portions d'aliments contenant de la tomate. Ceux qui ne mangeaient que quatre à sept portions par semaine de ces mêmes aliments, soit moins d'une portion par jour, conservaient un léger avantage, à raison d'une diminution de 20 % du risque. Il n'était d'ailleurs pas indispensable de manger des tomates fraîches pour bénéficier de cet avantage statistique, puisque la pizza, le jus de tomate et divers autres aliments à base de cette dernière offraient le même effet protecteur.

Si nous avons des preuves incontestables que les personnes qui absorbent le plus de caroténoïdes par leur alimentation sont moins exposées au cancer, l'intérêt éventuel des compléments alimentaires n'est pas aussi tranché.

Lorsque les chercheurs ont examiné l'efficacité des compléments de bêtacarotène, par exemple, ils ont constaté que cette substance complexe n'avait aucune efficacité protectrice contre le cancer. Certaines études semblent d'ailleurs indiquer que la prise de bêtacarotène sous forme de complément alimentaire peut même accélérer le processus cancéreux.

«La preuve est faite que nous en savons bien moins que nous ne le pensions jusqu'ici», souligne le Dr Walter Willett, professeur d'épidémiologie et de nutrition. Selon une hypothèse, les compléments de bêtacarotène pourraient créer des problèmes parce que des doses élevées de cette substance gênent l'absorption de divers autres caroténoïdes protecteurs.

Jusqu'à plus ample informé, la meilleure stratégie pour prévenir le cancer est d'obtenir nos caroténoïdes à partir de notre alimentation plutôt qu'en prenant des compléments. «Nous espérons que la poursuite des recherches nous permettra de préciser les substances complexes les plus bénéfiques et les types de fruits et de légumes qu'il est bon d'inclure dans une alimentation équilibrée», poursuit le Dr Willett.

BÉNÉFIQUE POUR LES YEUX

Ainsi que le laisse entendre son nom en langue anglaise (qui signifie littéralement «œil exorbité»), Popeye souffre de troubles de la vue. En revanche, les recherches portant sur son élixir préféré confirment qu'il ne risque guère d'avoir des problèmes de dégénérescence maculaire, principale cause de cécité irréversible chez les adultes d'un certain âge.

Selon une étude de grande envergure conduite dans le Massachusetts, le risque de dégénérescence maculaire s'abaisse de 43 % chez les individus qui mangent cinq à six fois par semaine des épinards, des légumes verts de la famille des crucifères et d'autres légumes à feuilles vert foncé, par rapport à ceux qui en mangent moins d'une fois par mois.

Selon les chercheurs, cet effet protecteur est dû à deux caroténoïdes, la zéaxanthine et la lutéine; leur action dans la rétine externe fait obstacle aux effets des radicaux libres, ce qui empêche ces derniers d'endommager les tissus oculaires sains.

LES COMPLÉMENTS ALIMENTAIRES
COMPENSER LES LACUNES DE L'ALIMENTATION

Malgré toute notre bonne volonté, nous ne parvenons pas toujours à absorber quotidiennement 2 à 3 portions de fruits, 3 à 5 portions de légumes et 6 à 11 portions de grains et de céréales. Combien de fois nous arrive-t-il au contraire de nous attabler devant un croque-monsieur accompagné d'une portion de frites?

La vie moderne trépidante nous oblige à déjeuner trop souvent en vitesse au comptoir d'un self-service. Voilà qui justifie sans doute notre empressement à fréquenter les rayons «vitamines et minéraux» des pharmacies et supermarchés; nous faisons ample provision de compléments alimentaires en tout genre, dans l'espoir que les pilules contenues dans ces flacons magiques nous fourniront une sorte d'assurance santé en compensant les lacunes de notre alimentation.

Pourtant, sommes-nous bien sûrs que de tels produits nous sont bénéfiques?

«Ils peuvent être utiles, cela ne fait aucun doute, commente le Dr Mary Ellen Camire, professeur de nutrition. Pour tous ceux qui sont appelés à sauter parfois un repas en raison de leurs activités débordantes, la prise de multivitamines peut apporter au moins une partie des nutriments qu'une alimentation déséquilibrée ne peut pas leur fournir.»

En réalité, de nombreux médecins sont aujourd'hui convaincus que les compléments alimentaires font davantage que de compenser les lacunes nutritionnelles. Des preuves scientifiques suggèrent que même lorsque nous absorbons une alimentation équilibrée, la prise de compléments nous permet d'être en meilleure santé, selon le Dr Michael Janson, auteur du livre *The Vitamin Revolution in Health Care*.

«Les publications scientifiques montrent clairement que les individus qui absorbent des doses élevées de certains nutriments (comme les vitamines C et E), qu'ils ne pourraient obtenir par la seule alimentation, jouissent par là même d'un avantage certain», affirme le Dr Janson.

Davantage que le seuil minimal

Depuis plus de cinquante ans, la Commission américaine de l'alimentation et de la nutrition nous indique la quantité de divers nutriments qu'il est préférable d'absorber chaque jour par l'alimentation. Ces recommandations, désignées par l'abréviation AJR (apport journalier recommandé), sont destinées à servir de référence pour une nutrition variée et équilibrée. (Une variante abrégée de ces recommandations indique la Valeur quotidienne et correspond aux chiffres figurant sur les étiquettes des produits alimentaires.)

Au cours de ces dernières années, en revanche, les chercheurs ont pris conscience d'un lien causal jusqu'alors ignoré entre les vitamines (ou leur carence) et un certain nombre de menaces pour la santé, comme le cancer et les maladies cardiovasculaires. En effet, si la Valeur quotidienne est suffisante pour prévenir des maladies de carence telles que le rachitisme et le scorbut, il se pourrait qu'elle ne soit pas assez élevée pour jouer un rôle préventif dans un certain nombre d'autres troubles graves.

Cette constatation se vérifie tout particulièrement dans le cas d'antioxydants comme les vitamines C et E. Les antioxydants sont indispensables pour faire obstacle aux effets nocifs des radicaux libres ; ces molécules d'oxygène destructrices endommagent les cellules saines et les chercheurs pensent qu'elles jouent un rôle majeur dans l'apparition du cancer, des maladies cardiovasculaires et de divers autres troubles graves. Puisque les radicaux libres sont générés en masse chaque jour, il se pourrait que la quantité d'antioxydants apportée par la Valeur quotidienne ne suffise pas à neutraliser les dégâts.

De plus, il n'est pas toujours facile d'obtenir ces nutriments en assez grande quantité par le biais de notre seule alimentation. La vitamine E, par exemple, ne peut être obtenue en grande quantité qu'à partir d'huiles végétales et d'autres aliments particulièrement riches en corps gras. Lorsque nous réduisons la proportion de ces derniers dans notre alimentation, nous nous exposons par là même à ne plus obtenir suffisamment de vitamine E. «Un complément de vitamine E pourrait nous aider à obtenir ce nutriment en quantité adéquate, sans devoir pour autant absorber de grandes quantités de matières grasses», commente le Dr Joanne Curran-Celentano, professeur de nutrition.

Quelle dose absorber ?

Les recherches sont encore relativement récentes, et les scientifiques n'ont pas encore vraiment déterminé la dose nécessaire qu'il conviendrait de prendre en sus de la Valeur quotidienne.

En revanche, pour certains nutriments tels que la vitamine C, divers travaux suggèrent qu'il nous en faut deux à quatre fois la Valeur quotidienne pour bénéficier d'une protection optimale.

Dans le cadre d'une étude portant sur plus de 1 500 hommes d'une cinquantaine d'années, par exemple, des chercheurs de Chicago ont constaté que le risque de décès par suite d'un cancer était de 37 % moindre chez les individus qui absorbaient chaque jour 138 milligrammes de vitamine C (ainsi que de petites quantités de bêtacarotène), par rapport à ceux qui n'en obtenaient que 66 milligrammes par jour. (La Valeur quotidienne est de 60 milligrammes.) D'autres études ont montré que le fait d'absorber des doses de vitamine C dépassant largement la Valeur quotidienne pouvait augmenter l'immunité, améliorer la fonction pulmonaire et abaisser le risque de cancer, de cataracte et de maladie cardiovasculaire.

La vitamine E est un antioxydant très puissant. Les études montrent qu'elle peut stopper le processus qui conduit le cholestérol à se déposer sur les parois de nos artères, tout en empêchant les plaquettes (l'élément du sang responsable de la coagulation) de s'agglutiner dans le courant sanguin, constituant un risque accru de maladie cardiovasculaire. Toutefois, les études montrent que la vitamine E est surtout efficace lorsque la quantité absorbée dépasse largement la Valeur quotidienne, qui n'est que de 30 unités internationales.

En fait, des chercheurs de l'université du New South Wales (Australie) ont constaté que la quantité minimale de vitamine E nécessaire pour prévenir les maladies cardiovasculaires est d'environ 500 unités internationales, ce qui représente plus de 16 fois la Valeur quotidienne. Il est presque impossible d'obtenir une telle quantité de vitamine E par nos seuls aliments. «La plupart des individus en bonne santé auraient intérêt à prendre un complément de vitamine E», commente le Dr Janson.

S'il est justifié de prendre des compléments de certains nutriments, la situation n'est pas aussi claire lorsqu'il s'agit du bêtacarotène. Même s'il est prouvé que divers aliments qui en contiennent beaucoup, comme les carottes, les épinards et le chou frisé, contribuent à prévenir toutes sortes de maladies, et notamment le cancer, les compléments de bêtacarotène ne se sont pas révélés aussi bénéfiques. Il semblerait que ce nutriment soit surtout efficace lorsqu'il est obtenu conjointement avec d'autres substances complexes d'origine végétale, c'est-à-dire lorsque nous l'absorbons sous sa forme naturelle, à partir de nos aliments.

En outre, la dose de bêtacarotène qui semble avoir un effet protecteur se situe entre 6 et 10 milligrammes par jour ; il est facile d'en obtenir une telle dose par nos aliments. Une seule patate douce, par exemple, contient presque 15 milligrammes de bêtacarotène. D'autres sources intéressantes sont les légumes de couleur orange vif et vert sombre comme les citrouilles et potimarrons, la verdure des crucifères et le brocoli, ainsi que divers fruits comme le melon cantaloup et les abricots secs.

Certaines personnes, en revanche, ne mangent tout simplement pas assez de fruits et légumes. Dans ce cas, relève le Dr Janson, il est possible que les compléments de bêtacarotène aient un rôle à jouer.

LES CORPS GRAS DE SUBSTITUTION

MIEUX ENCORE QUE LA NATURE

Rien ne saurait vraiment remplacer le goût savoureux d'un bifteck tendre et juteux, l'arôme des biscuits fraîchement sortis du four ou la sensation veloutée d'une crème glacée qui fond dans la bouche. Tous ces aliments ont un ingrédient en commun, qui leur confère ces incomparables caractéristiques sur le plan de l'arôme, du goût et de la texture et qui nous procure tant de satisfaction : la matière grasse.

Hélas, les aliments «gras» n'ont pas que des agréments. Rien ne nuit autant à notre tour de taille que la matière grasse. Aucun autre aliment ne nous expose à ce point à des risques tels que l'obésité, l'hypertension artérielle, les maladies cardiovasculaires, les accidents vasculaires cérébraux, le diabète et même le cancer.

Les chercheurs pensent d'ailleurs que la matière grasse est à tel point nocive que le seul fait de prendre une bouchée d'un aliment gras peut entraîner une augmentation des triglycérides (lipides potentiellement dangereux en circulation dans le sang). Dans une étude réalisée à l'université Purdue (West Lafayette, Indiana), les chercheurs ont administré aux participants des biscuits salés tartinés soit de fromage blanc, soit de fromage blanc à 0 % de matière grasse. Les consignes étaient de recracher chaque bouchée après l'avoir mâchée. Chez les individus qui avaient ainsi à peine goûté au fromage blanc gras, les chercheurs ont ensuite constaté la présence d'un taux de triglycérides presque doublé par rapport à celui des participants qui avaient reçu le fromage maigre.

Comment s'étonner, dans ces conditions, que les fabricants ne cessent d'imaginer toutes sortes d'aliments à base de corps gras de substitution, et que nous achetions ces nouveaux produits à tour de bras?

Le recours à ce type d'aliments ne saurait pourtant remplacer une alimentation pauvre en matières grasses fondée sur une abondance de fruits, de légumes et de céréales, qui sont autant d'aliments naturellement maigres. En revanche, comme le souligne la nutritionniste Christina M. Stark, les corps gras de substitution permettent de diminuer (voire d'éliminer) la quantité de matières grasses présente dans de nombreux aliments courants, comme le fromage et les vinaigrettes du commerce.

Améliorer des aliments médiocres

Il existe toutes sortes de corps gras de substitution. Certains sont obtenus à partir de glucides ou de protéines ayant subi un processus de transformation destiné à leur conférer la texture et la sensation d'un corps gras. D'autres sont le produit de molécules de matières grasses dont la composition chimique a été modifiée pour les empêcher de traverser la paroi de l'intestin et de passer dans le courant sanguin. De tels succédanés des corps gras habituels ne sont pas destinés à l'usage domestique, mais les fabricants de produits alimentaires y ont recours pour abaisser le taux calorique des produits pour l'apéritif et autres amuse-gueules, des desserts et de divers autres produits alimentaires plutôt gras, mais très appréciés des consommateurs.

La quantité de matières grasses ainsi économisée n'est nullement négligeable. En ayant recours à 2 cuillerées à soupe de vinaigrette italienne sans matière grasse, par exemple, il est possible d'économiser 11 grammes de lipides et plus de 100 calories par rapport à la même quantité d'une vinaigrette non allégée. De même, 40 calories et 5 grammes de matières grasses peuvent être supprimés, pour peu que l'on utilise du fromage maigre pour préparer un croque-monsieur.

Les corps gras de substitution présentent encore d'autres avantages. Puisqu'ils sont souvent obtenus à partir de glucides ou de protéines, ils permettent non seulement de supprimer des calories, mais peuvent en outre offrir un certain nombre d'avantages pour la santé. Voici un petit guide des principaux faux corps gras.

Produits à base de fibres

Parmi tous les corps gras de substitution, les premiers qui ont été mis au point sont peut-être les meilleurs. Il s'agit de ceux à base de glucides, qui se dissimulent sur les étiquettes de produits alimentaires derrière des termes comme dextrine, maltodextrine, amidon modifié, polydextrose, ou gommes. Ils contiennent entre 0 et 4 calories par gramme, au lieu des 9 calories que fournissent les matières grasses. Puisque ces substances ont l'aptitude d'absorber énormément d'eau – jusqu'à 24 fois leur propre poids –, elles sont souvent utilisées pour conférer une consistance plus moelleuse aux produits de boulangerie allégés.

Selon le Dr Mark Kantor, professeur de nutrition, l'aspect le plus intéressant des corps gras de substitution à base de glucides tient au fait qu'il s'agit de fibres. «Non seulement leur teneur en matières grasses est réduite, mais en raison des fibres solubles qu'ils contiennent, ils peuvent contribuer à faire baisser le taux de cholestérol et nous aider à maîtriser notre poids», précise-t-il.

Dans le cadre d'une étude, des chercheurs ont constaté une baisse de 15 % du taux de cholestérol chez des personnes en présentant des taux modérément élevés et qui avaient absorbé durant cinq semaines de grandes quantités d'un corps gras de substitution à base de glucides appelé Oatrim. En outre, le chiffre de la pression artérielle systolique (mesurant l'effort fourni par leur muscle cardiaque pour faire circuler le sang à travers les artères) s'était abaissé et les taux de glycémie (sucre dans le sang) s'étaient stabilisés.

Sans doute est-il peu probable que vous ayez jamais l'occasion d'absorber autant d'un produit comme Oatrim que les participants à cette étude, car ces derniers en mangeaient à chaque repas. En revanche, il est utile de savoir que de tels produits présentent au moins quelques petits avantages, souligne le Dr Kantor.

FAUSSE CRÈME GLACÉE

Rien ne saurait vraiment remplacer la texture lisse et crémeuse de la glace, qui lui vient traditionnellement de sa teneur élevée en matières grasses. Afin de nous proposer une sensation à peu près comparable à celle de la glace non allégée, les fabricants ont recours à des corps gras de substitution obtenus à partir de protéines comme le lait ou le blanc d'œuf, qui ont la propriété de glisser sur la langue à la manière des vrais corps gras.

Aux États-Unis, l'utilisation de certains corps gras de substitution à base de protéines commence à être mentionnée sur les étiquettes. Ces substances, qui fournissent entre 1 et 4 calories par gramme, servent principalement à la préparation de crèmes glacées, de beurre, de crèmes acidulées, de yaourts, de mayonnaise et de divers autres produits alimentaires de consistance crémeuse.

Comme leurs homonymes à base d'hydrates de carbone, les corps gras de substitution obtenus à partir de protéines ne font pas que réduire la matière grasse absorbée, souligne le Dr Kantor, ils présentent aussi certains avantages pour la santé. «Bien qu'il soit exclu de fonder toute notre alimentation sur de tels aliments, ces derniers fournissent néanmoins de faibles quantités de protéines nécessaires à l'organisme pour construire les muscles, générer des hormones et lutter contre l'infection», précise-t-il.

D'autres corps gras de substitution, qui sont des mélanges de protéines, conjuguent des protéines d'origine végétale ou animale avec des gommes ou des féculents et servent à la préparation de desserts glacés et de produits de boulangerie. S'il est vrai que ces substances apportent à l'organisme une faible quantité de protéines, la quantité n'en est pas moins insignifiante.

DANS LA POÊLE À FRIRE

Pendant longtemps, l'un des inconvénients des succédanés de matières grasses était de ne pouvoir ni fondre ni bouillir, ce qui excluait leur emploi pour la préparation de fritures comme des chips et autres amuse-gueules. Tout cela devait changer avec l'apparition aux États-Unis d'un produit à base de matières grasses appelé olestra (Olean), le premier succédané de corps gras pouvant être utilisé dans une friteuse.

Olestra est obtenu à partir de grandes molécules liées ensemble de telle manière qu'elles ne peuvent se décomposer sous l'action des enzymes digestives, ce qui explique qu'elles n'apportent pas de calories. Mais si l'olestra présente un intérêt certain pour tous ceux qui aiment grignoter des amuse-gueules, cette substance absorbée en grande quantité n'est franchement pas bonne pour la santé.

Élaboré à partir de corps gras, l'olestra absorbe et élimine les nutriments liposolubles de l'organisme. Ainsi, les personnes qui absorbent habituellement cette substance en grandes quantités pourraient perdre diverses vitamines (A, D, E et K), ainsi que des phytonutriments liposolubles comme le bêtacarotène, fourni par les courges et autres potimarrons d'hiver, ou le lycopène des carottes et des patates douces. Une étude a permis de constater que même de faibles quantités d'olestra faisaient baisser d'environ 34 % les taux de bêtacarotène et de 52 % ceux de lycopène. Il s'agit là d'un problème grave, car des taux trop faibles de caroténoïdes et d'autres substances complexes d'origine végétale pourraient augmenter le risque de maladies cardiovasculaires, de lésions oculaires et de certains cancers, note le Dr Kantor.

De nos jours, l'olestra est vitaminé et remplace par conséquent une grande quantité des vitamines éliminées. En revanche, il ne saurait se substituer à des phytonutriments protecteurs comme le bêtacarotène. «La plupart des gens n'absorbent déjà pas assez de ces nutriments, et il est possible que l'olestra contribue à leur dérober une partie du peu qu'ils obtiennent», poursuit le Dr Kantor. De plus, les personnes qui mangent de grandes quantités d'aliments contenant cette substance s'exposent à divers troubles comme des diarrhées, des crampes abdominales et divers autres problèmes digestifs.

«Souvenons-nous que les aliments à base d'olestra, tout comme les aliments saturés de matières grasses qu'ils ont pour but de remplacer, ne devraient pas former la base de notre alimentation, ajoute Mme Stark. Si vous n'en mangez que de temps à autre pour vous faire plaisir, vous aurez l'avantage d'absorber moins de matières grasses sans pour autant vous exposer aux risques que comporte ce succédané des corps gras.»

LES ÉDULCORANTS ARTIFICIELS
LES SUCRERIES SANS REMORDS

Il y a plus de quatre-vingt-dix ans, les scientifiques se sont mis à la recherche de substances capables de conférer aux aliments un goût sucré sans surcharge calorique. Et pour la plus grande joie de tous les amateurs de Coca-Cola, de chewing-gums et autres douceurs, ils n'ont pas tardé à trouver ce qu'ils cherchaient. Pour la première fois, les amateurs de sucreries commencèrent à croire qu'ils pouvaient succomber à leurs envies sans risque pour leur tour de taille.

Aujourd'hui, les édulcorants artificiels comme la saccharine (Sucrédulcor), l'aspartame (Canderel, Pouss-suc, D-Sucril) et l'acésulfame-K sont utilisés pour adoucir des millions de tasses de café par an. Ils entrent également dans la composition de nombreux produits du commerce tels que desserts, chewing-gums et bonbons sans sucre.

Les édulcorants artificiels se singularisent par leur structure moléculaire. Malgré leur saveur gustative, ils n'ajoutent guère de calories à notre alimentation (entre 0 et 4, selon la marque). En outre, comme leur composition chimique n'est pas la même que celle du sucre, ils n'entraînent pas les mêmes problèmes que ce dernier, souligne le Dr Stanley Segall, professeur de nutrition.

Lorsque nous absorbons des aliments sucrés, par exemple, les bactéries présentes dans la bouche se multiplient très rapidement, générant des acides qui peuvent endommager l'émail friable de nos dents. En revanche, les édulcorants artificiels n'encouragent pas la prolifération des bactéries. En remplaçant les aliments à base de sucre authentique par d'autres, édulcorés artificiellement, le risque de carie diminue considérablement.

De plus, les édulcorants artificiels sont une véritable aubaine pour les diabétiques. Contrairement au sucre, qui risque de provoquer de dangereuses perturbations glycémiques, les édulcorants artificiels n'ont aucun effet sur la glycémie. «Ces substances sont particulièrement utiles dans les boissons gazeuses, poursuit le Dr Segall. Grâce aux édulcorants artificiels, les diabétiques peuvent s'en régaler sans avoir à s'inquiéter des effets indésirables du sucre.»

S'ALiMENTER AVEC iNTELLiGENCE
LA CONTROVERSE AUTOUR DE L'ASPARTAME

Parmi tous les édulcorants artificiels, il en est un, l'aspartame (Canderel, Pouss-suc, D-Sucril), qui représente un véritable miracle de la technologie alimentaire. Élaboré à partir de deux acides aminés, il possède un pouvoir édulcorant 200 fois supérieur à celui du sucre tout en n'apportant pratiquement aucune calorie.

Au fil des ans, en revanche, il n'a cessé de faire l'objet des controverses les plus vives, car les spécialistes le soupçonnaient de contribuer à certains troubles graves, tels que crises de type épileptique ou trouble déficitaire de l'attention. Si les recherches ont aujourd'hui établi que l'aspartame ne joue aucun rôle dans ces deux types de troubles, il n'en est pas pour autant dépourvu de tout danger, tout au moins pour une petite minorité d'individus.

Les *Centers for Disease Control and Prevention* d'Atlanta ont recensé les troubles liés à l'aspartame. Chez certains sujets, il semblerait que cette substance puisse provoquer toutes sortes de problèmes, notamment des maux de tête, des palpitations cardiaques ou une enflure du visage, des mains ou des pieds.

Plus grave encore, une étude de petite envergure a permis de constater que, lorsqu'il s'agissait d'individus sujets à la dépression, il leur suffisait d'absorber quotidiennement une faible dose d'aspartame – 30 milligrammes, soit environ un sachet – pour que leurs symptômes s'aggravent considérablement.

Si vous constatez une réaction quelconque après avoir absorbé de l'aspartame, la seule solution sera de prendre l'habitude de déchiffrer attentivement les étiquettes alimentaires afin d'éviter les aliments qui en contiennent.

LA DÉROUTE DES ÉDULCORANTS ARTIFICIELS

Malgré leurs avantages, toutefois, les édulcorants artificiels n'ont pas rempli leur rôle essentiel, qui était de nous permettre de manger avec plaisir des aliments sucrés sans grossir pour autant. On constate même plutôt que les gens ont tendance à être plus corpulents depuis l'invention des succédanés du sucre, note la nutritionniste Christina M. Stark.

Dans le cadre d'une étude historique qui portait sur plus de 80 000 infirmières, des chercheurs de Harvard ont constaté que le facteur qui permettait le mieux de prédire la prise de poids chez ces femmes était la quantité de saccharine qu'elles absorbaient. Une étude ultérieure a révélé que les individus qui avaient habituellement recours aux édulcorants artificiels pesaient en moyenne un kilo de plus que les autres.

Même si les édulcorants artificiels ne fournissent que peu, voire pas de calories, ils ne peuvent nous aider à perdre du poids que s'ils servent à remplacer le sucre. «Depuis l'invention des succédanés du sucre, explique Mme Stark, non seulement la consommation de sucre authentique n'a cessé d'augmenter, mais aussi celle des édulcorants artificiels. Nous nous sommes contentés d'ajouter ces produits nouveaux au sucre déjà présent dans notre alimentation, si bien que le total des calories absorbées est d'autant plus élevé.»

Les édulcorants artificiels peuvent nous aider à perdre du poids, ajoute le Dr Segall, à condition toutefois qu'ils soient utilisés avec intelligence. Ce serait une erreur, par exemple, que de croire que «sans sucre» veut forcément dire «sans calories». Un gâteau préparé avec des édulcorants artificiels ne contient peut-être pas de calories en provenance de sucre, mais d'autres ingrédients comme les matières grasses ou les glucides qu'il contient pourraient bien se révéler très caloriques.

Certaines personnes font parfois l'erreur de s'accorder une récompense lorsqu'elles ont «économisé» des calories, poursuit le Dr Segall. Par exemple, un coca édulcoré nous permet d'économiser plus de 100 calories et environ 30 grammes de sucre par rapport à un coca ordinaire. En revanche, cela ne saurait nous faire aucun bien si nous absorbons un peu plus tard une autre boisson très calorique.

LES FIBRES
UNE THÉRAPIE
DE CHOIX

POUVOIR THÉRAPEUTIQUE

CONTRIBUENT À :
Abaisser le cholestérol

Diminuer le risque
de maladie cardio-
vasculaire et de cancer

Éviter la constipation

Il y a plus d'un siècle, les fabricants de produits alimentaires ont imaginé de dépouiller les grains des céréales de leur enveloppe extérieure dure afin d'obtenir une farine blanche et pure. Le pain à base de farine blanche avait une texture plus légère et un goût plus délicat que le pain complet, et le public l'adopta d'emblée. D'autres progrès technologiques ne tardèrent pas à suivre, et, en l'espace de quelques années, les aliments industriels avaient une place de choix dans chaque foyer. En contrepartie, la consommation de fruits, de légumes, de légumineuses et de céréales complètes ne cessa de diminuer.

Pour la première fois dans l'histoire de l'humanité, les fibres alimentaires brillaient par leur absence. À vrai dire, elles ne manquaient véritablement à personne. Après tout, les fibres ne contiennent pas de nutriments. Elles ne sont pas absorbées par l'organisme et ressortent du tube digestif presque aussi vite qu'elles y ont pénétré. Nul n'en voyait vraiment l'utilité.

Accélérons le film jusqu'aux années 1960. Des chercheurs commençaient à s'apercevoir qu'aux États-Unis, en Angleterre et dans d'autres pays industrialisés, des troubles graves tels que le diabète, les maladies cardiovasculaires et le cancer semblaient être en augmentation.

En revanche, dans les régions du monde où les populations continuaient d'absorber régulièrement de grandes quantités de fibres alimentaires, ces troubles étaient beaucoup moins courants. Selon les chercheurs, cela s'expliquait par la quantité de fibres absorbées. Il est clair que notre alimentation ne comporte vraiment plus assez de fibres. Presque d'un jour à l'autre, tous ces «progrès» qui avaient permis de débarrasser nos aliments de leurs fibres ne paraissaient plus du tout aussi extraordinaires.

Une double protection

Qu'y a-t-il donc dans les fibres alimentaires pour qu'elles soient si bénéfiques? Après tout, il ne s'agit guère que de la structure ligneuse et dure des fruits, légumes, légumineuses et céréales. L'essentiel se résume au fait que les fibres ne se décomposent pas au cours de la digestion. Au contraire, elles passent à peu près intactes de l'estomac dans l'intestin et de ce dernier dans les selles. Là n'est pas le problème. Au contraire, c'est précisément parce que les fibres ne sont pas absorbées dans l'organisme qu'elles possèdent de tels pouvoirs thérapeutiques.

Même si, la plupart du temps, nous parlons des fibres comme d'une seule et même substance, il en existe en réalité deux sortes: il y a les fibres solubles et les fibres insolubles, explique le Dr Barbara Harland, professeur de nutrition. La plupart des aliments d'origine végétale contiennent ces deux types de fibres, quoique l'un des deux soit généralement majoritaire. Les pommes, par exemple, contiennent surtout des fibres solubles, tandis que les céréales sont une bonne source de fibres insolubles.

Les deux sortes de fibres traversent l'intestin sans y être absorbées, mais leur similitude s'arrête là. Leur action dans l'organisme est totalement différente, et par conséquent, note le Dr Harland, elles contribuent à nous protéger contre des troubles très différents. Si vous êtes atteint par exemple d'hypercholestérolémie, il est possible que votre médecin vous recommande d'inclure dans votre alimentation légèrement plus de fibres solubles, qui peuvent contribuer à faire baisser le taux de «mauvais» cholestérol dans le courant sanguin. Pour les sujets qui présentent des antécédents familiaux de cancer du côlon, en revanche, il peut être préférable d'absorber davantage de fibres insolubles.

Ne vous inquiétez pas trop du type de fibre que vous absorbez, poursuit le Dr Harland. Si vous mangez habituellement beaucoup de fruits et de légumes, de céréales complètes et de légumineuses, vous obtiendrez forcément des quantités thérapeutiques de ces deux sortes de fibres.

Les fibres solubles : une barrière indispensable

C'est à l'intérieur du tube digestif que commencent les ravages responsables de nombreux facteurs de maladie, depuis les substances chimiques de notre environnement jusqu'à l'excès de cholestérol dans notre alimentation. Lorsque nous mangeons un bifteck, par exemple, les molécules de matières grasses et de cholestérol traversent les parois de l'intestin et se retrouvent dans le courant sanguin. Ou encore, imaginons qu'une substance nocive se retrouve dans les selles. Lorsqu'elle entre en contact avec les parois du côlon, elle peut endommager des cellules sensibles, ce qui pourrait augmenter le risque de cancer.

Et c'est précisément là, à l'intérieur même du tube digestif, que les fibres solubles offrent la meilleure protection. En se dissolvant, elles constituent une gelée gluante qui joue le rôle d'enduit protecteur, empêchant les substances nocives de faire des ravages, relève le Dr Harland.

Souvenez-vous de l'exemple du bifteck. Si ce dernier était accompagné d'une portion de haricots verts, les fibres solubles contenues dans ces légumes se transformeraient en gelée capable de capturer les molécules de cholestérol, les empêchant de pénétrer dans l'organisme, explique le Dr Beth Kunkel, professeur d'alimentation et de nutrition. En outre, puisque les fibres solubles elles-mêmes ne sont pas absorbées par l'organisme, elles s'éliminent à travers les selles, emportant avec elles le cholestérol.

Les recherches ont établi que les sujets qui absorbaient le plus de fibres solubles par le biais de leur alimentation étaient les moins exposés aux maladies cardiovasculaires. Dans le cadre d'une étude, par exemple, les chercheurs de l'École de santé publique de Harvard ont constaté que les hommes qui absorbaient chaque jour 7 grammes de fibres solubles présentaient un risque de décès par maladie cardiovasculaire de 40 % moindre par rapport à ceux qui n'en absorbaient que 4 grammes.

Les fibres solubles comportent également d'autres avantages. L'un de leurs effets est de ralentir l'absorption des nutriments et, par conséquent, elles donnent une impression de satiété; on éprouve moins ainsi le besoin de grignoter entre les repas.

LES FIBRES INSOLUBLES : UNE ÉPONGE DANS L'INTESTIN

L'aspect remarquable des fibres insolubles tient au fait qu'elles ressortent du système digestif à peu près intactes. C'est d'ailleurs précisément pour cette raison que les médecins ont longtemps cru que les «substances de lest» ne jouaient pas un rôle très important pour une bonne nutrition.

En revanche, les fibres insolubles ne sont pas seulement dures, elles possèdent aussi un très grand pouvoir absorbant. Lorsqu'elles traversent l'intestin, elles peuvent se gonfler d'eau au point d'en absorber plusieurs fois leur poids. Ainsi, elles rendent les selles plus volumineuses, plus fermes et plus faciles à éliminer. Pour toutes ces raisons, les médecins recommandent aux sujets atteints de constipation et d'autres troubles digestifs d'absorber davantage de fibres insolubles.

Ces dernières ont encore un autre avantage: puisqu'elles produisent des selles plus volumineuses, l'intestin parvient à les éliminer plus rapidement. Il s'agit d'un phénomène important, car plus longtemps les selles (avec les déchets nocifs qu'elles contiennent) restent à l'intérieur du côlon, plus elles risquent d'endommager des cellules et de déclencher ainsi un processus cancéreux, souligne le Dr Kunkel.

Lorsque les chercheurs de l'Institut national canadien du cancer ont analysé 13 études portant sur plus de 15 000 individus, ils ont constaté que le risque de cancer du côlon, chez ceux qui absorbaient le plus d'aliments riches en fibres,

Où trouver des fibres

Si vous demandiez à votre médecin de vous indiquer une seule et unique substance indispensable pour rester en bonne santé, sans doute vous parlerait-il des fibres alimentaires. Ces dernières se trouvent dans quantité d'aliments et il n'est donc pas difficile d'en obtenir la Valeur quotidienne (25 grammes). Pour vous aider, voici la liste de 42 aliments particulièrement riches en fibres.

Aliment	Portion	Fibres solubles	Fibres insolubles	Total (g)
Céréales				
Boulgour	50 g	0,7	3,4	4,1
Germe de blé	4,5 cuil. à s.	1	4,2	5,2
Macaroni complet	50 g	0,4	1,7	2,1
Orge perlé	75 g	1,8	2,7	4,5
Riz complet long grain	50 g	0,2	1,6	1,8
Seigle (farine complète)	2,5 cuil. à s.	0,8	1,8	2,6
Spaghettis complet	50 g	0,6	2,1	2,7
Fruits				
Avocat écrasé	30 g	2	4,8	6,8
Figues séchées	2	1,5	2	3,5
Framboises	30 g	0,5	1,1	1,6
Goyave	1	0,8	3,8	4,6
Groseilles à maquereau	30 g	0,7	1,2	2,9
Kiwi	1 gros	0,7	3,8	4,6
Mangue	½	1,7	1,2	2,9
Mûres	30 g	0,7	1,8	2,5
Pomme	1 petite	1	1,8	2,8
Pruneaux secs bouillis, sans noyau	30 g	2,3	1,8	4,1
Légumes				
Artichaut	1 moyen	2,2	4,3	6,5
Brocoli cuit	80 g	1,2	1,2	2,4
Carottes cuites	70 g	1,1	0,9	2

Aliment	Portion	Fibres solubles	Fibres insolubles	Total (g)
Légumes				
Céleri (racine)	½	1,9	1,2	3,1
Choux de Bruxelles, frais ou surgelés	80 g	2	1,8	3,8
Navet	70 g	1,7	3,1	4,8
Panais	70 g	1,8	1,5	3,3
Patate douce en purée	70 g	1,8	2,3	4,1
Légumineuses cuites				
Haricots blancs	75 g	2,2	4,3	6,5
Haricots de Lima	75 g	2,7	4,2	6,9
Haricots de Soissons	75 g	2,8	4,1	6,9
Haricots mung (soja vert)	75 g	0,7	2,6	3,3
Doliques	75 g	2,4	3,7	6,1
Haricots pinto	75 g	1,9	4	5,9
Lentilles	75 g	0,6	4,6	5,2
Pois cassés	60 g	1,1	2	3,1

	Portion	Total fibres (g)
Céréales du petit déjeuner		
All-Bran Pétales	50 g	16
Kellog's Extra Fruits	50 g	9
Fruit'n Fibre Optima	50 g	9
Spécial Muesli	50 g	9
Kellog's Extra	50 g	9
Clusters	50 g	8,5
Crispy Muesli 5 Fruits	50 g	8,5
Kellog's Country Store	50 g	8
Country Crisp Fraises	50 g	8
Country Crisp Chocolat noir	50 g	7,1
Quaker Oats	50 g	7
Special K	50 g	2,5
Rice Krispies	50 g	1,5

diminuait d'au moins 26%. En fait, les chercheurs ont même conclu qu'il suffisait d'augmenter d'environ 13 grammes par jour la quantité de fibres absorbées pour abaisser de 31% le risque de cancer du côlon. Le côlon n'est pas le seul à bénéficier des fibres insolubles. Certains travaux suggèrent que ces dernières pourraient également diminuer le risque de cancer du sein.

Plus une femme est exposée à l'œstrogène au cours de sa vie, plus son risque de cancer du sein augmente. En revanche, les fibres insolubles se lient à l'œstrogène dans le tube digestif, si bien qu'il reste moins d'œstrogène en circulation dans l'organisme. Une étude effectuée par des chercheurs de l'université de Toronto et de l'Institut national canadien du cancer a permis de constater que les femmes qui absorbaient 28 grammes de fibres par jour étaient exposées à un risque de cancer du sein environ 38% moins élevé que celles qui n'en absorbaient que la moitié.

Rester svelte

Quoique les fibres solubles et insolubles n'aient pas le même rôle à jouer, elles conjuguent leurs atouts dans un domaine où beaucoup d'entre nous en ont le plus besoin: la perte de poids. Nous sommes toujours plus nombreux à vouloir perdre quelques kilos, et pourtant, chaque année, l'individu moyen pèse plus lourd.

Les fibres sont un moyen absolument fabuleux de perdre du poids, selon le Dr Harland. Les aliments riches en fibres étant très rassasiants, nous avons tout naturellement tendance à manger moins. De plus, en augmentant la quantité d'aliments riches en fibres dans notre alimentation, nous mangeons spontanément moins d'aliments qui font grossir. «En absorbant plus de fibres, nous perdons du poids sans le reprendre», commente le Dr Harland.

Comment faire la transition

Pour beaucoup de gens, les fibres sont synonymes d'aliments secs, lourds ou insipides. Pourtant, beaucoup de nos aliments préférés, comme les fruits, le pain fraîchement sorti du four ou les flageolets, sont d'excellentes sources de fibres. Il n'est donc pas difficile d'obtenir la Valeur quotidienne de fibres (25 grammes). Voici quelques conseils pratiques.

Commencez la journée par des céréales. Les céréales destinées au petit déjeuner ont la réputation de ne pas être particulièrement nutritives. Pourtant beaucoup de céréales, qu'elles soient servies chaudes ou froides, sont d'excellentes sources de fibres. Cent grammes de Cheerios, par exemple, contiennent 3 grammes de fibres. Le son d'avoine en est une autre source intéressante, avec 2 grammes par portion.

Achetez des céréales complètes. Le pain et le riz blancs, ainsi que d'autres aliments industriels, ne contiennent plus que très peu de fibres. En revanche, les

S'alimenter avec intelligence
Éviter les flatulences

Il est difficile de trouver à redire aux fibres, mais elles ont pourtant aussi leurs inconvénients. Pour peu que nous en absorbions trop et trop rapidement, elles ont en effet une fâcheuse tendance à se manifester bruyamment.

Puisque les fibres ne sont pas absorbées dans l'organisme, elles fermentent dans l'intestin et provoquent souvent des gaz, explique le Dr Barbara Harland, professeur de nutrition. «Il faudra bien que vos intestins s'y habituent», ajoute-t-elle.

Si nous voulons bénéficier des avantages des fibres sans leurs inconvénients, cette spécialiste recommande de les intégrer très progressivement dans notre alimentation. Par exemple, commencez par absorber 5 grammes de fibres de plus par jour (soit la quantité que représentent 150 grammes de framboises et une poignée de pois chiches). Continuez à en absorber régulièrement autant, sans augmenter la quantité durant plusieurs jours d'affilée. Ensuite, lorsque votre corps s'y sera habitué, passez à 10 grammes de fibres par jour et donnez-vous le temps de vous adapter à cette quantité accrue. Si vous continuez de la sorte pendant plusieurs semaines, poursuit le Dr Harland, vous obtiendrez toutes les fibres nécessaires sans avoir à en supporter les inconvénients.

céréales complètes en sont la meilleure source. Lorsque vous faites vos courses, vérifiez l'étiquette des pâtes, de la farine et du pain que vous achetez pour être certain d'obtenir un produit complet.

Mélangez les aliments entre eux. Afin d'absorber des fibres solubles et insolubles en proportion équilibrée, il est toujours préférable de manger diverses sortes de céréales, souligne le Dr Harland. Les aliments à base d'avoine, par exemple, contiennent surtout des fibres solubles, tandis que le blé et le riz complets contiennent davantage de fibres insolubles.

Mangez davantage de fruits et de légumes frais. Fruits et légumes contiennent également de grandes quantités de fibres, poursuit le Dr Harland. Il suffit d'absorber plusieurs portions de fruits et de légumes frais par jour pour être sûr d'obtenir une bonne partie des fibres indispensables à la santé. Une portion de 100 grammes de choux de Bruxelles, par exemple, contient plus de 3 grammes de fibres, tandis que 150 grammes de framboises en fournissent plus de 4 grammes.

N'enlevez pas la peau. La peau des fruits et des légumes, comme celle des pommes de terre, contient une grande quantité de fibres; pourtant, nous avons pris l'habitude, la plupart du temps, de les peler avant de les manger. Le Dr Harland recommande de servir fruits et légumes, autant que possible, avec leur peau.

Gardez les tiges. Lors de la préparation de légumes ligneux comme le brocoli et les asperges, nous éliminons en général la tige, alors que c'est justement là que se trouvent le plus de fibres, souligne le Dr Harland. Pourtant, même lorsque les tiges sont trop dures sous la dent, il est toujours possible de récupérer une bonne partie des fibres qu'elles contiennent en les débitant en tronçons que l'on ajoutera ensuite à des préparations culinaires: plats mijotés, ragoûts, potages.

Faites provision de légumineuses Peu importe qu'on les achète en conserve ou sous leur forme déshydratée, les flageolets et autres légumineuses comptent parmi les meilleures sources de fibres alimentaires. Une portion de 100 grammes de haricots rouges, par exemple, contient 9 grammes de fibres, tandis que 100 grammes de petits pois cuits en apportent 6 grammes.

LES FLAVONOÏDES
DES PIGMENTS
QUI GUÉRISSENT

POUVOIR THÉRAPEUTIQUE

CONTRIBUENT À :
Diminuer le risque de maladies cardio-vasculaires

Traiter les maladies du foie

Maîtriser le cancer

Lorsque le thé a fait sa première apparition sur les côtes britanniques, les marchands le proposaient sous l'appellation d'huile de serpent. «Guérissez tous vos troubles – migraine, somnolence, léthargie, paralysie, vertige, épilepsie, colique, calculs biliaires, tuberculose... –, efficacité garantie!» Et le public se précipitait pour en acheter.

Bien entendu, les gens n'obtenaient pas le miracle médical qu'ils espéraient. Pourtant, peut-être se procuraient-ils ainsi mieux encore. En effet, le thé, ainsi que la pomme, l'oignon, la canneberge, le brocoli, le raisin et divers autres fruits et légumes, contiennent de minuscules cristaux appelés bioflavonoïdes, ou flavonoïdes tout court. Les recherches ont montré que ces substances complexes, qui confèrent aux aliments certaines de leurs teintes distinctives, contribuent à prévenir diverses menaces graves pour la santé, notamment les maladies cardio-vasculaires et les troubles du foie.

L'extraordinaire pouvoir des flavonoïdes tient à leurs vertus antioxydantes. Les antioxydants aident à neutraliser de dangereuses molécules d'oxygène, les radicaux libres, qui apparaissent spontanément dans l'organisme, les empêchant ainsi d'endommager les tissus et de provoquer des maladies.

«Nous entendons beaucoup parler du pouvoir antioxydant des vitamines C et E et du bêtacarotène, mais la science médicale commence tout juste à entrevoir l'intérêt des flavonoïdes», note le Dr Elliott Middleton Jr, professeur de médecine.

Alors que la vitamine C est présente dans le milieu aqueux à l'intérieur et à l'extérieur des cellules et que la vitamine E exerce son action dans les tissus adipeux, les flavonoïdes sont actifs dans tous ces endroits du corps, ce qui rend ces substances particulièrement efficaces comme antioxydants, explique le Dr Joe A. Vinson, professeur de chimie.

«Ces substances complexes sont capables d'accomplir quantité de choses, comme par exemple renforcer le système immunitaire, stopper le cancer, prévenir le durcissement des artères et peut-être même ralentir le processus de vieillissement», commente le Dr Middleton.

AU SECOURS DU CŒUR

Pendant des années, les chercheurs se sont demandé comment il se fait que les Français puissent consommer suffisamment de beurre et de saindoux pour approvisionner une pâtisserie parisienne, avoir un taux de cholestérol plus élevé que les Américains et fumer au moins autant que ces derniers, tout en ayant des taux de maladies cardiovasculaires 2,5 fois plus faibles.

S'il est vrai que beaucoup de Français ont un faible pour les pâtisseries à la crème, il n'en reste pas moins qu'ils absorbent de généreuses quantités de fruits et de légumes. Ce fait a son importance car ces aliments, ainsi que le vin rouge, sont de bonnes sources de flavonoïdes. Ces derniers semblent avoir l'aptitude de stopper le processus qui amène le cholestérol à se déposer sur les parois de nos artères.

Dans le cadre d'une étude effectuée aux Pays-Bas, des chercheurs ont examiné les habitudes alimentaires de 805 hommes âgés de 65 à 84 ans. Ils ont ainsi découvert que pour ceux qui mangeaient le plus d'aliments riches en flavonoïdes – soit l'équivalent d'environ 4 tasses de thé, une pomme et environ 1 cuillerée à soupe d'oignon par jour – , le risque de maladies cardiovasculaires était à peu près divisé par deux par rapport aux hommes qui en absorbaient le moins, et que le risque de décès par maladie cardiaque chez les premiers était réduit d'un tiers.

Une autre étude effectuée par des chercheurs finnois a permis de constater que les individus qui n'avaient absorbé que très peu de flavonoïdes sur une période de 25 ans présentaient un risque plus élevé de maladies cardiovasculaires.

Ces avantages pour la santé sont dus principalement à l'un des flavonoïdes les plus puissants, la quercétine. «Cette dernière est un antioxydant plus efficace que la vitamine E, pourtant bien connue pour son rôle dans la prévention des maladies cardiovasculaires», souligne le Dr John D. Folts, professeur de médecine.

Ce dernier ajoute que le pouvoir protecteur si remarquable de la quercétine n'est pas seulement dû à son action antioxydante. Divers travaux suggèrent que cette substance complexe pourrait également avoir le même effet dans le courant sanguin qu'un revêtement antiadhésif, empêchant les plaquettes sanguines – ces minuscules disques dans le sang qui provoquent la coagulation – d'adhérer aux parois des artères et de provoquer une obstruction.

Il est d'ailleurs tout à fait possible que les flavonoïdes se révèlent plus efficaces que l'aspirine pour prévenir une coagulation excessive, ajoute le Dr Folts. Chez une personne exposée au stress, le taux d'adrénaline augmente et l'aspirine perd de son efficacité, mais il n'en va pas de même des flavonoïdes. Dans le cadre d'une étude, le Dr Folts et son équipe ont donné de l'aspirine à un groupe de singes, leur administrant ensuite de l'adrénaline, l'hormone du stress. Comme on pouvait s'y attendre, le sang de ces animaux se mit à coaguler. En revanche, lorsque les singes recevaient un complément de flavonoïdes au lieu d'aspirine, leur sang continuait à s'écouler librement, même s'ils étaient soumis au stress. Mieux encore, relève le Dr Folts, les flavonoïdes ne provoquent pas d'ennuis gastriques comme peut le faire l'aspirine.

UN ÉLIXIR POUR LE FOIE

Dans les pays d'Europe, où les substances complexes d'origine végétale sont couramment utilisées pour leurs vertus curatives, les flavonoïdes sont appréciés depuis des temps immémoriaux. Par exemple, les cliniques européennes ont fréquemment recours à la silymarine, un flavonoïde présent dans certains types d'artichauts, pour traiter les troubles hépatiques liés à l'alcool. Les chercheurs ont découvert que chez les alcooliques atteints de cirrhose du foie, des doses élevées de silymarine peuvent diviser par deux les taux de mortalité.

En outre, des scientifiques néerlandais ont découvert qu'en administrant des doses élevées de silymarine à des animaux avant de pratiquer une opération sous anesthésie, il était possible d'éviter les lésions hépatiques pouvant survenir par suite de la privation d'oxygène durant l'opération.

NOUVEL ESPOIR CONTRE LE CANCER

De même que les radicaux libres dans le corps peuvent endommager les vaisseaux sanguins qui conduisent le sang vers le cœur, ils peuvent également entraîner des lésions de l'ADN, le matériel génétique à l'intérieur des cellules qui dicte à ces dernières leur mode de fonctionnement. De telles lésions peuvent générer le cancer. Puisque les flavonoïdes contribuent à neutraliser les radicaux libres, il semblerait logique de penser qu'ils peuvent également contribuer à prévenir le cancer.

Diverses études de grande envergure n'ont pas encore réussi jusqu'ici à mettre en évidence un lien causal entre les flavonoïdes et la prévention du cancer. Cela pourrait être dû en partie au fait que les chercheurs ont concentré leurs efforts sur les principaux flavonoïdes, comme la quercétine, plutôt que sur d'autres moins connus.

Il semblerait que certains flavonoïdes, comme la silymarine, qui se trouvent sous le zeste des oranges, citrons et autres agrumes, pourraient effectivement jouer un rôle dans la prévention du cancer.

Dans une série d'études portant sur des souris, par exemple, les chercheurs de l'université Case Western Reserve, à Cleveland, ont découvert que lorsque l'on appliquait de la silymarine sur la peau de ces rongeurs, cette substance avait la propriété d'empêcher la formation de tumeurs. D'autres études de laboratoire ont permis de constater que certains de ces flavonoïdes pouvaient contribuer à prévenir la croissance des cellules responsables du cancer du sein chez l'être humain. Si le pouvoir protecteur de ces substances complexes ne fait pas de doute, d'autres recherches devront être faites afin de déterminer leur efficacité lorsque nous les absorbons dans notre alimentation.

Où trouver des flavonoïdes

Il n'est pas toujours facile d'obtenir suffisamment de flavonoïdes par nos aliments. Ce n'est pas que ces substances soient particulièrement rares, mais plutôt qu'elles ont une fâcheuse tendance à se dissimuler là où l'on s'y attend le moins, comme dans la partie blanche qui se trouve sous la peau des oranges ou dans celle des pommes.

«Les personnes qui ont une alimentation vraiment variée et équilibrée absorbent peut-être un gramme de flavonoïdes par jour, commente le Dr Middleton. Une telle quantité suffit pour assurer une concentration de flavonoïdes dans le corps assez élevée pour être efficace, mais vous auriez une meilleure protection encore en choisissant délibérément d'absorber davantage d'aliments contenant beaucoup de flavonoïdes.»

Parmi les meilleures sources de flavonoïdes, on peut citer l'oignon, le chou frisé, les haricots verts, le brocoli, l'endive, le céleri, les canneberges, ainsi que les agrumes (dans le zeste et la pulpe blanche). D'autres bonnes sources en sont le thé (vert ou noir), le vin rouge, la laitue, les tomates, le jus de tomate, les poivrons rouges, les fèves, les fraises, les pommes (non pelées), les raisins et le jus de raisin.

LA PECTINE
UNE GELÉE BÉNÉFIQUE

La prochaine fois que vous vous mettrez à table pour le petit déjeuner, étalez donc un peu de confiture sur une tranche de pain grillé. Ensuite, mordez dans une poire bien juteuse. Même si ces deux types d'aliments ont un goût radicalement différent, ils ont néanmoins quelque chose en commun, un élément est très bénéfique pour la santé.

Les gelées et confitures, de même que les légumineuses, fruits, légumes et céréales en tous genres, contiennent de la pectine, un type de fibre alimentaire qui joue le rôle d'épaississant naturel. Les fabricants de produits alimentaires ont souvent recours à la pectine pour faire «prendre» les gelées et confitures. Il semblerait que la nature utilise la pectine de la même manière.

La pectine étant une fibre soluble, elle se dissout dans l'organisme et constitue dans l'intestin une sorte de gel collant. Ce dernier se lie aux substances potentiellement nuisibles, ce qui les empêche d'être absorbées dans le corps. D'autre part, ce gel très particulier a pour effet de retarder quelque peu l'absorption des nutriments. Ces deux facteurs font que la pectine joue un rôle capital dans la prévention d'un certain nombre de troubles, depuis les maladies cardiovasculaires et le diabète jusqu'à la prise de poids.

PIÉGER LES MATIÈRES GRASSES

Les maladies cardiovasculaires représentent le plus grand danger pour notre santé, et l'une de leurs principales causes est l'excès de cholestérol. Ce dernier constitue véritablement une menace grave, et de nombreux médecins vont jusqu'à affirmer que le risque de maladie cardiovasculaire diminue de 2% chaque fois que nous réussissons à faire baisser de 1% notre taux de cholestérol.

Le fait d'augmenter la quantité de pectine absorbée est une excellente stratégie pour abaisser le cholestérol, affirme le Dr Beth Kunkel, professeur d'alimentation. Comme la pectine prend la consistance d'une gelée lorsqu'elle se dissout, les molécules de matières grasses et de cholestérol s'y trouvent prises au piège avant de pouvoir passer dans le courant sanguin. En outre, puisque la pectine n'est pas elle-même absorbée, elle est éliminée de l'organisme avec les selles, emportant avec elle graisses et cholestérol.

À LA CUISINE

La pectine, qu'elle se présente dans un emballage en plastique ou conditionnée par la nature sous forme de fruit, est la substance qui permet aux gelées, confitures et autres marmelades de se gélifier. Voici quelques trucs utiles pour vous aider à mieux réussir vos confitures.

- Certains fruits, comme les pommes et les groseilles à maquereau, contiennent une bonne quantité de pectine et permettent donc d'obtenir une belle gelée sans addition de pectine du commerce.
- Les myrtilles et les pêches contiennent très peu de pectine. Pour réussir vos confitures, il faudra sans doute y ajouter de la pectine liquide ou en poudre.
- Un autre moyen de faire « prendre » les confitures est d'allier des fruits pauvres en pectine avec d'autres qui en contiennent davantage. Les pommes sont souvent ajoutées aux confitures, non seulement pour en améliorer le goût, mais aussi en raison de leur teneur élevée en pectine.

La pectine contribue à faire baisser le taux de cholestérol d'une autre manière encore. Comme elle n'est pas digérée, les bactéries dans l'intestin s'empressent de l'engloutir. Ce faisant, elles libèrent des substances chimiques qui se dirigent vers le foie où elles vont interrompre la production de cholestérol, relève le Dr Michael H. Davidson, président du Centre de Chicago pour la recherche clinique. Les recherches ont montré que les sujets qui absorbent environ 6 grammes de pectine par jour, soit à peu près la quantité contenue dans 1 pamplemousse et demi, peuvent faire baisser d'au moins 5 % leur taux de cholestérol.

Si le pamplemousse est une bonne source de pectine, avec environ 1 gramme pour un peu plus de 100 grammes de fruit, il est loin d'être la seule. Les pommes, les bananes, les pêches et divers autres fruits contiennent tous de la pectine, ainsi d'ailleurs que les légumes et les légumineuses. Du reste, pratiquement tous les aliments végétaux contiennent de généreuses quantités de pectine.

UNE MEILLEURE DIGESTION

Il est souvent conseillé aux sujets qui cherchent à perdre du poids de manger davantage de fruits, légumes et autres aliments riches en pectine. Ce conseil repose sur une constatation intéressante : lorsque la pectine se dissout dans l'estomac, elle augmente peu à peu de volume et prend donc plus de place. En même temps, elle ralentit l'absorption des sucres et des nutriments dans le courant sanguin. Ainsi, nous nous sentons rassasiés sans avoir absorbé de grandes quantités d'aliments.

«La pectine contribue à créer ce sentiment de satiété, si bien que nous avons moins besoin de manger, commente le Dr Barbara Harland, professeur de nutrition. L'une des conditions essentielles pour perdre du poids sans le reprendre par la suite est d'absorber davantage de fibres, notamment de la pectine.»

Le fait d'absorber plus de pectine pourrait être particulièrement important pour les diabétiques, qui doivent faire le maximum pour régulariser leur taux de glycémie. Puisque la pectine ralentit la vitesse d'absorption des sucres, elle peut empêcher les brusques montées glycémiques (augmentation des taux de sucre dans le sang) qui peuvent provoquer des lésions des nerfs, des yeux et de divers organes vitaux, souligne le Dr Harland.

LES PHYTONUTRIMENTS
AU-DELÀ DES VITAMINES ET DES MINÉRAUX

Quelque part en Chine, une fillette de 12 ans est attablée devant son dîner: potage au tofu et aux échalotes, bol de riz, thé vert et légumes sautés au wok, chou chinois, symphorine et aubergine.

De l'autre côté du globe, aux États-Unis, une fillette du même âge se restaure en avalant un burger et des frites généreusement arrosés de Coca-Cola.

Si les deux enfants continuent à se nourrir de la sorte, on peut affirmer, en gros, que le risque pour la petite Chinoise d'avoir un cancer au cours de son existence sera divisé par deux par rapport à la jeune Américaine.

Et maintenant, traversons l'océan jusqu'en Finlande, où deux hommes s'apprêtent à attaquer leur repas de viande et de pommes de terre arrosé de bière. L'un des hommes absorbe habituellement une pomme par jour, ainsi qu'une cuillerée à soupe d'oignon et quatre tasses de thé. Par conséquent, il risque moins de décéder d'une maladie cardiovasculaire que son copain qui se contente du seul plat principal.

Que penser de tout cela?

Voilà certes une question que les scientifiques ne cessent de se poser depuis le célèbre conseil donné par Hippocrate: «Que les aliments soient ton médicament». Quel est donc le rapport entre nos aliments et la maladie?

À vrai dire, cette relation de cause à effet est plus étroite encore que nous ne l'imaginions. Nous savons depuis longtemps déjà que nos aliments doivent nous fournir des vitamines et des minéraux si nous voulons rester en bonne santé, en évitant la malnutrition et des maladies de carence telles que le rachitisme ou le scorbut. En revanche, la recherche révèle que les nutriments essentiels que nous connaissons tous, comme les vitamines A à E, ne représentent que les premiers balbutiements dans ce domaine. Les aliments végétaux contiennent des centaines de substances complexes; l'étude scientifique de ces substances permet aujourd'hui d'entrevoir une dimension toute nouvelle de ce rapport causal entre l'alimentation et la maladie, qui devient ainsi un sujet de recherche particulièrement prometteur. Il semble probable que certaines de ces substances jusqu'ici inconnues vont nous permettre non seulement de prévenir des maladies de carence telles que l'anémie, mais également de lutter contre d'autres troubles plus difficiles à traiter et souvent liés au vieillissement, comme les maladies cardiovasculaires et le cancer.

Le jardin, source de santé

Pour désigner ces substances complexes, les chercheurs parlent de phyto-nutriments ou d'éléments phytochimiques; ces termes désignent simplement des agents chimiques ou des nutriments d'origine végétale. De telles substances ne sont pas là par hasard, elles représentent la manière dont la nature entretient pour ainsi dire la beauté de son jardin. Par exemple, certaines substances puissantes à base de soufre présentes dans l'ail et l'oignon jouent le rôle d'insectifuges, faisant fuir les insectes afin de protéger la santé des légumes. Des pigments de couleur vive comme le bêtacarotène, que l'on trouve dans le melon cantaloup et les carottes, donnent à nos aliments leurs belles teintes colorées. Toutes sortes d'autres substances protègent les plantes contre les bactéries, les virus et les prédateurs naturels.

Mais nous qui ne sommes ni des oignons, ni des carottes, quelle raison avons-nous donc de nous intéresser à cet aspect des choses? Eh bien souvenons-nous que la nature recycle ses propres ressources. Lorsque nous absorbons des aliments qui contiennent ces substances ayant pour but de protéger les végétaux, elles nous apportent aussi une protection, non pas contre les insectes, mais contre diverses forces capables de provoquer le chaos dans l'organisme humain, comme l'excès de cholestérol, le durcissement des artères, les maladies cardiovasculaires, certains cancers et même le vieillissement.

En outre, les recherches dans ce domaine viennent tout juste de commencer. Les scientifiques ne cessent de découvrir de nouvelles substances phytochimiques, ainsi que de nouvelles manières dont ces substances luttent contre la maladie.

Neutraliser les radicaux libres

La famille des phytonutriments est très étendue, et chacun de ses membres joue un rôle différent. C'est toutefois leur pouvoir antioxydant qui semble consti-tuer leur arme la plus courante contre la maladie.

Chaque jour, notre corps est pris d'assaut par des quantités de substances nuisibles, appelées radicaux libres. Il s'agit de molécules d'oxygène qui ont chacune perdu un électron sous l'effet de la pollution, de la lumière du soleil et de l'usure courante de la vie. En cherchant à remplacer leur électron manquant, ces molécules circulent dans tout l'organisme, s'emparant d'électrons partout où elles en trouvent. C'est ainsi que les cellules victimes de ce banditisme molécu-laire sont endommagées, se transformant à leur tour en radicaux libres. Si rien n'est fait pour stopper cette réaction en chaîne, il en résulte de colossales quan-tités de molécules détériorées, ainsi que des lésions cellulaires irréparables et diverses maladies, à longue échéance.

Voici un exemple. Le cholestérol est normalement une substance sans incon-vénient et même utile. En revanche, lorsque les molécules de cholestérol sont endommagées par les radicaux libres, elles commencent à se déposer sur les parois de nos artères, provoquant leur durcissement qui peut, à son tour, favoriser les maladies cardiovasculaires. Autre exemple : lorsque les radicaux libres s'attaquent aux molécules de l'ADN, le message génétique à l'intérieur de nos cellules qui dicte à ces dernières leur mode de fonctionnement, ce message codé est endommagé. C'est alors que le cancer peut se produire. Beaucoup de scientifiques sont d'ailleurs convaincus que le vieillissement lui-même est dû aux lésions causées par les radicaux libres.

Les phytonutriments des végétaux, grâce à leur pouvoir antioxydant, peuvent réellement nous sauver la vie. Dans la pratique, ils s'interposent entre les radicaux libres en vadrouille et les cellules du corps, offrant aux premiers leurs propres électrons. Lorsque les radicaux libres s'emparent de ces électrons si généreusement proposés, ils retrouvent leur équilibre et cessent de causer des troubles. La plupart des phytonutriments sont de puissants antioxydants.

L'ÉLIMINATION DES DÉCHETS TOXIQUES

Une autre manière qu'ont les phytonutriments de protéger notre santé est de neutraliser et d'évacuer de notre organisme les déchets chimiques toxiques avant que ces derniers n'aient eu le temps de nous rendre malades. Ils parviennent à ce résultat en manipulant des enzymes appelées topo-isomérases I ou II, explique le Dr Gary Stoner, spécialiste de la prévention du cancer.

Les topo-isomérases I sont comme des agents doubles. Elles sont générées par le corps et jouent un rôle important dans la fonction normale des cellules. En revanche, elles ont aussi la capacité de se retourner contre nous. Lorsque des toxines cancérigènes pénètrent dans l'organisme, ces enzymes contribuent à les rendre actives. Quant aux topo-isomérases II, elles sont tout à fait bénéfiques, débusquant les carcinogènes afin de les détoxifier avant qu'ils ne puissent faire trop de dégâts.

Lorsque nous mangeons du brocoli et d'autres légumes, certains des phytonutriments qu'ils contiennent se mettent à neutraliser les topo-isomérases I (nuisibles), tout en augmentant la production de topo-isomérases II (bénéfiques). Ce processus contribue à désarmer diverses toxines cancérigènes qui ont tendance à s'accumuler spontanément dans l'organisme.

RÉGULATION HORMONALE

D'autres phytonutriments luttent contre la maladie d'une troisième manière, en maintenant dans des limites saines les taux de certaines hormones, tout particulièrement ceux d'œstrogène (hormone sexuelle féminine).

Le rôle de cette hormone est à double tranchant. Lorsqu'elle est générée en quantité normale, elle contribue à maîtriser toutes sortes de processus chez la femme, depuis les règles jusqu'à la grossesse. En même temps, elle aide à réguler les taux de cholestérol, évitant que ce dernier ne vienne obstruer nos artères et prévenant par conséquent les maladies cardiovasculaires. Mais lorsque les taux d'œstrogène augmentent, ils peuvent stimuler les cancers hormono-dépendants comme le cancer du sein ou celui des ovaires, souligne le Dr Leon Bradlow, directeur d'un service d'endocrinologie biochimique.

Les phytonutriments agissent de plusieurs manières pour maintenir les taux d'œstrogène dans des limites raisonnables. Par exemple, une catégorie de phytonutriments, les isoflavones, sont très similaires à l'œstrogène naturel. Lorsque nous absorbons des aliments contenant des isoflavones, ces fausses hormones se lient aux récepteurs hormonaux du corps, ce qui oblige les vraies hormones à s'évacuer de l'organisme.

Bien que l'on parle généralement de l'œstrogène comme d'une seule et unique hormone, il en existe en réalité diverses formes. Des chercheurs ont par exemple mis en évidence un rapport entre le cancer du sein et un type particulier d'œstrogène, la 16-alpha-hydroxyestrone, alors qu'une autre forme de cette hormone, la 2-hydroxyestrone, semble sans danger. Certains phytonutriments sont capables d'augmenter les taux de la forme inoffensive de l'œstrogène, souligne le Dr Bradlow, tout en abaissant les taux de sa forme nuisible.

SE SOIGNER EN MANGEANT

Les phytonutriments nous apportent donc, ainsi que nous venons de le voir, une protection aussi vigoureuse que variée. On peut même dire que leur potentiel est stupéfiant. Comme ce fut le cas avant eux des vitamines et des minéraux, les scientifiques envisagent déjà le jour où un grand nombre de ces substances complexes seront utilisées non seulement pour traiter la maladie à l'hôpital, mais aussi à titre préventif dans chaque foyer.

«On voyait autrefois pas mal de cas de béribéri, une maladie de carence caractérisée par le déclin de la coordination musculaire, parce que beaucoup de gens n'absorbaient pas suffisamment de thiamine, explique le Dr Bradlow. Depuis que nous avons pris des mesures pour enrichir le pain par addition de thiamine, nous ne voyons plus aucun cas de béribéri. De la même manière, il pourrait se révéler possible de mettre au point des variétés de légumes capables de fournir de grandes quantités de substances phytochimiques, afin que ces dernières puissent être utilisées à des fins thérapeutiques pour traiter des troubles comme le cancer ou les maladies cardiovasculaires.»

En attendant, les chercheurs soulignent qu'il n'existe qu'une seule manière d'obtenir les phytonutriments indispensables à notre corps : nous devons les manger sous la forme prévue par la nature, c'est-à-dire en absorbant des fruits, des légumes et des céréales, à raison d'au moins cinq à neuf portions par jour.

S'il est vrai que nous savons encore peu de choses sur un grand nombre de ces substances, quelques-unes d'entre elles s'avèrent d'ores et déjà très prometteuses. Examinons un petit échantillon de ces nouvelles championnes.

LES SULFURES ALLYLIQUES

Il suffit d'entamer un oignon frais ou de peler une gousse d'ail à l'aide d'un couteau bien aiguisé pour faire connaissance avec certains des phytonutriments les plus puissants que nous propose la nature, les sulfures allyliques. Ces substances complexes, bien connues pour leur aptitude à nous faire pleurer, pourraient également être capables de prévenir les maladies cardiovasculaires et le cancer.

Les sulfures allyliques constituent une catégorie de phytonutriments dont l'effet est de stimuler les enzymes chargées d'éliminer les toxines. Selon le chercheur et spécialiste des sulfures Michael J. Wargovich, professeur de médecine, ces substances complexes sont particulièrement efficaces contre les cancers du tube digestif.

Dans le cadre d'une étude néerlandaise portant sur plus de 120 000 hommes et femmes, les chercheurs ont mesuré la quantité d'oignons (une bonne source de sulfures) absorbée par ces habitants des Pays-Bas, avant de se pencher sur la fréquence parmi eux du cancer de l'estomac. Il s'est avéré que plus les sujets mangeaient habituellement d'oignons, moins ils étaient exposés au risque de cancer de l'estomac.

Une autre étude portant sur l'ail, autre membre de la famille de l'oignon, a mis en évidence la même efficacité contre les tumeurs. Les chercheurs ont administré à un groupe de souris de grandes quantités d'ail, chaque jour, pendant deux semaines, tandis qu'un autre groupe de rongeurs n'en recevait pas. Après avoir exposé ces animaux à des produits chimiques cancérigènes, les chercheurs ont trouvé 76 % moins de tumeurs chez les souris qui avaient mangé de l'ail que chez celles de l'autre groupe, qui n'avaient reçu que l'alimentation habituelle.

Les sulfures allyliques ont en outre la singulière capacité d'empêcher le cholestérol et d'autres lipides sanguins, les triglycérides, de constituer des caillots pouvant menacer la santé et provoquer le durcissement des artères.

Dans le cadre d'une étude, des chercheurs ont d'abord administré à des volontaires davantage de beurre et de saindoux qu'on n'en trouverait sur les rayons d'une pâtisserie, pour constater ensuite, comme on pouvait s'y attendre, que leur taux de cholestérol montait en flèche et que leur sang se mettait à coaguler. Puis ils ont donné aux mêmes volontaires un extrait d'oignon bourré de sulfures. Non seulement cet extrait eut pour effet de prévenir l'augmentation du taux de cholestérol liée à l'absorption de grandes quantités de matières grasses, mais il permit en outre de liquéfier le sang des intéressés en aidant à dissoudre les caillots sanguins.

Les caroténoïdes

Ces substances sont les phytonutriments responsables des teintes vives et colorées de nos salades. C'est à cette catégorie de quelque 600 pigments rouges et jaunes, dont le mieux connu est sans doute le bêtacarotène, que la tomate doit sa belle teinte rouge et la carotte et le melon cantaloup leur couleur orange vif. Les caroténoïdes sont également présents en grande quantité dans les légumes feuillus vert sombre tels que les épinards, à cette différence près qu'ils ne sont pas visibles, car la chlorophylle verte de ces végétaux domine et dissimule les pigments moins colorés du carotène.

Les caroténoïdes sont de puissants antioxydants, ce qui fait d'eux d'excellents guerriers contre le cancer et les maladies cardiovasculaires. «Il existe des liens de cause à effet très clairement mis en évidence entre l'absorption de généreuses quantités d'aliments riches en bêtacarotène et de faibles taux de maladies cardiovasculaires et de cancer, souligne le Dr Dexter L. Morris, chercheur spécialiste des caroténoïdes. En revanche, il est possible qu'un certain nombre de ces avantages proviennent de divers autres caroténoïdes présents dans les fruits et les légumes, mais que nous n'avons pas même commencé à étudier.»

La recherche a permis d'obtenir des résultats prometteurs quant à un certain nombre de caroténoïdes, en particulier le lycopène (présent dans les tomates), la lutéine (dans des légumes comme le chou frisé et les épinards), et la zéaxanthine (dans les légumes verts feuillus).

Au cours d'une étude, des chercheurs ont constaté que des sujets au nord de l'Italie qui absorbaient au moins sept portions de tomates crues par semaine présentaient un risque 60 % plus faible de cancer du côlon, du rectum et de l'estomac que d'autres personnes qui n'en mangeaient que deux portions ou moins par semaine. En outre, puisque le lycopène, qui est le principe actif de la tomate, supporte bien la cuisson et les processus de transformation, il semble probable que même des produits comme le ketchup et la sauce tomate offrent des avantages comparables.

Enfin, des chercheurs de Harvard qui étudiaient les légumes verts feuillus, en particulier les épinards, ont été amenés à faire une constatation étonnante. Ils ont en effet vérifié que les sujets qui absorbaient le plus de lutéine et de zéaxanthine (deux caroténoïdes présents dans ces végétaux) présentaient un risque de dégénérescence maculaire 43 % plus faible que ceux qui en mangeaient le moins. La dégénérescence maculaire, rappelons-le au passage, est la principale cause de cécité irréversible chez les personnes de plus de 50 ans.

Les flavonoïdes

Nous avons tous entendu parler du «paradoxe français», cet état de choses apparemment aberrant qui fait que la population de la France semble être en mesure d'avaler impunément une alimentation défiant tous les tabous diététiques,

LES PHYTONUTRIMENTS EN RÉSUMÉ

Voici un petit guide indiquant les phytonutriments les plus puissants, les aliments qui en contiennent la plus grande quantité et les modes de préparation adaptés pour nous permettre de tirer le meilleur parti de leur pouvoir thérapeutique.

Phytonutriment	Source alimentaire
Caroténoïdes	Brocoli, melon cantaloup, carotte, légumes verts, tomate
Composés phénoliques	Presque toutes les céréales, fruits, thé (vert et noir), légumes
Flavonoïdes	Pomme, brocoli, agrumes, canneberge, endive, jus de raisin, chou frisé, oignon, vin rouge
Indoles et isothiocyanates	Brocoli, chou, chou-fleur, moutarde germée
Isoflavones	Pois chiches, haricots blancs, lentilles, graines de soja
Lignanes	Graines de lin
Monoterpènes	Cerises et agrumes
Saponines	Asperges, pois chiches, noix, avoine, pommes de terre, graines de soja, épinards, tomates
Sulfures allyliques	Ail et oignon

Prévention des maladies

Action antioxydante; préviennent certains cancers et les maladies cardiovasculaires

Action antioxydante; activent les enzymes anticancer

Action antioxydante; préviennent la coagulation du sang et les maladies cardiovasculaires

Stimulent les enzymes capables de prévenir le cancer; abaissent le taux d'œstrogène nuisible

Abaissent le taux d'œstrogène nuisible; préviennent certains cancers

Action antioxydante; abaissent le taux d'œstrogène nuisible, pourraient prévenir certains cancers

Préviennent le cancer en inhibant certaines substances complexes

Se lient avec le cholestérol pour l'éliminer; stimulent l'immunité; préviennent les maladies cardiovasculaires et certains cancers

Augmentent le «bon» cholestérol (HDL); abaissent les taux de lipides (ou triglycé-rides) dans le sang; préviennent les maladies cardiovasculaires; stimulent les enzymes qui inhibent la croissance des tumeurs

Préparation

Accompagnent la viande ou les aliments contenant de l'huile. Notre corps absorbe mieux les caroténoïdes avec un peu de matières grasses.

Ces phytonutriments très courants ne craignent pas grand-chose. Il suffit de manger une grande variété de fruits et de légumes frais.

Mangez la pulpe des agrumes et la peau des pommes afin d'absorber le plus possible de flavonoïdes.

Préparez ces aliments au micro-ondes ou en les cuisant rapidement à la vapeur afin d'en préserver les phytonutriments.

Les isoflavones ne craignent pas les processus de transformation; pour simplifier, achetez des haricots en boîte.

La quantité optimale conseillée est de 1 ou 2 cuillerées à soupe bien pleines par jour.

Quoique la plupart des monoterpènes se trouvent dans le zeste des agrumes, vous en obtiendrez aussi en buvant leur jus.

Les meilleures sources sont les graines de soja et les pois chiches.

Doivent être coupés menu ou écrasés afin d'en libérer les phytonutriments.

tout en présentant un taux de maladies cardiovasculaires deux fois et demi plus faible que celui de la population des États-Unis.

Selon les chercheurs, cela s'expliquerait par l'effet d'un groupe de phytonutriments, les flavonoïdes. Comme les caroténoïdes, les flavonoïdes confèrent aux aliments de belles couleurs et plus précisément le rouge, le jaune et le bleu. (En outre, comme c'est également le cas pour les caroténoïdes, ces teintes sont souvent masquées par la chlorophylle des végétaux.)

Les meilleures sources de flavonoïdes sont la pomme, l'oignon, le céleri, la canneberge, le raisin, le brocoli, l'endive, le thé vert ou noir et le vin rouge. Les flavonoïdes sont de puissants antioxydants, ce qui fait d'eux d'excellents défenseurs contre le cancer et les maladies cardiovasculaires.

Leur pouvoir antioxydant n'est pourtant pas la seule raison pour laquelle les flavonoïdes sont si chers au cœur des Français. Ces substances phytochimiques servent aussi pour ainsi dire de revêtement antiadhésif, empêchant les plaquettes sanguines – des millions de minuscules disques dans le sang – de s'agglutiner en formant des caillots ; par conséquent, les flavonoïdes contribuent à prévenir les crises cardiaques.

Dans une étude, des chercheurs hollandais se sont penchés sur les habitudes alimentaires de 805 hommes âgés de 65 à 84 ans. Ils ont ainsi constaté que ceux qui absorbaient le moins de flavonoïdes présentaient un risque de décès par crise cardiaque 32 % plus élevé que ceux qui en obtenaient le plus.

Il n'était d'ailleurs pas nécessaire d'absorber de grandes quantités de flavonoïdes pour obtenir cet effet protecteur. Les sujets du groupe qui recevaient le plus de flavonoïdes prenaient habituellement l'équivalent de quatre tasses de thé, une à deux pommes et un huitième d'oignon par jour.

LES INDOLES

Le brocoli, le chou et divers autres légumes de la famille des crucifères ont un goût amer peu apprécié des insectes. Cette astuce de la nature pour protéger la plante repose sur un phytonutriment que les scientifiques ont baptisé indole-3-carbinol ou I3C. Chez l'être humain, cette substance complexe joue un rôle régulateur hormonal qui pourrait être utile dans la prévention du cancer du sein.

Les recherches ont montré que l'indole-3-carbinol avait la propriété d'abaisser le taux des formes nocives d'œstrogène, tout en augmentant celui des formes plus inoffensives de cette hormone. Le Dr Bradlow et son équipe de recherches sur le cancer ont constaté, chez des femmes qui absorbaient chaque jour 400 milligrammes de cette substance complexe (c'est-à-dire la quantité présente dans la moitié d'une tête de chou environ), une augmentation spectaculaire du taux d'œstrogène inoffensif. Ce taux était d'ailleurs comparable à ce que l'on peut mesurer chez les coureuses de marathon, ce qui représente presque un exploit, puisqu'il est prouvé que l'exercice physique pratiqué vigoureusement exerce un effet fortement positif sur les taux d'œstrogène.

«L'indole-3-carbinol (I3C) pourrait également être utile dans la prévention du cancer du col de l'utérus», relève le Dr Bradlow. Ce dernier entrevoit déjà le jour où les femmes pourront prendre leur complément d'I3C afin de prévenir divers cancers hormono-dépendants comme le cancer du sein.

LES ISOFLAVONES

Chez les femmes asiatiques, l'incidence de cancer du sein est de cinq à huit fois moins élevée que chez les Américaines. Parmi les pays d'Europe, la France a une position intermédiaire, puisque les taux de mortalité les plus élevés sont observés en Europe du Nord et les plus bas dans les pays de l'Est. Selon les experts, cela s'explique en partie par le fait que les Asiatiques absorbent de grandes quantités d'aliments à base de soja.

En effet, les graines de soja et les aliments à base de soja, comme le tofu et le tempeh, ainsi que les haricots blancs, les pois chiches et les lentilles, contiennent des substances complexes appelées isoflavones – notamment la génistéine et la daidzéine. Tout comme les indoles, ces dernières pourraient jouer le rôle de régulateurs des taux d'œstrogène et, par conséquent, contribueraient à diminuer le risque de cancers hormono-dépendants.

Dans le cadre d'une étude qui fit date, effectuée au Japon sur 17 ans et portant sur près de 143 000 femmes, les chercheurs ont constaté que l'incidence de cancer du sein était la plus basse chez les femmes qui mangeaient le plus de miso (un potage à base de soja).

D'autres recherches restent à faire, mais il est possible que ces substances complexes puissent un jour non seulement servir d'alternative à l'hormonothérapie de substitution, mais aussi prévenir et traiter les maladies cardiovasculaires et le cancer, commente le Dr Stephen Barnes, professeur de pharmacologie et de toxicologie.

LES ISOTHIOCYANATES

Ces substances, parfois appelées essences de moutarde, protègent les crucifères en repoussant les insectes envahisseurs par un goût particulièrement amer. Tout comme les indoles, les isothiocyanates qui se trouvent dans le brocoli, le chou et les choux de Bruxelles semblent prometteurs dans le domaine de la prévention du cancer.

Jusqu'ici, c'est une substance appelée sulforaphane, très abondante dans le brocoli, qui semble être la championne des isothiocyanates pour son aptitude à inhiber la croissance des tumeurs cancéreuses dans les tests de laboratoire. Au cours d'une étude, des chercheurs de l'université Johns Hopkins de Baltimore ont exposé des animaux de laboratoire à une substance puissamment cancérigène. Parmi les cobayes qui recevaient également des doses élevées de sulfopharane, 26 % seulement eurent des tumeurs mammaires, par rapport à 68 % chez ceux du groupe qui n'avait pas reçu cette substance.

Les isothiocyanates pourraient être particulièrement efficaces contre les effets nocifs de la fumée de cigarette, selon le Dr Stephen Hecht, professeur en prévention du cancer.

Dans une étude en laboratoire, une substance complexe, présente dans le cresson de fontaine, était capable de diviser par deux le taux de cancer du poumon chez des rats exposés aux carcinogènes présents dans la fumée de tabac. Des essais chez l'être humain ont permis d'obtenir des résultats comparables, précise le Dr Hecht.

LES LIGNANES

Tout comme les isoflavones, les lignanes sont des phyto-œstrogènes qui contribuent à réguler les taux d'œstrogène chez l'être humain. Diverses études en laboratoire ont montré que cette substance, présente dans les graines de lin, pouvait contribuer à empêcher l'apparition du cancer du sein. Selon une étude, les graines de lin étaient même capables de ralentir de plus de 50 % la croissance tumorale chez le rat.

En outre, diverses études suggèrent que les lignanes des graines de lin peuvent faire baisser les taux de cholestérol. Dans le cadre d'une étude, des chercheurs ont constaté une diminution de 8 % des taux de cholestérol «nuisible» (LDL, ou lipoprotéines de faible densité) chez des sujets qui mangeaient chaque jour deux petits pains aux graines de lin.

Il ne s'agit là que d'études préliminaires, mais les recherches suggèrent qu'il pourrait suffire, pour obtenir une protection, d'absorber 1 à 2 cuillerées à soupe bien pleines de graines de lin par jour, soit saupoudrées sur nos aliments, soit incorporées à la pâte à pain.

LES MONOTERPÈNES

S'il vous est déjà arrivé de cirer des meubles, sans doute connaissez-vous l'odeur de citron caractéristique du limonène, un phytonutriment qui pourrait se révéler être un autre champion de la lutte contre le cancer, selon les scientifiques.

Des doses élevées de limonène, essentiellement présent dans le zeste des oranges et les essences des agrumes, ont permis de faire régresser des tumeurs mammaires chez des animaux de laboratoire. Ce phytonutriment parfumé a également permis d'empêcher le développement de certaines tumeurs lorsque le tissu mammaire est exposé à des doses importantes de substances cancérigènes. Dans le cadre d'études en laboratoire, des chercheurs ont pu démontrer que le limonène avait la capacité de diminuer de 55 % le développement des tumeurs.

Contrairement à d'autres phytonutriments qui jouent un rôle dans la prévention du cancer, le limonène tire son efficacité du fait qu'il inhibe les protéines connues pour encourager la croissance cellulaire dans divers types de cancers. Cela pourrait expliquer pourquoi les sujets qui mangent beaucoup d'oranges et d'autres agrumes semblent présenter un moindre risque de cancer.

Les chercheurs de la faculté de médecine de l'université d'Indiana (Indianapolis), ont démontré, au cours d'études préliminaires portant sur des animaux de laboratoire, que l'alcool périllyle, un monoterpène présent dans les cerises pouvait prévenir les cancers du sein, des poumons, de l'estomac, du foie et de la peau. En revanche, d'autres recherches devront encore être effectuées avant que les scientifiques puissent affirmer avec certitude que cette substance complexe est également efficace chez l'être humain.

«L'alcool périllyle s'est montré très prometteur au cours des essais cliniques, souligne le Dr Charles Elson, professeur en sciences de la nutrition. Nous n'avons pas seulement démontré que cette substance complexe est efficace dans la prévention du cancer, c'est-à-dire qu'elle neutralise les toxines qui sont à l'origine du cancer. Nous avons également démontré son efficacité chez des animaux déjà atteints de tumeurs.»

LES COMPOSÉS PHÉNOLIQUES

Presque tous les fruits, légumes et céréales, ainsi que le thé (vert ou noir), contiennent une abondance de phytonutriments appelés composés phénoliques, ou polyphénols. Ces substances ont deux actions distinctes pour lutter contre le cancer. D'une part, elles stimulent les enzymes protectrices et neutralisent les enzymes nocives, et, d'autre part, elles exercent une puissante action antioxydante.

Selon le Dr Stoner, les polyphénols les plus actifs sont l'acide ellagique des fraises, les polyphénols du thé vert, ainsi que le pigment jaune d'une épice, le curcuma.

Une étude conduite par des chercheurs de l'université de Scranton (Pennsylvanie) a permis de constater que sur 39 antioxydants présents dans les aliments, les polyphénols du thé étaient les plus efficaces pour neutraliser les radicaux libres.

LES SAPONINES

Les phytonutriments les plus courants sont peut-être une classe de molécules appelées saponines. Ces dernières sont présentes dans toutes sortes de légumes, herbes aromatiques et légumineuses, notamment les haricots, épinards, tomates, pommes de terre et noix, ainsi que l'avoine. Les graines de soja contiennent à elles seules douze sortes différentes de saponines.

Diverses études ont montré que les personnes qui ont une alimentation particulièrement riche en saponines sont systématiquement exposées à des taux plus faibles de cancer du sein, de la prostate et du côlon, souligne le Dr Venket Rao, professeur de nutrition.

En revanche, contrairement à d'autres phytonutriments capables de lutter contre le cancer, les saponines disposent d'une palette originale d'armes défensives. Elles contribuent à prévenir le cancer de plusieurs manières, notamment en se liant aux acides biliaires (qui peuvent à la longue se métaboliser sous forme de composés cancérigènes) et en les éliminant ainsi de l'organisme, relève le Dr Rao. Elles stimulent également le système immunitaire afin qu'il soit mieux en mesure de détecter et de détruire les celluies précancéreuses avant qu'elles n'aient le temps de se développer en cancer proprement dit.

Peut-être plus important encore, les saponines ont une aptitude toute particulière à débusquer le cholestérol présent dans la membrane des cellules cancéreuses. «Ces dernières contiennent de grandes quantités de cholestérol, poursuit le Dr Rao, et les saponines se lient de manière sélective à ces cellules afin de les détruire.»

Comme on peut s'y attendre, cette aptitude à se lier au cholestérol est également utile pour abaisser le cholestérol total. Dans le tube digestif, certaines saponines se lient au cholestérol dont elles empêchent ainsi l'absorption. Cette action, conclut le Dr Rao, pourrait à son tour abaisser le risque de maladies cardio-vasculaires.

LES RADICAUX LIBRES
UNE MENACE NATURELLE

Nous avons tous fait l'expérience désagréable de laisser par inadvertance un tire-bouchon métallique sur la terrasse après un repas au grand air, pour le retrouver quelques jours plus tard déjà passablement rouillé par les intempéries. En présence de l'humidité, le fer s'oxyde; c'est ce processus chimique d'oxydation qui produit la couche rougeâtre que nous appelons la rouille.

Contrairement à un tire-bouchon, nous n'avons pas à nous inquiéter de rouiller s'il nous arrive de devoir sortir sous la pluie. En revanche, le même processus d'oxydation qui fait rouiller le métal est également à l'œuvre à l'intérieur de notre organisme.

Ainsi que ce terme le suggère, l'oxydation signifie simplement qu'une interaction s'est produite avec l'oxygène. Plus spécifiquement, cela veut dire que des molécules d'oxygène ont perdu un électron au cours de leur interaction avec d'autres molécules. Ces molécules non appareillées deviennent alors ce que les scientifiques appellent des radicaux libres – des molécules d'oxygène tronquées, instables et aussi dangereuses que leur nom le suggère. Dans leur quête pour retrouver l'électron manquant, les radicaux libres s'emparent des électrons de n'importe quelle molécule saine à proximité, générant ainsi toujours plus de radicaux libres.

Mais en quoi ce processus nous concerne-t-il? Chaque fois que l'oxygène entre en contact avec d'autres molécules, des radicaux libres se constituent. Il suffit de couper une banane en tronçons pour voir le fruit ainsi exposé à l'oxygène brunir sous l'effet des lésions d'oxydation dues aux radicaux libres. Nous sommes constamment exposés à de telles lésions, du seul fait de la respiration. On peut même dire que chacune de nos inspirations génère des radicaux libres qui se mettent immédiatement en quête de leur électron manquant, provoquant des lésions parmi nos cellules saines.

Les dégâts provoqués par les radicaux libres sont inimaginables. Des recherches toujours plus nombreuses montrent que les lésions qui leur sont imputables contribuent à un grand nombre de troubles graves, notamment le durcissement des artères, les maladies dégénératives de l'œil, comme la dégénérescence maculaire, certains cancers, et même le vieillissement.

Est-il dangereux de respirer?

Inspirez. Expirez. Des centaines de radicaux libres viennent d'être générés. Inspirez. Expirez. Vous êtes à bout de souffle. Trois kilomètres de course à pied, et vous venez de générer des milliers de radicaux libres. Est-il vraiment bon pour vous de faire autant d'exercice?

Tout récemment, certains spécialistes ont exprimé des inquiétudes sur ce plan en soulignant que l'exercice, censé nous procurer une meilleure santé, risque au contraire d'accélérer la production de radicaux libres, qui peuvent alors atteindre des taux potentiellement dangereux. Selon le raisonnement des scientifiques, puisque les radicaux libres sont un sous-produit inévitable chaque fois qu'il y a production d'énergie, l'exercice doit vraisemblablement générer un excès de radicaux libres.

«Puisque l'exercice accélère le métabolisme, il est vrai qu'il génère davantage de radicaux libres, commente le Dr Balz Frei, professeur adjoint en médecine et en biochimie. En revanche, souvenons-nous que les radicaux libres ne sont dangereux que lorsqu'ils ne sont pas neutralisés par une quantité équivalente d'antioxydants. En général, les personnes qui font régulièrement de l'exercice ont également un mode de vie plus sain, et, par conséquent, une meilleure réserve d'antioxydants. De plus, les avantages considérables de l'exercice sont amplement démontrés. Personne ne devrait cesser de faire de l'exercice physique par peur des radicaux libres», conclut ce médecin.

Vivre avec l'ennemi

Nous aurions tort de penser aux radicaux libres comme à des envahisseurs étrangers comparables aux virus ou aux bactéries. Au contraire, la plupart des radicaux libres sont générés à l'intérieur de notre propre corps. «Beaucoup de gens ne comprennent pas que les radicaux libres apparaissent de manière parfaitement naturelle, commente le Dr Balz Frei, directeur de l'institut Linus Pauling. Le corps en fabrique en même temps qu'il génère de l'énergie.»

Dans des circonstances normales, chaque cellule de notre corps transforme en eau l'oxygène que nous respirons. En revanche, environ 1% de ce même oxygène échappe à cette chaîne de production. C'est précisément cette fraction de 1% qui se transforme en radicaux libres, explique le Dr Frei.

«Les globules blancs génèrent également des radicaux libres de manière tout à fait délibérée, afin de tuer les bactéries et les micro-organismes envahisseurs, ajoute-t-il. Malheureusement, ces radicaux libres sont incapables de viser avec précision, si bien qu'ils ne se contentent pas de tuer les bactéries étrangères mais provoquent également des lésions dans les tissus sains.»

Maintenir l'équilibre

Ainsi donc, puisque chacune de nos inspirations génère des radicaux libres, qu'est-ce qui nous empêche de commencer à nous détériorer presque dès notre premier instant sur cette terre ? Conformément aux lois de la nature, chaque force comporte son contraire. De même, il existe pour chaque radical libre généré par notre organisme un antioxydant capable de le neutraliser.

Sans doute avez-vous entendu parler d'antioxydants comme les vitamines C et E et le bêtacarotène. Les antioxydants s'interposent entre les radicaux libres et les molécules saines du corps. En offrant leurs propres électrons, les antioxydants stabilisent les radicaux libres et les empêchent de poursuivre leur œuvre de destruction.

La nature a su anticiper le danger représenté par les radicaux libres et s'y préparer. Comme nous venons de le voir, certains aliments contiennent une grande abondance de vitamines antioxydantes. De plus, alors même que l'organisme génère des radicaux libres, il fabrique également des antioxydants pour en inhiber les effets.

«Nous possédons une véritable palette de mécanismes défensifs pour détoxifier les radicaux libres, explique le Dr Robert R. Jenkins, professeur de biologie. Au fur et à mesure que les radicaux libres sont générés, notre corps les détoxifie soit à l'aide d'enzymes antioxydantes, soit avec des vitamines.»

En revanche, les radicaux libres ne sont pas seulement générés à l'intérieur de notre organisme, car nous vivons dans un environnement où ils se créent en quantités considérables. L'exposition à la pollution, à la lumière ultraviolette, aux radiations et aux gaz d'échappement sont autant de facteurs qui multiplient la production de radicaux libres.

«Le tabagisme, par exemple, est une source externe importante de radicaux libres, relève le Dr Frei. Lorsque nous générons un tel excédent de radicaux libres, nos réserves d'antioxydants ont du mal à suivre.» En réalité, il faut 20 milligrammes de vitamine C, soit un tiers de la Valeur quotidienne, pour neutraliser les effets d'une seule cigarette.

L'étendue des dégâts

Lorsque les radicaux libres se déchaînent, les lésions qu'ils provoquent sont surtout fonction de l'endroit où s'exerce leur action. «Le meilleur exemple des dégâts dus aux radicaux libres est l'athérosclérose, c'est-à-dire le durcissement des artères, explique le Dr Frei. Le rôle des radicaux libres dans l'apparition de ce trouble est considérable et amplement prouvé.»

Les maladies cardiovasculaires surviennent souvent lorsque le «mauvais» cholestérol LDL (lipoprotéines de faible densité) présent dans le courant sanguin s'agglutine et se dépose sur les parois de nos artères, provoquant leur durcissement et les obstruant. Les scientifiques ont constaté que si le cholestérol LDL adhère aux parois des artères, cela est dû aux lésions provoquées par les radicaux libres.

Dans d'autres circonstances, les radicaux libres peuvent s'attaquer à l'ADN de nos cellules. Lorsqu'ils endommagent ces chaînes vitales porteuses d'informations génétiques, cela peut provoquer des modifications de nos cellules qui se multiplient alors de manière désordonnée. En d'autres termes, souligne le Dr Frei, elles peuvent devenir cancéreuses.

Les radicaux libres sont aussi à l'origine de certaines lésions oculaires. Dans une autre étude, les chercheurs de l'école médicale de Harvard ont constaté qu'il existe un lien étroit entre la dégénérescence maculaire, qui est la principale cause de cécité irréversible chez les personnes de plus de 50 ans, et les lésions dues aux radicaux libres. La lumière du soleil a beau être splendide, il n'en reste pas moins qu'elle contient une gigantesque quantité de dangereux rayons ulvraviolets (UV), qui sont l'un des principaux producteurs de radicaux libres.

Nos yeux ne sont d'ailleurs pas seuls à souffrir sous les rayons puissants du soleil, car notre peau n'est pas ménagée davantage. Les lésions liées aux radicaux libres générés par les rayons UV du soleil sont soupçonnées d'être le principal facteur responsable des rides, du durcissement de l'épiderme et d'autres signes de vieillissement prématuré de la peau.

Quoique les recherches à ce stade soient encore très spéculatives, les radicaux libres pourraient également être l'une des clés qui vont nous permettre de mieux comprendre des troubles neurologiques jusqu'ici mystérieux comme la maladie d'Alzheimer ou celle de Parkinson. Certains scientifiques pensent que les radicaux libres pourraient ouvrir des brèches dans la barrière qui protège généralement le cerveau contre des envahisseurs extérieurs comme les virus et les bactéries. En réponse à ces traumatismes, le système immunitaire génère davantage de radicaux libres qui pourraient être à l'origine de lésions capables d'entraîner des troubles neurologiques, selon les chercheurs.

«Très souvent, les radicaux libres ne jouent aucun rôle dans la genèse d'une maladie, commente le Dr Jenkins. Ce sont les radicaux libres générés par la maladie elle-même qui perpétuent les dégâts.»

C'est ce qui se passe dans le cas de la polyarthrite chronique évolutive. L'inflammation dans les articulations génère des radicaux libres, et ces derniers semblent causer plus de dégâts que la maladie elle-même. Il en va de même de nombreuses maladies digestives. Même si les radicaux libres ne sont pas la cause de divers types de colite inflammatoire comme la maladie de Crohn, il ne fait aucun doute qu'ils contribuent aux dégâts.

LA LUTTE CONTRE LES RADICAUX LIBRES

Le simple fait de respirer ou d'aller au soleil comportant de tels dangers, comment être sûr que notre organisme possède des réserves d'antioxydants suffisantes pour neutraliser les assauts des radicaux libres? «Il s'agit bien évidemment d'éviter tout ce qui peut générer des quantités excessives de radicaux libres, comme la fumée de cigarette, mais l'une des meilleures précautions consiste à adopter une alimentation essentiellement végétarienne comportant une grande abondance de fruits et de légumes», conseille le Dr Jenkins.

Fruits et légumes contiennent de grandes quantités d'antioxydants naturels, en particulier les vitamines C et E et le bêtacarotène, ainsi que des dizaines d'autres substances complexes capables de neutraliser les radicaux libres. «Si l'on examine les études de population à long terme, on s'aperçoit que les personnes qui ont une alimentation végétarienne sont protégées de maladies considérées comme liées aux lésions dues aux radicaux libres, commente ce même médecin. Ces populations jouissent d'une existence plus longue et beaucoup plus saine.»

Pour obtenir la meilleure protection antioxydante possible contre les radicaux libres, le Dr Jenkins suggère d'augmenter la dose de vitamine C absorbée, qui devrait se situer entre 200 et 400 milligrammes par jour, et d'augmenter également la quantité de vitamine E, la dose optimale se situant entre 100 et 400 milligrammes par jour.

Une étude effectuée à Cambridge et portant sur le rôle des antioxydants dans les maladies cardiovasculaires a permis aux chercheurs de suivre 2 000 personnes atteintes d'athérosclérose. Les scientifiques ont ainsi constaté une diminution d'environ 75% du risque de crise cardiaque chez ceux des participants qui avaient absorbé durant toute une année entre 400 et 800 unités internationales de vitamine E par jour.

Les recherches ont également démontré que le risque de dégénérescence maculaire était de 43% moindre chez les personnes qui absorbaient le plus de caroténoïdes – des substances complexes d'origine végétale qui sont de puissants antioxydants – que chez celles qui en obtenaient le moins.

Parmi nos meilleures sources alimentaires de substances complexes antioxydantes, on peut citer des aliments bourrés de vitamine C comme les agrumes, le brocoli, les poivrons verts et rouges, ainsi que les légumes feuillus vert foncé, des légumes riches en bêtacarotène comme les carottes, les patates douces et les épinards, ainsi que le germe de blé et les huiles végétales, qui sont une excellente source de vitamine E.

«Il convient de garder une juste perspective dans ce domaine, poursuit le Dr Frei. Même s'il est vrai que les radicaux libres jouent un rôle majeur dans la maladie, ils ne sont pourtant qu'un facteur individuel parmi beaucoup d'autres. Inutile d'en faire une obsession. Contentons-nous plutôt d'avoir un mode de vie sain, d'absorber une alimentation variée et équilibrée, et de faire un minimum d'exercice.»

DEUXIÈME PARTIE

LES MEILLEURS ALIMENTS POUR NOTRE SANTÉ

L'ABRICOT
Du bêtacarotène
en abondance

Pouvoir thérapeutique

CONTRIBUE À :
Protéger les yeux

Prévenir les maladies
cardiovasculaires

En Chine, à une certaine époque, les jeunes épousées grignotaient des abricots dans le but d'augmenter leur fécondité. Cette anecdote pourrait nous paraître plutôt amusante si nous n'avions pas découvert depuis que ces fruits contiennent un minéral nécessaire à la production de nos hormones sexuelles.

Aujourd'hui, bien évidemment, rares sont les individus qui penseraient aux abricots pour agrandir leur cercle familial. Pourtant, les recherches ont montré que ce fruit sucré et velouté contient toutes sortes de substances complexes capables non seulement de lutter contre diverses infections, mais aussi de prévenir la cécité et les maladies cardiovasculaires.

L'effet bénéfique de l'abricot provient essentiellement de sa teneur en caroténoïdes, aussi abondante qu'exceptionnellement variée. Les caroténoïdes sont des pigments végétaux; non seulement ils confèrent à beaucoup de nos fruits et légumes préférés leurs belles teintes vives, rouge, orange ou jaune, mais ils apportent en outre à l'être humain une multitude de bienfaits protecteurs. Si les chercheurs ont identifié au moins 600 caroténoïdes différents, c'est dans l'abricot que l'on trouve certains des plus puissants d'entre eux (notamment le bêtacarotène).

«L'abricot est l'une de nos meilleures sources de caroténoïdes», souligne le Dr Ritva Butrum, vice-présidente pour la recherche à l'Institut américain de cancérologie.

Un fruit bénéfique pour le cœur

La grande diversité de substances complexes bénéfiques contenues dans l'abricot font de ce fruit un allié puissant dans la lutte contre les maladies cardio-

À LA CUISINE

L'abricot est un fruit très agréable à déguster tel quel, mais n'oublions pas qu'il existe bien d'autres manières d'apprêter ce précieux fruit doré.

Au barbecue. Grillé, l'abricot acquiert un goût fumé légèrement sucré, car le sucre du fruit se caramélise à la chaleur. Il suffit d'enfiler des abricots entiers ou coupés en deux sur une brochette, de les enduire d'un peu de miel et de les faire cuire durant 7 à 10 minutes en les retournant fréquemment.

Au four. Pour la cuisson au four, coupez en deux les abricots, recouvrez-les d'une fine couche de miel et disposez-les face coupée vers le haut sous le gril.

Abricots pochés. Les abricots pochés sont très efficaces pour se réchauffer par temps froid. Mettez dans une petite casserole du jus de fruit ainsi que des clous de girofle entiers ou un bâtonnet de cannelle, et amenez à ébullition sur feu doux. Ajoutez-y des abricots frais entiers ou coupés en deux et laissez cuire pendant 6 à 8 minutes. Retirez les fruits de la casserole, où vous laisserez cuire le jus afin qu'il épaississe. Nappez-en les abricots avant de servir.

---

vasculaires. En effet, il ne contient pas seulement du bêtacarotène mais aussi du lycopène, et diverses études ont montré que ces deux substances étaient capables de lutter contre le processus au cours duquel les dangereuses formes de cholestérol LDL deviennent rances dans le courant sanguin. Il s'agit d'un avantage important, car lorsque le «mauvais» cholestérol LDL se dégrade, il se dépose plus facilement sur les parois de nos artères.

«Le lycopène est considéré comme l'un des antioxydants les plus puissants connus à ce jour», déclare le Dr Frederick Khachik, chimiste chargé de recherches.

Une étude sur 13 ans a permis de constater que les sujets qui absorbaient le plus de caroténoïdes présentaient un risque de maladie cardiovasculaire diminué de un tiers par rapport à ceux qui en absorbaient le moins. Une étude sur 8 ans portant sur 90 000 infirmières a permis de constater que celles dont l'alimentation contenait le plus de caroténoïdes présentaient un risque diminué de un quart.

Les abricots sont une bonne source de bêtacarotène. Trois de ces fruits délicieux en contiennent 2 milligrammes, soit environ 30 % de l'apport journalier recommandé (AJR).

BON POUR LES YEUX

Nul n'est obligé apprécier les épinards autant que Popeye, puisqu'il est possible d'obtenir beaucoup de vitamine A en mangeant des abricots. (Le bêtacarotène des abricots se convertit en vitamine A dans l'organisme.) Ce nutriment

S'ALIMENTER AVEC INTELLIGENCE
DES AFFIRMATIONS DANGEREUSES

L'idée d'employer les noyaux d'abricots à des fins médicinales remonte aux années 1920, lorsque le Dr Ernst T. Krebs énonça une théorie selon laquelle l'amygdaline, une substance complexe présente dans les noyaux d'abricots et qui se transforme en cyanure dans l'organisme, pouvait détruire les cellules cancéreuses.

Quelque 30 ans plus tard, le fils de ce médecin mit au point une formule révisée de cet extrait, auquel il donna le nom de laetrile. Dans les années 1970, les cancéreux auxquels la médecine officielle ne laissait plus aucun espoir se mettaient en route vers d'obscures cliniques et payaient des prix exorbitants afin d'obtenir ce nouveau «remède miracle». Le laetrile devint si populaire qu'à une certaine époque, il était même vendu librement dans les magasins diététiques un peu partout aux États-Unis.

Aujourd'hui, la vente du laetrile n'est plus autorisée aux États-Unis, même si cette préparation reste facilement disponible au Mexique et dans divers autres pays. Peut-on dire que le laetrile est efficace? Selon la plupart des spécialistes, la réponse est un non catégorique.

«Non seulement le laetrile ne sert à rien, mais il peut même se révéler mortel», commente le Dr Maurie Markman, directeur d'un centre du cancer. En fait, une étude effectuée à la clinique Mayo de Rochester (Minnesota) a démontré que le laetrile provoquait fréquemment des troubles tels que nausées, vomissements, maux de tête, et divers autres symptômes d'empoisonnement au cyanure.

Le laetrile présente encore un autre danger, poursuit le Dr Markman. Certains cancéreux se fient davantage à cette substance qu'à des soins mieux adaptés et plus sûrs pour lutter contre leur cancer.

---

contribue à protéger les yeux; or, il s'avère justement que nos yeux ont besoin de toute l'aide que nous pouvons leur apporter.

Chaque fois que la lumière traverse nos yeux, elle libère des radicaux libres qui provoquent des lésions dans les tissus oculaires. Si rien ne vient les neutraliser, ces dangereuses molécules d'oxygène attaquent le cristallin où elles provoquent des lésions qui pourraient dégénérer en cataracte. Les radicaux libres peuvent également s'attaquer aux vaisseaux sanguins qui alimentent la partie centrale (ou macula) de la rétine. Lorsque l'irrigation sanguine s'interrompt, il en résulte un trouble appelé dégénérescence maculaire, qui est la principale cause de cécité chez l'adulte après la cinquantaine.

Diverses études ont démontré que la vitamine A est un antioxydant puissant, c'est-à-dire qu'elle neutralise l'action des radicaux libres. Une étude portant sur plus de 50 000 infirmières a par exemple permis de constater que le risque de cataracte diminuait de plus de un tiers chez les femmes qui absorbaient le plus de vitamine A dans leur alimentation. Trois abricots apportent 2 769 unités internationales de vitamine A, soit 55 % de la Valeur quotidienne.

Les bienfaits des fibres

Il est presque impossible d'exagérer l'importance d'une consommation suffisante de fibres alimentaires. Les aliments riches en fibres peuvent nous aider à perdre du poids, à maîtriser la glycémie, à abaisser les taux de cholestérol. En outre, les fibres sont indispensables à une bonne digestion.

Voilà donc une raison de plus d'inclure les abricots dans notre alimentation. Trois de ces fruits délicieux contiennent 3 grammes de fibres, soit 12 % de la Valeur quotidienne. Mieux encore, l'apport calorique est très faible : à peine 51 calories pour les trois. En revanche, si vous mangez des abricots pour obtenir davantage de fibres, mangez-les avec la peau, car c'est dans celle-ci que se trouve l'essentiel des fibres du fruit.

Critères de choix, préparation et conservation

Mangez-les encore fermes. Même si vous préférez vos fruits bien mûrs, il est préférable de manger les abricots alors qu'ils sont encore légèrement fermes. En effet, c'est lorsqu'ils sont juste mûrs que leur teneur en nutriments est la plus élevée. Dès qu'ils deviennent mous, les substances complexes qu'ils contiennent ne tardent pas à se dégrader.

Choisissez-les pour leur couleur. Contrairement à la plupart des autres fruits, les abricots mûrs peuvent être de couleur jaune ou orange. Peu importe la couleur, le pouvoir thérapeutique est le même. En revanche, un abricot encore vert a été cueilli trop tôt et ne mûrira probablement pas, ce qui signifie que vous n'en recueillerez pas les bienfaits thérapeutiques.

Conservez-les avec soin. Il est important de garder les abricots au frais pour les empêcher de mûrir trop vite. Si vous n'avez pas l'intention de les déguster dans les deux prochains jours, il est préférable de les déposer dans le bac à fruits au bas du réfrigérateur, où ils se garderont environ une semaine.

Un autre conseil pour mieux les conserver. Ce fruit délicat et fragile s'imprègne facilement de l'odeur des aliments placés à proximité, d'autres fruits par exemple. Pour mieux protéger vos abricots, enfermez-les dans un sac en papier ou en plastique.

L'AIL

Un bulbe bourré de vertus

Pouvoir thérapeutique

CONTRIBUE À :
Soulager les otites

Abaisser les triglycérides et le cholestérol

Diminuer le risque de cancer de l'estomac et du côlon

Prévenir les maladies cardio-vasculaires et les accidents vasculaires cérébraux

En 1980, le cinéaste Les Blank a réalisé un documentaire intitulé *Garlic Is as Good as 10 Mothers* (L'Ail est aussi bénéfique que 10 mères). S'il devait envisager aujourd'hui d'en tourner la suite, il pourrait l'appeler *L'Ail vaut bien 1 200 études*.

Ce bulbe au goût piquant a fait l'objet d'une quantité impressionnante de recherches dont les résultats se sont révélés stupéfiants. Des dizaines de propriétés médicales ont été identifiées dans ses humbles gousses.

• Les études montrent que l'ail abaisse le cholestérol et liquéfie le sang, ce qui pourrait contribuer à prévenir l'hypertension artérielle, les maladies cardio-vasculaires et les accidents vasculaires cérébraux.

• En laboratoire, l'ail semble inhiber la croissance des cellules cancéreuses. Des études portant sur des groupes de population montrent que les personnes qui absorbent beaucoup d'ail sont moins sujettes au cancer de l'estomac et du côlon que celles qui en mangent le moins.

• Dans une étude effectuée à l'hôpital de Boston, l'ail a été employé avec succès pour tuer 14 souches de bactéries prélevées dans le nez et la gorge d'enfants atteints d'otites.

En outre, les recherches ont montré que l'ail pouvait contribuer à stimuler l'immunité et diminuer la glycémie. Il pourrait également soulager l'asthme et préserver la vigueur et la santé des cellules, et il est même possible qu'il retarde, voire empêche, certains troubles liés au vieillissement.

À LA CUISINE

Il est difficile d'absorber de grandes quantités d'ail à chaque repas, à moins d'avoir un palais blindé. Pourtant, il existe une manière d'augmenter la consommation d'ail sans se faire de tort: il suffit d'en faire rôtir les gousses.

Contrairement au goût relevé des gousses d'ail crues, celui des gousses rôties est légèrement caramélisé et agréablement doux. Dégusté sous cette forme, l'ail se montre tout à fait civilisé, et sa saveur est bien moins forte.

Pour rôtir de l'ail, coupez le sommet de chaque gousse de manière à en dégager la pointe. Enduisez le bulbe d'un peu d'huile d'olive avant de l'emballer dans du papier alu. Laissez un peu d'air autour de chaque bulbe, mais fermez bien le papier alu tout autour. Faites rôtir à four chaud (180 °C) pendant environ 45 minutes; les gousses d'ail doivent devenir très tendres. (Il est également possible de faire rôtir de l'ail au micro-ondes; réglez le four au maximum et faites cuire les gousses, non couvertes et sans huile, pendant une dizaine de minutes, en les tournant à deux reprises en cours de cuisson.) Sortez les gousses d'ail du four après cuisson et laissez-les refroidir légèrement.

Il suffit, pour manger l'ail rôti, d'écraser légèrement chaque gousse à la base pour en expulser la pulpe par l'ouverture du haut. Cette pulpe d'ail peut être tartinée sur du pain ou mélangée à des pâtes ou à des légumes cuisinés. Si vous n'avez pas l'intention de déguster immédiatement l'ail rôti, vous pouvez également le conserver au réfrigérateur, pendant une semaine au maximum, après l'avoir disposé dans un récipient bien fermé.

Le potentiel thérapeutique de l'ail est connu depuis des milliers d'années. Au cours des âges, il fut employé pour traiter toutes sortes de troubles, depuis les plaies et les infections jusqu'aux problèmes digestifs. Durant la Seconde Guerre mondiale, par exemple, l'armée russe, lorsqu'elle fut à court de pénicilline pour soigner ses soldats blessés, demanda à recevoir des gousses d'ail. Aujourd'hui, en France comme en Allemagne, au Japon et dans divers pays industrialisés, des préparations à base d'ail sont proposées en vente libre dans les pharmacies ou les magasins diététiques.

L'AMI DE NOTRE CŒUR

Jusqu'ici, les chercheurs ont identifié deux effets bénéfiques majeurs de l'ail pour le cœur et la circulation. Tout d'abord, ce bulbe contient de nombreuses substances complexes soufrées, notamment du disulfure de diallyle qui semble contribuer à une bonne circulation du sang, car il empêche les plaquettes de s'agglutiner en formant des caillots. Dans une étude réalisée à l'université Brown de

Providence (Rhode Island), les chercheurs ont administré à 45 hommes souffrant d'excès de cholestérol un extrait d'ail longuement macéré, soit environ l'équivalent de cinq à six gousses d'ail frais. En analysant le sang de ces hommes, les chercheurs se sont aperçus que la vitesse d'agrégation plaquettaire s'était abaissée considérablement, à raison de 10 à 58 % selon les cas.

«Une activité élevée des plaquettes signifie que l'on est davantage exposé au risque d'artériosclérose, de crise cardiaque ou d'accident vasculaire cérébral, explique le Dr Robert I. Lin, chercheur et P-DG d'une firme de nutrition. En revanche, les substances complexes sulfurées sont très puissantes et ont la propriété de liquéfier le sang.»

L'ail est également bénéfique pour le cœur, car il abaisse les taux de cholestérol et celui d'une catégorie de lipides sanguins appelés triglycérides. Selon le Dr Yu-Yan Yeh, professeur de nutrition, une grande partie des effets protecteurs de l'ail se déploie dans le foie, où est généré le cholestérol. Dans le cadre d'études en laboratoire, des rats auxquels des chercheurs avaient administré un extrait d'ail produisaient 87 % moins de cholestérol et 64 % moins de triglycérides.

«Le foie est l'un des principaux organes du corps où se produit la synthèse des corps gras et la production de cholestérol sanguin, commente le Dr Yeh. Lorsque ces substances sont générées en moins grand nombre dans le foie, elles se retrouvent en plus faible quantité dans le courant sanguin.»

Passant en revue 16 études portant sur 952 personnes, des chercheurs britanniques ont constaté que le fait de manger de l'ail, frais ou en poudre, permettait d'obtenir en moyenne une diminution de 12 ou 13 % du taux de cholestérol total. D'autre part, selon une revue effectuée par des chercheurs du collège médical de New York à Valhalla, les indications scientifiques suggèrent que le simple fait de manger chaque jour la moitié d'une gousse d'ail, voire une gousse entière, pourrait abaisser d'environ 9 % le taux de cholestérol sanguin.

PROTECTION CONTRE LE CANCER

Des travaux de plus en plus nombreux montrent que le fait de manger plus souvent de l'ail pourrait contribuer à prévenir et à traiter le cancer. Diverses études suggèrent que l'ail agit de diverses manières pour inhiber le cancer: il empêche les mutations des cellules qui finiraient par dégénérer en cancer, il stoppe la croissance des tumeurs ou détruit les cellules nuisibles.

• Une substance complexe de l'ail, la s-allylcystéine, semble avoir le pouvoir d'inhiber le processus métabolique qui amène certaines cellules saines à devenir cancéreuses, selon le Dr John Milner, professeur de nutrition.

• Le disulfure de diallyle, déjà mentionné plus haut, semble inhiber la croissance des cellules cancéreuses en faisant obstacle à la division et à la reproduction cellulaire. «Cette substance étouffe les cellules cancéreuses; ces dernières deviennent donc moins nombreuses et finissent par mourir», commente le Dr Milner.

• Une autre substance présente dans l'ail est le trisulfure de diallyle, dix fois plus puissant que le disulfure de diallyle pour éliminer les cellules cancéreuses chez l'être humain. «Son efficacité est comparable à celle du 5-fluorouracil (5FU), une substance très souvent utilisée en chimiothérapie», poursuit le Dr Milner. En outre, puisque l'ail est beaucoup moins toxique pour les cellules saines que le médicament anticancéreux utilisé en chimiothérapie, il est permis d'espérer que ce bulbe puisse un jour nous offrir la base d'une forme infiniment plus douce de chimiothérapie.

• Certains complexes présents dans l'ail contribuent à empêcher les nitrites, des substances présentes dans certains aliments et dans un grand nombre de polluants courants, de se transformer en nitrosamines, des substances complexes dangereuses capables de provoquer des mutations cancéreuses dans le corps.

Les avantages de l'ail se manifestent aussi ailleurs qu'en laboratoire. Les chercheurs ont par exemple constaté que les habitants du sud de l'Italie, qui mangent beaucoup d'ail, sont moins sujets au cancer de l'estomac que les populations du nord de ce pays, où l'ail est moins apprécié.

«Dans une province du nord de la Chine, la population mange habituellement de quatre à sept gousses d'ail chaque jour. L'analyse statistique de la population montre que pour cent cas de cancer de l'estomac dans la province avoisinante, où la consommation d'ail est loin d'être aussi importante, on ne recense dans la région où l'ail est très prisé que huit cas de ce cancer, au grand maximum», souligne le Dr Paxton.

Aux États-Unis, une étude portant sur 41 837 femmes habitant dans l'Iowa a permis de constater, chez celles qui mangeaient de l'ail au moins une fois par semaine, que le risque de cancer du côlon était 35 % plus faible que chez celles qui n'en mangeaient jamais. «En fonction de nos connaissances actuelles, je dirais que le fait de manger trois gousses d'ail par jour pourrait réduire de 20 % le risque de nombreux cancers, affirme le Dr Lin. L'absorption de six gousses d'ail par jour permettrait d'obtenir une diminution d'au moins 30 % du même risque.»

UNE FORME EFFICACE DE PÉNICILLINE

Nous assistons depuis quelques années à une tendance assez effrayante qui est la résistance aux antibiotiques, c'est-à-dire l'aptitude des bactéries à résister à des médicaments naguère efficaces. Des recherches récentes suggèrent que l'ail pourrait avoir une action positive dans des cas où les médicaments traditionnels ont été sans effet ou trop toxiques.

Dans le cadre d'une étude, des chercheurs de l'hôpital de Boston ont prélevé 14 souches différentes de bactéries à l'intérieur du nez et de la gorge d'enfants souffrant d'otites, dont certaines s'étaient montrées rebelles à tout traitement par antibiotiques. En laboratoire, l'extrait d'ail permettait de détruire efficacement ces germes récalcitrants.

Au cours d'une autre étude, des chercheurs de l'université du Nouveau-Mexique à Albuquerque ont effectué des tests afin d'établir si l'ail pouvait être utilisé pour traiter l'otomycose, ou mycose de l'oreille. Selon les scientifiques, ce trouble est dû à un champignon du genre *Aspergillus*. Les traitements habituels comportent des inconvénients parfois graves ; les médicaments à usage local peuvent se révéler pénibles, et leur emploi est exclu si le tympan est perforé.

Dans l'étude de laboratoire déjà mentionnée, les chercheurs ont traité le champignon responsable de ce trouble à l'aide d'extrait d'ail dilué dans de l'eau. Même en concentrations très faibles, l'ail inhibait la croissance du champignon aussi efficacement que les médicaments actuellement disponibles. Dans certains cas, il s'est même avéré plus efficace que ces derniers.

Critères de choix, préparation et conservation

Préférez l'ail frais. L'ail cru écrasé contient de l'allicine, une substance complexe qui se décompose rapidement en une multitude d'autres composés bénéfiques, comme le disulfure et le trisulfure de diallyle déjà mentionnés. En revanche, et cela se comprend, nous n'apprécions pas tous le goût particulièrement relevé de l'ail cru. Si c'est votre cas, pensez à utiliser une gousse d'ail coupée en deux pour en frotter énergiquement l'intérieur d'un saladier de bois avant d'y verser vos crudités. Vous pourrez ainsi apprécier un goût d'ail discret sans pour autant vous priver des bienfaits de ce bulbe merveilleux.

Simplifiez-vous la vie. N'hésitez pas à utiliser l'ail sous toutes ses formes, car il n'est pas indispensable de l'absorber frais pour bénéficier de son pouvoir thérapeutique. Chacune des formes sous lesquelles il est accommodé – cru, cuit ou en poudre – libère ses propres substances complexes bénéfiques. Afin d'en bénéficier au maximum, incorporez généreusement dans votre alimentation l'ail frais, en poudre, lyophilisé ou cuit.

Hachez-le menu. Que vous utilisiez l'ail cru ou cuit, le fait de le hacher, de l'écraser ou de le presser en augmente considérablement la surface et libère beaucoup plus de substances bénéfiques.

Évitez de trop le cuire. Toute cuisson trop prolongée risque de détruire certaines substances complexes fragiles dans l'ail. Il est préférable de le cuire rapidement, en l'ajoutant par exemple à des légumes sautés ou en ajoutant quelques gousses écrasées en fin de cuisson, s'il s'agit d'un plat comme un ragoût ou un pot-au-feu, suggère le Dr Lin. «L'ail préparé de la sorte a un goût beaucoup moins prononcé que l'ail cru», précise-t-il.

LES ALGUES
LA PROTECTION MARINE

POUVOIR THÉRAPEUTIQUE

CONTRIBUENT À :

Inhiber la croissance des tumeurs

Stimuler l'immunité

Prévenir la dégénérescence maculaire

Lorsque les Beatles ont composé leur chanson *Octopus's Garden*, en 1969, il est presque certain qu'ils n'avaient pas pour intention de chanter les vertus des algues (ou légumes marins, comme les appellent ceux qui les récoltent et les mangent habituellement). En revanche, compte tenu de tout ce que nous avons appris depuis lors sur ces précieux végétaux, ils n'auraient pas eu tort de le faire.

Incorporées régulièrement à notre alimentation, les algues peuvent être une excellente source de vitamines et de minéraux essentiels. De plus, elles contiennent un certain nombre de substances complexes protectrices qui pourraient contribuer à écarter des menaces graves pour la santé, comme le cancer.

UNE PROTECTION TRADITIONNELLE CONTRE LE CANCER

Depuis des centaines, voire des milliers d'années, les légumes marins sont utilisés dans les pays asiatiques pour prévenir et traiter le cancer. Les recherches laissent entrevoir que ces pratiques thérapeutiques très anciennes se justifient de manière tout à fait scientifique. «Nous devons poursuivre les recherches cliniques, mais un certain nombre d'études intéressantes déjà effectuées chez l'être humain et chez l'animal montrent que les légumes marins peuvent prévenir les tumeurs», déclare le Dr Alfred A. Bushway, professeur de sciences alimentaires. Ce spécialiste est persuadé que les légumes marins pourraient expliquer au moins en partie les taux bien plus faibles de cancer dans des pays comme le Japon, où ces végétaux un peu étranges font partie intégrante de l'alimentation courante, à peu près au même titre que la pomme de terre chez nous.

Des chercheurs japonais ont étudié les effets d'extraits de huit types différents d'algues marines sur des cellules qui avaient été mises en contact avec de puissants agents cancérigènes. Les résultats laissaient entendre que les végétaux marins pourraient avoir une grande efficacité contre les tumeurs.

Parmi toutes les substances contenues dans les légumes marins, les scientifiques ne savent pas encore quelles sont celles qui exercent cette action antitumorale. Ils pensent qu'il pourrait s'agir du bêtacarotène, la même substance complexe antioxydante que l'on trouve dans les carottes et la patate douce. Un type d'algue appelé nori, vendu sous forme de feuilles séchées, est une bonne source de bêtacarotène.

Les chercheurs pensent que les légumes marins pourraient contenir des substances complexes anticancéreuses qui ne sont tout simplement pas présentes dans les végétaux poussant en pleine terre. Une substance complexe appelée alginate de sodium, par exemple, que l'on trouve en concentration élevée dans les algues marines, pourrait se montrer particulièrement efficace dans la lutte contre le cancer, relève le Dr Bushway. «En revanche, poursuit-il, les recherches dans ce domaine restent encore insuffisantes.»

DU KELP POUR LE CŒUR ET LE SANG

Pour fortifier le sang, rien de tel que d'inclure les végétaux marins dans notre alimentation.

Il suffit de 28 grammes de kelp, une algue mince et tendre souvent utilisée en potage ou mélangée aux légumes sautés à la poêle, pour apporter à l'organisme 51 microgrammes de folate, soit 13 % de la Valeur quotidienne. Ce nutriment aide à décomposer les protéines et contribue à régénérer les globules rouges du sang. La même quantité de nori, l'algue marine souvent utilisée pour préparer les sushi, plat japonais, en fournit 42 microgrammes, soit 11 % de la Valeur quotidienne de ce nutriment vital.

Le kelp contient également du magnésium, un minéral dont nous savons qu'il contribue à maîtriser l'hypertension artérielle, surtout chez les sujets particulièrement sensibles au sodium. On trouve dans 28 grammes de kelp plus de 34 milligrammes de magnésium, c'est-à-dire presque 9 % de la Valeur quotidienne de ce nutriment bénéfique pour le cœur.

L'OCÉAN FAVORISE L'IMMUNITÉ

Si personne n'a jamais entendu parler d'une baleine enrhumée, c'est peut-être en raison des grandes quantités d'algues qu'absorbent ces grands mammifères marins.

S'alimenter avec intelligence
Un danger en provenance des profondeurs

Quoique les végétaux marins contiennent toutes sortes de nutriments bénéfiques, ils en comportent aussi certains, comme l'iode et le sodium, qu'il est préférable de ne pas absorber en trop grande quantité.

Un modeste apport d'iode nous est nécessaire pour métaboliser les protéines et les glucides. De son côté, la glande thyroïde a besoin d'iode pour réguler la croissance et le développement de nos cellules. En revanche, une faible quantité suffit amplement: nous n'avons besoin que d'environ 150 microgrammes d'iode par jour.

En revanche, les algues marines pourraient en contenir plusieurs fois cette quantité. Les personnes qui mangent beaucoup de végétaux marins pourraient donc absorber trop d'iode – la limite à ne pas dépasser se situe en effet aux alentours de 1 000 microgrammes par jour –, car cela serait susceptible de gêner le fonctionnement de la thyroïde, selon le Dr Alfred A. Bushway, professeur de sciences alimentaires.

Le sodium est un autre minéral très abondant dans les algues. Tout excès de cette substance peut entraîner une hypertension artérielle chez les sujets particulièrement sensibles.

En cas de sensibilité au sodium, poursuit le Dr Bushway, prenez la précaution de rincer abondamment les algues marines avant de les cuire, ce qui vous permettra d'en réduire la teneur en sodium d'environ 10, voire 20%. Le trempage à l'eau permettra d'obtenir une baisse encore plus importante du taux de sodium, qui pourra diminuer de 50 à 70% en fonction du type d'algue utilisé.

Certaines variétés de légumes marins sont bourrées de vitamines essentielles pour stimuler notre immunité et nous protéger contre toutes sortes de maladies.

En tête de liste, on peut mentionner l'algue nori, particulièrement nutritive. Une portion d'algues nori crues pesant 28 grammes contient 11 milligrammes de vitamine C, soit plus de 18% de la Valeur quotidienne. Cette vitamine est un nutriment antioxydant bien connu pour son aptitude à neutraliser les dangereuses molécules d'oxygène esseulées appelées radicaux libres, les empêchant de nuire aux cellules saines.

La même portion de nori contient également près de 1 500 unités internationales de vitamine A, c'est-à-dire 30% de la Valeur quotidienne. Diverses études montrent que non seulement la vitamine A renforce l'immunité, mais qu'elle peut également nous protéger contre la cécité nocturne et divers troubles de vision liés au vieillissement, notamment la dégénérescence maculaire. De plus, la vitamine A offre une protection contre plusieurs types de cancers.

À LA CUISINE

Lorsque vous aurez pour la première fois l'occasion de tirer de son emballage une feuille de nori séchée, plate et verte, sans doute vous demanderez-vous comment faire pour manger ce curieux aliment.

S'il est vrai que les algues, vendues en magasin diététique et dans les épiceries exotiques, sont des aliments d'apparence bien étrange, vous serez étonné de voir à quel point elles sont faciles à préparer. En revanche, il est important de savoir à quelle sorte d'algue vous avez affaire, car le mode de préparation n'est pas le même dans tous les cas.

Dulse. Sèche, l'algue dulse se présente sous forme de feuilles ridées de couleur rouge sombre, que l'on peut déguster telles quelles. (Souvenez-vous cependant que le goût risque d'en être excessivement salé et qu'il est généralement préférable de les rincer.) Comme l'algue nori, la dulse peut être découpée et saupoudrée sur les potages, pâtes et ragoûts. Elle est également vendue sous forme de flocons prêts à l'emploi.

Hijiki. Cette algue au goût particulièrement prononcé ressemble à des vermicelles de couleur noire. Afin de tempérer son goût saumâtre, faites-la tremper pendant 10 à 15 minutes avant de l'égoutter; ainsi réhydratée, elle augmentera quatre fois de volume. Les chefs recommandent de laisser mijoter l'algue hijiki durant environ une demi-heure, ou jusqu'à ce qu'elle soit tendre, avant de l'ajouter aux crudités, légumes ou plats à base de légumineuses. Il est également possible de la faire rissoler dans un peu d'huile de sésame pour la servir en accompagnement.

Kelp. Vendu sous forme de larges bandes séchées de couleur vert sombre, le kelp (qui ressemble à l'algue kombu japonaise) sert souvent à remplacer le sel dans les potages et les ragoûts. Pour assaisonner les plats à base de légumineuses ou les céréales, les chefs y ajoutent parfois des tronçons de kelp. Les chips de kelp rôti offrent aussi une manière originale de décorer les plats.

Nori. Cette algue, vendue sous forme de feuilles vertes minces comme du papier, possède un goût légèrement saumâtre. Elle est généralement utilisée pour confectionner les sushi, mais on peut également l'ajouter aux potages ou s'en servir pour accentuer le goût des crudités ou des pâtes. Avant d'ajouter l'algue nori à une préparation culinaire, découpez-la à l'aide d'une paire de ciseaux. Vous pouvez aussi la déchirer à la main et la saupoudrer directement dans la casserole, tout en remuant pour l'empêcher de former des grumeaux.

Wakame. Cette algue entre traditionnellement dans la préparation du potage au miso. Avant de l'incorporer aux crudités ou à des pâtes, faites-la rapidement tremper dans de l'eau pendant 2 à 3 minutes, puis découpez-la en tronçons. L'algue wakame est parfois coriace, mais vous pourrez la rendre plus tendre en ôtant la nervure centrale, généralement dure.

Si vous appartenez à la catégorie des végétariens les plus stricts, qui n'absorbent ni viande, ni produits dérivés de cette dernière, ni lait ou produits laitiers, ni œufs, il pourrait être intéressant d'ajouter les algues à votre assortiment habituel de légumes. Cette précaution vous permettra d'obtenir suffisamment de vitamine B_{12}, un nutriment surtout présent dans la viande.

Les scientifiques ne sont pas unanimes quant à la quantité de vitamine B_{12} fournie par les végétaux marins, mais la plupart des experts sont d'accord pour reconnaître que les personnes qui absorbent régulièrement des algues ont des taux sanguins de cette vitamine plus élevés que celles qui n'en mangent pas.

Dans le cadre d'une étude portant sur 21 végétariens stricts, les chercheurs ont eu l'occasion de constater que ceux qui mangeaient régulièrement des végétaux marins avaient des taux sanguins de vitamine B_{12} deux fois plus élevés que ceux qui ne mangeaient pas d'algues.

Lorsque les taux de vitamine B_{12} dans l'alimentation sont trop faibles, il peut en résulter divers troubles tels que fatigue, trous de mémoire et même lésions nerveuses pouvant provoquer des fourmillements dans les mains et les pieds. Quoique la carence en vitamine B_{12} soit relativement rare, elle peut néanmoins se produire chez les végétaliens, ainsi que chez les personnes du troisième âge qui ont un trouble de malabsorption de ce nutriment essentiel.

Critères de choix, préparation et conservation

Rincez-les rapidement. Les précieux oligo-éléments et minéraux se trouvent surtout à la surface des algues séchées et c'est la raison pour laquelle les experts recommandent de ne pas rincer les végétaux marins trop longtemps avant de les accommoder. «Certaines personnes font d'abord tremper leurs algues, avant de les rincer longuement, commente le Dr Bushway. Nous recommandons plutôt un rinçage léger, ce qui évite de leur faire perdre trop de minéraux déposés en surface, comme le potassium.»

Faites bon usage du bouillon. Pour conserver le plus possible d'éléments nutritifs, la meilleure formule, selon le Dr Bushway, consiste à préparer un potage aux algues. «Lorsque les algues marines sont utilisées en potage, une partie des minéraux qu'elles contiennent se libère dans le bouillon, précise-t-il. La partie restante fournit de précieuses fibres et des substances phytochimiques très spécifiques, comme l'alginate contenu dans le kelp.»

Pratiquez la diversité. Il n'est pas nécessaire d'absorber de grandes quantités d'algues pour en recueillir les bienfaits. «Diverses études alimentaires indiquent que 7 grammes d'algues séchées suffisent pour enrichir notre alimentation de manière significative», commente le Dr Bushway.

Le meilleur moyen d'intégrer davantage de végétaux marins dans l'alimentation est de faire des essais. «Pensez à saupoudrer de petits morceaux d'algues sur diverses préparations telles que crudités, potages, ragoûts, céréales et poêlées de légumes, sans oublier les sandwiches», suggère Carl Karush, de la firme *Maine Coast Sea Vegetables* à Franklin.

L'ANANAS
LE CHAMPION DES TROPIQUES

POUVOIR THÉRAPEUTIQUE

CONTRIBUE À :

Maintenir la force osseuse

Améliorer la digestion

Soulager les symptômes du rhume

Abaisser le risque de cancer et de maladies cardiovasculaires

La première fois que l'on présenta un ananas au roi Louis XIV (dans l'Europe du XVIIe siècle, il s'agissait du fruit le plus exotique et le plus recherché), Sa Majesté s'empressa d'y mettre la dent. Malheureusement, le gourmand souverain n'avait pas laissé à ses serviteurs le temps de peler le fruit, si bien qu'il écorcha ses royales lèvres sur l'écorce rugueuse. Cet épisode mit définitivement fin à tout projet de culture royale de l'ananas en France jusqu'à l'avènement de Louis XV, en 1715.

C'est ainsi que l'illustre monarque, traîtreusement agressé par l'ananas, passa sans même s'en douter à côté d'un merveilleux trésor. Il n'est pas très facile, bien sûr, de peler un ananas, mais cela en vaut pourtant la peine. En effet, non seulement l'ananas est une excellente source de vitamine C, mais il contient également des substances qui maintiennent notre force osseuse et favorisent une bonne digestion.

UN FRUIT JUTEUX POUR UNE OSSATURE SOLIDE

Nous savons tous que le calcium est indispensable pour prévenir l'ostéoporose, le trouble qui provoque une fragilisation osseuse affectant surtout les femmes ménopausées. En revanche, peu de gens savent que notre ossature a également besoin de manganèse.

76

À LA CUISINE

Avec sa peau rugueuse et ses aspérités piquantes, l'ananas n'accorde pas volontiers les délices qu'il recèle. Ces quelques conseils vous aideront à bien le choisir, et à découvrir plus facilement le «cœur d'or» qu'il dissimule.

Choisissez-le bien ferme. Sélectionnez un fruit à la fois charnu et ferme. N'achetez pas un ananas mou ou abîmé. Cela peut surprendre, mais la couleur extérieure ne suffit pas toujours à indiquer qu'un fruit est bien mûr. L'extrémité de la tige doit avoir une odeur douce et aromatique; n'achetez pas un fruit s'il s'en dégage une odeur de fermentation.

Vérifiez sa fraîcheur. Un ananas bien mûr a des feuilles craquantes et vertes, dont l'extrémité ne doit être ni jaune, ni brune. Inutile d'arracher une feuille pour vérifier la fraîcheur du fruit; contrairement à la croyance si répandue, une feuille qui se détache facilement n'est pas une garantie que le fruit soit bien mûr.

Découvrez le fruit. De retour chez vous, utilisez un couteau à scie pour ôter les deux extrémités du fruit, et disposez ce dernier dans un plat creux afin d'en recueillir le jus tandis que vous le débiterez en tranches. Découpez-le en rondelles d'un peu plus d'un centimètre d'épaisseur, dont vous pourrez ensuite ôter la peau. Enfin, à l'aide d'un couteau bien aiguisé, débarrassez l'ananas de son centre coriace.

Le corps utilise ce dernier pour fabriquer le collagène, une protéine fibreuse qui contribue à constituer les tissus conjonctifs comme les os, la peau et le cartilage. Des recherches ont montré que les sujets qui présentaient une carence en manganèse avaient des troubles osseux similaires à l'ostéoporose. Une étude, en particulier, a mis en évidence le fait que les femmes atteintes d'ostéoporose avaient des taux de manganèse plus bas que celles qui n'étaient pas atteintes de ce trouble.

«Un excellent moyen d'ajouter du manganèse à notre alimentation consiste à manger de l'ananas frais, ou à en boire du jus», affirme le Dr Jeanne Freeland-Graves, professeur de nutrition. Une portion de 200 grammes de tronçons d'ananas fournit plus de 2 milligrammes de manganèse, soit plus de 100% de la Valeur quotidienne.

FACILITEZ VOTRE DIGESTION

L'ananas jouit d'une réputation bien établie pour soulager l'indigestion, et cela semble justifié. Le fruit frais contient de la bromélaïne, une enzyme qui favorise la digestion en décomposant les protéines. Ce fait pourrait avoir son importance chez les personnes âgées qui n'ont plus que de faibles taux d'acides digestifs, nécessaires à la digestion des protéines.

Même si vous adorez l'ananas, il est évidemment peu probable que vous en mangiez à la fin de chaque repas. En revanche, si vous avez un certain âge et que vous souffriez souvent d'indigestion, le simple fait d'ajouter quelques tranches d'ananas à votre dessert habituel pourrait contribuer à calmer votre estomac, selon le Dr Joanne Curran-Celentano, professeur de nutrition en université.

UNE EXCELLENTE SOURCE DE VITAMINE C

Peu de nutriments ont fait l'objet de recherches aussi nombreuses que la vitamine C, ce qui ne saurait nous surprendre. En effet, cette vitamine est un puissant antioxydant, c'est-à-dire qu'elle contribue à neutraliser les radicaux libres (molécules d'oxygène instables qui provoquent des lésions cellulaires et contribuent à l'apparition du cancer et des maladies cardiovasculaires). De plus, l'organisme utilise la vitamine C pour fabriquer le collagène, la «colle» qui assure la cohésion de l'ossature et des tissus. En outre, au moindre signe de refroidissement, la première chose qui nous vient à l'esprit est probablement la vitamine C. Cette dernière a pour effet d'abaisser les taux d'histamine, une substance chimique responsable des symptômes du rhume, yeux larmoyants et nez qui coule, entre autres.

S'il est vrai que l'ananas ne contient pas autant de vitamine C que l'orange ou le pamplemousse, il n'en est pas moins une excellente source. Une portion de 100 grammes d'ananas en morceaux, par exemple, peut contenir plus de 25 milligrammes de vitamine C, soit 40% de la Valeur quotidienne. Le jus en contient plus encore. Un seul verre de jus d'ananas en boîte contient 60 milligrammes de vitamine C, soit 100% de la Valeur quotidienne.

Critères de choix, préparation et conservation

Achetez-le frais. L'ananas en boîte est certes bien pratique, mais si vous mangez de l'ananas pour apaiser vos troubles gastriques, le fruit frais est préférable, car la chaleur intense du processus de mise en conserve détruit la bromélaïne, signale le Dr Taussig.

Essayez une variété nouvelle. La prochaine fois que vous irez faire votre marché, essayez de trouver un ananas Gold en provenance du Costa Rica. Cette variété exceptionnellement sucrée contient plus de quatre fois la quantité de vitamine C des autres ananas.

Buvez du jus. Le jus d'ananas en boîte est une excellente façon d'obtenir votre dose quotidienne de vitamine C. En fait, 10 centilitres de jus d'ananas en boîte contiennent plus de vitamine C que la même quantité de jus de pomme, de canneberge ou de tomate.

L'ARTICHAUT
AU CŒUR D'UNE BONNE SANTÉ

POUVOIR THÉRAPEUTIQUE
CONTRIBUE À :

Protéger contre les cancers de la peau

Prévenir les maladies hépatiques et cardiovasculaires

Prévenir les malformations congénitales

Lorsque l'épouse du roi Henri II se mit à manger des artichauts, à l'époque de la Renaissance, la population française trouva ce comportement proprement scandaleux. Après tout, on attribuait à l'artichaut des vertus aphrodisiaques – certainement pas le genre d'aliment qu'une dame de la noblesse comme Madame Catherine puisse se permettre de manger avec tant d'empressement.

Quatre cents ans plus tard, nous n'avons plus guère de raisons de penser que l'artichaut stimule vraiment la libido. En revanche, il peut beaucoup pour améliorer notre santé. Des recherches ont montré qu'une substance complexe qu'il contient joue un rôle dans la prévention de certains types de cancer et pourrait même guérir les lésions du foie.

UN GLOBE PROTECTEUR

Originaire de la vallée du Nil inondée de soleil, l'artichaut pousse dans diverses régions le plus souvent ensoleillées, comme la Provence. Peut-être n'est-il donc pas surprenant que ce globe très particulier, qui est en réalité la fleur encore immature d'une espèce de chardon, puisse offrir une protection contre le cancer de la peau.

Dans une étude effectuée par deux établissements universitaires de Cleveland, des chercheurs ont constaté qu'une pommade à base de silymarine, une substance complexe présente dans l'artichaut, pouvait prévenir le cancer de la peau chez les souris de laboratoire.

Il n'est pas nécessaire de se revêtir de feuilles d'artichauts en guise de vêtements pour être ainsi protégé. «La silymarine tient son efficacité du fait qu'elle est un antioxydant puissant», explique le chercheur Hasan Mukhtar, professeur de dermatologie et sciences de l'environnement. Les antioxydants contribuent à prévenir le cancer dans l'organisme en absorbant les radicaux libres (des molécules nuisibles capables d'endommager nos cellules saines), avant que ces derniers ne puissent endommager l'ADN et provoquer des tumeurs cancéreuses. Les radicaux libres sont générés spontanément, mais leur formation s'accélère sous l'effet de l'exposition à la lumière du soleil ou de la pollution atmosphérique. L'artichaut, s'il n'est pas capable d'empêcher l'apparition des radicaux libres, peut en inhiber les effets.

«Il s'agit d'un antioxydant si puissant qu'en Europe, l'extrait de silymarine est même utilisé à des fins médicales pour traiter les maladies hépatiques», relève le Dr Mukhtar, qui ajoute qu'aucune étude n'a encore été faite à ce jour pour déterminer le nombre d'artichauts qu'il faudrait manger afin d'obtenir un tel effet protecteur. Dans l'intervalle, des recherches préliminaires laissent entendre qu'il ne saurait y avoir aucun inconvénient à manger plus souvent ce légume à la fois si savoureux et tellement favorable à la santé.

DES CŒURS POUR LA SANTÉ DU CŒUR

L'ennui avec notre mode de vie moderne, caractérisé par les repas-minute et les aliments industriels, c'est que nous n'absorbons souvent pas assez d'éléments nutritifs importants, notamment de fibres végétales.

Même si les fibres alimentaires sont dénuées de valeur nutritive, leur importance est considérable. En ajoutant du volume au bol fécal, elles facilitent et accélèrent l'élimination des déchets, ce qui aide à débarrasser le tube digestif des toxines et du cholestérol. En outre, le fait d'absorber suffisamment de fibres alimentaires (la Valeur quotidienne s'élève à 25 grammes) peut contribuer à prévenir l'excès de cholestérol, les maladies cardiovasculaires, l'hypertension artérielle, un taux glycémique trop élevé (trouble précurseur du diabète) et certains types de cancers, en particulier celui du côlon.

L'artichaut est une excellente source de fibres. Un artichaut moyen et cuit fournit plus de 6 grammes de fibres, soit environ le quart de la Valeur quotidienne. Même sans en manger les feuilles, vous obtiendrez de généreuses quantités de fibres en ne dégustant que le fond de votre artichaut. Frais ou surgelés, les fonds d'artichaut fournissent proportionnellement plus de fibres que les artichauts entiers.

En outre, l'artichaut est une bonne source de magnésium, un minéral dont il est prouvé qu'il contribue à maîtriser l'hypertension artérielle. Le magnésium

S'ALIMENTER AVEC INTELLIGENCE
DOUCEUR CACHÉE

L'artichaut constitue généralement un plat en soi plutôt qu'un accompagnement. Cela s'explique sans doute par le fait qu'il est nécessaire de lui consacrer toute notre attention pour pouvoir le déguster. De plus, si l'artichaut n'est pas lui-même un aliment sucré, il semble avoir la propriété d'intensifier le goût sucré des autres aliments.

En effet, l'artichaut contient une substance appelée cynarine. Mélangée à d'autres aliments, cette dernière leur confère un goût plus sucré que leur saveur d'origine. «La cynarine stimule les récepteurs gustatifs de la langue», explique Mme Aliza Green, ancien chef et expert-conseil en restauration, qui a longuement étudié la palette des goûts lorsque divers aliments sont mariés ensemble. «Même l'eau semble sucrée lorsque l'on vient de manger un artichaut. Il est donc préférable de servir ce légume soit seul, soit accompagné d'un aliment de goût neutre, des pâtes, par exemple .»

D'autre part, mieux vaut réserver votre meilleur bordeaux rouge pour une autre occasion, ajoute Mme Green. «L'artichaut intensifiant le goût sucré, il déforme complètement le goût du vin. Si vous ne buvez qu'un vin de table ordinaire, cela n'a que peu d'importance, mais évitez de le servir avec un vin raffiné dont vous préféreriez pouvoir savourer toutes les nuances subtiles.»

contribue à maintenir la souplesse de nos muscles et atténue le risque d'arythmie cardiaque (changement de rythme du muscle cardiaque, pouvant être dangereux). Diverses études ont montré que 20 à 35 % des personnes atteintes de défaillance cardiaque présentaient également de faibles taux de magnésium.

Un artichaut moyen apporte 72 milligrammes de magnésium, soit 18 % de la Valeur quotidienne. Plusieurs fonds d'artichauts peuvent apporter plus de la moitié de cette quantité, ce qui représente près de 13 % de la Valeur quotidienne.

DU FOLATE EN QUANTITÉ

Les femmes enceintes ont particulièrement intérêt à déguster souvent des artichauts, car les chercheurs ont constaté que ces derniers sont une excellente source de folate, connu pour son importance dans le développement de l'embryon.

Même si vous n'êtes pas enceinte, le folate est un nutriment essentiel. Il contribue à un bon fonctionnement nerveux, et des études ont montré qu'il pourrait jouer un rôle protecteur important et prévenir les maladies cardiovasculaires ainsi que certains cancers.

Malheureusement, la carence en folate est l'une des carences alimentaires les plus courantes dans nos pays. Nous n'absorbons tout simplement pas assez d'aliments riches en folate, comme les gombos ou les épinards, pour obtenir les 400 microgrammes de ce nutriment qu'il nous faudrait absorber chaque jour.

Un artichaut moyen contient 61 microgrammes de folate, soit 15 % de la Valeur quotidienne. Plusieurs fonds d'artichaut peuvent en apporter environ 43 microgrammes, ce qui représente 11 % de la Valeur quotidienne.

UNE EXPLOSION DE VITAMINE C

Comme la plupart des fruits et des légumes qui poussent sous le soleil de Provence ou en Bretagne, les artichauts sont une bonne source de vitamine C.

Cette dernière est un antioxydant puissant, au même titre que la silymarine, ce qui signifie qu'elle neutralise les radicaux libres avant qu'ils n'aient eu le temps de provoquer des dégâts. Diverses études ont également montré que le fait d'absorber beaucoup de vitamine C contribuait à la santé de la peau et nous assurait une excellente immunité contre les virus et les bactéries. Un artichaut moyen contient environ 12 milligrammes de vitamine C, ce qui équivaut à 20 % de la Valeur quotidienne.

Critères de choix, préparation et conservation

Facilitez-vous la vie. Beaucoup de gens hésitent à acheter des artichauts parce qu'il faut travailler dur pour les manger. Une alternative très simple consiste à acheter un sachet de fonds d'artichauts surgelés. Très faciles à préparer, ces derniers contiennent d'ailleurs plus de folate que les artichauts frais, même s'ils perdent une proportion de leurs autres nutriments au cours du processus de conservation.

Plus de vitamine C lorsqu'ils sont frais. La vitamine C est un nutriment fragile qui tend à disparaître lors des processus industriels. Si vous souhaitez obtenir davantage de ce nutriment vital, il est donc préférable de manger des artichauts frais.

Pas d'excès de vinaigrette. Absorbé nature, l'artichaut est un aliment véritablement maigre. En revanche, le beurre ou la vinaigrette dans laquelle vous allez tremper ses feuilles ne sont pas forcément bénéfiques pour la santé. Ils pourront être avantageusement remplacés par une préparation.

L'ASPERGE
DES POINTES PROTECTRICES

POUVOIR THÉRAPEUTIQUE

CONTRIBUE À :
Prévenir les malformations congénitales

Diminuer le risque de maladies cardiovasculaires et de cancer

Au XVIIe siècle, l'asperge était extrêmement populaire parmi la haute noblesse française, non seulement pour son goût délicat, mais aussi parce que ses pointes savoureuses passaient pour un aphrodisiaque puissant.

Peu de signes annonciateurs du printemps réjouissent autant l'amateur d'asperges, même s'il n'est pas spécialement porté sur les choses de l'amour, que ces jolies pointes d'un vert brillant sortant du sol encore refroidi par l'hiver. Ce spectacle est d'ailleurs tout aussi réjouissant pour notre santé, puisque les asperges contiennent des substances complexes capables de prévenir divers troubles comme les malformations congénitales, les maladies cardiovasculaires et le cancer.

DU FOLATE EN ABONDANCE

L'une des percées scientifiques les plus révolutionnaires de ce siècle a été la découverte qu'il serait possible de diviser par deux les cas de malformations congénitales du cerveau et de la colonne vertébrale (malformations du tube neural) si toutes les femmes en âge de procréer absorbaient chaque jour 400 microgrammes de folate.

L'asperge contient une grande quantité de folate, une vitamine du groupe B essentielle pour aider les cellules à se régénérer. Cinq pointes d'asperges contiennent 110 microgrammes de folate, soit environ 28 % de la Valeur quotidienne.

La femme enceinte ne doit pas hésiter à se servir une double portion d'asperges. En effet, si les recommandations officielles préconisent 400 microgrammes de folate par jour pour la femme, la spécialiste du folate Lynn B. Bailey, professeur de nutrition et chercheur, suggère que la dose optimale pour la femme enceinte pourrait être considérablement plus élevée, «peut-être même située aux alentours de 600 microgrammes», précise-t-elle.

Non seulement le folate est bénéfique pour les femmes en âge de procréer, mais il permet également à chacun de se protéger contre les maladies cardiovasculaires. Il semblerait que ce nutriment joue le rôle d'une vanne, régulant le taux d'homocystéine (un acide aminé) dans le courant sanguin. Lorsque les taux de folate s'abaissent, ceux d'homocystéine augmentent, provoquant des lésions dans les artères fragiles qui véhiculent le sang jusqu'au cœur et au cerveau.

Pour prévenir les maladies cardiovasculaires, il pourrait être aussi important d'absorber suffisamment de folate que de maîtriser le cholestérol. Les chercheurs spécialistes du cœur disent d'ailleurs que si les Américains augmentaient la quantité de folate absorbée jusqu'à 400 microgrammes par jour, le nombre de décès par maladies cardiovasculaires diminuerait d'au moins 13 500. Parallèlement, une étude réalisée en Europe à montré que la consommation de folate, associée à d'autres vitamines B, pouvait être liée à une baisse de 64 % des décès par maladies cardiovasculaires. En l'état actuel des choses, 12 % seulement de la population américaine en absorbe autant. En France, ce sont surtout les adolescents, les personnes âgées et les femmes enceintes qui sont concernés, puisque 60 % de tous ces individus n'en reçoivent pas la Valeur quotidienne.

PROTECTION CONTRE LE CANCER

Comme tous les légumes verts, l'asperge protège contre le cancer grâce à des substances complexes qui neutralisent essentiellement les agents cancérigènes avant que ces derniers ne puissent provoquer des dégâts.

La première de ces substances est le folate. Diverses études montrent que les sujets qui ont le taux sanguin de folate le plus élevé sont les moins exposés au cancer du côlon.

La deuxième substance protectrice dans l'asperge est le glutathion. Cette petite protéine est un puissant antioxydant, c'est-à-dire qu'elle contribue à éponger les radicaux libres (des particules instables qui, si rien ne s'interpose pour les en empêcher, circulent de manière désordonnée à travers tout le corps, blessant et trouant nos cellules et provoquant des lésions qui peuvent devenir cancéreuses). L'analyse de 38 légumes divers a permis de constater que l'asperge fraîche cuite venait en tête de liste pour sa teneur en glutathion.

ABSORBEZ DE LA VITAMINE E

Une autre bonne raison de manger davantage d'asperges est qu'elles contiennent de la vitamine E, très utile au cœur. Une étude menée par des chercheurs de

À LA CUISINE

L'asperge est l'un des légumes les plus faciles à préparer et à cuire. De plus, grâce à sa texture juteuse et à sa saveur fraîche, il est superflu d'y ajouter beurre ou sauce pour en apprécier le goût délicat. Voici quelques conseils culinaires pour la savourer sans préparation compliquée.

Vérifiez les pointes. Lors de l'achat, examinez la pointe des asperges. Le critère de la fraîcheur est une pointe compacte et bien refermée sur elle-même. Si l'extrémité semble ébouriffée et molle, c'est que l'asperge n'est plus très fraîche; mieux vaut alors renoncer à en acheter.

Ôtez la tige. Même si l'asperge tout entière est comestible, la tige, souvent fibreuse, est généralement éliminée. La méthode la plus facile consiste à plier l'asperge; cette dernière se cassera tout naturellement à l'endroit où cesse la tige ligneuse et où commence la pointe moelleuse.

Si les asperges sont particulièrement grosses, en revanche, cette méthode risque de gaspiller trop de chair tendre. Afin d'en conserver le plus possible, utilisez un éplucheur pour peler la partie inférieure de chaque tige. Prenez ensuite un couteau pour couper la tige à l'endroit où celle-ci devient ligneuse.

l'université du Minnesota a permis d'établir qu'il suffisait d'absorber 10 unités internationales de vitamine E par jour pour diminuer sensiblement le risque de maladies cardiovasculaires chez la femme. Cinq pointes d'asperges contiennent 0,4 unités internationales de ce nutriment, soit environ 1% de la Valeur quotidienne.

«Il s'agit de la première étude qui ait examiné l'effet de la vitamine E obtenue à partir de l'alimentation plutôt qu'en prenant des compléments alimentaires, et les résultats ont surpris tout le monde, à commencer par nous», souligne le Dr Lawrence H. Kushi, professeur de santé publique, de nutrition et d'épidémiologie et principal chercheur chargé de cette étude.

Bien sûr, il faudrait manger de grandes quantités d'asperges – 119 pointes, pour être précis – afin d'obtenir par ce moyen la quantité de vitamine E qui s'est révélée idéale, selon cette étude. Il faut dire qu'il est difficile d'obtenir de grandes quantités de vitamine E par nos seuls aliments, car ce nutriment est surtout présent dans les noix et les huiles végétales. C'est précisément pour cela que beaucoup de médecins recommandent d'en prendre sous forme de compléments.

La vitamine E n'a pas seulement un rôle protecteur contre les maladies cardiovasculaires. Les recherches suggèrent qu'elle pourrait aussi contribuer à prévenir le diabète de type II, ou non-insulinodépendant, d'une part en protégeant le pancréas (l'organe qui génère l'insuline), et d'autre part en régulant le métabolisme des sucres dans l'organisme. Une étude portant sur 944 hommes âgés de 42 à 60 ans a permis de constater que le risque de ce type de diabète était quatre fois plus élevé chez ceux d'entre eux qui avaient de faibles taux de vitamine E.

Critères de choix, préparation et conservation

Conservez-les avec soin. Le folate est détruit par l'exposition à l'air, à la chaleur ou à la lumière, et les asperges doivent par conséquent en être protégées, selon le Dr Gertrude Armbruster, directrice du programme diététique de l'université Cornell. Elle recommande de les conserver à l'abri de la lumière, dans la partie inférieure du réfrigérateur ou dans un tiroir à légumes.

Cuisez-les avec ménagements. L'asperge est un légume fragile qu'il est inutile de faire bouillir à feu vif. «Il ne fait aucun doute que la préparation des asperges au four à micro-ondes détruit moins de nutriments que l'ébullition ou même la cuisson à la vapeur», ajoute le Dr Armbruster.

Cuisez-les debout. Puisque c'est la pointe qui contient la majeure partie des nutriments, il est préférable de cuire les asperges en les plaçant debout, dans un récipient haut, plutôt que de les empiler au fond d'un plat à gratin, poursuit-elle. Versez dans la casserole une dizaine de centimètres d'eau, placez le couvercle et amenez doucement à ébullition. En maintenant les pointes hors de l'eau de cuisson, non seulement vous conserverez davantage de nutriments, mais la cuisson des tiges se fera plus rapidement et de manière plus uniforme.

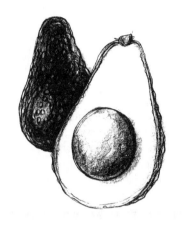

L'AVOCAT
DOMMAGE DE S'EN PRIVER

POUVOIR THÉRAPEUTIQUE
CONTRIBUE À :
Maîtriser le cholestérol

Abaisser la pression artérielle

Prévenir les malformations congénitales

Avec 26 calories par gramme, l'avocat est probablement l'un des fruits les plus nourrissants de la planète. En outre, il se distingue par le fait peu recommandable d'être l'un des rares fruits ayant un contenu mesurable de matières grasses pouvant aller jusqu'à 30 grammes par avocat. Cela représente la moitié de l'apport journalier recommandé pour l'individu moyen.

Difficile de croire qu'un aliment aussi bourratif puisse être bénéfique. Pourtant, c'est bien ce que nous affirment les diététiciens, selon lesquels le simple fait d'ajouter chaque jour un peu d'avocat à notre alimentation pourrait favoriser notre santé.

L'avocat est une excellente source de folate et de potassium. En outre, il contient de grandes quantités de fibres et de matières grasses monoinsaturées, deux atouts intéressants pour les personnes qui se sentent menacées par le diabète ou qui se soucient de la santé de leur cœur.

BON POUR LES DIABÉTIQUES

Il est généralement recommandé aux sujets diabétiques d'augmenter la quantité de glucides absorbée et de manger moins de matières grasses. En gros, ce conseil est judicieux, même s'il ne se justifie pas nécessairement dans tous les cas.

Les médecins ont découvert que lorsque certains diabétiques absorbaient beaucoup de glucides, ils avaient tendance à avoir des taux très élevés de triglycérides, un type de lipide sanguin qui pourrait contribuer aux maladies cardiovas-

S'alimenter avec intelligence
Un mélange à éviter

Mieux vaut éviter de manger trop souvent de l'avocat si vous prenez de la warfarine (Coumadine), un médicament pour le cœur conçu pour prévenir la coagulation du sang. Les scientifiques ne savent pas vraiment pourquoi, mais l'huile naturelle que contient l'avocat semble interférer avec ce médicament, tout au moins chez certaines personnes.

Dans le cadre d'une étude de petite envergure, des chercheurs, en Israël, ont constaté que l'absorption de un demi à un avocat pouvait compromettre l'efficacité de ce médicament. S'il est vrai que les effets ne duraient pas longtemps, dans la mesure où le médicament retrouvait toute son efficacité lorsque les intéressés renonçaient à manger des avocats, cela pourrait avoir des conséquences dangereuses pour certaines personnes. Par conséquent, si vous prenez de la warfarine, demandez l'avis de votre médecin traitant avant d'inclure les avocats dans votre alimentation.

culaires. Ce qui est surprenant, c'est que lorsque les mêmes personnes remplacent une partie des glucides absorbés par de la matière grasse, et notamment celle du type que contient l'avocat, le taux de matières grasses dangereuses dans le courant sanguin a tendance à s'abaisser.

L'avocat est une excellente source de matières grasses monoinsaturées, en particulier d'un type de lipide appelé acide oléique. «Nous avons pu constater que ces acides gras monoinsaturés amélioraient les taux de lipides dans l'organisme et contribuaient à mieux maîtriser le diabète», constate le Dr Abhimanyu Garg, professeur adjoint en médecine interne et en nutrition clinique.

Dans une étude effectuée au Mexique, des chercheurs ont administré à 16 femmes diabétiques un régime relativement gras, dans lequel les matières grasses représentaient environ 40% de l'apport calorique. Il en résulta une baisse de 20% des triglycérides. En revanche, il n'y eut une baisse que de 7% des triglycérides chez les femmes du groupe de contrôle qui recevaient une alimentation comprenant en majorité des glucides.

«L'intérêt de l'avocat, c'est qu'il nous fournit beaucoup de ces matières grasses monoinsaturées», commente le Dr Garg. Par exemple, on pourrait conseiller à quelqu'un qui doit absorber un régime à 2 000 calories par jour de manger 33 grammes de matières grasses monoinsaturées. «Un seul avocat suffit à en fournir environ 20 grammes», précise-t-il.

Bénéfique en cas d'excès de cholestérol

Les diabétiques ne sont pas les seuls qui auraient avantage à manger plus souvent de l'avocat. L'acide oléique contenu dans ce fruit peut également contribuer à faire baisser le taux de cholestérol. Dans une étude de petite envergure effectuée au Mexique, où le guacamole constitue quasiment une catégorie alimentaire à lui tout seul, des chercheurs ont comparé les effets de deux types de régime basses calories. Les deux régimes étaient identiques, à une exception près: l'un des deux comprenait des avocats. Il s'avéra que les deux types de régime permettaient d'abaisser le cholestérol LDL dangereux (celui des lipoprotéines de faible densité), mais que le régime qui comprenait aussi de l'avocat permettait d'augmenter en outre les taux de cholestérol bénéfique (celui des lipoprotéines de haute densité), tout en abaissant légèrement les triglycérides.

L'avocat abaisse les taux de cholestérol d'une autre manière encore, car il enrichit notre alimentation d'une quantité appréciable de fibres, ajoute le Dr Garg. Les fibres donnent davantage de volume au bol fécal, ce qui accélère son élimination hors du corps ainsi que celle du cholestérol qu'il contient. Avec ses 10 grammes de fibres (soit 40% de la Valeur quotidienne), un seul avocat en contient davantage qu'un petit pain au son.

DES RENFORTS POUR LE CŒUR

L'avocat est une excellente source de potassium. La moitié d'un avocat fournit 548 milligrammes de ce minéral (16% de la Valeur quotidienne). Cette teneur représente 15% de plus que l'apport d'une banane moyenne.

Diverses études ont montré que les personnes qui absorbaient beaucoup d'aliments riches en potassium comme l'avocat étaient exposées à un risque considérablement plus faible d'hypertension artérielle et de troubles du même genre, comme les crises cardiaques et les accidents vasculaires cérébraux.

«Il est impossible d'absorber trop de potassium», affirme le Dr David B. Young, professeur de physiologie et de biophysique. Même des apports modestes peuvent nous apporter une protection considérable, ajoute-t-il.

UNE MINE DE FOLATE

L'avocat pourrait être l'aliment idéal pour la femme enceinte, censée manger pour deux, surtout s'il s'agit d'obtenir suffisamment de folate, un nutriment qui contribue à prévenir des malformations congénitales potentiellement mortelles affectant le cerveau et la colonne vertébrale. Beaucoup de femmes n'absorbent pas suffisamment de folate par leur alimentation, mais l'avocat est un excellent moyen d'y remédier. La moitié d'un avocat contient en effet 57 microgrammes de folate, soit 14% de la Valeur quotidienne.

En revanche, nous aurions tort de croire que les futures mères sont les seules qui devraient tremper plus souvent leurs chips dans le guacamole. Nous avons tous besoin de folate. Ce nutriment est essentiel à une bonne fonction nerveuse. En outre, il pourrait contribuer à lutter contre les maladies cardiovasculaires.

Critères de choix, préparation et conservation

Achetez des avocats de Floride. Si la matière grasse monoinsaturée des avocats est bénéfique sur le plan du cholestérol, elle ne l'est pas pour notre tour de taille. Afin d'obtenir les nutriments bénéfiques de l'avocat sans absorber autant de matières grasses, essayez de vous procurer des avocats de Floride. En effet, leur apport calorique représente les deux tiers seulement de celui des avocats de Californie.

Sachez quand les acheter. Une autre manière d'obtenir des avocats moins gras consiste à les acheter entre novembre et mars. Durant cette période, ils ne contiennent en effet que le tiers environ de la teneur en matières grasses par rapport à ceux de la récolte de septembre ou d'octobre.

L'AVOINE
ÉPONGER LE CHOLESTÉROL

POUVOIR THÉRAPEUTIQUE

CONTRIBUE À :
Abaisser le cholestérol
et la glycémie

Améliorer la sensibilité
à l'insuline

Maîtriser l'appétit

Diminuer le risque de maladies
cardiovasculaires et de cancer

Sans les chevaux, sans doute ne connaîtrions-nous même pas l'avoine ni, à plus forte raison, ses considérables pouvoirs thérapeutiques. Partout où les chevaux étaient introduits dans différentes régions du monde, l'avoine les accompagnait pour les nourrir. En revanche, ce qui n'a rien d'étonnant, les hommes rechignaient à y goûter. *Le Dictionnaire de la langue anglaise* de Samuel Johnson, paru en 1755, définissait l'avoine comme «une graine qui, en Angleterre, sert généralement de fourrage aux chevaux, mais qui est utilisée comme un aliment par la population de l'Écosse». Les Écossais, semble-t-il, avaient donc quelques longueurs d'avance sur leur époque.

L'avoine est une céréale extraordinairement bénéfique. Tout d'abord, contrairement au blé, à l'orge et à divers autres grains, l'avoine conserve après traitement le son et le germe qui contiennent la plus grande concentration de nutriments. Ensuite, cette céréale contient une grande variété de substances complexes dont il est prouvé qu'elles diminuent le risque de maladies cardiovasculaires, luttent contre le cancer, abaissent la glycémie, améliorent la sensibilité à l'insuline et contribuent à la maîtrise du poids.

S'ALIMENTER AVEC INTELLIGENCE
ATTENTION AUX MATIÈRES GRASSES

Si vous vous efforcez de réduire la quantité de matières grasses alimentaires que vous absorbez, vous risquez d'avoir un moment d'hésitation en lisant l'étiquette d'un paquet d'avoine. En effet, si tous les types de céréales contiennent une faible quantité de corps gras, l'avoine en fournit une quantité relativement importante. Par exemple, une portion de 100 grammes de flocons d'avoine contient plus de 6 grammes de matières grasses, tandis que la même quantité de farine en contient 1 gramme.

Quel que soit le type de céréale, la majeure partie des corps gras qui s'y trouvent se concentre dans le son et le germe. Dans le cas de la plupart des céréales, ces couches externes sont éliminées lors des processus de transformation, mais il n'en va pas de même de l'avoine. Par conséquent, si vous souhaitez absorber moins de corps gras alimentaires, un bol de gruau d'avoine n'est pas forcément le meilleur choix.

En revanche, s'il est vrai que la teneur en matières grasses de l'avoine est relativement élevée, près de 80 % des corps gras qu'elle contient sont précisément du type insaturé, bénéfique pour le cœur.

LUTTER CONTRE L'EXCÈS DE CHOLESTÉROL

Pendant des années, nous avons entendu dire et répéter que le gruau et le son d'avoine pouvaient contribuer à faire baisser le cholestérol, un atout important pour réduire le risque de maladie cardiovasculaire. Diverses études montrent qu'en mangeant plus souvent de l'avoine, il est possible non seulement d'abaisser le cholestérol total mais, et c'est plus encourageant encore, de réduire le taux de «mauvais» cholestérol LDL (à lipoprotéines de faible densité), tout en laissant intact le «bon» cholestérol HDL (à lipoprotéines de haute densité).

L'avoine contient un type de fibre soluble appelé bêtaglucane, qui a pour effet de prendre au piège le cholestérol alimentaire dans l'intestin. Cette gelée n'étant pas absorbée par l'organisme, elle traverse l'intestin en emportant avec elle le «mauvais» cholestérol.

Les fibres solubles ne sont pas le seul élément de l'avoine qui prend ainsi au piège le mauvais cholestérol. L'avoine contient également des substances complexes, appelées saponines, et ces dernières, au cours d'études préliminaires portant sur des animaux de laboratoire, semblaient se lier au cholestérol avant de l'escorter hors du corps. Les saponines s'agglomèrent également avec les acides biliaires, ce qui nous est bénéfique, car des taux élevés de ces acides peuvent faire monter les taux de cholestérol.

«Nous avons longtemps pensé que les saponines n'avaient que des effets négatifs sur l'organisme, déclare le Dr Joanne L. Slavin, professeur de nutrition.

En réalité, nous les qualifions d'anti-nutriments, car elles inhibent l'absorption de diverses substances nutritives. Pourtant, leurs effets positifs sur la santé dépassent incontestablement leurs inconvénients. »

Inutile de manger d'énormes quantités d'avoine pour abaisser le taux de cholestérol. En effet, en absorbant chaque jour 3/4 de tasse d'avoine sèche (ce qui représente environ 1 tasse 1/2 de bouillie d'avoine), ou un peu moins d'une demi-tasse de son d'avoine (sachant que ce dernier double de volume une fois cuit), il est possible d'abaisser de 5 % le taux de cholestérol total.

Une protection stable

Comme tous les aliments d'origine végétale, l'avoine contient toute une palette de substances complexes capables d'offrir divers types de protection. Trois de ces complexes sont des antioxydants: les tocotriénols (liés à la vitamine E), l'acide férulique et l'acide caféique. Cela signifie qu'ils contribuent à neutraliser des particules nuisibles appelées radicaux libres, capables d'endommager les cellules et qui, si rien ne vient s'y opposer, peuvent contribuer à divers troubles tels que les maladies cardiovasculaires, le cancer et certaines maladies des yeux.

Les tocotriénols, très abondants dans l'avoine, ont au moins

À la cuisine

De tous les aliments, l'avoine est l'un des plus faciles à cuire. Il suffit de lui ajouter deux fois son volume d'eau, de couvrir, et de laisser mijoter un moment avant de servir. Voici quelques idées qui permettront de varier la texture et le goût de l'avoine selon vos goûts.

Le lait la rend crémeuse.
En remplaçant l'eau de cuisson par du lait, on obtient un gruau d'avoine beaucoup plus crémeux dont certaines personnes préfèrent la consistance à celle, plus ferme, de l'avoine cuite à l'eau.

Comment la rendre plus croquante.
Si vous préférez une texture ferme et croquante, les chefs vous conseillent de verser l'avoine dans l'eau bouillante plutôt que de la cuire dans de l'eau froide que vous amènerez ensuite à ébullition.

Variations de goût. Afin de lui donner plus de goût, vous pouvez aussi remplacer le lait ou l'eau par du jus de pomme, de poire ou de pêche, dans lequel vous ferez cuire l'avoine.

Le sucre contenu dans ces jus cuit très vite, et pourrait donner à votre bouillie d'avoine un goût légèrement brûlé. Il est donc préférable d'utiliser dans ce cas une casserole à fond épais, ou de préparer votre bouillie d'avoine au bain-marie et à feu doux, en surveillant attentivement le temps de cuisson.

deux modes d'action contre les maladies cardiovasculaires. Ils sont d'une très grande efficacité contre le processus d'oxydation, qui fait que le cholestérol LDL devient rance et se dépose sur les parois de nos artères. Il faut d'ailleurs savoir que l'efficacité des tocotriénols dans ce domaine est 50% supérieure à celle de la vitamine E, souligne le Dr David J. A. Jenkins, professeur de sciences de la nutrition et de médecine. De plus, les tocotriénols exercent leur action sur le foie, ce qui pourrait contribuer à ralentir la production de cholestérol par l'organisme.

LUTTER CONTRE LE CANCER

Parmi les substances complexes de l'avoine qui nous protègent contre les maladies cardiovasculaires, il en est qui pourraient également se révéler utiles pour prévenir le cancer, souligne le Dr A. Venket Rao, professeur de nutrition.

Nous avons déjà mentionné le fait que les saponines de l'avoine se lient aux acides biliaires. Ce fait a son importance, car si ces acides ont leur rôle à jouer dans l'absorption et la digestion des corps gras, ils sont également une cause de troubles. Dans le gros intestin, ils se transforment sous l'action de certaines bactéries et deviennent alors des acides biliaires secondaires. Ces derniers peuvent endommager les cellules de l'intestin, et ce processus pourrait être à l'origine de certains cancers. «En se liant aux acides biliaires, les saponines empêchent beaucoup de ces derniers de se transformer en acides secondaires toxiques et pourraient ainsi contribuer à diminuer le risque de cancer», commente le Dr Rao.

De plus, les saponines semblent renforcer le système immunitaire, améliorant les mécanismes de détection et de défense de l'organisme contre divers envahisseurs indésirables comme les bactéries, les virus et les cellules cancéreuses. «Au cours d'expériences portant sur des animaux de laboratoire, le fait d'ajouter des saponines à l'alimentation de ces cobayes a permis d'augmenter le nombre de cellules à activité naturelle tueuse, ce qui revient à dire que le système de surveillance immunitaire était renforcé», poursuit ce médecin.

D'autres substances complexes de l'avoine nous protègent du cancer et des maladies cardiovasculaires en neutralisant et en mettant hors d'état de nuire les radicaux libres si dangereux pour les cellules saines.

Enfin, ajoute le Dr Slavin, l'avoine contient de généreuses quantités d'une autre substance complexe, l'acide phytique. «Il nous reste à en identifier le mode d'action exact, mais nous avons déjà certaines indications tendant à montrer que l'acide phytique se lie à certains minéraux réactifs, ce qui pourrait jouer un rôle important dans la prévention du cancer du côlon.»

RÉGULER LA GLYCÉMIE

Un autre avantage de l'avoine est qu'elle semble contribuer à maintenir stables les taux de glycémie. C'est là un atout important pour les très nombreux Français (selon les statistiques) souffrant d'intolérance au glucose, un trouble comparable au diabète et susceptible d'augmenter le risque de maladies cardio-vasculaires et d'accident vasculaire cérébral.

Chez les personnes ainsi atteintes, les taux de sucre dans le sang dépassent le seuil souhaitable, sans pour autant être suffisamment élevés pour que l'on puisse parler de diabète. Cependant, même des taux de glycémie en léger excès pourraient être inquiétants, car ils obligent l'organisme à générer de plus grandes quantités d'insuline pour les abaisser.

Les fibres solubles de l'avoine déposent dans l'intestin une couche protectrice passablement collante. Cette dernière a pour effet de ralentir l'absorption des glucides dans l'organisme, ce qui permet également de réguler les taux de sucre dans le sang. En outre, les fibres solubles semblent diminuer la quantité d'hormones libérées dans le tube digestif, ce qui a pour conséquence indirecte d'abaisser la production d'insuline par l'organisme.

Voici en outre un avantage supplémentaire des fibres solubles contenues dans l'avoine: en absorbant de grandes quantités d'eau, elles créent un sentiment de satiété. Autant dire que lorsque nous avons absorbé de l'avoine, nous nous sentons plus longtemps rassasié et sommes moins porté à manger des portions excessives. Voilà donc une bonne nouvelle pour quiconque cherche à perdre du poids.

Un espoir contre le sida

Quoique les recherches scientifiques en restent au stade préliminaire, les saponines de l'avoine pourraient être efficaces pour neutraliser le VIH, le virus responsable du sida.

Depuis longtemps, les chercheurs se posent la question suivante: quelle peut bien être la raison pour laquelle certains sujets infectés par le VIH deviennent des sidéens relativement rapidement, alors que d'autres individus demeurent pendant des années à peu près en bonne santé? Les scientifiques poursuivent les recherches afin de découvrir ce qui rend le VIH plus virulent chez certaines personnes.

Il est possible que les diverses substances complexes présentes dans nos aliments, notamment les saponines de l'avoine, puissent jouer un rôle en neutralisant le VIH. «Ces recherches en sont certes à leurs premiers balbutiements, relève le Dr Rao, mais il ne fait aucun doute que c'est là une piste à suivre.»

Critères de choix, préparation et conservation

Simplifiez-vous la vie. Contrairement à beaucoup d'autres aliments, qui perdent une grande partie de leur pouvoir nutritif après avoir subi un processus de transformation, l'avoine, sous pratiquement toutes ses formes, conserve ses qualités bénéfiques. Par conséquent, si le temps vous fait défaut, ne vous privez pas de flocons d'avoine instantanés. Ces derniers fournissent autant de vitamines et de minéraux que leurs cousins traditionnels nécessitant une cuisson prolongée. Souvenez-vous, en revanche, que les flocons d'avoine instantanés contiennent davantage de sodium que les autres variétés d'avoine.

Des protéines en abondance. Les flocons d'avoine et le son d'avoine sont tous deux d'excellentes sources de protéines. Une portion de 100 grammes de son d'avoine contient environ 7 grammes de protéines, soit 14% de la Valeur quotidienne, tandis qu'une portion de 100 grammes de flocons d'avoine en fournit 14 grammes.

Moins de calories grâce au son. Si vous souhaitez manger moins gras, le son d'avoine est souvent un choix plus judicieux que les flocons. En effet, une portion de 100 grammes de son d'avoine n'apporte que 2,7 grammes de lipides, tandis que la même quantité de flocons d'avoine en contient 5 grammes.

LES BAIES ET PETITS FRUITS
PAS SEULEMENT POUR LE DESSERT

POUVOIR THÉRAPEUTIQUE

CONTRIBUENT À :

Prévenir les cataractes

Lutter contre le cancer

Prévenir la constipation

Diminuer le risque d'infection

Les Romains considéraient les fraises comme un remède universel capable de guérir n'importe quoi, depuis une dent branlante jusqu'à une gastrite. Les framboises, d'après la sagesse populaire, auraient le pouvoir d'apaiser l'infection des amygdales.

Nul doute que l'intérêt des baies et des petits fruits n'ait été quelque peu exagéré, mais leur réputation thérapeutique se justifie néanmoins. Les baies contiennent en effet un certain nombre de substances prometteuses dans la prévention de troubles graves comme le cancer ou les cataractes.

UN ACIDE BÉNÉFIQUE

C'est une substance complexe, l'acide ellagique, qui fait l'intérêt des baies et des petits fruits ; cette substance est réputée jouer un rôle dans la prévention des modifications cellulaires qui peuvent conduire au cancer. Toutes les baies contiennent une petite quantité d'acide ellagique, mais c'est dans les fraises et les mûres que cette substance est la plus abondante. « L'acide ellagique nous est bénéfique car il contribue à lutter contre le processus de cancérisation », commente le Dr Hasan Mukhtar, professeur de dermatologie et de sciences de la santé et de l'environnement.

Les baies de sureau sont bourrées de précieux nutriments, mais il est néanmoins préférable de ne pas les récolter en pleine nature. Avant d'être vraiment mûres, elles pourraient contenir des substances complexes appelées glucosides cyanogéniques qui peuvent être toxiques, relève le Dr Ara DerMarderosian, professeur de pharmacognosie (l'étude des médicaments d'origine naturelle) et de chimie médicale.

Ce ne sont pas seulement les baies qui présentent un danger, précise-t-il, car les feuilles et l'écorce de l'arbre contiennent également les mêmes substances toxiques. En fait, les annales médicales ont relevé plusieurs cas d'enfants qui avaient été victimes d'une intoxication grave après avoir seulement évidé des branches de sureau pour les utiliser comme sarbacanes, sans en avoir mangé les baies.

En revanche, il n'est pas indispensable d'éviter complètement le sureau. Traitez-le plutôt de la même manière que les champignons sauvages: un aliment savoureux qu'il vaut mieux acheter au marché plutôt que d'aller le cueillir dans les bois. Il est également préférable d'en faire cuire les baies, car la chaleur détruit les substances complexes toxiques qu'elles contiennent, ajoute le Dr DerMarderosian.

Les baies, avec l'acide ellagique qu'elles contiennent, pourraient contribuer à lutter contre le cancer de plusieurs manières, ajoute le Dr Gary D. Stoner, directeur d'un programme de chimioprévention du cancer. L'acide ellagique est un antioxydant puissant, c'est-à-dire qu'il peut atténuer les lésions dues aux radicaux libres (des molécules d'oxygène instables qui peuvent littéralement faire des trous dans les cellules saines et déclencher ainsi le processus cancéreux). «De plus, il détoxifie les carcinogènes», souligne le Dr Stoner.

Dans le cadre d'une étude, des animaux exposés à une substance cancérigène auxquels avait été administré un extrait purifié d'acide ellagique étaient beaucoup moins susceptibles d'avoir un cancer de l'œsophage que ceux qui n'avaient reçu que le seul carcinogène. D'autres expériences ont permis de constater que le risque d'avoir une tumeur du foie est 70% moins élevé chez les animaux qui ont reçu de l'acide ellagique en même temps que la substance cancérigène.

Les chercheurs n'ont pas encore déterminé la quantité d'acide ellagique dont l'être humain a besoin pour obtenir la même protection, poursuit le Dr Stoner. «Au cours des premières expériences, les cobayes ont reçu de l'acide ellagique purifié, tandis que, dans certaines expériences ultérieures, ils ont été alimentés à l'aide de fraises séchées, explique-t-il. Quoique la teneur en acide ellagique des fraises ne corresponde qu'à un tiers de la quantité qu'ils avaient reçue sous sa forme purifiée, les animaux étaient malgré tout en mesure de résister au cancer de l'œsophage provoqué par des substances chimiques. Ce résultat nous indique qu'il pourrait y avoir un avantage à prendre l'acide ellagique sous la forme prévue par la nature, en absorbant de vrais aliments.»

Bénéfique pour les yeux, entre autres

L'acide ellagique n'est pas la seule substance complexe contenue dans les baies qui puisse lutter contre les radicaux libres. Baies et petits fruits sont également d'excellentes sources de vitamine C, l'un des antioxydants les plus puissants. En absorbant beaucoup de cette vitamine par l'alimentation, vous pourriez diminuer le risque de maladies cardiovasculaires, de cancer et d'infections. La vitamine C semble particulièrement importante dans la prévention des cataractes, dont les spécialistes pensent qu'elles sont dues à l'oxydation de la protéine qui constitue le cristallin de l'œil.

Toutes les baies contiennent de grandes quantités de vitamine C. Une portion de 80 grammes de fraises, par exemple, en contient près de 40 milligrammes, soit environ 70% de la Valeur quotidienne. (Une telle quantité représente davantage de vitamine C que n'apporterait la même quantité de pamplemousse.) Et une portion de 100 grammes de mûres en apporte 12 milligrammes, soit près du quart de la Valeur quotidienne.

Des baies bourrées de fibres

L'un des aspects les plus agréables des baies est le fait qu'elles contribuent à prévenir un trouble bien désagréable: la constipation. Les baies contiennent de grandes quantités de fibres insolubles qui sont incroyablement absorbantes. Elles attirent des flots d'eau dans l'intestin, rendant ainsi les selles plus volumineuses. Lorsque le bol fécal augmente de volume, le transit intestinal se fait plus rapidement et la constipation devient moins fréquente.

Les fibres que contiennent les baies ont encore un autre avantage. Elles contribuent à empêcher l'acide biliaire (une substance chimique dont l'organisme a besoin pour la digestion) de se transformer en un autre type de substance plus dangereuse et potentiellement cancérigène.

Le cassis est une extraordinaire source de fibres, car une portion de 100 grammes en contient 6 grammes. Une portion de 100 grammes de mûres en apporte 4 grammes, tandis que 100 grammes de framboises nous en fournissent 3 grammes.

LA BANANE
UNE ABONDANCE DE POTASSIUM

POUVOIR THÉRAPEUTIQUE

CONTRIBUE À :

Réduire le risque d'accident vasculaire cérébral

Abaisser l'hypertension artérielle

Soulager les brûlures d'estomac

Prévenir les ulcères

Faire disparaître la diarrhée

La banane a quelque chose de comique. N'avons-nous pas tous entendu des blagues sur le thème d'une peau de banane ayant provoqué une glissade? Pourtant, ce fruit a aussi bien des aspects bénéfiques. Diverses études ont montré que le fruit qui se dissimule sous cette fameuse peau glissante peut faire des merveilles pour notre santé. Ce fruit peut contribuer à prévenir des troubles divers, depuis la crise cardiaque et l'AVC jusqu'à l'hypertension artérielle et l'infection. Elle peut même contribuer à guérir les ulcères.

D'ailleurs, malgré notre nonchalance envers ce fruit trop courant pour mériter un très grand respect, nous avalons des régimes entiers de bananes, puisque chacun d'entre nous en consomme environ 13 kilos par an. Lorsque vous en saurez davantage sur les remarquables atouts thérapeutiques de la banane, peut-être en mangerez-vous plus encore.

DES BANANES POUR LE CŒUR

Si votre pression artérielle ne cesse d'augmenter depuis quelques années, peut-être est-il temps de vous accorder des vacances sous les tropiques. Même si le soleil et le surf ne sont pas tellement indiqués pour faire baisser les chiffres fatidiques, il est certain que la banane y parviendra.

Ce fruit est l'une des meilleures sources naturelles de potassium, car chacun d'entre eux nous fournit environ 396 milligrammes de ce minéral essentiel, soit 11% de la Valeur quotidienne. D'innombrables études ont montré que les personnes qui absorbaient des aliments contenant beaucoup de potassium présentaient un risque considérablement moins élevé d'hypertension artérielle et du cortège d'ennuis qui peuvent en découler, notamment la crise cardiaque et l'accident vasculaire cérébral.

Même si vous souffrez déjà d'hypertension artérielle, vous pourriez réduire considérablement, voire éliminer, la quantité de médicaments contre l'hypertension que vous prenez en mangeant plus souvent des bananes, selon des chercheurs de l'université de Naples (Italie). Ces derniers pensent que l'une des manières dont la banane permet de maintenir de faibles taux de pression artérielle est qu'elle contribue à empêcher la plaque d'athérome de se déposer sur la paroi de nos artères. Comment? En empêchant le processus chimique d'oxydation du «mauvais» cholestérol LDL (lipoprotéines de faible densité), un processus chimique qui favorise l'accumulation du cholestérol. C'est pour cette raison que la banane pourrait apporter une protection efficace contre l'athérosclérose (durcissement des artères), autre facteur qui contribue à l'hypertension artérielle, aux crises cardiaques et aux accidents vasculaires cérébraux.

Le plus intéressant, ajoute le Dr David B. Young, professeur de physiologie et de biophysique, c'est qu'il n'est pas nécessaire d'avaler toute une cargaison de bananes pour obtenir une telle protection. Trois à six portions suffisent.

«Les études ont montré que des changements alimentaires relativement modestes suffisaient pour obtenir de bons résultats, note le Dr Young. Je suis d'avis que les aliments qui nous apportent du potassium appartiennent à la même catégorie que l'amour ou l'argent: impossible d'en avoir trop.»

SOULAGEMENT GASTRIQUE

D'autres recherches restent à faire, mais la banane pourrait remplacer les antiacides de l'armoire à pharmacie, car elle semble tout aussi efficace que ces médicaments pour éteindre le feu intérieur dû aux brûlures d'estomac et aux indigestions. Les experts ne savent pas comment expliquer cette efficacité, mais il se pourrait que ce fruit remplisse le rôle d'antiacide naturel.

En outre, la banane semble avoir une action favorable dans la prévention et le traitement des ulcères. «Un certain nombre d'études ont montré que la banane exerçait un effet protecteur dans le traitement des ulcères, commente le Dr William Ruderman, gastroentérologue. Cependant, nous devons poursuivre les recherches avant de pouvoir l'affirmer avec certitude.»

Selon les scientifiques, la banane pourrait offrir deux types de protection contre les lésions gastriques. D'une part, elle contient un agent chimique appelé inhibiteur des protéases, qui semble avoir la capacité de détruire les bactéries nuisibles susceptibles de provoquer un ulcère avant qu'elles n'aient pu faire de dégâts. D'autre part, la banane semble stimuler la production de mucus (couche protectrice qui contribue à empêcher les acides agressifs d'entrer en contact avec la muqueuse fragile de l'estomac).

RÉTABLIR L'ÉQUILIBRE

Si une crise de diarrhée aiguë vous a mis à plat, il est important de remplacer tous les fluides et nutriments vitaux dont la diarrhée vous a privé. Une banane, selon le Dr Ruderman, est exactement le fruit qu'il vous faut.

«La banane est une excellente source d'électrolytes et notamment de potassium, remplaçant ceux que nous avons perdus en nous déshydratant», explique-t-il. Les électrolytes sont des minéraux qui se transforment dans l'organisme en particules chargées électriquement, celles-ci contribuant à réguler presque tous nos processus internes, depuis les contractions musculaires et l'équilibre des fluides jusqu'aux battements de notre cœur.

De plus, la banane contient une faible quantité de pectine, une fibre soluble qui joue le rôle d'une éponge dans le tube digestif, absorbant les fluides et contribuant ainsi à soulager la diarrhée.

Critères de choix, préparation et conservation

Élargissez vos horizons. Même si la banane n'est pas votre aliment préféré lorsque vous avez un petit creux, il existe bien d'autres manières de bénéficier de son pouvoir thérapeutique. Dans les Caraïbes et les pays d'Amérique centrale ou du Sud, par exemple, beaucoup de recettes très courantes font intervenir la banane, que l'on retrouve par exemple dans des pâtés de viande ou des ragoûts. Avec son goût discret légèrement sucré, la banane se prête pratiquement à n'importe quelle recette.

Achetez-en un régime entier. Si beaucoup de gens ne mangent pas très souvent des bananes, c'est sans doute que ce fruit a la fâcheuse habitude de mûrir et de ramollir plus vite que nous ne parvenons à en manger. Voici un tuyau pour lui garder toute sa fraîcheur. Si vos bananes mûrissent trop vite, conservez-les au réfrigérateur. Elles cesseront de mûrir et même si leur peau devient toute noire, le fruit à l'intérieur n'aura rien perdu de sa fraîcheur ni de sa saveur.

En revanche, si vous avez un régime de bananes encore vertes que vous aimeriez bien voir mûrir plus vite, rien de plus facile. Conservez-les à température ambiante à l'intérieur d'un sac en papier. Le gaz éthylène que les bananes génèrent naturellement contribuera à les faire mûrir.

LE BASILIC
LE SOULAGEMENT PARLA VERDURE

POUVOIR THÉRAPEUTIQUE
CONTRIBUE À :
Soulager la digestion

Diminuer le risque de cancer

Dans le monde entier, les amateurs de pizza aiment à saupoudrer leur portion de basilic déshydraté. Les fans de pâtes se régalent rien qu'à l'odeur d'une assiette fumante agrémentée de pesto, au délicieux fumet d'ail et de basilic. Quant aux jardiniers, ils attendent avec impatience la première tomate de la saison, généreusement arrosée d'huile d'olive et garnie de basilic fraîchement cueilli dans leurs plates-blandes.

Que cette plante aromatique soit utilisée fraîche ou sous sa forme déshydratée, l'arôme vif et l'odeur épicée du basilic sont un régal tant pour l'odorat que pour le palais. Chaque fois que vous en mangez, il se pourrait aussi que vous obteniez une protection majeure pour la santé. En effet, cette herbe culinaire contient des substances pouvant contribuer à calmer les troubles gastriques et même, selon les chercheurs, jouer un rôle dans la prévention du cancer.

MAINTENIR LA SANTÉ DE NOS CELLULES

Les recherches n'en sont encore qu'au stade préliminaire, mais des études en laboratoire suggèrent que des substances complexes contenues dans le basilic pourraient intervenir pour déranger le dangereux enchaînement d'événements qui conduisent à l'apparition du cancer.

Dans le cadre d'une étude, en Inde, des chercheurs ont ajouté de l'extrait de basilic aux aliments d'un groupe d'animaux de laboratoire, tandis que les cobayes du groupe de contrôle ne recevaient que leur alimentation habituelle. Deux semaines plus tard, les animaux qui avaient reçu l'extrait de basilic présen-

À LA CUISINE

Votre copain qui aime jardiner vous offre un bouquet de basilic frais, encore tiède de soleil. L'odeur est incomparable, mais comment allez-vous l'utiliser? Voici quelques suggestions.

Traitez-le avec ménagement. Le basilic est une plante fragile dont les feuilles ne tardent pas à faire triste mine s'il n'est pas traité avec les égards qu'il mérite. Pour lui conserver sa fraîcheur, débarrassez-le soigneusement des tiges et des fleurs, avant d'en asperger les feuilles d'eau fraîche (mais pas trop froide) et de les essuyer à l'aide d'un papier absorbant. Disposez-les ensuite sur un autre papier absorbant afin qu'elles puissent sécher à l'air, puis rangez-les au réfrigérateur.

Emballez-le soigneusement. Pour conserver le basilic frais, emballez les feuilles dans un sachet plastique. Éliminez le plus d'air possible avant de fermer le sac pour le mettre au réfrigérateur. Avec ces quelques précautions, le basilic se garde à peu près quatre jours.

Conservez-le pour plus tard. Une bonne manière d'avoir toujours du basilic frais chez soi est d'en conserver au congélateur. Versez une petite quantité d'huile d'olive dans un mixer ou le bol d'un robot ménager, ajoutez-y des feuilles fraîches de basilic et mélangez le tout jusqu'à obtenir une pâte homogène. Cette dernière peut être congelée dans des godets à glaçons; il suffit ensuite d'enfermer les cubes congelés dans un sac à congélation. Cette méthode vous permettra d'avoir toujours sous la main de petites quantités de basilic dont le goût frais relèvera agréablement vos recettes préférées.

taient des taux plus élevés de certaines enzymes connues pour leur aptitude à neutraliser les substances cancérigènes dans le corps.

Selon une hypothèse formulée par des chercheurs, l'aptitude du basilic à prévenir les modifications cancéreuses n'était pas liée à une seule des substances complexes qu'il contient, mais à tout un groupe de complexes synergiques. S'il est encore trop tôt pour affirmer que le basilic peut avoir le même effet bénéfique chez l'être humain, rien ne nous empêche d'ajouter plus souvent à nos repas cette plante aromatique si savoureuse.

BÉNÉFIQUE POUR LA DIGESTION

La prochaine fois que votre estomac vous fera parvenir un SOS après un repas un peu trop copieux, préparez une infusion de basilic que vous boirez par petites gorgées. En effet, cette plante aromatique a la réputation de soulager toutes sortes de troubles digestifs, en particulier les ballonnements.

Personne ne sait exactement pour quelle raison le basilic semble si efficace pour soulager les ennuis gastriques. L'une des explications possibles est une substance complexe contenue dans le basilic, l'eugénol, dont il est prouvé qu'elle contribue à soulager les spasmes musculaires. Cela pourrait expliquer pourquoi le basilic semble soulager les gaz et les crampes d'estomac.

Pour préparer une tisane apaisante avec du basilic, versez la moitié d'une tasse d'eau bouillante sur 1 à 2 cuillerées à café de basilic déshydraté. Laissez infuser pendant un quart d'heure, puis passez le mélange et buvez-le lentement. Les personnes qui ont souvent des gaz auraient avantage à en boire 2 à 3 tasses par jour entre les repas.

Critères de choix, préparation et conservation

Frais ou séché? Si beaucoup d'herbes aromatiques sont plus nutritives sous leur forme fraîche que lorsqu'elles sont séchées, le basilic est tout aussi efficace sous les deux formes. Une cuillerée à café de basilic séché en poudre contient davantage de minéraux essentiels, notamment calcium, fer, magnésium et potassium, qu'une cuillerée à soupe de feuilles fraîches coupées. En revanche, le basilic en poudre permet d'exposer à l'air ambiant une surface bien plus étendue, ce qui peut accélérer la désintégration naturelle de ses composés bénéfiques. La meilleure solution, selon les experts, consiste à utiliser abondamment le basilic sous toutes ses formes.

Conservez-le avec soin. Le fait d'exposer le basilic séché à la chaleur, à la lumière ou à l'air pendant des périodes prolongées provoque la désintégration d'un grand nombre de ses substances complexes protectrices. Afin d'en retirer le maximum de bienfaits thérapeutiques, il est important de conserver le basilic dans un endroit sec et à l'abri de la lumière, de préférence dans un récipient en verre ou en métal.

LA BETTERAVE
LE BORTSCH AMÉLIORE LA VIE

POUVOIR THÉRAPEUTIQUE

CONTRIBUE À :
Protéger du cancer

Prévenir les malformations congénitales

Si l'on parle d'alimentation et de santé, la cuisine russe ne nous semble pas particulièrement diététique.

Quoi d'étonnant à cela, en vérité? Des mets comme l'émincé de chou aux pommes de terre, libéralement arrosé de beurre et de vodka, ne sauraient entrer dans la catégorie gastronomique, ni certes dans celle de la cuisine saine.

Pourtant, s'il est une recette russe traditionnelle qui mérite d'être examinée d'un peu plus près, il s'agit du bortsch. Servi chaud ou froid, ce potage rouge au goût sucré est préparé à l'aide de betteraves fraîches, c'est-à-dire qu'il regorge de nutriments capables de prévenir les malformations congénitales et peut-être même de lutter contre le cancer.

STOPPER LE CANCER

La médecine traditionnelle compte toutes sortes d'histoires où l'utilisation de la betterave et du jus de betterave joue un rôle dans la lutte contre le cancer. Les recherches devront bien évidemment se poursuivre dans ce domaine, mais certains scientifiques pensent que la substance complexe appelée bétacyanine, qui confère à la betterave sa teinte d'un beau rouge sombre, est également un puissant agent antitumoral.

«Le jus de betterave est utilisé en Europe dans le traitement du cancer, déclare le Dr Eleonore Blaurock-Busch. Les pigments de la betterave pourraient avoir des propriétés pour lutter contre cette maladie.»

Dans le cadre d'une étude ayant pour but de mesurer l'efficacité de la betterave contre le cancer, les chercheurs ont testé l'efficacité du jus de betterave, ainsi que celle de divers autres jus de fruits et de légumes, contre certains agents chimiques parmi les cancérigènes les plus courants. Le jus de betterave apparaissait pratiquement en tête de liste dans la prévention des mutations cellulaires pouvant fréquemment dégénérer en cancer.

«La betterave n'a pas fait l'objet d'études aussi approfondies que certains autres végétaux, comme par exemple le brocoli, relève le Dr Blaurock-Busch. En revanche, les indications dont nous disposons sont incontestablement suffisantes pour justifier de l'inclure dans notre alimentation.»

Une excellente source de folate

S'il est un nutriment dont les femmes auraient besoin en plus grande quantité, c'est bien le folate, une vitamine du groupe B. En effet, nous n'absorbons pas assez de lentilles, d'épinards ou d'autres aliments riches en folate pour obtenir les 400 microgrammes de folate dont nous avons besoin chaque jour.

Il est essentiel d'absorber chaque jour la Valeur quotidienne de folate pour favoriser une croissance osseuse normale et peut-être même pour nous protéger des maladies cardiovasculaires et de certains cancers. De plus, les médecins ont pu vérifier que le folate, en contribuant à protéger l'enfant à naître contre les malformations congénitales, était le meilleur ami de la femme enceinte.

Une betterave bouillie et coupée en tranches peut contenir 45 microgrammes de folate, soit près de 11% de la Valeur quotidienne.

Augmenter les réserves de fer

La betterave ne saurait se comparer avec des sources de fer aussi abondantes que la viande de bœuf, mais si vous comptez parmi les nombreux Français qui

Voir rouge

Voilà déjà quelque temps que vous saupoudrez vos crudités de betterave crue râpée, que vous en mangez en tranches et en videz des bocaux entiers. Vous voilà tout paniqué de constater que ce festin de betteraves a pour résultat de vous faire voir rouge, justement là où cela vous semble le plus fâcheux.

Ne vous inquiétez pas si votre urine prend une coloration rouge. Beaucoup de gens, lorsqu'ils mangent souvent de la betterave, peuvent avoir des urines colorées en rose ou en rouge.

Pour quelqu'un qui ne connaît pas ce phénomène, il est certain que cela peut sembler alarmant. Pourtant, il s'agit d'un incident totalement inoffensif, selon les experts, et qui disparaîtra dès le lendemain, sauf bien entendu si vous continuez à manger régulièrement de la betterave.

À la cuisine

Il n'est pas particulièrement facile de tirer parti des betteraves. Elles ont un goût prononcé, sont souvent coriaces et leur jus rouge vif laisse des taches indélébiles.

On pourrait même comparer leur cuisson à la présence d'une paire de chaussettes rouges oubliées dans une lessive de blanc: il ne faudra pas s'étonner que tout le linge soit devenu rose.

Voici quelques conseils pour vous aider à préparer ce végétal récalcitrant.

Maîtrisez la couleur. Afin d'éviter au maximum la perte de jus rouge, les chefs conseillent de laver délicatement les betteraves fraîches, en faisant attention de ne pas endommager leur peau, car la couche extérieure plus coriace contribue à garder la plupart des pigments à l'intérieur du tubercule. Pour la même raison, il est préférable de ne peler les betteraves ou de n'ôter la racine ou la tige qu'après cuisson.

Préférez-les petites. Vous obtiendrez les meilleurs résultats avec des betteraves petites à moyennes. Elles sont d'ailleurs suffisamment tendres à ce stade pour n'avoir pas besoin d'être pelées.

préfèrent consommer moins souvent de la viande ou y renoncer complètement, le fait de manger plus souvent de la betterave vous aidera à absorber plus de fer.

Critères de choix, préparation et conservation

Préférez une cuisson légère. Diverses études ont montré que le pouvoir antitumoral de la betterave est affecté par la chaleur. Une cuisson légère est donc préférable afin d'en conserver l'efficacité.

Achetez-la en boîte. L'un des avantages de la betterave est qu'elle ne perd presque rien de son pouvoir nutritif lorsqu'elle est en conserve, ce qui nous permet de bénéficier de ses vertus en toute saison.

Le blé
Bourré de vitamine E

Pouvoir thérapeutique

CONTRIBUE À :
Améliorer la digestion

Réduire le risque de maladies cardiovasculaires et de cancer

Oublions le maïs, l'avoine, le riz ou le seigle et revenons au blé, la céréale par excellence. En effet, chaque jour, les Français consomment près de 200 g de pain et autres produits de panification, ce qui représente 70% de la consommation de farine de blé.

L'une des raisons pour lesquelles nous mangeons tant de blé est qu'il s'agit d'une céréale aux multiples facettes. Même pour quelqu'un qui n'aimerait pas le pain, il existe véritablement des dizaines, voire des centaines de recettes courantes à base de blé. Avec sa saveur discrète, ce dernier s'harmonise facilement avec toutes sortes d'autres aliments, des biscuits les plus croustillants à la plus onctueuse des sauces.

Quelle chance pour nous que le blé soit aussi nutritif que délicieux ! À vrai dire, il s'agit d'un des aliments les plus sains sur le marché. Comme toutes les céréales, le blé contient des vitamines, des minéraux et des glucides complexes.

Pourtant, ce qui singularise le blé est le fait qu'il contient un élément que bien d'autres aliments ne sauraient nous fournir: la vitamine E. Il s'agit d'un atout extrêmement important, car la vitamine E est surtout présente dans les huiles culinaires comme l'huile de carthame ou celle de colza. Par conséquent, il peut être difficile d'obtenir la Valeur quotidienne de 30 unités internationales de vitamine E, à moins de choisir très soigneusement nos aliments, commente le Dr Susan Finn, directrice des services de nutrition dans un laboratoire spécialisé.

En mangeant plus souvent des aliments à base de blé, il devient un peu plus facile de couvrir nos besoins en vitamine E. L'effort en vaut la peine, souligne le Dr Finn, car ce nutriment joue vraisemblablement un rôle direct pour abaisser le taux de cholestérol et empêcher ce dernier de se déposer sur la paroi de nos artères, ce qui peut contribuer à réduire le risque de maladies cardiovasculaires.

UNE VITAMINE POUR LE CŒUR

Chaque jour, le corps génère une gigantesque quantité de radicaux libres (molécules d'oxygène nuisibles ayant perdu un électron). Ces molécules circulent à travers tout l'organisme, cherchant à s'emparer d'électrons de remplacement partout où elles peuvent en trouver. C'est ainsi qu'elles endommagent le cholestérol dans le courant sanguin, le rendant collant et plus susceptible de se déposer sur les parois des artères, faisant ainsi le lit des maladies cardiovasculaires. Les recherches ont montré que le fait de manger davantage de blé pouvait contribuer à empêcher ce processus de se déclencher. Dans le cadre d'une étude portant sur 31 000 personnes, par exemple, des chercheurs ont constaté que celles qui mangeaient le plus de pain au blé complet étaient exposées à un risque bien plus faible de maladies cardiovasculaires que celles qui se contentaient de pain blanc.

Les médecins pensent que la vitamine E contenue dans le blé agit sur le foie, qui génère ainsi moins de cholestérol, commente le Dr Michael H. Davidson, président d'un centre de recherches. Dans le cadre d'une étude, par exemple, des sujets atteints d'hypercholestérolémie ont reçu chaque jour pendant quatre semaines 20 grammes (environ le quart d'une tasse) de germe de blé. (La majeure partie de la vitamine E contenue dans le blé se concentre dans le germe.) Ensuite, au cours des 14 semaines suivantes, cette quantité fut augmentée jusqu'à 30 grammes par jour. À l'issue de cette étude, les chercheurs ont constaté que le taux de cholestérol des participants s'était abaissé en moyenne de 7%.

Le germe de blé est une source très concentrée de vitamine E, car un peu moins de 2 cuillerées à soupe en fournissent 5 unités internationales, soit environ 16% de la Valeur quotidienne. Le son d'avoine et les pains et céréales à base de blé complet contiennent aussi de la vitamine E, quoique la teneur en soit moins élevée que dans le germe de blé.

UNE EXCELLENTE SOURCE DE FIBRES

Si vous avez encore en mémoire l'enthousiasme des consommateurs pour le son d'avoine il y a quelques années, vous savez déjà que l'avoine est appréciée pour sa teneur élevée en fibres. En revanche, cette céréale n'est pas la seule et unique manière d'enrichir notre alimentation en fibres. En effet, la teneur en fibres du son de blé représente plus de une fois et demie celle du son d'avoine, et c'est tant mieux pour notre santé.

Les fibres contenues dans le blé appartiennent à la catégorie des fibres insolubles qui absorbent de grands volumes d'eau en traversant l'intestin, rendant les selles plus volumineuses et plus lourdes. En augmentant de volume, le bol fécal

À LA CUISINE

Une grande quantité du blé que nous absorbons provient du pain et des céréales de notre petit déjeuner, mais il existe aussi bien d'autres types de blé. En voici quelques variantes qui vous aideront à tirer le meilleur parti de ce grain aussi nutritif que délicieux.

- **Le boulgour** est obtenu à partir de grains de blé complet partiellement bouillis, puis séchés. Utilisé entier ou sous forme de semoule, il constitue une excellente garniture et sert souvent à remplacer le riz.
- Comme le boulgour, le **blé concassé** est obtenu à partir du grain entier. En revanche, étant de mouture plus fine, il se présente sous forme de semoule moins grossière et sa cuisson est donc plus rapide. Le blé concassé se déguste volontiers sous forme de gruau chaud. On peut également l'utiliser pour donner une consistance un peu plus croustillante à d'autres céréales ou à des préparations mijotées.
- **Le germe de blé** est l'embryon, c'est-à-dire la partie du grain qui contient en germe la plante entière. Il constitue une source extraordinaire de vitamine E et de fibres. N'hésitez pas à ajouter du germe de blé lorsque vous préparez du pain ou un ragoût. Certaines personnes s'en servent même pour saupoudrer le yaourt ou la crème glacée. En revanche, comme sa teneur en huile est élevée, le germe de blé s'altère rapidement s'il n'est pas conservé au réfrigérateur.
- **Les flocons de blé** entrent souvent dans la préparation des bouillies ou des produits de boulangerie.

passe plus rapidement à travers le tube digestif, et les substances nocives qu'il contient ont ainsi moins de temps pour endommager les cellules du côlon, commente le Dr Beth Kunkel, professeur d'alimentation et de nutrition.

Lorsque des chercheurs ont analysé plus de 13 études internationales portant sur plus de 15 000 personnes, ils ont constaté que les individus qui absorbaient le plus de fibres présentaient un risque considérablement moins élevé de cancer du côlon. Les chercheurs ont ainsi calculé que si nous pouvions augmenter la quantité de fibres dans notre alimentation jusqu'à 39 grammes par jour, le risque de cancer du côlon pourrait s'abaisser à raison de quelque 31%.

Une portion de céréales All-Bran, à base de blé, fournit près de 10 grammes de fibres. Il suffit donc d'un seul bol pour obtenir près de 40% de la Valeur quotidienne de fibres. Le germe de blé est également une bonne source de fibres, car un peu moins de 2 cuillerées à soupe en contiennent plus d'un gramme. Le boulgour, les pâtes complètes et le blé concassé (utilisé pour préparer le taboulé) sont également de bonnes sources de fibres, ajoute le Dr Finn.

Critères de choix, préparation et conservation

Achetez-le entier. Si vous voulez obtenir le plus possible de vitamine E et de fibres grâce au blé, il est important d'acheter des aliments qui contiennent le germe de blé ou à base de blé complet, c'est-à-dire celui dont on n'a pas supprimé la partie externe, qui est aussi la plus nutritive. Lorsque le blé est transformé en farine, par exemple, pour la fabrication de la farine blanche ou bise, la majeure partie des ingrédients protecteurs est éliminée, souligne le Dr Finn.

Lisez l'étiquette. Certains aliments censés être «complets» d'après leur emballage ne contiennent en réalité que très peu de blé complet. Donnez-vous la peine de lire l'étiquette si vous tenez à obtenir des aliments vraiment complets, recommande le Dr Finn. Lorsque les mots «blé complet» ou «farine de blé complet» apparaissent en tête de liste, avant tous les autres ingrédients, vous pouvez être certain d'avoir fait un bon choix.

Le Boulgour
Une céréale complète thérapeutique

BULGUR

Pouvoir thérapeutique

CONTRIBUE À :
Prévenir la constipation

Prévenir le cancer du côlon et le cancer du sein

Abaisser le risque de diabète et de maladies cardiovasculaires

Malgré son nom barbare, le boulgour n'est autre que du blé complet. Et, comme vous le devinez sans doute, cette céréale pleine de qualités est l'un des meilleurs aliments pour une bonne santé.

Les recherches ont montré que le boulgour pourrait jouer un rôle dans la prévention non seulement du diabète, mais également du cancer du côlon, ainsi que du cancer du sein. En outre, il contient des quantités très élevées de fibres, c'est-à-dire qu'il peut contribuer à prévenir et à traiter toutes sortes de troubles digestifs, notamment la constipation et la diverticulose.

Réparations chimiques

Peu importe le soin que vous apportez à équilibrer votre alimentation, il est probable que vous êtes exposé à de dangereuses substances chimiques pratiquement chaque jour. Deux parmi les plus courantes sont les nitrates et les nitrites. Les nitrates sont présents dans beaucoup de légumes, en particulier la betterave, le céleri et la laitue. Quant aux nitrites, ce sont des ingrédients courants dans des aliments industriels comme le poisson, la volaille et la viande, salés ou fumés.

Ces substances chimiques ne sont pas nocives en elles-mêmes. En revanche, lorsque nous les absorbons dans notre alimentation, notre organisme les transforme en substances complexes qui leur sont apparentées, les nitrosamines, dont le rôle dans la genèse du cancer est établi scientifiquement.

À LA CUISINE

Même si vous n'avez jamais préparé de boulgour, ne vous laissez pas impressionner par son nom exotique. Cette céréale savoureuse est extrêmement facile à préparer, voici comment.

Choisissez le type qui vous convient. Le boulgour est vendu sous trois formes, dont chacune est recommandée pour des types de recettes spécifiques.

- Le **boulgour gros**, dont la consistance ressemble à celle du riz, est recommandé pour la préparation de pilaf ou pour toute recette où vous souhaitez utiliser le boulgour à la place du riz.
- Le **boulgour moyen** sert à préparer des bouillies ou des farces.
- La **semoule fine de boulgour** sert généralement à la préparation du taboulé.

La cuisson se commence à chaud. Inutile de laisser cuire indéfiniment le boulgour, comme c'est le cas pour d'autres céréales. Il suffit de le recouvrir d'environ deux fois son volume d'eau bouillante et de le laisser ensuite à couvert pendant une demi-heure, ou jusqu'à ce que les grains soient tendres.

S'il est difficile d'éviter entièrement nitrates et nitrites, le fait de manger souvent du boulgour peut contribuer à en atténuer les conséquences potentiellement nocives. En effet, le boulgour contient une substance complexe, l'acide férulique, qui contribue à empêcher ces agents chimiques de se transformer en nitrosamines nocives.

Le boulgour nous protège du cancer d'une autre manière encore, en raison des lignanes qu'il contient. «Les lignanes sont de puissants agents de lutte contre le cancer, surtout le cancer du côlon et celui du sein», commente le Dr Lilian Thompson, professeur de sciences de la nutrition.

Les lignanes possèdent des propriétés antioxydantes, c'est-à-dire qu'ils engloutissent les dangereuses molécules d'oxygène appelées radicaux libres avant qu'elles n'aient eu le temps d'endommager les cellules saines. «Les lignanes neutralisent également les modifications précancéreuses, les empêchant dans une large mesure de dégénérer en prolifération désordonnée», commente le Dr Thompson.

BÉNÉFIQUE POUR LE CŒUR

Nous avons déjà vu que les radicaux libres peuvent faire le lit du cancer. Ces mêmes molécules nuisibles peuvent également endommager les vaisseaux sanguins, préparant ainsi le terrain pour l'apparition des maladies cardiovasculaires.

C'est un peu paradoxal, mais les lignanes du boulgour peuvent contribuer à protéger le cœur en protégeant le cholestérol. Pourquoi chercher à protéger un tel faiseur de troubles? C'est que lorsque le cholestérol est endommagé par les molécules des radicaux libres, il a davantage tendance à se déposer sur la paroi de nos artères, ce qui contribue à l'apparition des maladies cardiovasculaires.

Le boulgour peut se montrer bénéfique d'une autre manière encore. L'index glycémique de cette céréale est très faible, c'est-à-dire que les sucres qu'elle contient sont libérés relativement lentement dans le courant sanguin, explique le Dr David Jenkins, professeur de sciences de la nutrition et de médecine. Non seulement cela contribue à maintenir la stabilité des taux de glycémie, ce qui est particulièrement important pour les diabétiques, mais cela pourrait également jouer un rôle en abaissant le risque de maladies cardiovasculaires.

UNE EXCELLENTE SOURCE DE FIBRES

Le fait d'absorber davantage de fibres alimentaires contribue à abaisser le cholestérol, diminue le risque de cancer et de diabète, et contribue à traiter ou à prévenir un grand nombre de troubles digestifs, depuis la constipation jusqu'aux hémorroïdes. Le boulgour est une bonne source de fibres. En effet, le même volume de boulgour cuit, de bouillie d'avoine ou de riz blanc peut contenir respectivement 8 grammes (près de un tiers de la Valeur quotidienne), 4 grammes ou 0,8 gramme de fibres.

Ce sont les fibres insolubles qui confèrent au boulgour l'essentiel de son utilité sur ce plan. Les fibres insolubles ne se décomposent pas dans l'organisme, mais demeurent dans l'intestin où elles absorbent de grands volumes d'eau. Il en résulte des selles plus lourdes, qui traversent par conséquent plus rapidement le système digestif. Ainsi, les substances potentiellement cancérigènes sont évacuées plus vite et ont moins de temps pour causer des problèmes.

Dans le cadre d'une étude sur quatre ans au Centre médical de l'hôpital Cornell de New York, des chercheurs ont étudié 58 hommes et femmes présentant des antécédents de polypes intestinaux. (Si les polypes ne sont pas dangereux en soi, ils risquent à la longue de devenir cancéreux.)

Les résultats de cette étude ont montré qu'il y avait davantage de cas de polypes qui diminuaient de volume ou avaient disparu complètement chez ceux des participants qui avaient reçu une céréale au son contenant 22 grammes de fibres insolubles, par rapport aux sujets du groupe de contrôle qui n'avaient reçu qu'un produit d'apparence similaire, mais ne contenant pratiquement pas de fibres.

Il est également prouvé que les fibres insolubles préviennent (et soulagent) la constipation. Il ne s'agit pas seulement dans ce cas de confort; en effet, lorsque les selles sont évacuées plus rapidement du système digestif, les substances nocives qu'elles contiennent restent moins longtemps en contact avec les intestins. De plus, le fait de prévenir la constipation pourrait également soulager des troubles comme les hémorroïdes et la diverticulose.

DES MINÉRAUX POUR LA SANTÉ

Enfin, le boulgour est une excellente source de métaux sous forme d'oligo-éléments et autres minéraux trace essentiels à la santé. Une tasse de boulgour contient en effet non seulement du fer, du phosphore et du zinc, mais également les minéraux suivants :

- 1 milligramme de manganèse, soit environ la moitié de la Valeur quotidienne. Le manganèse est nécessaire à la santé de notre ossature et de nos nerfs, ainsi qu'à la reproduction ;
- 15 microgrammes de sélénium, soit 22% de la Valeur quotidienne. Le sélénium est indispensable pour protéger le cœur et le système immunitaire ;
- 58 milligrammes de magnésium, soit 15% de la Valeur quotidienne. Le magnésium contribue au bon fonctionnement du cœur et des nerfs, à la contraction musculaire et à la formation osseuse.

Critères de choix, préparation et conservation

Servez-le avec des hot dogs. Puisque le boulgour peut inhiber le processus qui transforme les nitrites des aliments industriels en substances cancérigènes, il est judicieux d'y avoir recours chaque fois que possible pour accompagner ce type d'aliments. Le taboulé, préparé avec du boulgour cuit mélangé à divers légumes émincés – tomate, oignon, persil et menthe, assaisonné d'huile d'olive et de jus de citron –, est une salade au goût merveilleusement frais qui accompagne agréablement n'importe quel repas.

Achetez-le en gros. Contrairement à beaucoup d'autres céréales complètes, dont la cuisson est souvent très lente, le boulgour est cuit à la vapeur, séché et concassé avant même de parvenir en magasin. Il s'agit d'un aliment précuit, c'est-à-dire qu'un petit quart d'heure suffit pour le préparer. Faites-en une bonne réserve et vous ne tarderez pas à vous apercevoir combien il est facile de tirer parti de cette céréale bénéfique.

Gardez-le au frais. Le boulgour étant concassé lors du processus de transformation, la partie adipeuse du grain exposée à l'air peut très rapidement devenir rance. Il est donc préférable de garder le boulgour au réfrigérateur en attendant de l'utiliser, car il gardera ainsi toute sa fraîcheur.

LE BROCOLI
LE ROI DES CRUCIFÈRES

POUVOIR THÉRAPEUTIQUE

CONTRIBUE À :

Protéger contre les maladies cardiovasculaires

Prévenir le cancer

Stimuler l'immunité

Si l'on demandait aux chercheurs le nom d'un seul légume qu'ils préconisent spécifiquement dans la prévention du cancer, ils répondraient que c'est le brocoli.

Le pouvoir thérapeutique de ce légume semble véritablement phénoménal. Il est en effet prouvé que ce végétal savoureux de la famille des crucifères est capable de combattre toutes sortes de troubles graves, notamment le cancer et les maladies cardiovasculaires.

DOUBLE PROTECTION CONTRE LE CANCER

Le pouvoir impressionnant du brocoli dans la lutte contre le cancer est dû en partie à son efficacité double. Il contient non pas une seule, mais deux substances complexes distinctes : l'indole-3-carbinol, ou I3C en abrégé, et le sulforaphane, qui contribuent à évacuer les substances cancérigènes avant qu'elles n'aient eu le temps de causer des dégâts.

Le composé I3C, également présent dans le chou et les choux de Bruxelles, est particulièrement efficace contre le cancer du sein. Dans le cadre d'études en laboratoire, des chercheurs ont constaté que le composé I3C abaissait les taux d'œstrogène nuisible susceptible de stimuler la croissance tumorale dans les cellules hormono-dépendantes, comme les cellules mammaires.

Si l'I3C a fait la preuve de son efficacité dans les cancers hormono-dépendants, le sulforaphane offre une protection dans un autre domaine, en stimulant la production d'enzymes capables d'inhiber le cancer, souligne le Dr Thomas Kensler, professeur en sciences de la santé et de l'environnement.

Dans le cadre d'une étude qui fit date, le Dr Kensler et ses collègues ont exposé 145 animaux de laboratoire à une substance extrêmement cancérigène. Sur l'ensemble des cobayes, 25 n'avaient reçu aucun traitement particulier, tandis que les chercheurs avaient administré aux autres de grandes quantités de sulforaphane. Après 50 jours, 68% des cobayes qui n'avaient pas reçu de traitement protecteur étaient atteints de tumeurs mammaires, par comparaison à 26% seulement de ceux qui avaient reçu le sulforaphane.

Il n'est donc pas étonnant que les chercheurs placent le brocoli en tête de liste des champions de la nutrition. «Nous avons pu vérifier que les individus qui mangent beaucoup de légumes de la famille des crucifères, comme le brocoli, sont protégés contre tous les types de cancers», souligne le Dr Jon Michnovicz, président de deux institutions de recherche. Le brocoli et les autres crucifères sont particulièrement bénéfiques dans la prévention des cancers du côlon, du sein et de la prostate, ajoute ce médecin.

UN COUP DE POUCE GRÂCE AU BÊTACAROTÈNE

Les recherches récentes portaient surtout sur des substances complexes «exotiques» comme le sulforaphane. Pourtant, le brocoli regorge aussi d'autres substances complexes plus courantes, mais non moins efficaces, comme le bêtacarotène. Ce nutriment que l'organisme transforme en vitamine A appartient à la catégorie des antioxydants, c'est-à-dire qu'il contribue à prévenir la maladie en neutralisant les molécules d'oxygène nocives (appelées radicaux libres) qui s'accumulent dans l'organisme par le cours naturel des choses, pouvant endommager les cellules saines. Une corrélation a pu être mise en évidence entre des taux élevés de bêtacarotène et une diminution de l'incidence de divers troubles comme la crise cardiaque, certains cancers et les cataractes.

Le brocoli est une excellente source de bêtacarotène; 100 grammes en apportent environ 0,7 milligramme, soit près du tiers de la Valeur quotidienne recommandée.

AUTRES NUTRIMENTS SYNERGIQUES

Ce n'est pas pour rien que le brocoli est appelé le roi des crucifères. En effet, il contient non seulement du bêtacarotène, du sulforaphane et le composé I3C, mais également un certain nombre d'autres nutriments, dont chacun contribue à exercer une action efficace contre toutes sortes de troubles, depuis les maladies cardiovasculaires jusqu'à l'ostéoporose.

Pour ne prendre qu'un exemple, une portion de 100 grammes de brocoli cuit (en morceaux) contient plus de 100 % de la Valeur quotidienne de vitamine C. Diverses études ont prouvé que cette vitamine antioxydante contribuait à stimuler l'immunité et permettait de lutter contre des troubles comme les maladies cardiovasculaires et le cancer.

Le brocoli, tout comme les diamants, est d'ailleurs à mettre au rang des plus fidèles amis de la femme. C'est l'une des meilleures sources végétales de calcium, avec 100 milligrammes par portion de 100 grammes, soit plus du quart du calcium fourni par 100 grammes de lait écrémé. Les publications scientifiques font amplement référence au calcium comme au nutriment indispensable à la femme pour prévenir l'ostéoporose (fragilisation osseuse).

Le brocoli est aussi une excellente source de folate, un nutriment essentiel pour la croissance normale des tissus et qui, comme diverses études en ont apporté la preuve, pourrait fournir une protection contre le cancer, les maladies cardiovasculaires et les malformations congénitales. Les femmes, en particulier lorsqu'elles prennent la pilule, ont souvent des taux trop bas de ce nutriment vital.

Enfin, si vous souhaitez faciliter le bon fonctionnement de votre système digestif, le brocoli pourrait bien constituer votre carburant de base, selon les experts. Une portion de 100 grammes de brocoli apporte 1,5 gramme de fibres, dont il est prouvé qu'elles nous protègent contre la constipation, les hémorroïdes, le cancer du côlon, le diabète, l'excès de cholestérol, les maladies cardiovasculaires et l'obésité.

Les spécialistes n'ont pas encore déterminé la quantité exacte de brocoli dont nous avons besoin pour bénéficier au maximum de son potentiel thérapeutique. Le Dr Kensler conseille de manger au moins cinq portions de fruits et de légumes par jour, et d'y inclure ce crucifère savoureux chaque fois que possible.

Critères de choix, préparation et conservation

Cuisez-le légèrement. Certaines substances complexes protectrices contenues dans le brocoli ont besoin d'une cuisson rapide pour être libérées, mais une cuisson prolongée peut en détruire d'autres. «Les caroténoïdes tels que le bêtacarotène ne craignent pas la chaleur, mais les indoles, comme le composé I3C, ne supportent pas une chaleur trop vive, explique le Dr Michnovicz. Une cuisson rapide à la vapeur est un excellent moyen de préparer le brocoli. Je ne vois pas non plus d'inconvénient à la cuisson au micro-ondes.»

Choisissez-le pourpre. Vous pourrez constater à l'étalage que le brocoli est parfois si sombre qu'il en a presque l'air mauve. C'est bon signe: la coloration sombre indique en effet qu'il contient davantage de bêtacarotène, selon les experts. Par contre, s'il est jaunâtre, n'en achetez pas. C'est le signe qu'il n'est plus de première fraîcheur, et qu'il n'a donc plus le même intérêt nutritif.

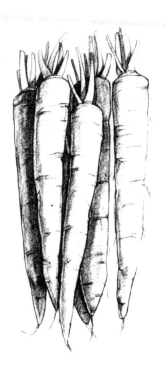

LA CAROTTE

PAS SEULEMENT BONNE POUR LES YEUX

POUVOIR THÉRAPEUTIQUE

CONTRIBUE À :
Améliorer la vision nocturne

Diminuer le risque
de cancer et de maladies
cardiovasculaires

Nous avons tous entendu répéter dans notre enfance à quel point les carottes étaient bénéfiques pour les yeux, mais aujourd'hui, les chercheurs ont acquis un respect tout nouveau pour cette racine si esthétique.

Le potentiel thérapeutique de la carotte dépasse de loin son aptitude à améliorer notre vue. Elle contient toutes sortes de substances complexes qui pourraient contribuer à prévenir certains cancers, à faire baisser le cholestérol et à écarter le danger de crise cardiaque.

L'HOMONYME DU CAROTÈNE

La substance qui confère à la carotte sa belle teinte orange vif est également à l'origine d'un grand nombre de ses avantages pour la santé. Cette racine est une excellente source de bêtacarotène, une substance complexe antioxydante capable de lutter contre les radicaux libres, des molécules instables dans l'organisme qui sont à l'origine de troubles très divers, depuis les maladies cardiovasculaires et le cancer jusqu'à la dégénérescence maculaire (principale cause de cécité chez l'adulte d'un certain âge).

Les recherches suggèrent que plus nous absorbons d'antioxydants dans notre alimentation, moins nous sommes susceptibles de mourir d'un cancer. Dans le cadre d'une étude portant sur 1 556 hommes d'une quarantaine d'années, des chercheurs universitaires ont constaté que le risque de décès par cancer était de 37% plus bas chez ceux dont l'alimentation contenait le plus de bêtacarotène et de vitamine C, par rapport aux hommes qui absorbaient les plus faibles quantités de ces nutriments.

Même lorsque la vitamine C fait défaut, le bêtacarotène entraîne des effets remarquables. Des études de grande envergure ont mis en évidence que les sujets ayant de faibles taux de bêtacarotène sont plus susceptibles de présenter certains types de cancer, en particulier le cancer des poumons et celui de l'estomac.

Ce qui est bénéfique pour les cellules de l'organisme est également bénéfique pour le cœur. Les recherches montrent que le fait d'absorber de grandes quantités de carottes et d'autres fruits et légumes contenant beaucoup de bêtacarotène et d'autres substances complexes apparentées peut faire baisser le risque de maladies cardiovasculaires. «Une portion de 100 grammes de carottes cuites peut contenir jusqu'à 10 milligrammes de bêtacarotène, soit environ le double de la quantité considérée comme bénéfique», commente le Dr Paul Lachance, professeur de nutrition.

Le bêtacarotène n'est pas le seul nutriment qui puisse expliquer le pouvoir protecteur des carottes. Ces dernières contiennent un autre antioxydant, l'alphacarotène, qui semble également contribuer à lutter contre le cancer. Dans le cadre d'une étude, des chercheurs de l'Institut national américain du cancer ont constaté que le cancer du poumon survenait plus fréquemment chez les hommes qui n'absorbaient que peu d'alphacarotène que chez ceux qui en mangeaient davantage.

UNE MEILLEURE VUE

Le bêtacarotène des carottes joue un rôle double, se transformant en vitamine A dans l'organisme et contribuant également à améliorer la vue. Cet effet bénéfique sur les yeux est si bien connu que durant la Seconde Guerre mondiale, des chercheurs avaient cultivé des carottes pour leur contenu en bêtacarotène afin d'améliorer la vision nocturne des pilotes militaires.

La vitamine A aide la vue en formant un pigment pourpre dont l'œil a besoin pour être en mesure de voir dans l'obscurité relative. Ce pigment, l'érythropsine (ou rhodopsine), se trouve dans la région photosensible de la rétine. Plus nous absorbons de vitamine A, plus grande est la quantité d'érythropsine fabriquée par l'organisme. En revanche, les personnes qui ont des taux de vitamine A trop faibles pourraient souffrir de cécité nocturne et avoir des difficultés à conduire de nuit ou à repérer un fauteuil vacant dans une salle de cinéma faiblement éclairée.

S'ALiMENTER AVEC iNTELLiGENCE
LA COLORATION DE NOS EXCÈS

L'orange et le jaune sont des couleurs splendides pour les feuillages d'automne, mais beaucoup moins agréables lorsqu'il s'agit de notre épiderme.

Les personnes qui absorbent un peu trop de carottes pourraient payer ces excès par un trouble pittoresque, la caroténose, qui colore légèrement la peau en orange. Les médecins s'amusent parfois à citer tel ou tel incident où des parents affolés s'étaient précipités à l'hôpital, persuadés que leur enfant avait la jaunisse, alors qu'en réalité il avait juste avalé un peu trop d'aliments pour bébé à base de carottes.

«Les très jeunes enfants sont particulièrement sujets à ce trouble parce que leurs parents leur font volontiers prendre, parfois à chaque repas, toutes sortes de purées, de carottes, de potiron ou de patates douces», commente le Dr John Erdman, spécialiste de la nutrition.

La caroténose est sans danger, s'empresse-t-il d'ajouter. En outre, il est facile d'y remédier: cessez de manger des carottes et vous verrez votre épiderme retrouver sa coloration habituelle après un jour ou deux.

Critères de choix, préparation et conservation

Ajoutez-y un peu de matières grasses. Le bêtacarotène a besoin d'une faible quantité de matières grasses pour pouvoir traverser les parois de l'intestin et pénétrer dans l'organisme, explique le Dr John Erdman, spécialiste de la nutrition. La prochaine fois que vous servirez des bâtonnets de carotte en guise d'apéritif, pensez à prévoir aussi une petite portion de sauce où vos hôtes pourront les tremper.

Mangez-les cuites. Beaucoup d'aliments ont un plus grand pouvoir nutritif lorsqu'on les absorbe crus, mais les carottes s'améliorent avec une cuisson légère. Selon le Dr Erdman, cela s'explique par le fait qu'elles contiennent beaucoup de fibres alimentaires (plus de 2 grammes pour une seule carotte) qui retiennent le bêtacarotène. La cuisson contribue à libérer le bêtacarotène emprisonné dans les cellules fibreuses, ce qui en facilite l'absorption par l'organisme.

Préservez les nutriments. Lors de la cuisson des carottes, il est dommage qu'une partie des nutriments passe dans l'eau de cuisson, souligne le Dr Carol Boushey, professeur adjoint en alimentation et en nutrition. Pensez à conserver l'eau de cuisson qui pourra être utilisée à une autre occasion, pour préparer une sauce ou pour rendre plus moelleuse une purée de pommes de terre, par exemple.

Buvez du jus de carotte. Un autre moyen de libérer davantage de bêtacarotène est de faire du jus. Lorsque les carottes passent à la centrifugeuse, les fibres se déchirent et libèrent ainsi davantage de bêtacarotène, explique le Dr Erdman.

Supprimez les fanes. Si vous venez d'acheter un botte de carottes joliment couronnée de fanes vertes, il est important d'ôter la verdure. Autrement, les fanes se nourriront à votre place du jus et des précieux nutriments de vos carottes.

LES CASSIS ET LES GROSEILLES
GORGÉS DE VITAMINE C

POUVOIR THÉRAPEUTIQUE

CONTRIBUENT À :

Protéger contre le cancer

Diminuer le cholestérol

Abaisser le risque
de maladies cardiovasculaires

Prévenir la constipation

Les Anglais adorent les confitures et les gelées de cassis et de groseilles. Les Français apprécient la liqueur de cassis. Quant aux Américains, jusqu'au début du siècle, ils mangeaient volontiers ces petits fruits, frais ou sous forme de gelées ou de sauces.

Aujourd'hui, aux États-Unis, à moins d'avoir la chance de posséder un jardin et quelques pieds de cassis ou de groseilliers, ces petits fruits sont devenus presque aussi rares que des giboulées en juillet. (Les cassis et autres petits fruits du même genre vendus dans les supermarchés américains n'en sont souvent qu'une pâle imitation.)

Comment expliquer la disparition de l'intérêt pour les cassis et les groseilles aux États-Unis? Au début de ce siècle, le ministère américain de l'Agriculture interdisait leur culture, car ces arbustes étaient porteurs d'un champignon qui détruisait les pins blancs. La levée de cette interdiction dans les années soixante n'a pas suffi à rendre leur popularité à ces petits fruits.

Cet état de choses est bien dommage, car les cassis et leurs cousins sont une excellente source de vitamine C et de fibres. De plus, ils contiennent une substance complexe très efficace pour lutter contre le cancer.

La santé en grappes

Même si les cassis, groseilles et autres fruits du même genre contiennent de très grandes quantités de vitamines – une portion de 100 grammes de cassis, par exemple, apporte en moyenne 150 milligrammes de vitamine C, soit plus de deux fois la Valeur quotidienne –, ce n'est pas la seule raison de l'enthousiasme des chercheurs. La grande nouvelle, c'est que ces petits fruits contiennent une substance complexe, l'acide ellagique, qui semble capable de stopper le cancer avant son apparition.

L'acide ellagique appartient à la famille des polyphénols, des substances complexes capables de lutter contre diverses maladies. (On trouve également des polyphénols dans les fraises, les framboises et les raisins.) Dans le cadre d'études en laboratoire, des chercheurs ont démontré que l'acide ellagique était un antioxydant puissant, c'est-à-dire qu'il contribuait à neutraliser les radicaux libres. Ces derniers sont des molécules d'oxygène auxquelles il manque un électron, ce qui les rend nuisibles, explique le Dr Gary D. Stoner, directeur d'un programme de chimioprévention du cancer. Les radicaux libres s'efforcent de remplacer leur électron manquant en arrachant celui d'une cellule saine, ce qui entraîne des modifications cellulaires pouvant provoquer le cancer.

À la cuisine

Cassis et groseilles ont un goût particulièrement acide, et c'est pourquoi nous ne les apprécions pas forcément lorsqu'ils sont servis nature. Voici plusieurs manières d'accommoder ces petites baies acidulées pour leur donner une saveur plus agréable.

- Tout comme les canneberges, cassis et groseilles permettent d'obtenir d'excellentes sauces pour accompagner des plats à base de viande. N'oubliez pas, cependant, que leur goût est légèrement plus sucré que celui des canneberges et qu'il n'est pas nécessaire d'y ajouter autant de sucre en préparant la sauce.
- Vos salades de fruits auront un goût plus rafraîchissant si vous y incorporez des cassis ou des groseilles. Pour obtenir un effet panaché très décoratif, ajoutez-y un mélange de cassis, de groseilles et de groseilles à maquereau.
- Un dessert agréablement acidulé consiste à servir dans un bol des cassis ou des groseilles saupoudrés de sucre et nappés d'un peu de crème fraîche allégée.

Les chercheurs ont également montré que l'acide ellagique pouvait inhiber les effets d'agents chimiques cancérigènes dans l'organisme, tout en stimulant l'activité des enzymes qui luttent contre la prolifération cancéreuse. Ainsi, cette substance complexe est efficace sur deux fronts, ce qui en fait un allié puissant contre le cancer.

La dose nécessaire pour obtenir un niveau protecteur reste à déterminer. Le Dr Stoner est d'avis que le fait d'absorber quatre à six portions de fruits (notamment de cassis) et de légumes par jour devrait suffire pour réduire sensiblement le risque de cancer.

Bénéfiques pour la digestion

Comme la plupart des baies, les cassis et les groseilles sont une bonne source de fibres; qu'ils soient noirs, rouges ou blancs, une portion de 100 grammes de ces petits fruits nous fournit environ 6 grammes de substances de lest, soit 24% de la Valeur quotidienne. Les fibres ne servent pas seulement à maîtriser les troubles digestifs tels que la constipation ou les hémorroïdes. Elles permettent également d'éviter des troubles plus graves comme l'excès de cholestérol et les maladies cardiovasculaires.

Une étude menée à bien en Finlande auprès de 21 930 hommes a d'ailleurs permis de constater qu'il suffisait d'absorber chaque jour 10 grammes de fibres supplémentaires seulement pour que le risque de décès par maladie cardiovasculaire s'abaisse de 17%. En mangeant chaque jour une ou deux portions de cassis ou de groseilles, tout en augmentant la quantité de fruits et de légumes habituellement absorbée, vous obtiendrez toutes les fibres dont vous avez besoin pour une bonne circulation.

Critères de choix, préparation et conservation

Conservez-les avec précaution. Si vous avez la chance de trouver des cassis ou des groseilles frais, prenez quelques précautions pour bien les conserver. Les baies garderont leur fraîcheur deux ou trois jours si vous les conservez au réfrigérateur dans un récipient bien fermé. Vous pouvez également les congeler afin d'en avoir sous la main toute l'année.

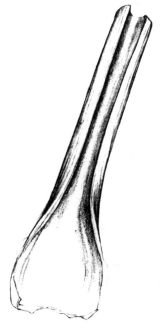

LE CÉLERI

DES TIGES PROTECTRICES

POUVOIR THÉRAPEUTIQUE

CONTRIBUE À :
Abaisser l'hypertension artérielle

Protéger contre le cancer

Les Romains de l'Antiquité, qui aimaient tant faire la fête, s'imaginaient qu'ils se protégeaient de la gueule de bois en se garnissant la tête d'une couronne de céleri tressé. Voilà peut-être l'origine de la coutume qui consiste à garnir de tiges de céleri des boissons alcoolisées comme le Bloody Mary.

Nous savons aujourd'hui qu'il ne suffit pas de s'en coiffer le chef pour nous épargner les conséquences fâcheuses de nos excès de boisson, mais le céleri possède néanmoins d'autres pouvoirs thérapeutiques. Ce végétal ombellifère de la famille du persil contient des substances complexes qui pourraient contribuer à faire baisser la pression artérielle et peut-être même prévenir le cancer. En outre, le céleri est une bonne source de fibres insolubles et il contient divers nutriments essentiels, en particulier du potassium, de la vitamine C et du calcium.

MAÎTRISER LA PRESSION ARTÉRIELLE

En Asie, le céleri est utilisé depuis des siècles pour traiter l'hypertension artérielle. Aux États-Unis, il aura suffi d'un seul homme particulièrement obstiné, qui était atteint de ce trouble, pour persuader des chercheurs de l'université de Chicago de passer ce légume au crible de l'expérimentation scientifique.

Cette histoire a commencé avec un certain M. Le, chez qui son médecin venait de diagnostiquer une hypertension artérielle marginalement élevée. Au lieu de manger moins salé comme son médecin le lui avait recommandé, il se mit à

S'ALIMENTER AVEC INTELLIGENCE
ATTENTION À VOTRE PEAU

La tige du céleri est si tendre et si juteuse que la plante a dû mettre au point ses propres pesticides pour se protéger des champignons prêts à la dévorer.

Ces substances complexes, appelées psoralènes, protègent efficacement la plante. En revanche, elles peuvent nous faire du tort. Pour certaines personnes, il suffit d'absorber des psoralènes en mangeant, ou même à travers la peau lors de la préparation des aliments, pour que l'épiderme devienne extrêmement sensible à la lumière du soleil, à tel point qu'il est alors possible d'avoir un coup de soleil sans même être resté longtemps en plein air.

Si vous constatez l'apparition de troubles cutanés chaque fois qu'il y a du céleri au menu, peut-être serait-il plus sage d'y renoncer. Avant d'en venir là, cependant, voyez s'il ne suffit pas pour éviter ces désagréments de rincer très soigneusement le céleri que vous allez manger. Un rinçage soigneux permet d'éliminer les champignons microscopiques qui peuvent s'être formés sur les tiges et qui provoquent parfois la production de psoralènes.

manger chaque jour une centaine de grammes de céleri (c'est-à-dire environ quatre tiges). À peine une semaine plus tard, sa pression artérielle s'était abaissée de 15.8/96 à 11.8/82 mmHg.

Le Dr William J. Elliott, qui était alors professeur adjoint en médecine et sciences physiologique et pharmacologique, décida de soumettre le céleri à des essais scientifiques. Les chercheurs ont donc administré à des animaux de laboratoire, sous forme de piqûre, une petite quantité de 3-n-butyl phtalide, une substance complexe chimique que contient le céleri. Après une semaine, la pression artérielle de ces cobayes s'était abaissée en moyenne de 12 à 14%.

«Nous avons constaté que le phtalide détendait les muscles des artères qui assurent la régulation de la pression sanguine, ce qui permet aux vaisseaux de se dilater», commente le Dr Elliott. De plus, cette substance chimique abaissait les taux sanguins de catécholamines (hormones liées au stress). Cette action pourrait être bénéfique, car ce type d'hormones a généralement pour effet d'augmenter la pression artérielle en resserrant les vaisseaux sanguins.

Si vous êtes atteint d'hypertension artérielle et souhaitez faire l'essai de cette thérapie à base de céleri, voici une stratégie recommandée par les guérisseurs traditionnels asiatiques. Mangez chaque jour pendant une semaine quatre à cinq tiges de céleri, puis arrêtez durant trois semaines. Ensuite recommencez à manger du céleri pendant une semaine.

En revanche, il est préférable de rester dans des limites raisonnables, prévient le Dr Elliott. En effet, le céleri contient du sodium (35 milligrammes par tige) et, chez certains sujets, cela peut entraîner l'effet contraire et faire augmenter la pression sanguine. «Il peut être dangereux de manger de grandes quantités de céleri si l'on est atteint d'hypertension liée à une sensibilité au sel», poursuit ce médecin.

FAIRE OBSTACLE AUX CELLULES CANCÉREUSES

Qui l'eût cru? Il semble bien pourtant que le fait de mâcher des tiges de céleri puisse contribuer à prévenir le cancer. En effet, ce légume contient un certain nombre de substances complexes qui, selon les chercheurs, pourraient empêcher la prolifération des cellules cancéreuses.

Tout d'abord, le céleri contient des substances complexes, les composés acétyléniques. «Il est prouvé que ces derniers empêchent la croissance des cellules tumorales», commente le Dr Robert Rosen, spécialiste en nutrition.

De plus, le céleri contient une autre catégorie de substances complexes, les acides phénoliques, qui ont pour effet d'inhiber l'action des prostaglandines (substances apparentées aux hormones). Certaines prostaglandines, selon le Dr Rosen, pourraient stimuler la croissance des cellules tumorales.

Critères de choix, préparation et conservation

Conservez les feuilles. Si les tiges du céleri sont aussi agréables que bénéfiques, ce sont ses feuilles qui contiennent le plus de potassium, de vitamine C et de calcium.

Mangez-le sous la forme que vous aimez. Beaucoup d'aliments perdent une partie de leurs nutriments lors de la cuisson, mais ce n'est pas le cas du céleri. Une portion de 100 grammes de céleri cru ou cuit fournit de 5 à 7 milligrammes de vitamine C, soit près de 12% de la Valeur quotidienne, 300 milligrammes de potassium (7,6% de la VQ), et 39 milligrammes de calcium (3,8% de la VQ).

Utilisez les graines. Les graines de céleri, vendues au rayon des épices du supermarché, sont une mine de nutriments. Une cuillerée à soupe contient 3 milligrammes de fer, soit 17% de la Valeur quotidienne, et peut être saupoudrée sur les potages, ragoûts et autres préparations mijotées.

LES CÉRÉALES
POUR BIEN DÉMARRER CHAQUE JOURNÉE

POUVOIR THÉRAPEUTIQUE

CONTRIBUENT À :

Prévenir le cancer et les maladies cardiovasculaires

Maintenir une bonne digestion

Protéger contre les malformations congénitales

Dans beaucoup de supermarchés, le rayon des céréales ressemble davantage à une aire de jeux qu'à un lieu où l'on peut acheter d'authentiques aliments. D'innombrables emballages aux couleurs gaies sont ornés de personnages de dessins animés, de puzzles et autres cadeaux ou concours. Quant aux céréales qu'ils contiennent, elles n'ont souvent guère plus de consistance. Beaucoup des céréales favorites de nos enfants ne sont à vrai dire que des amuse-gueules sucrés, dont chaque portion contient autant de sucre que la même quantité de leur dessert préféré.

Malgré tout, pour peu que l'on se donne la peine de déchiffrer les listes d'ingrédients (et à condition d'écarter les produits vraiment trop insignifiants sur le plan nutritif), on constate que les céréales destinées au petit déjeuner, peu importe qu'elles soient servies chaudes ou froides, peuvent être des aliments très bénéfiques pour la santé. Beaucoup d'entre elles contiennent en effet une proportion extrêmement élevée de fibres alimentaires et presque toutes sont vitaminées, notamment par l'addition d'acide folique. «Les céréales constituent le petit déjeuner idéal, commente Mme Pat Harper, conseil en nutrition. Elles sont à la fois pratiques, vite préparées et merveilleusement nutritives.»

Chaque bouchée est nutritive

L'un des avantages d'un bol de céréales au petit déjeuner est que chaque bouchée ressemble un peu à un complément de multivitamines. Même les produits destinés aux enfants – dans le genre «au cœur tendre et recouvert de chocolat», quoique trop sucrés pour être vraiment bénéfiques pour la santé –, sont souvent vitaminés et enrichis de toute une palette de nutriments et de minéraux essentiels qu'il pourrait être difficile d'obtenir d'une autre manière. «Si nous n'avions pas des aliments vitaminés et enrichis comme les céréales destinées au petit déjeuner, nous aurions vraiment de graves problèmes, affirme le Dr Paul Lachance, professeur de nutrition. Les aliments de ce type nous apportent jusqu'à 25% de nombreux nutriments essentiels. Ils jouent un rôle tout à fait important dans le maintien d'une bonne santé.»

En réalité, les céréales destinées au petit déjeuner sont si bénéfiques que les médecins recommandent souvent aux personnes du troisième âge d'en manger davantage. En vieillissant, beaucoup de gens perdent en effet l'habitude d'avoir une alimentation très équilibrée et finissent par avoir des carences de vitamines et de minéraux essentiels, souligne le Dr William Regelson, professeur de médecine.

Les céréales sont particulièrement importantes lorsqu'il s'agit d'obtenir suffisamment de vitamines du groupe B comme la thiamine, la niacine, la riboflavine, la vitamine B_6 et le folate. Il n'est pas toujours facile d'obtenir à partir de nos seuls aliments les vitamines du groupe B, essentielles à la transformation de la nourriture en énergie et au maintien de la santé du système sanguin et nerveux. Cela est surtout vrai dans le cas du folate, qui pourrait contribuer à prévenir les malformations congénitales. Selon Mme Harper, les céréales enrichies par l'addition d'acide folique (l'équivalent du folate en termes de compléments alimentaires), dont la teneur est généralement égale à 25% de la Valeur quotidienne, permettent d'obtenir plus facilement une quantité suffisante de ce nutriment essentiel.

En revanche, si nous voulons bénéficier de toutes les vitamines du groupe B, il est important d'absorber aussi tout le lait restant dans le bol lorsque nous avons fini de manger nos céréales. Dans le cas de céréales vitaminées, en effet, les vitamines sont saupoudrées sur les céréales et une partie va donc se retrouver dans le lait au fond du bol.

Fibres en flocons

Les médecins sont unanimes à dire que les fibres alimentaires sont la clé d'une alimentation saine, non seulement parce qu'elles favorisent une bonne digestion mais aussi parce qu'il est prouvé qu'elles abaissent le cholestérol. Tout excès de cholestérol peut se déposer sur les parois de nos artères, rétrécissant les vaisseaux sanguins et augmentant ainsi le risque de maladies cardiovasculaires.

À LA CUISINE

L'ennui, lorsque l'on commence la journée en mangeant une portion de céréales chaudes – bouillie d'avoine, crème de blé ou crème de riz –, c'est que ce type de gruau nature est un peu trop fade pour réveiller nos papilles gustatives. Voici quelques suggestions pour agrémenter vos bouillies de céréales.

- Utilisez du jus d'orange ou de pomme à la place de l'eau de cuisson; cela donnera à vos céréales un goût légèrement fruité tout en augmentant leur valeur nutritive.
- Vous pouvez également utiliser du lait écrémé à la place de l'eau de cuisson. Le lait rend les bouillies de céréales plus crémeuses, et le calcium qu'il contient est un atout supplémentaire. Vous obtiendrez 320 milligrammes de ce minéral si important en faisant cuire une demi-tasse d'avoine dans une tasse de lait écrémé.
- L'addition de fruits aux bouillies de céréales chaudes est un moyen très simple d'en améliorer la saveur. S'il s'agit de fruits croquants comme la pomme ou la poire, râpez le fruit directement dans la bouillie. Des fruits mous comme la banane ou les baies peuvent aussi y être ajoutés après cuisson. Si vous aimez les fruits secs comme les raisins de Corinthe, en revanche, versez-les dans la casserole avant de commencer la cuisson pour leur donner le temps de se réhydrater.

Un bon moyen d'obtenir suffisamment de substances de lest consiste à manger des céréales. Une portion de 100 grammes de Cheerios, par exemple, contient 3 grammes de fibres. Le son d'avoine vaut mieux encore, avec 6 grammes de fibres par portion, soit 24% de la Valeur quotidienne. Parmi d'autres excellentes sources de fibres, on peut citer les amandes, avec 13 grammes par portion de 100 grammes, et les haricots cuits, 9 grammes par portion de 100 grammes.

Dans le cadre d'une étude, des chercheurs ont constaté que le taux de cholestérol avait baissé de cinq ou six points chez des sujets qui absorbaient 3 grammes de fibres solubles en mangeant du son d'avoine.

Les céréales qui sont bénéfiques pour le cœur peuvent également abaisser le risque de cancer du côlon. En effet, les fibres contenues dans les céréales favorisent un transit intestinal bien plus rapide. Lorsque les selles sont évacuées plus vite, les substances nocives qu'elles contiennent ont moins de temps pour irriter les parois du côlon, selon le Dr Beth Kunkel, professeur d'alimentation et de nutrition.

«Il n'est jamais facile d'obtenir les 25 à 30 grammes de fibres que l'on nous recommande d'absorber chaque jour, ajoute Mme Harper. En mangeant plus souvent des céréales riches en fibres, nous aurons une meilleure chance d'obtenir les fibres indispensables.»

Les meilleurs choix

Si beaucoup de céréales destinées au petit déjeuner contiennent une proportion élevée de fibres, d'autres en ont peu et certaines n'en offrent qu'une quantité négligeable. Voici quelques conseils pour vous aider à obtenir le plus possible de fibres avec chaque portion.

Appliquez la règle de cinq. Il existe une telle variété de céréales de bonne qualité que nous n'avons aucune raison de nous contenter d'une qualité inférieure, souligne Mme Harper. Les céréales qui contiennent au moins 5 grammes de fibres par portion représentent le meilleur choix.

Privilégiez la variété. Différents types de céréales contiennent diverses sortes de fibres alimentaires. Selon Mme Harper, les fibres vous seront plus bénéfiques si vous pouvez mélanger différentes céréales. Celles à base de blé et de riz, par exemple, contiennent beaucoup de fibres insolubles, le meilleur type de fibres pour éviter la constipation et diminuer le risque de cancer du côlon. L'avoine, en revanche, contient surtout des fibres solubles dont le principal avantage est d'abaisser le cholestérol. D'autres céréales encore, comme les mélanges de grains et de fruits, contiennent les deux types de fibres, ajoute-t-elle.

Mangez du son. Les céréales que l'on absorbe sous forme de bouillie chaude, comme le maïs, le blé ou le son d'avoine, sont d'excellentes sources de fibres, poursuit Mme Harper. En fait, toute céréale qui conserve la couche externe du grain contient davantage de fibres que sa version raffinée. Lorsque vous achetez des céréales, donnez la préférence à celles dont l'étiquette mentionne «au son» ou «complet».

Restez sur vos gardes. Il ne suffit pas de pouvoir lire sur un paquet les mots «avoine» ou «blé» pour être sûr de ce que l'on achète, prévient le Dr Michael H. Davidson, président d'un centre de recherches. Rien n'empêche les fabricants de mettre presque n'importe quoi sur (ou dans) un paquet de céréales. Dans un emballage sur lequel apparaît le mot «blé», par exemple, il se pourrait qu'il n'y ait qu'une faible trace de ce grain et pratiquement pas de fibres, précise-t-il. Par conséquent, avant de mettre n'importe quel paquet de céréales dans votre Caddie, prenez le temps de bien lire l'étiquette.

Mélangez-les. Si le goût des céréales les plus riches en fibres ne vous plaît pas trop, pourquoi ne pas les rendre plus agréables à votre palais en les mélangeant à d'autres dont la saveur vous plaît davantage? «Ainsi, vous aurez à la fois les avantages des fibres et le goût de vos céréales préférées», souligne Mme Harper.

Mangez-en n'importe quand. Les céréales sont généralement servies au petit déjeuner, mais rien ne vous empêche d'en manger à d'autres moments de la journée, poursuit-elle. Avec leur teneur élevée en fibres, elles contribuent à nous rassasier quelle que soit l'heure: un repas de midi sur le pouce, un dîner tardif ou une collation à l'heure du thé. De plus, la plupart des céréales riches en fibres ne contiennent que peu de matières grasses, ce qui est un avantage supplémentaire. D'ailleurs, beaucoup de gens gardent une boîte de céréales sous la main au bureau pour pouvoir y puiser à volonté chaque fois qu'ils ont un petit creux.

LES CERISES
UNE CUEILLETTE PRÉVENTIVE

POUVOIR THÉRAPEUTIQUE

CONTRIBUENT À :
Soulager la goutte

Prévenir divers cancers

Réduire le risque de maladies cardiovasculaires et de crise cardiaque

Avec leur noyau dur et leur couleur prompte à tacher les vêtements, les cerises sont un peu plus difficiles à manger que d'autres fruits. Les recherches suggèrent pourtant que les cerises, qui contiennent une substance complexe appelée alcool périllyle, sont un aliment de grande valeur.

«L'alcool périllyle est à peu près la meilleure chose que nous ayons jamais vue pour guérir le cancer mammaire chez les animaux de laboratoire», déclare le Dr Michael Gould, professeur d'oncologie humaine. En fait, cette substance semble si prometteuse qu'elle fait l'objet d'essais avec des patients cancéreux à l'université du Wisconsin.

L'alcool périllyle appartient à un groupe de substances complexes appelées monoterpènes. Le limonène présent dans le zeste des agrumes est un autre membre de cette même famille. Les études ont montré que ces complexes inhibaient la formation de divers cancers, notamment ceux du sein, des poumons, de l'estomac, du foie et de la peau. L'alcool périllyle semble très prometteur, notamment parce qu'il est 5 à 10 fois plus puissant que le limonène, qui a pourtant déjà fait preuve de son efficacité.

Les chercheurs n'ont pas encore déterminé le taux d'alcool périllyle dans les cerises, ajoute le Dr Pamela Crowell, professeur adjoint en biologie. Il est toutefois probable que cette substance complexe entraîne des effets bénéfiques, même en faibles quantités. Nous pouvons donc en conclure que les cerises, dans le cadre

À LA CUISINE

C'est à partir du mois de mai, et jusqu'en juillet, que les cerises fraîches sont au sommet de leur forme. Voici quelques conseils pour obtenir les meilleures lorsque vous irez en choisir au marché.

Examinez les tiges. Avant d'acheter des cerises, vérifiez que les tiges sont bien vertes. Des tiges très foncées sont le signe que les cerises attendent depuis trop longtemps dans leur cageot.

Achetez-en de petites quantités. Les cerises sont un fruit fragile. Même conservées au réfrigérateur dans des conditions idéales, elles ne se garderont que quelques jours. Organisez-vous par conséquent pour n'en acheter qu'une petite quantité que vous pourrez manger sans attendre.

Conservez-les à sec. En évitant de les laver avant de les placer au réfrigérateur, vous risquez moins d'avoir la mauvaise surprise de les retrouver à moitié pourries. Mieux vaut les conserver à sec et les rincer juste avant consommation.

En revanche, il est important de laver les cerises très soigneusement. Elles sont souvent recouvertes d'une couche invisible constituée d'un mélange d'insecticides, d'huiles antifongiques et de produits destinés à conserver l'humidité, utilisés par les cultivateurs pour les faire paraître plus fraîches.

Faites-en du jus. Lorsque vous en aurez un peu assez de croquer des cerises, pourquoi ne pas en faire du jus? Il suffit pour cela de les rincer, d'ôter la tige et le noyau et de les écraser. Faites chauffer la pulpe ainsi obtenue dans une casserole, puis exprimez-en le jus à travers une passoire. Le jus se conserve au réfrigérateur et vous pouvez y ajouter du sucre si nécessaire.

d'une alimentation saine et suffisamment diversifiée, peuvent jouer un rôle modeste, quoique nullement négligeable, en aidant l'organisme à lutter contre le cancer.

PAS SEULEMENT DE LA VITAMINE C

Les cerises ne sont pas seulement une source de substances complexes plus ou moins exotiques, inconnues jusqu'à notre époque, mais elles contiennent aussi toute une palette de substances thérapeutiques. Une demi-tasse de cerises acidulées (griottes), par exemple, contient 5 milligrammes de vitamine C, soit environ 8% de la Valeur quotidienne. Elles nous apportent en outre les vitamines A et E. Quant aux variétés plus sucrées, on y trouve les mêmes nutriments, quoique moins de vitamines A et E.

Un régal sans pareil

Les cerises au marasquin (préparées en utilisant une variété de cerise acide) sont peut-être l'un des seuls fruits qui passe le plus clair de son temps enfermé dans un bocal. La préparation que l'on trouve dans le commerce, souvent utilisée pour garnir d'une touche de couleur les cocktails de fruits ou pour adoucir les boissons alcoolisées du genre Shirley-Temple, n'a plus grand-chose à voir avec le fruit d'origine.

Obtenues par trempage des cerises dénoyautées dans un sirop de sucre aromatisé, les cerises au marasquin n'ont jamais été considérées avec beaucoup de respect, non seulement en raison de leur goût écœurant, mais aussi parce que leur teinte rouge vif provenait autrefois de colorants nocifs.

Même si des colorants moins dangereux sont utilisés de nos jours, les cerises au marasquin, dont le goût provenait à l'origine de la liqueur de marasquin, ne sauraient être qualifiées d'aliment sain. Ne contenant pratiquement ni nutriments, ni fibres, elles sont en revanche bourrées de calories, à raison de 60 calories pour une portion de 30 grammes, soit quelque 10 calories par cerise.

Bien évidemment, dans la mesure où vous ne risquez guère de manger plus d'une ou deux cerises au marasquin à la fois, cela ne peut pas vous faire trop de mal. Aucune raison de s'en priver, mais rincez-vous la bouche après en avoir mangé pour ne pas absorber plus de colorant rouge que nécessaire.

La vitamine E des cerises présente un intérêt tout particulier, puisque les chercheurs ont pu constater dans le cadre d'une étude portant sur des femmes ménopausées que celles qui absorbaient le plus de vitamine E présentaient le plus faible risque de maladies cardiovasculaires. Ils firent également une autre constatation particulièrement importante : celles des participantes qui obtenaient leur vitamine E de manière naturelle, c'est-à-dire exclusivement par l'alimentation, présentaient un risque plus faible que celles qui prenaient de la vitamine E sous forme de compléments alimentaires.

L'ennui, avec la vitamine E, c'est qu'il est plutôt difficile d'en obtenir la Valeur quotidienne (30 unités internationales) à partir de nos seuls aliments. À vrai dire, les aliments qui contiennent de grandes quantités de vitamine E sont les corps gras comme les huiles culinaires, ainsi que les noix ; dans les deux cas, il est préférable de n'en manger qu'avec modération. Parmi les autres aliments, les cerises sont l'une des meilleures sources de vitamine E.

Enfin, les cerises contiennent une substance complexe appelée quercétine. Tout comme la vitamine C et divers autres antioxydants, cette substance contribue à stopper les dégâts causés par les radicaux libres, qui sont des molécules d'oxygène instables en circulation dans le corps. Diverses études ont montré que la quercétine et d'autres complexes similaires pourraient diminuer de manière significative le risque d'accident vasculaire cérébral et de cancer.

SOULAGER LA GOUTTE

La sagesse populaire regorge d'exemples de gens qui ont pu soulager les douleurs insupportables provoquées par la goutte en mangeant chaque jour des cerises ou en buvant du jus de cerise. Si la Fondation américaine de l'arthrite affirme que rien ne laisse penser que les cerises soulagent vraiment les douleurs de la goutte, de nombreux patients atteints de ce trouble ne jurent que par ce fruit.

Un sondage effectué aux États-Unis par le magazine *Prevention* a permis de constater que 67% des lecteurs qui avaient absorbé des cerises afin de traiter la goutte avaient obtenu de bons résultats. Quant à Steve Schumacher, kinésiologue, il recommande ce fruit avec enthousiasme. Il conseille aux patients atteints de goutte de renoncer à la viande rouge et aux abats et de boire deux à trois verres de jus de cerise par jour. Il recommande d'utiliser du jus de cerise noire pur, dilué avec le même volume d'eau.

«Ceux qui ont su observer fidèlement ce mode d'alimentation ont tous obtenu de bons résultats, dès les premières 48 à 72 heures dans certains cas, au bout d'une semaine pour d'autres, en fonction de la gravité de leur état», commente-t-il.

Critères de choix, préparation et conservation

Mangez-les crues. La cuisson détruisant une partie de la vitamine C et des autres nutriments contenus dans les cerises, il est préférable de les manger crues afin de bénéficier pleinement de tous leurs nutriments.

Utilisez-les en pâtisserie. C'est un plaisir de manger les cerises crues lorsqu'elles sont bien sucrées, mais les cerises acidulées présentent un peu plus de difficulté. Pourtant, leur teneur en nutriments est suffisamment élevée pour qu'elles en conservent au moins une partie même après cuisson.

LES CHAMPIGNONS
REMARQUABLEMENT THÉRAPEUTIQUES

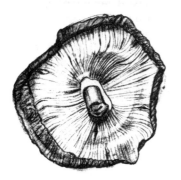

POUVOIR THÉRAPEUTIQUE

CONTRIBUENT À :
Inhiber la croissance des tumeurs

Stimuler le système immunitaire

Abaisser les taux de cholestérol

Les champignons sont si populaires dans les pays d'Asie qu'ils sont vendus au bord de la route par des marchands ambulants, un peu comme nous avons des stands de crêpes ou de glaces. Aux États-Unis, contrairement à la France, beaucoup de gens restent méfiants à l'égard des champignons, mais ces derniers commencent malgré tout à être mieux connus, tant à la cuisine que dans les laboratoires de recherches.

C'est ainsi que les chercheurs redécouvrent ce que les guérisseurs traditionnels savent depuis la nuit des temps. Non seulement les champignons sont des sources appréciables de nutriments, mais ils stimulent également le système immunitaire. Selon les scientifiques, il est possible qu'ils puissent contribuer à lutter contre le cancer, l'excès de cholestérol, et peut-être même le sida.

Malheureusement, le mieux connu et le plus utilisé de tous les champignons, notre cher champignon de Paris, ne présente aucune valeur médicinale connue. En revanche, il fournit des quantités appréciables de certains nutriments importants comme les vitamines du groupe B.

LUTTER CONTRE LE CANCER

Les champignons shii-také, tenus en haute estime au Japon depuis des temps immémoriaux pour leur aptitude à faire régresser les tumeurs, retiennent aujourd'hui l'attention des chercheurs du monde entier en raison des propriétés anticancer des substances complexes qu'ils contiennent.

Ces grands champignons de couleur sombre, dont la consistance rappelle celle de la viande, contiennent un polysaccharide (sucre complexe) appelé lentinane. Les polysaccharides sont des molécules de grande taille dont la structure ressemble à celle des bactéries, ainsi que l'explique le médecin naturopathe Robert Murphy. Lorsque nous mangeons des champignons shii-také, notre système immunitaire se constitue une réserve de cellules capables de lutter contre l'infection. «En fait, ces champignons ont pour effet de tromper le système immunitaire qui se croit obligé d'entrer en action», précise-t-il. Les chercheurs ont constaté que lorsqu'ils administrent à des animaux de laboratoire atteints de tumeurs du lentinane des champignons séchés sous forme de poudre, la croissance tumorale est inhibée à hauteur de 67%.

Les chercheurs se penchent également sur un autre champignon, le mai-také, appelé aussi poule-des-bois ou champignon dansant. Tout comme le shii-také, le mai-také a la réputation depuis toujours d'être bénéfique pour traiter le cancer. Il commence tout juste à recevoir l'attention qu'il mérite de la part des

À LA CUISINE

Il n'est pas impossible de trouver des champignons shii-také frais dans certains magasins exotiques ou au marché, mais, la plupart du temps, ils sont vendus sous forme déshydratée. Voici comment les accommoder.

Faites-les tremper. Pour reconstituer les champignons séchés, il suffit de les placer dans une casserole, de les couvrir d'eau et de les amener à ébullition. Réduisez ensuite la chaleur et laissez mijoter 20 minutes. Égouttez-les et vous pourrez alors les couper en lamelles afin de les incorporer à vos recettes préférées.

Pensez à mettre à part l'eau de cuisson qui vous permettra d'enrichir le goût de vos sauces et potages.

Coupez-les menu. Les champignons réhydratés n'ont pas aussi belle apparence que ceux que l'on achète frais. En outre, leur goût légèrement relevé n'est pas forcément très agréable en grande quantité. La plupart des chefs les hachent menu et s'en servent avec modération pour agrémenter les légumes sautés, ragoûts, potages et préparations à base de céréales.

pays occidentaux. Le polysaccharide actif du champignon mai-také, appelé bêta-glucane, s'est montré très efficace – peut-être même plus que le lentinane –, pour réduire les tumeurs chez les animaux de laboratoire, selon les experts.

«Il ne fait aucun doute que l'on obtient une certaine quantité de ces polysaccharides stimulant le système immunitaire lorsque l'on mange une portion conséquente de ces champignons, déclare le Dr Murphy. Je conseille à mes patients d'aller au marché et d'acheter des champignons shii-také et mai-také et de les inclure dans leur alimentation habituelle.» Ces deux sortes de champignons sont généralement vendus dans les épiceries asiatiques et dans certains supermarchés.

Le sida et la stimulation de l'immunité

Les champignons shii-také et mai-také s'étant révélés si efficaces pour renforcer le système immunitaire, certains scientifiques ont entrepris, avec quelque succès, de tester leur efficacité contre le VIH, le virus responsable du sida.

Dans le cadre d'études en laboratoire, un extrait de bêtaglucane obtenu à partir de champignons mai-také s'est montré capable d'empêcher le VIH de tuer les cellules T, la catégorie de globules blancs essentiels au système immunitaire. «Pour maintenir le système immunitaire aussi tonique et actif que possible, il semblerait tout à fait judicieux de manger régulièrement de ces champignons», commente le Dr Murphy.

Abaisser le cholestérol

Si vos taux de cholestérol frisent la zone dangereuse, vers les 200 ou plus, vous pourriez avoir intérêt à manger plus souvent des champignons.

Au cours des années soixante-dix et quatre-vingt, diverses études japonaises portant sur des animaux et sur l'être humain ont montré que l'une des substances complexes des champignons shii-také, l'éritadénine, était efficace pour faire baisser les taux de cholestérol. Plus récemment, des chercheurs slovaques ont découvert qu'en donnant à des souris une alimentation comportant 5% de champignons séchés, principalement des pleurotes en huître, ils pouvaient abaisser de 45% le taux de cholestérol sanguin de ces rongeurs, même lorsque l'alimentation de ces derniers contenait par ailleurs beaucoup de cholestérol.

Les chercheurs n'ont pas encore déterminé chez l'être humain la quantité de champignons qu'il convient de manger afin d'obtenir le même effet protecteur. Mais les experts sont d'accord pour dire que le fait d'ajouter chaque jour dans votre assiette un ou deux de ces gros champignons savoureux ne vous fera certainement aucun mal, et pourrait même contribuer à faire baisser vos taux de cholestérol.

Une abondance de vitamines du groupe B

Les champignons nous fournissent deux vitamines importantes du groupe B, la niacine et la riboflavine, que très peu de légumes contiennent. Sur ce plan, pour une fois, le champignon de Paris pourrait être utile. Si les champignons shii-také séchés présentent une concentration plus élevée de nutriments, il est vrai que leur goût est également très prononcé. La plupart des gens hésiteraient à les utiliser en grande quantité. En revanche, les champignons de Paris, de goût plus neutre, peuvent accompagner pratiquement n'importe quel menu.

La niacine est importante car elle aide l'organisme à constituer les enzymes nécessaires à la conversion du sucre en énergie, au métabolisme des lipides et au maintien d'une bonne santé des tissus, et les champignons de Paris en sont une bonne source.

Tout comme la niacine, la riboflavine est un «nutriment adjuvant». Elle nous est nécessaire pour que le corps puisse transformer d'autres nutriments, comme la niacine, la vitamine B6 et le folate, en formes mieux utilisables. Si vous avez de faibles taux de riboflavine, il est également possible que vos taux de ces autres nutriments soient trop bas. Cent grammes de champignons de Paris étuvés contiennent 0,44 milligramme de riboflavine, soit près de 25 % de la Valeur quotidienne

Critères de choix, préparation et conservation

Faites-les cuire. Tant sur le plan gustatif que nutritif, les champignons sont meilleurs cuits que crus. Cela tient au fait qu'ils sont principalement constitués d'eau. En les cuisant, nous éliminons l'eau et concentrons non seulement les nutriments, mais aussi la saveur.

Préférez-les exotiques. Afin de bénéficier le plus possible du pouvoir thérapeutique des champignons, choisissez de préférence les variétés asiatiques, en particulier le shii-také et le mai-také, affirment les experts. Divers autres champignons pourraient présenter des avantages sur le plan thérapeutique, notamment la variété pleurote en huître.

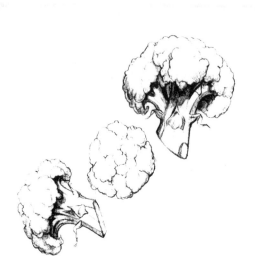

LE CHOU-FLEUR
UN CHAMPION CONTRE LE CANCER

POUVOIR THÉRAPEUTIQUE
CONTRIBUE À:
Inhiber la croissance des tumeurs

Stimuler le système immunitaire

Faisant un jour référence au chou-fleur, Mark Twain le décrivit comme «un chou qui est allé à l'université»; un peu plus raffiné, peut-être, mais il restera toujours un crucifère.

Pourtant, le célèbre écrivain américain ignorait à quel point le chou-fleur est précieux pour demeurer en bonne santé. (Si leur père littéraire avait été un peu mieux informé, Huckleberry Finn et Jim auraient peut-être passé leur temps à mastiquer du chou-fleur cru plutôt que des filets frits de poisson-chat.) Comme d'autres membres de la famille des crucifères, le chou-fleur est bourré de nutriments très efficaces contre toutes sortes de maladies, notamment le cancer. Il nous apporte également de grandes quantités de vitamines et de minéraux d'importance vitale pour maintenir d'excellentes défenses immunitaires.

DE FORMIDABLES INFLORESCENCES

C'est surtout le brocoli, cousin coloré du chou-fleur, qui a retenu l'attention des chercheurs en raison de son grand potentiel thérapeutique, mais le chou-fleur n'est pas en reste sur le plan de la prévention du cancer, souligne le Dr Jon Michnovicz, président de deux institutions de recherche. On peut même dire que le chou-fleur est l'un des aliments thérapeutiques les plus puissants sur le marché.

Les chercheurs ont découvert deux armes particulièrement efficaces parmi la palette de substances anticancer que contient le chou-fleur: il s'agit de deux phytonutriments, le sulforaphane et l'indole-3-carbinol, ou I3C. Ces substances complexes, présentes dans tous les végétaux de la famille des crucifères, pourraient expliquer le fait que les personnes qui ont l'habitude de manger très souvent des crucifères sont moins sujettes au cancer, ainsi que l'ont montré de très nombreuses études.

Dans le cadre d'une étude, des chercheurs de l'université Johns Hopkins à Baltimore ont exposé 145 animaux de laboratoire à des doses élevées d'un agent très fortement cancérigène. Sur l'ensemble des cobayes, 120 avaient reçu de grandes quantités de sulforaphane protecteur. Cinquante jours plus tard, 68% des cobayes du groupe témoin (qui n'avaient pas reçu cette substance protectrice) présentaient des tumeurs mammaires, par comparaison avec 26% seulement de ceux qui avaient absorbé du sulforaphane.

L'action du sulforaphane tient au fait qu'il augmente dans l'organisme la production d'enzymes ayant pour rôle d'éliminer les toxines avant que ces dernières n'aient eu le temps d'endommager nos cellules,

S'ALiMENTER AVEC iNTELLiGENCE
PRÉVENIR LA GOUTTE

Michel-Ange, Léonard de Vinci et Henri VIII avaient tous un point commun: ils auraient mieux fait d'éviter le chou-fleur.

Si, comme eux, vous souffrez de la goutte, vous auriez aussi intérêt à ne pas en manger.

Le chou-fleur contient des purines, une catégorie d'acides aminés qui se transforment en acide purique dans l'organisme. Les cristaux d'acide purique peuvent déclencher une pénible crise de goutte – une forme d'arthrite qui survient lorsque les cristaux acérés s'enfoncent dans nos articulations, provoquant douleur et enflure.

Si vous ne pouvez pas manger de chou-fleur parce que vous avez la goutte, vous obtiendrez la même protection contre le cancer en absorbant d'autres crucifères (brocoli, chou et choux de Bruxelles) dont la teneur en purines est plus faible.

ce qui pourrait les rendre cancéreuses, explique le Dr Michnovicz.

L'autre substance complexe du chou-fleur, le composé I3C, joue le rôle d'anti-œstrogène, poursuit ce médecin. En d'autres termes, l'indole-3-carbinol abaisse les taux d'œstrogène nocif pouvant stimuler la croissance de tumeurs dans les cellules hormono-dépendantes, comme celles du sein et de la prostate.

«C'est la raison pour laquelle, même si les études ont montré que les individus qui mangent des légumes de la famille des crucifères sont protégés contre toutes sortes de cancers, ces types d'aliments sont probablement surtout utiles dans la lutte contre le cancer du côlon, du sein et de la prostate», conclut le Dr Michnovicz.

STIMULATION IMMUNITAIRE

Le chou-fleur ne nous protège pas seulement contre le cancer ; il est également bourré de vitamine C et de folate, deux nutriments bien connus pour leur rôle stimulant du système immunitaire.

Il suffit d'absorber trois inflorescences crues de ce crucifère croquant pour obtenir 67 % de la Valeur quotidienne de vitamine C, c'est-à-dire davantage qu'en mangeant une mandarine ou un pamplemousse. Le fait d'absorber plus de vitamine C, ainsi que diverses autres vitamines antioxydantes comme la vitamine E et le bêtacarotène, permet de maintenir un système immunitaire vigoureux et de prévenir toutes sortes de troubles, notamment les maladies cardiovasculaires, le cancer et les cataractes.

Le chou-fleur contient aussi du folate, ce qui a son importance ; en France, en effet, si les études ne signalent pas de carences marquées, elles font ressortir un risque réel de carence marginale chez près de 20 % des adultes. Trois inflorescences de chou-fleur absorbées crues fournissent 9 % de la Valeur quotidienne de folate.

Ce nutriment pouvant stimuler l'efficacité du sang, il est souvent recommandé pour prévenir l'anémie. De plus, les recherches ont montré que le folate est essentiel à la croissance normale des tissus. À long terme, affirment les chercheurs, si nous n'absorbons habituellement pas assez de folate, cela pourrait provoquer des troubles tels que le cancer et les maladies cardiovasculaires.

Le folate est particulièrement important pour la femme en âge de procréer, car il joue un rôle majeur dans la prévention des malformations congénitales touchant le cerveau ou la moelle épinière chez l'enfant à naître.

Critères de choix, préparation et conservation

Choisissez-le bien blanc. Il n'est pas toujours facile de trouver du chou-fleur vraiment frais, à moins d'habiter à proximité d'un producteur ou de pouvoir fréquenter un marché. Lors de l'achat, évitez le chou-fleur dont les inflorescences blanches (ou pourpres) sont marquées de taches brunes, car c'est une indication qu'il n'est plus tout à fait frais.

Mangez-le cru. Afin de préserver les indoles protecteurs contre le cancer que contient le chou-fleur, il est préférable de ne pas exposer celui-ci à la chaleur, conseille le Dr Michnovicz. Le mieux est de le manger cru ou de le cuire très rapidement à la vapeur, au wok ou au micro-ondes, précise ce médecin. La cuisson à l'eau est le pire mode de préparation pour ce crucifère. Lorsque le chou-fleur est submergé dans l'eau chaude, il perd à peu près la moitié de ses précieux indoles, conclut-il.

Les choux de Bruxelles
Des miniatures bénéfiques

**Pouvoir
thérapeutique**

CONTRIBUENT À :
Diminuer le risque de cancer
du sein, de la prostate
et du côlon

Abaisser le cholestérol

Prévenir la constipation

Abaisser le risque de maladies
cardiovasculaires

S'il est un aliment qui s'est fait une réputation d'être «ce machin dans notre assiette, tout juste bon pour le chien», peut-être bien s'agit-il des choux de Bruxelles – au point qu'il suffit parfois d'en prononcer le nom pour voir notre interlocuteur faire la grimace.

Pourtant, même si vous êtes sceptique, le goût des choux de Bruxelles s'est considérablement amélioré depuis une dizaine d'années. Et de plus, des chercheurs ont constaté qu'ils sont encore plus bénéfiques qu'ils ne le pensaient jusqu'alors.

Une saveur bien plus agréable

Les choux de Bruxelles sont des représentants en miniature de la famille du chou. S'il est vrai qu'autrefois, ils avaient souvent une amertume assez prononcée, leur saveur s'est bien transformée, selon Steve Bontadelli, qui cultive les choux de Bruxelles à Santa Cruz (Californie).

Au départ, ces problèmes de goût viennent du fait que les cultivateurs de choux de Bruxelles avaient commencé à se servir de machines pour effectuer la récolte, au lieu de faire la cueillette à la main. Afin de faciliter la récolte mécanique, ils ont mis au point une nouvelle variété. Malheureusement, le goût de ces choux de Bruxelles «revus et améliorés» était particulièrement amer, se souvient Steve Bontadelli.

«C'est seulement au cours des dix dernières années que les cultivateurs de choux de Bruxelles ont commencé à planter une autre variété hybride afin d'obtenir un goût plus agréable, précise-t-il. Nous avons ainsi aujourd'hui un légume dont le goût est beaucoup plus doux et savoureux.»

Ainsi, vous n'aurez plus à vous boucher le nez avant d'avaler ces petites sphères vertes si bénéfiques pour la santé, et peut-être serez-vous même surpris de vous en régaler. Leur goût mis à part, les choux de Bruxelles sont une excellente source de substances phytochimiques capables de nous protéger contre divers troubles graves, notamment le cancer et les maladies cardiovasculaires.

Nos alliés contre le cancer

Comme d'autres crucifères, les choux de Bruxelles sont bourrés de substances complexes naturelles d'origine végétale, appelées phytonutriments, qui pourraient contribuer à nous protéger contre le cancer. Il se pourrait que ces complexes soient particulièrement efficaces contre des cancers fréquents comme ceux du sein et du côlon.

L'une des principales substances protectrices contenue dans les choux de Bruxelles est le sulforaphane. Ce dernier déclenche la libération d'enzymes qui contribuent à débarrasser les cellules de notre corps des déchets toxiques, diminuant ainsi le risque de cancer, selon le Dr Jon Michnovicz, président de deux institutions de recherche.

Dans le cadre d'une étude qui fit date, des chercheurs de l'université Johns Hopkins à Baltimore ont exposé 145 animaux de laboratoire à une substance puissamment cancérigène. Vingt-cinq de ces cobayes n'avaient reçu aucun traitement particulier, tandis que les autres avaient absorbé de grandes quantités de sulforaphane. Cinquante jours plus tard, 68% des animaux sans protection présentaient des tumeurs mammaires, par comparaison à 26% seulement des cobayes qui avaient absorbé du sulforaphane.

Les choux de Bruxelles contiennent un autre phytonutriment protecteur, l'indole-3-carbinol (I3C). Ce complexe joue le rôle d'anti-œstrogène, c'est-à-dire qu'il contribue à éliminer de l'organisme les œstrogènes nocifs avant qu'ils puissent stimuler la croissance de cellules cancéreuses. En outre, cette substance complexe aide à stimuler la production de certaines enzymes qui contribuent à débarrasser l'organisme des toxines cancérigènes. «Les indoles sont probablement très utiles contre le cancer du côlon, du sein et de la prostate, explique le Dr Michnovicz. Diverses études scientifiques portant sur des groupes de population montrent qu'ils nous protègent également contre certains autres types de cancer.»

À LA CUISINE

Pour un légume d'aussi petite taille, les choux de Bruxelles nous présentent pas mal de défis sur le plan culinaire. Non seulement il n'est pas facile de réussir à les accommoder «juste à point», mais l'odeur qui s'en dégage durant la cuisson risque d'empuantir toute la maison.

Pourtant, il y a moyen de faire mieux. En suivant les quelques conseils ci-dessous, vous pourrez bénéficier des bienfaits des choux de Bruxelles sans souffrir de leurs inconvénients.

Marquez-les d'une croix. Afin que la tige cuise aussi rapidement que les feuilles, plus tendres, utilisez un couteau pour entailler d'une croix la base chaque chou de Bruxelles. Il suffit ensuite de cuire vos petits choux à la vapeur de 7 à 14 minutes, jusqu'à ce qu'ils soient suffisamment tendres pour pouvoir être transpercés d'une fourchette.

Neutralisez l'odeur. La puissante odeur sulfureuse qui se dégage lors de la cuisson de ces minuscules crucifères suffit à décourager certains odorats sensibles. Pensez à mettre une tige de céleri dans l'eau de cuisson; sa présence contribuera à neutraliser l'odeur.

N'attendez pas pour les préparer. Les choux de Bruxelles se conservent jusqu'à une semaine et même plus longtemps au réfrigérateur, mais leur saveur devient légèrement amère après trois jours environ, ce qui pourrait vous dégoûter d'en manger à l'avenir. Mieux vaut n'en acheter que de petites quantités à la fois et les préparer sans trop attendre.

Dans le cadre d'une étude de petite envergure, des chercheurs néerlandais ont constaté la présence, dans le côlon des participants qui avaient absorbé chaque jour durant une semaine plus de 250 grammes de choux de Bruxelles (soit environ 14 choux de Bruxelles par jour), de taux d'enzymes protectrices contre le cancer 23% plus élevés en moyenne que chez les sujets qui ne mangeaient jamais de ce légume.

Au cours d'une autre étude, cinq personnes ont absorbé pendant trois semaines plus de 250 grammes de choux de Bruxelles par jour, tandis que cinq autres évitaient ces légumes et les autres crucifères. Les chercheurs constatèrent à l'issue de cette étude que les sujets du groupe qui avaient mangé des choux de Bruxelles présentaient une diminution de 28% des lésions dégénératives de l'ADN par rapport au groupe témoin. Cette découverte est très prometteuse, selon les experts, car pour être en bonne santé, il faut que l'ADN de nos cellules soit sain.

Des choux de Bruxelles pour l'intestin

Non seulement les choux de Bruxelles contiennent toute une palette de substances complexes aux noms savants, mais ce sont aussi d'excellentes sources de vitamines et de minéraux, sans parler d'autres substances capables de lutter contre le cancer, les maladies cardiovasculaires, l'excès de cholestérol et toutes sortes de troubles.

En tête de liste viennent les fibres. Les choux de Bruxelles en sont une bonne source, avec environ 3 grammes par portion de 100 grammes. Il faudrait manger plus de deux tranches de pain complet pour obtenir la même quantité de fibres.

Le fait d'absorber chaque jour des choux de Bruxelles peut vous protéger contre toutes sortes de troubles comme la constipation, les hémorroïdes et divers autres ennuis digestifs, qu'une alimentation riche en fibres permet d'éviter.

Une portion de 100 grammes de choux de Bruxelles peut fournir jusqu'à 100 milligrammes de vitamine C, stimulante du système immunitaire, soit plus de une fois et demie la Valeur quotidienne. Cette même quantité apporte en outre 0,1 milligramme de folate, c'est-à-dire environ 24% de la Valeur quotidienne. Le folate est essentiel pour la croissance normale des tissus, et diverses études ont montré qu'il pourrait protéger contre le cancer, les maladies cardiovasculaires et les malformations congénitales. Les femmes, en particulier lorsqu'elles prennent la pilule, ont souvent de trop faibles taux de cette vitamine importante.

Critères de choix, préparation et conservation

Préparez-les à la vapeur. Il est vrai qu'une proportion des nutriments qu'ils contiennent se perd en cours de cuisson, mais les choux de Bruxelles crus ne sont pas spécialement agréables. Une cuisson rapide à la vapeur permet de libérer une partie de leurs substances complexes thérapeutiques. En revanche, évitez toute cuisson prolongée; en faisant cuire les choux de Bruxelles jusqu'à ce qu'ils aient la consistance d'une éponge, nous perdons de trop grandes quantités de vitamine C ainsi que d'autres précieux phytonutriments. De plus, une cuisson trop longue leur donne un goût amer, souligne le Dr Michnovicz.

LE CITRON ET LE CITRON VERT
LE POUVOIR DE L'AMERTUME

POUVOIR THÉRAPEUTIQUE

CONTRIBUENT À :
Cicatriser les coupures
et les bleus

Prévenir le cancer et les
maladies cardiovasculaires

Peut-être aimez-vous le goût acide des citrons et limettes (ou citrons verts), mais il y a fort à parier que vous n'avez jamais vraiment mordu à pleines dents dans l'un de ces fruits. Pourtant, au siècle dernier, les gens en raffolaient, non pas pour leur goût acidulé, mais en raison des remarquables bienfaits pour la santé que représentent ces beaux fruits.

Les marins britanniques, par exemple, qui passaient très souvent des mois entiers en haute mer sans pouvoir manger de fruits ou de légumes frais, buvaient du jus de citron vert afin de prévenir le scorbut, une terrible maladie provoquée par la carence en vitamine C. (C'est justement parce qu'ils absorbaient tant de limettes – *limes* en anglais – qu'ils finirent par être affublés du sobriquet de *limeys*.) Quant aux mineurs de Californie à l'époque de la ruée vers l'or, alors qu'il était tout aussi difficile d'obtenir des fruits frais, ils étaient prêts à dépenser une fortune pour se procurer un citron.

UNE ABONDANCE DE VITAMINE C

De tous les nutriments que nous connaissons le mieux, la vitamine C est peut-être la plus impressionnante. Au cours de la saison froide elle est toujours très prisée, car elle abaisse les taux d'histamine, une substance chimique naturelle qui peut nous donner les yeux rouges et le nez qui coule. La vitamine C est également un antioxydant puissant, car elle contribue à neutraliser des molécules d'oxygène agressives qui contribuent au cancer et aux maladies cardiovasculaires.

À LA CUISINE

S'il vous est jamais arrivé d'utiliser une râpe pour prélever le zeste d'un citron, sans doute avez-vous par la même occasion fait l'expérience des écorchures que cela peut infliger aux articulations des doigts, pour peu que l'on soit maladroit.

Il existe un moyen moins risqué d'accomplir cette tâche: le zesteur, un petit instrument de cuisine peu coûteux qui ressemble vaguement à un ouvre-bouteilles. La partie qui sert de râpe se compose d'une lame d'acier percée de trous acérés. En parcourant la surface du fruit, le zesteur détache un mince ruban continu de zeste qui s'enroule, sans aucun danger pour nos mains.

Le corps utilise également la vitamine C pour fabriquer du collagène, la substance qui sert à la structure de toutes les cellules et dont nous avons besoin pour la cicatrisation des coupures et autres blessures.

La pulpe et le jus des citrons et des limettes contiennent énormément de vitamine C. Un gros citron, par exemple, contient environ 45 milligrammes de vitamine C, c'est-à-dire 75% de la Valeur quotidienne. Les citrons verts en sont également une bonne source, car une petite limette nous en apporte environ 20 milligrammes (33% de la Valeur quotidienne).

LA VALEUR DU ZESTE

Citrons et limettes ne sont pas seulement de bonnes sources de vitamine C. Ces agrumes contiennent également d'autres substances complexes comme la limonine et le limonène, cette dernière semblant avoir l'aptitude d'inhiber certaines des modifications cellulaires pouvant dégénérer en cancer.

S'ALIMENTER AVEC INTELLIGENCE
COUPS DE SOLEIL LIÉS AUX AGRUMES

Les personnes qui ont à manipuler de grandes quantités d'agrumes sont parfois exposées à un trouble bizarre qui pourrait s'appeler « coup de citron »..

Les citrons et limettes contiennent en effet des furocoumarines; ces substances complexes sensibilisent la peau et la rendent plus susceptible aux coups de soleil. Dans un cas décrit dans le *New England Journal of Medicine*, la main gauche d'un homme qui venait de presser quelque 60 limettes pour préparer des *Margaritas* enfla et se couvrit d'ampoules. Les chercheurs ont baptisé ce trouble désagréable *photodermatite margarita*.

Chaque fois que vous pressez ou prélevez le zeste de grandes quantités de citrons et de limettes, prenez la précaution de vous laver soigneusement les mains afin d'éliminer les huiles de ces fruits, et d'utiliser un écran solaire d'indice élevé avant d'aller en plein air.

Les recherches ont montré que le limonène, que l'on trouve principalement dans la peau colorée (ou zeste) du fruit, augmente l'activité des protéines qui contribuent à éliminer l'œstradiol, une hormone générée spontanément dans l'organisme et qui joue un rôle dans le cancer du sein. Les chercheurs ont également constaté que le limonène augmentait les taux d'enzymes hépatiques capables de supprimer diverses substances chimiques cancérigènes.

En Europe, les fabricants alimentaires ajoutent du zeste de citron à la farine de boulangerie afin d'en augmenter la valeur pour la santé, selon le Dr Antonio Montanari, chercheur spécialiste des citrons. «Chez nous, en Amérique, nous jetons la partie du fruit qui a peut-être le plus d'intérêt», conclut-il.

Critères de choix, préparation et conservation

Plus de zeste pour plus de saveur. Que vous prépariez une tarte meringuée au citron ou qu'il s'agisse simplement d'ajouter un petit quelque chose à un yaourt au citron du commerce, prenez l'habitude d'avoir recours au zeste. Le limonène (une substance complexe au grand pouvoir thérapeutique) représente environ 65% des huiles contenues dans le zeste, fait remarquer le Dr Michael Gould, professeur d'oncologie humaine.

Utilisez-le séché. Le zeste frais contient le plus de substances thérapeutiques, mais le zeste séché n'est pas si mal non plus, ajoute le Dr Montanari. On le trouve sous cette forme au rayon des épices du supermarché.

LA CITROUILLE

LA REINE DU BÊTACAROTÈNE

POUVOIR THÉRAPEUTIQUE

CONTRIBUE À :
Prévenir la dégénérescence maculaire

Stimuler le système immunitaire

Prévenir les maladies cardiovasculaires et le cancer

Les premiers colons américains entonnaient ce petit poème chaque fois qu'ils avaient l'occasion d'apprécier particulièrement cette grosse cucurbitacée orange. En ce temps-là, la citrouille était un aliment apprécié, et les premiers immigrants l'accommodaient à toutes les sauces: soupe à la citrouille, tarte à la citrouille et même bière de citrouille.

De nos jours, tout cela a bien changé. Lorsqu'il nous arrive d'acheter une citrouille, ce serait plutôt pour la transformer en objet de décoration pour Halloween et pour en jeter la chair. Si, par hasard, il nous arrive de manger de la citrouille, c'est parce que nous avons compulsé des livres de recettes ou que nous revenons d'un pays comme les États-Unis où elle est traditionnellement utilisée dans des préparations pour Thanksgiving ou pour Noël.

Voilà qui est bien dommage, car la citrouille est bien plus qu'une espèce de gros melon d'hiver propre à faire la joie des sculpteurs amateurs. Elle est également bourrée de caroténoïdes puissants comme le bêtacarotène, capable de mettre fin aux lésions cellulaires avant qu'elles ne génèrent la maladie.

PAS SEULEMENT BÉNÉFIQUE POUR LES YEUX

Si la citrouille est parfois qualifiée de reine des cucurbitacées, ce n'est pas seulement en raison de sa taille impressionnante. Une portion de 100 grammes de citrouille en boîte contient plus de 2 milligrammes de bêtacarotène. En outre, la citrouille contient également des caroténoïdes moins connus comme la lutéine et la zéaxanthine.

Les caroténoïdes, qui donnent à la citrouille sa belle couleur orange, contribuent à protéger le corps en neutralisant des molécules d'oxygène nuisibles appelées radicaux libres. «La lutéine et la zéaxanthine sont de très efficaces capteurs de radicaux libres», commente le Dr Paul Lachance, professeur de nutrition. Une alimentation contenant beaucoup d'antioxydants peut contribuer à prévenir de nombreuses maladies liées au vieillissement, notamment les maladies cardiovasculaires et le cancer.

La lutéine et la zéaxanthine ne sont pas présentes seulement dans la citrouille, on les trouve également dans le cristallin de nos yeux. Diverses études suggèrent qu'en absorbant des aliments qui contiennent une grande quantité de ces substances complexes, il serait possible d'inhiber la formation de cataractes.

Dans le cadre d'une étude, des chercheurs de la *Massachusetts Eye and Ear Infirmary* de Boston ont comparé l'alimentation de personnes du troisième âge atteintes de dégénérescence maculaire à un stade avancé (un trouble qui donne une vue brouillée) avec celle des personnes du groupe témoin, qui ne présentaient pas ce trouble. Les chercheurs ont constaté que le risque de dégénérescence maculaire était de 43% plus faible chez les sujets qui mangeaient le plus d'aliments riches en caroténoïdes par rapport à ceux qui en absorbaient le moins. Parmi les personnes déjà atteintes de dégénérescence maculaire, celles qui obtenaient le plus de caroténoïdes par leur alimentation étaient moins exposées à une aggravation de leur état.

Le bêtacarotène de la citrouille contribue à protéger la plante elle-même contre les maladies, contre l'excès de lumière du soleil et contre d'autres formes de stress naturels. Beaucoup de travaux laissent à penser que le bêtacarotène contribue à nous protéger contre de nombreux troubles. Les recherches ont par exemple montré qu'en augmentant la quantité de bêtacarotène dans l'alimentation, il était possible d'obtenir une protection contre toutes sortes de cancers, depuis celui de l'estomac jusqu'à celui de l'œsophage, en passant par ceux des poumons et du côlon. Cet effet protecteur est renforcé par les acides phénoliques, substances chimiques présentes dans la citrouille qui se lient aux carcinogènes potentiels, contribuant ainsi à en empêcher l'absorption.

Le bêtacarotène de la citrouille pourrait également jouer un rôle dans la prévention des maladies cardiovasculaires. Certaines recherches suggèrent que le risque de telles maladies est plus faible chez les personnes dont l'alimentation comporte une grande abondance de fruits et de légumes riches en bêtacarotène, par rapport à d'autres sujets dont l'alimentation leur en fournit moins.

UNE VUE D'ENSEMBLE

Non seulement la citrouille possède une teneur élevée en bêtacarotène et en autres phytonutriments, mais elle apporte également de généreuses quantités de

À LA CUISINE

En raison de son volume et de la facilité avec laquelle il est possible de la sculpter, la citrouille semble davantage destinée à passer son existence devant la porte d'entrée de la maison que dans notre assiette.

Pourtant, malgré son aspect décoratif, elle reste un aliment de valeur, dont la chair peut être accommodée entière, écrasée en purée ou coupée en gros dés pour des ragoûts nourrissants.

- Pour préparer une citrouille au four, coupez-la en deux (ou, si elle est très volumineuse, en quartiers), débarrassez-la de ses graines et déposez les tronçons de chair dans un plat à gratin. Ajoutez-y un peu d'eau afin d'éviter qu'elle ne brûle et faites cuire à 120 °C pendant 45 à 60 minutes, ou jusqu'à ce que la chair se laisse facilement transpercer à l'aide d'un couteau.
- Pour en accélérer la cuisson, la citrouille peut aussi être débitée en tronçons plus petits avant d'être cuite au four, à la vapeur ou au micro-ondes.
- Si vous préparez une tarte, un potage ou un ragoût à la citrouille, il faut au préalable en ôter la peau. Le plus facile consiste à apprêter la citrouille comme pour une cuisson au four, puis de la faire cuire au four à 120 °C jusqu'à ce que la chair ait légèrement ramolli. Après refroidissement, prélevez la chair. Jetez la peau et suivez les indications données pour la recette que vous avez choisie.

fibres. Par exemple, à poids égal, la citrouille contient trois fois plus de fibres que les pétales de blé.

Le fer est également très abondant dans la citrouille. Une demi-tasse de cette dernière apporte près de 2 milligrammes de fer (environ 20% de l'Apport journalier recommandé (AJR) pour l'homme, et 13% de l'AJR pour la femme). Cet atout est particulièrement important pour les femmes, qui doivent approvisionner régulièrement leurs réserves de fer appauvries par les règles.

Mieux encore que la chair de citrouille quant à la teneur en fer, il convient de mentionner les graines de citrouille. Il suffit d'en absorber une grosse poignée d'environ 30 grammes pour obtenir à peu près 4 milligrammes de fer, soit quelque 40% de l'AJR pour l'homme et 27% de celui pour la femme. De plus, cette portion de graines contient autant de protéines – 9 grammes – que 30 grammes de viande, souligne Mme Susan Thom, expert-conseil en nutrition.

Bien évidemment, il n'est pas question de manger de trop grandes quantités de graines de citrouille, puisque la matière grasse représente environ 73% de leur apport calorique (30 grammes de graines contiennent 148 calories). En revanche,

chaque fois que vous avez envie d'un amuse-gueule croustillant et particulièrement nourrissant, une petite quantité de graines de citrouille représente un
bon choix.

Critères de choix, préparation et conservation

Ne dédaignez pas les conserves. La simple idée de préparer une gigantesque
citrouille a de quoi décourager le chef le plus enthousiaste, ce qui est dommage,
car nous passons ainsi à côté du pouvoir thérapeutique de cette intéressante cucurbitacée. Pourquoi ne pas vous faciliter la vie en ayant recours à une boîte de
citrouille? Sur le plan nutritionnel, «c'est presque aussi bien qu'une citrouille
fraîche», affirme Mme Pamela Savage-Marr, spécialiste en pédagogie de la santé.

Préférez-les tendres. Si l'idée d'une citrouille fraîche vous fait envie, choisissez de préférence une variété douce, par exemple les petites lanternes. Les
grosses citrouilles sont les meilleures pour la sculpture, mais elles sont le plus souvent coriaces et filandreuses, et la plupart des gens ne les apprécient pas beaucoup.

Adoucissez le goût. La citrouille compte parmi les courges qui ont le goût
le plus prononcé, et même les amateurs risquent d'en trouver la saveur trop forte.
Afin d'augmenter la quantité de citrouille que vous absorbez, il peut être agréable
d'en adoucir le goût. Pour cela, ajoutez par exemple environ une cuillerée à soupe
de jus d'orange (ou de tout autre jus d'agrume) dans la casserole durant la cuisson,
suggère Mme Anne Dubner, expert-conseil en nutrition.

Conservez les restes. Il serait aberrant de se forcer à ingurgiter en un seul
repas une citrouille entière. Mais soigneusement congelée, la citrouille conserve
pratiquement toutes ses vertus nutritives et diététiques.

LES COURGES DIVERSES
DU BÊTACAROTÈNE ET PLUS ENCORE

POUVOIR THÉRAPEUTIQUE

CONTRIBUENT À :
Prévenir les troubles pulmonaires

Atténuer le risque de cancer de l'endomètre

Si l'on en croit les restes découverts dans des cavernes du Mexique, cela fait au moins 7 000 ans que l'homme se nourrit de courges. Dans les temps anciens, ces dernières étaient considérées comme l'une des «trois sœurs» nourrissantes de l'alimentation des peuplades indigènes d'Amérique (les deux autres étant le maïs et les haricots secs.) Ces ethnies attachaient même une telle importance aux courges qu'il était fréquent d'en mettre dans les tombeaux pour que les défunts aient de quoi se restaurer durant leur dernier voyage.

Il aura fallu quelques milliers d'années à la science pour prouver ce que les peuplades autochtones d'Amérique savaient par expérience: la courge regorge de substances complexes nutritives. En réalité, elle contient une si grande variété de vitamines, minéraux et autres complexes que les scientifiques viennent seulement de commencer à répertorier son potentiel thérapeutique. «Je ne pense pas que quiconque connaisse vraiment toutes les substances bénéfiques contenues dans les courges», souligne le Dr Dexter L. Morris, professeur de médecine en université.

Lorsque des chercheurs parlent du pouvoir thérapeutique de la courge, il s'agit généralement de courges d'hiver telles que la courge Hubbard, du potiron et de la courge-doubeurre, qui se distinguent par la teinte jaune ou orange vif de leur chair. Quant aux courges d'été, à la chair beaucoup plus pâle, malgré leur faible apport calorique et leur teneur en fibres relativement élevée, elles sont généralement considérées comme sans grand intérêt sur le plan nutritionnel, jusqu'à preuve du contraire.

«Il n'y a pas très longtemps, j'affirmais que les pommes et les oignons n'avaient pas d'intérêt particulier», admet le Dr Mark Kestin, professeur d'épidémiologie et président d'un programme universitaire de nutrition. Par la suite, les chercheurs y ont découvert quantité de flavonoïdes bénéfiques pour le cœur, et on a commencé à percevoir ces fruits et légumes comme une véritable mine nutritionnelle. «Qui sait si la courge d'été ne contient pas elle aussi quelque substance absolument incroyable qu'il nous reste à découvrir», conclut-il.

LES COULEURS DE LA SANTÉ

Il existe des courges d'hiver de toutes grandeurs, tailles et textures, allant de minuscules potirons gros comme des noix jusqu'à de gigantesques courges Hubbard, hautes comme des quilles de bowling. Pourtant, elles ont toutes une caractéristique commune qui est leur couleur vive et soutenue, indiquant la présence des substances complexes thérapeutiques qu'elles renferment.

À LA CUISINE

La courge d'hiver est peut-être très riche en bêtacarotène, en vitamine C et en diverses autres substances complexes thérapeutiques, mais elle ne les libère pas volontiers. Comme toutes les cucurbitacées, elle est protégée par une peau épaisse et dure, nécessitant un couteau bien aiguisé et une certaine force musculaire pour l'entamer.

Voici comment vous faciliter quelque peu cette tâche: plutôt que de vous acharner à vouloir entamer la peau extérieure coriace, commencez par cuire légèrement au four la courge entière. Lorsque la peau commence à ramollir – généralement après une vingtaine de minutes à 190 °C – il vous suffira de couper la courge en deux pour en prélever la chair. Remettez-la ensuite au four afin d'en achever la cuisson.

Deux des courges d'hiver les plus prisées, la courge Hubbard à la peau grumeleuse et la courge-doubeurre d'un vert profond, sont d'excellentes sources de vitamine C et de bêtacarotène, deux vitamines antioxydantes dont diverses études ont montré qu'elles contribuaient à prévenir le cancer, les maladies cardiovasculaires et divers problèmes liés au vieillissement comme certains troubles des yeux. Il suffit d'absorber une demi-livre de courge-doubeurre cuite au four pour obtenir plus du quart de la Valeur quotidienne de vitamine C. La même quantité de courge contient entre 40 et 66 % de la dose de bêtacarotène recommandée par les experts.

Pour les asthmatiques, les courges et autres aliments contenant beaucoup de vitamine C peuvent être particulièrement bénéfiques. La raison en est facile à comprendre. Notre vie moderne est polluée par toutes sortes d'oxydants – gaz d'échappement, fumée de cigarette et autres émissions polluantes – pouvant endommager les poumons et rendre leur tâche beaucoup plus difficile. Des

Des choix délicieux

Lorsque nous faisons notre marché, la plupart d'entre nous choisissons de préférence des légumes bien connus comme le potiron ou la courge spaghetti. Pourtant, on trouve aujourd'hui de nombreuses autres variétés. Voici quelques types de courges intéressantes.

- **La courge-doubeurre** ressemble à un gros tambour décoré de rubans vert pâle qui font contraste avec son écorce vert foncé. Pesant en moyenne 1,5 kg, la courge-doubeurre a un goût délicat et doux, mais sa chair est parfois trop sèche.
- **La citrouille** est souvent proposée à l'étalage déjà débitée en énormes tronçons qui révèlent sa chair orange vif. De goût agréable, elle sert à préparer d'excellentes purées ou peut être mélangée à d'autres aliments.
- **Le pâtisson**, dont la forme rappelle vaguement un champignon, recèle une chair vert clair au goût délicat.
- **Le giraumon turban** ferait une jolie maison rustique pour un lutin malicieux. Sa chair de saveur agréable présente un léger goût de noisette.
- **La courge musquée** ressemble à une calebasse ou à une grosse poire allongée; sa chair moelleuse, d'un bel orange vif, est particulièrement riche en carotène.

aliments comme les courges, en revanche, contiennent une abondance d'antioxydants, notamment de la vitamine C. Diverses études ont montré que plus nous absorbons de vitamine C, plus le risque d'asthme ou d'autres troubles respiratoires s'abaisse.

«À long terme, les sujets qui absorbent davantage de vitamine C par l'alimentation sont moins sujets aux troubles pulmonaires. Cette vitamine est véhiculée jusque dans la muqueuse des poumons, où elle joue le rôle d'antioxydant», explique le Dr Gary E. Hatch, chercheur en toxicologie.

Le Dr Hatch recommande d'absorber au moins 200 milligrammes de vitamine C par jour, soit à peu près la quantité fournie par la moitié d'une courge-doubeurre cuite.

Sur le plan du bêtacarotène, «d'innombrables études ont montré combien il est bénéfique de manger des légumes qui contiennent ce nutriment en abondance», commente le Dr Morris.

Il ne s'agit pas seulement d'une nutrition judicieuse. Des médecins en Suisse et en Italie ont étudié, dans leurs pays respectifs, l'alimentation habituelle de plus d'un millier de femmes.

Les recherches préliminaires suggèrent que le risque de cancer de l'endomètre est divisé par deux chez les femmes qui obtiennent le plus de bêtacarotène – 5,5 milligrammes par jour, ce qui correspond à peu près à la quantité fournie par 400 grammes de courge d'hiver cuite au four – par rapport aux femmes qui en absorbent le moins.

Le bêtacarotène n'est d'ailleurs pas le seul nutriment de la famille des caroténoïdes que l'on trouve dans les courges. Une substance complexe voisine, l'alphacarotène, y est également présente, quoique en quantité moindre. «Sa structure chimique est très similaire à celle du bêtacarotène, mais nous ne l'avons pas encore étudiée de très près», commente le Dr Kestin.

Critères de choix, préparation et conservation

Basez-vous sur la couleur. La teneur en bêtacarotène des courges est extrêmement variable, pouvant aller (même pour divers représentants d'une même variété) d'environ 0,5 milligramme jusqu'à quelque 5 milligrammes.

En règle générale, les experts affirment que plus la couleur est sombre, plus la courge contient de bêtacarotène. La peau d'un potiron ou d'un courgeron, par exemple, doit être d'un vert foncé très soutenu. La courge-doubeurre doit être de teinte caramel, et la courge Hubbard d'un bel orange vif, presque phosphorescent.

«Plus la couleur est vive, et plus la courge contient de nutriments», commente Mme Susan Thom, expert-conseil en nutrition.

Faites des réserves. La peau dure qui rend si difficile la préparation des courges a aussi pour but de protéger la chair. Cela veut dire qu'il est possible de conserver un potiron au moins un mois dans un endroit frais et bien aéré, sans craindre aucune déperdition majeure des nutriments qu'il contient. Au contraire, la teneur en bêtacarotène des courges augmente même avec la conservation, selon Mme Densie Webb, coauteur du livre *Foods for Better Health*.

N'oubliez pas les courges d'été. Même si les courgettes et autres courges d'été n'ont pas la même teneur élevée en nutriments que leurs cousines d'hiver, ce sont néanmoins de bonnes sources de fibres, à condition de les absorber avec leur peau, souligne Mme Pamela Savage-Marr, spécialiste en pédagogie de la santé. Sachez en effet que 400 grammes de courge d'été crue et non pelée contiennent plus d'un gramme de fibres.

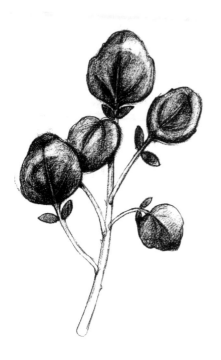

LE CRESSON
LA VERDURE QUI PROTÈGE

POUVOIR THÉRAPEUTIQUE

CONTRIBUE À :
Réduire le risque de cancer du poumon

Prévenir les maladies cardiovasculaires

Diminuer le risque de cataractes

Prévenir les rides

Avec ses petites feuilles délicates et son goût légèrement poivré, le cresson n'est pas seulement une plaisante décoration sur les plats de crudités. Il s'agit tout d'abord d'un légume potager de la famille des crucifères (c'est-à-dire que ses fleurs ont quatre pétales, évoquant une croix). Les crucifères, qui comprennent le brocoli et le chou-fleur, sont bien connus pour leur pouvoir contre le cancer. Le cresson est également un légume vert feuillu : il est bourré de bêtacarotène, un nutriment utile pour prévenir les maladies cardiovasculaires et toutes sortes de troubles liés au vieillissement, comme les cataractes.

COMBATTRE LE CANCER

Diverses études ont montré que les personnes qui mangent beaucoup de crucifères, comme le cresson, sont moins sujettes au cancer. Des chercheurs spécialisés dans l'étude du cresson affirment que ce crucifère est particulièrement efficace contre le cancer du poumon provoqué par le tabagisme, qu'il soit actif ou passif. Des scientifiques ont découvert que lorsqu'ils ajoutaient à l'alimentation de leurs animaux de laboratoire du phénétyl isothiocyanate (PEITC), un complexe naturel que contient le cresson, avant d'exposer ces cobayes à des substances cancérigènes présentes dans la fumée de tabac, le risque de tumeurs cancéreuses du poumon était divisé par deux chez ces animaux par rapport à d'autres cobayes qui n'avaient reçu que l'alimentation habituelle.

Encouragés par ces résultats, les chercheurs ont recruté 11 fumeurs afin de vérifier si le cresson avait les mêmes effets chez l'être humain que chez les animaux de laboratoire.

Ce fut effectivement le cas. «Les résultats que nous avons obtenus chez nos volontaires correspondaient avec ce que nous avions constaté chez les cobayes en laboratoire», commente le Dr Stephen Hecht, professeur en prévention du cancer.

La difficulté, bien entendu, c'est qu'il faut absorber de grandes quantités de cresson pour qu'il puisse être efficace. De plus, ce dernier n'apporte pas nécessairement une protection contre diverses autres substances chimiques cancérigènes présentes dans la fumée de tabac, souligne le Dr Hecht.

«Les volontaires qui participaient à notre étude ont mangé 60 grammes de cresson à chaque repas, c'est-à-dire trois fois par jour. Cela représente un très gros sandwich ou une grande portion de salade, bien plus qu'on n'en absorberait normalement en une seule fois. N'oublions pas non plus qu'il faudrait avaler une telle quantité plusieurs fois par jour», commente-t-il.

Bien entendu, il ne s'agit pas de croire que le cresson puisse effacer les effets toxiques de la fumée. Aucun aliment au monde ne peut faire pareille chose. Mais si vous ajoutez chaque jour un peu de cresson à votre alimentation, vous aurez au moins pris une mesure positive en attendant d'expulser définitivement le tabagisme de votre existence.

À LA CUISINE

Avec ses jolies petites feuilles délicates et ses tiges épaisses, le cresson ne ressemble guère aux autres types de végétaux qui agrémentent habituellement nos plats de crudités. Mais au prix d'un peu de soin, vous pourrez tirer parti de ce végétal dynamique de la famille des moutardes aussi facilement que de n'importe quel autre légume vert feuillu.

Pour lui garder sa fraîcheur, conservez le cresson au réfrigérateur après l'avoir placé dans un sac en plastique. Vous pouvez également le faire tremper dans un verre d'eau à la manière d'un bouquet, et le disposer ainsi au réfrigérateur après l'avoir recouvert d'un sac en plastique. Il peut se conserver jusqu'à cinq jours.

Lorsque vous utilisez du cresson (à moins de l'ajouter à des potages), ne conservez que les feuilles et les tiges les plus fines; son goût épicé et poivré risquerait sinon d'être trop fort.

Notons au passage qu'il est toujours préférable d'en prévoir de grandes quantités, car le cresson perd beaucoup de volume à la cuisson. Prévoyez donc une botte de cresson par personne.

Autres atouts

Le cresson contribue non seulement à lutter contre le cancer, mais il est également très efficace dans la prévention d'un autre danger majeur pour notre santé, les maladies cardiovasculaires.

Comme d'autres légumes verts feuillus, le cresson est bourré de bêtacarotène, un nutriment antioxydant dont les chercheurs ont mis en évidence le rôle préventif dans le domaine des maladies cardiovasculaires. De plus, une portion d'environ 100 grammes de cresson procure plus de vitamine C que la Valeur quotidienne recommandée. Cette vitamine est précieuse pour lutter contre la maladie.

Les antioxydants, au nombre desquels figurent le bêtacarotène et les vitamines C et E, contribuent à éliminer de l'organisme les molécules d'oxygène nuisibles pour nos cellules saines. En maintenant des taux élevés de bêtacarotène dans le courant sanguin, nous abaissons le risque de crise cardiaque, de certains cancers et de toutes sortes de troubles liés au vieillissement, comme les cataractes et les rides.

Critères de choix, préparation et conservation

Mangez-le cru. Il est préférable de manger le cresson à l'état naturel, c'est-à-dire frais et croquant. Une fois cuit, il ne libère plus de PEITC. «Heureusement, la plupart des gens ne le font pas cuire, commente le Dr Hecht. Cet ingrédient actif n'est présent dans un légume cuit qu'en bien plus faible quantité que lorsqu'il est cru.»

Mangez-en souvent. Sans doute ne réussirez-vous jamais à ingurgiter les quelque 170 grammes de cresson par jour qu'il vous faudrait pour obtenir le maximum de protection thérapeutique, ajoute ce médecin, mais rien qu'en l'ajoutant plus souvent à vos repas, vous en absorberez déjà de grandes quantités. Vous pouvez par exemple l'utiliser dans des sandwiches et des salades à la place de la sempiternelle laitue, et le goût n'en sera que meilleur.

LES CRUCIFÈRES
DES LÉGUMES PRÉCIEUX ENTRE TOUS

POUVOIR THÉRAPEUTIQUE

CONTRIBUENT À :

Prévenir le cancer du sein, de la prostate et du côlon

Diminuer le risque de cataracte

Prévenir les maladies cardio-vasculaires et les malformations congénitales

Les guérisseurs traditionnels de la Rome antique pensaient qu'ils pouvaient venir à bout d'un cancer du sein en pratiquant des frictions à l'aide d'une pâte de chou. Il n'y a que quelques années, nos modernes scientifiques auraient encore renvoyé de telles pratiques au rang des superstitions et autres remèdes de bonne femme. Aujourd'hui, pourtant, ils n'en sont plus aussi certains.

«Diverses études ont montré qu'à l'aide d'une pâte de chou appliquée sur le dos d'animaux de laboratoire, il est possible de prévenir l'apparition des tumeurs cancéreuses», souligne le Dr Jon Michnovicz, président de deux institutions de recherche.

Bien entendu, le meilleur moyen d'absorber les vertus thérapeutiques du chou consiste tout simplement à en manger. Les recherches ont en effet confirmé que ce légume permet non seulement de lutter contre toutes sortes de cancers, mais qu'il contient également toute une palette de nutriments capables de prévenir les maladies cardiovasculaires, les troubles digestifs et diverses autres maladies.

DU CHOU CONTRE LE CANCER

Comme les autres membres de la famille des végétaux crucifères, le chou contient diverses substances complexes dont les recherches scientifiques ont établi qu'elles pouvaient prévenir l'apparition du cancer. Le chou est particulièrement efficace dans la prévention des cancers du sein, de la prostate et du côlon.

Selon les chercheurs, deux substances en particulier font du chou un remède particulièrement puissant contre le cancer. La première, appelée indole-3-carbinol, ou I3C, est surtout efficace contre le cancer du sein, comme l'ont montré les recherches. Cette substance complexe joue le rôle d'anti-œstrogène, c'est-à-dire qu'elle évacue l'œstrogène nocif qui joue un rôle dans le cancer du sein.

Dans le cadre d'une étude, des chercheurs ont administré à un groupe de femmes israéliennes, chaque jour pendant trois mois, environ le tiers d'une tête de chou. Après seulement cinq jours de cette alimentation riche en chou, le taux d'hormones nocives chez les participantes s'était considérablement abaissé.

«Il ne fait aucun doute que nous aurions obtenu des résultats tout aussi efficaces en administrant à ces femmes un complément de I3C pur, relève le Dr Michnovicz. Mais cette étude a le mérite d'avoir montré que l'individu moyen pouvait obtenir le même effet simplement en mangeant du chou ou un autre légume de la famille des crucifères, comme du brocoli.»

Afin d'obtenir un niveau de protection encore plus élevé, prenez l'habitude de remplacer la variété de chou que vous utilisez habituellement par du chou chinois, ou bok choy. Les recherches en laboratoire ont en effet permis de constater qu'une substance complexe de cette variété de chou, la brassinine, pourrait contribuer à prévenir les tumeurs mammaires.

Le chou contient une autre substance complexe, le sulforaphane, dont il est prouvé qu'elle inhibe le processus cancéreux en augmentant dans l'organisme la production d'enzymes capables de lutter contre les tumeurs.

Au cours d'une étude qui fit date, effectuée à l'université Johns Hopkins à Baltimore, des chercheurs ont exposé 145 animaux de laboratoire à une substance chimique extrêmement cancérigène. Vingt-cinq de ces cobayes n'avaient reçu aucun traitement spécial, tandis que les chercheurs avaient administré à tous les autres des doses élevées de sulforaphane. Cinquante jours plus tard, 68 % des cobayes laissés sans protection présentaient des tumeurs mammaires, par rapport à seulement 26 % de ceux qui avaient reçu de fortes doses de sulforaphane.

C'est également grâce au sulforaphane que le chou est une arme particulièrement efficace dans la lutte contre le cancer du côlon, ajoute le Dr Michnovicz, car il stimule les taux d'une enzyme présente dans le côlon, le glutathion. Des chercheurs pensent que cette enzyme a pour rôle d'éliminer les toxines en les évacuant du corps avant qu'elles n'aient eu le temps d'endommager les cellules délicates de la muqueuse intestinale.

Si vous mangez régulièrement du chou, il est probable que vous diminuerez votre risque de cancer du côlon. Pour obtenir la meilleure protection possible, toutefois, rien ne vaut le chou de Milan, selon les chercheurs. Cette variété de chou contient non seulement du I3C et du sulforaphane, mais également quatre autres phytonutriments aux noms rébarbatifs: du bêtasitostérol, de la phéophy-

tine-a, du nonacosane et du nonaco-
sanone, dont les études scientifiques
ont montré qu'ils jouaient un rôle
très important dans la lutte contre
les substances potentiellement cancérigènes.

UNE PROTECTION ANTIOXYDANTE

Vous avez beaucoup entendu
parler des antioxydants comme les
vitamines C et E et le bêtacarotène,
qui contribuent à éviter la maladie
en absorbant les molécules d'oxygène nocives, appelées radicaux
libres, qui s'accumulent spontanément dans l'organisme. Les radicaux
libres endommagent les tissus sains
dans tout le corps, provoquant des
modifications qui peuvent conduire
à l'apparition de maladies cardiovasculaires, du cancer et de divers
autres troubles graves.

À LA CUISINE

Parmi tous les légumes frais, le chou
est le meilleur ami du chef de cuisine.
Il est à la fois polyvalent, peu coûteux,
aisément disponible et facile à préparer.
Il y a bien sûr cette petite odeur de chou,
mais il suffit de peu pour y remédier.

La prochaine fois que vous cuirez du
chou, ajoutez dans la casserole une tige
de céleri ou une noix entière (sans ôter la
coque). Cette simple précaution permettra
de neutraliser l'odeur prononcée du chou.
Vous pouvez aussi cuire le chou plus
rapidement en le faisant sauter à la poêle
ou au wok, ou en le préparant au four
micro-ondes, plutôt que de le faire mijoter
indéfiniment en cocotte. Une cuisson
prolongée libère en effet davantage de
substances sulfurées à l'odeur prononcée.

Les membres de la famille des crucifères sont bourrés de semblables nutriments complexes. Sur ce plan, les meilleurs sont le chou chinois, ou bok choy, et
le chou de Milan, qui sont d'excellentes sources de bêtacarotène, un nutriment
peu abondant dans les autres variétés de crucifères. Les recherches ont établi un
rapport entre des taux élevés de bêtacarotène dans le sang et l'abaissement du
risque de crise cardiaque, de certains cancers et de cataractes.

Non seulement ces variétés de chou sont d'excellentes sources de bêtacarotène, mais elles contiennent aussi de bonnes quantités de vitamine C, dont
il est prouvé qu'elle augmente l'immunité, abaisse la pression artérielle et lutte
contre les maladies cardiovasculaires. Une portion de bok choy cru peut fournir
16 milligrammes de vitamine C, soit 27 % de la Valeur quotidienne, tandis que
la même quantité de chou de Milan cru en apporte 11 milligrammes, c'est-à-dire
18 % de la Valeur quotidienne.

Le bok choy et le chou de Milan sont également de bonnes sources de folate,
dont une demi-portion, de l'un comme de l'autre, peut apporter environ
35 microgrammes (9 % de la Valeur quotidienne). Notre organisme a besoin de
folate pour maintenir la croissance normale de nos tissus organiques. Diverses
études ont montré par ailleurs que le folate pouvait également nous protéger

contre le cancer, les maladies cardiovasculaires et les malformations congénitales. Ainsi que l'ont établi les recherches, les femmes sont exposées à un risque élevé de carence en folate, surtout lorsqu'elles prennent la pilule.

Critères de choix, préparation et conservation

Gardez la tête froide. Les experts affirment qu'en faisant bouillir le chou, nous nous privons d'à peu près la moitié des précieux indoles qu'il contient. Afin de préserver le plus possible ces substances complexes, les spécialistes conseillent de manger le chou de préférence cru. Vous pouvez par exemple en ajouter à une assiette de crudités ou préparer un *coleslaw* (salade de chou cru finement émincé, avec de la mayonnaise).

Utilisez diverses variétés. Afin de bénéficier le plus souvent possible des pouvoirs thérapeutiques du chou sans vous lasser d'en manger jour après jour, alternez les variétés employées. Qu'il s'agisse de chou blanc ou rouge, du chou de Milan ou du bok choy, tous contiennent de grandes quantités de substances complexes protectrices. Vous pourrez les manger crus sous forme de *coleslaw*, les laisser mijoter dans des potages, ou encore préparer de délicieux choux farcis.

Faites des réserves. La plupart du temps, mieux vaut éviter de faire des réserves d'aliments frais, qui se dégradent très rapidement. En revanche, il n'en va pas de même du chou. Une tête de chou peut se conserver jusqu'à 10 jours dans le tiroir à légumes du réfrigérateur, ce qui vous permettra d'en manger une petite portion chaque jour sans craindre qu'il s'abîme.

L'EAU
LIQUÉFIER LES CALCULS RÉNAUX

POUVOIR THÉRAPEUTIQUE

CONTRIBUE À :
Diminuer le risque
de calculs rénaux

Nous donner plus d'énergie

Prévenir la constipation

Si, par inadvertance, vous conduisez une voiture dont le radiateur est vide, elle ne tardera pas à s'arrêter dans un nuage de fumée. Pourtant, beaucoup de gens auxquels il ne viendrait pas à l'esprit de conduire leur voiture avec un radiateur à sec n'hésitent pas à fonctionner jour après jour sans avoir suffisamment d'eau dans leur propre radiateur. Puisque chaque cellule du corps a besoin de fluides pour pouvoir dissoudre et transporter les vitamines, les minéraux, le sucre et d'autres éléments chimiques, la mauvaise habitude de ne pas boire suffisamment d'eau peut nous laisser en aussi triste état qu'une vieille Citroën croulante.

Chaque jour, l'individu moyen perd environ 2 % de son poids corporel (c'est-à-dire plus de un litre d'eau) par le biais de l'urine, de la transpiration et de divers autres fluides corporels. Pour remplacer ces fluides, les médecins conseillent de boire chaque jour au moins huit verres d'eau, de lait ou de jus, et davantage encore si vous êtes corpulent, si vous avez plus de 55 ans, si vous avez le rhume, ou simplement si vous êtes très actif.

Le cerveau comporte des sortes de sondes dans une section cérébrale appelée thalamus, qui gère les taux sanguins de sodium de manière à faire en sorte que nous buvions suffisamment. Lorsque les taux de sodium augmentent, cela signifie que les niveaux d'eau s'abaissent. C'est alors que le cerveau émet un signal qui se traduit par la sensation de soif, pour nous indiquer que le moment est venu de boire.

La plupart du temps, ce système est efficace. Mais à mesure que nous prenons de l'âge, la sensibilité du dispositif destiné à percevoir la soif s'émousse et nous ne buvons souvent pas assez, souligne le Dr Lucia Kaiser, professeur adjoint de nutrition. Pire encore, il nous arrive d'être tellement bousculés que nous en oublions de boire. Cette fâcheuse négligence peut avoir des conséquences graves, depuis les calculs rénaux jusqu'à la constipation en passant par l'épuisement chronique. Examinons quelques-uns des effets bénéfiques de l'eau sur la santé.

DES CALCULS PEU SOUHAITABLES

Selon les hommes, c'est la pire douleur qu'ils aient jamais éprouvée. Quant aux femmes, elles affirment qu'elles préfèrent encore les douleurs d'un accouchement. Hommes et femmes disent tous qu'après avoir expulsé un calcul rénal, jamais on ne voudrait recommencer une telle expérience.

Il suffit pourtant de boire suffisamment d'eau, nous disent les médecins, pour avoir de grandes chances de ne jamais souffrir du moindre calcul. Dans des circonstances normales, une grande partie des déchets du corps sont dissous dans les fluides et évacués par le biais de l'urine. En revanche, si nous ne buvons pas suffisamment d'eau, les déchets deviennent très concentrés et peuvent constituer des cristaux qui s'agglutinent pour former les calculs rénaux.

«Je conseille à mes patients d'imaginer l'intérieur de leur corps comme s'il s'agissait de leur cuisine, note le Dr Bernell Baldwin, spécialiste en physiologie appliquée et rédacteur scientifique d'une revue de santé. Ne vous attendez pas à voir votre organisme faire correctement sa vaisselle si vous ne lui fournissez pas assez d'eau.»

Voici un petit test très simple qui vous indiquera si vous absorbez suffisamment d'eau. Regardez votre urine. Excepté le matin au réveil, puisque vous n'avez rien bu de toute la nuit, elle doit être jaune pâle, voire transparente. Si elle est foncée, c'est le signe qu'elle contient une trop grande concentration de déchets et que vous devez boire plus d'eau.

ÉLIMINATION FLUIDE

L'eau contribue également à éliminer les déchets de l'organisme en ramollissant les selles, prévenant ainsi la constipation, selon le Dr Baldwin. Si vous ne buvez pas assez, les selles deviennent dures et sèches, et leur temps de transit à travers le système digestif se prolonge excessivement.

La constipation n'est pas seulement désagréable, ajoute le Dr Baldwin. Diverses études ont montré qu'elle peut provoquer d'autres problèmes, notamment des hémorroïdes, la diverticulose, ou même le cancer du côlon.

«Il serait bon de boire deux verres d'eau à peu près une demi-heure avant de prendre votre petit déjeuner, conseille ce médecin. Cette pratique a non seulement pour effet d'hydrater tout l'organisme, mais elle stimule ce dernier, élimine les déchets et ouvre l'appétit.»

CHASSER LA FATIGUE À GRANDE EAU

Nous pensons souvent à la fatigue comme étant le résultat d'un manque de sommeil ou d'une surcharge de travail. Pourtant, dans bien des cas, sa cause est beaucoup plus élémentaire: nous ne buvons pas assez d'eau.

Voici comment cela se passe. Lorsque nous ne buvons pas suffisamment, les cellules de tout l'organisme commencent à s'assécher. Afin de se réhydrater, elles puisent dans la réserve la plus aisément accessible, qui n'est autre que le courant sanguin. Il en résulte un sang épais et visqueux, que le cœur a plus de mal à travailler. L'effort supplémentaire que doit fournir le muscle cardiaque pour pomper le sang peut entraîner une baisse de notre énergie, explique le Dr Baldwin.

Les effets s'en font sentir avant même que nous soyons complètement déshydraté. Au cours d'une étude de petite envergure portant sur des cyclistes, les chercheurs ont constaté que la performance de ces sportifs s'abaissait dès qu'ils avaient perdu 2 % de leur poids corporel en fluides, soit l'équivalent d'environ six verres d'eau.

CHASSER L'EMBONPOINT À GRANDE EAU

En prenant l'habitude de boire plus d'eau, nous obtenons un autre avantage particulièrement appréciable, car cela peut nous aider à perdre du poids. Nous aurions facilement tendance à croire que c'est l'heure de nous restaurer, alors qu'en réalité nous avons seulement soif. Le fait de boire de l'eau est un excellent moyen d'apaiser la sensation de faim. De plus, si vous buvez de l'eau pour accompagner vos repas, il est probable que vous absorberez moins de calories, souligne le Dr Kaiser.

Selon le Dr Elligton Darden, auteur du livre *A Flat Stomach ASAP*, l'eau peut également nous être bénéfique d'une autre manière. Chaque fois que nous buvons de l'eau froide (4 °C, voire moins encore), cela peut amener l'organisme à brûler des calories, puisqu'il va falloir augmenter la température de l'eau jusqu'à environ 36,7 °C. Au cours de ce processus, le corps brûle un peu moins de une calorie pour 30 ml d'eau. Par conséquent, en buvant huit verres d'eau froide par jour, nous pourrons brûler 62 calories, c'est-à-dire 430 calories par semaine, toujours selon le Dr Darden.

Critères de choix, préparation et conservation

Mangez vos fluides. Pour augmenter le volume des liquides absorbés, il existe d'autres méthodes que de boire. Beaucoup d'aliments sont également d'excellentes sources de fluides. Le Dr Kaiser fait remarquer qu'en mangeant des potages ou des préparations au bouillon comme le pot-au-feu, nous augmentons aussi de manière substantielle la quantité de fluides absorbée. «Afin d'absorber davantage de fluides, ajoutez à ce type de préparation des légumes juteux comme du céleri ou des poivrons», ajoute-t-elle.

Mangez des fruits. Les fruits aqueux comme la pastèque, le melon cantaloup, l'orange et le pamplemousse, sont constitués principalement d'eau, et sont donc un excellent moyen (bien pratique aussi) d'augmenter la quantité d'eau absorbée, souligne le Dr Kaiser.

Choisissez vos boissons avec intelligence. Les jus de fruits et le thé déthéiné sont à inclure dans votre consommation totale d'eau au cours d'une journée, mais les boissons contenant de la caféine (café, coca) ne comptent pas. En effet, de même que les boissons alcoolisées, les boissons qui contiennent de la caféine sont diurétiques, c'est-à-dire qu'elles enlèvent au corps plus d'eau qu'elles ne lui en apportent. Afin de rétablir l'équilibre, prenez l'habitude de boire un verre d'eau pour chaque boisson alcoolisée ou contenant de la caféine.

LES ÉPICES
LA PROTECTION PAR LES SAVEURS

POUVOIR THÉRAPEUTIQUE

CONTRIBUENT À :

Protéger contre la cataracte

Prévenir le cancer

Abaisser les taux de cholestérol et de triglycérides

Ralentir la coagulation sanguine

Dans les temps bibliques, la graine de moutarde avait la réputation de guérir à peu près toutes les maladies, depuis une rage de dents jusqu'à l'épilepsie. (Certaines personnes avaient d'ailleurs l'habitude de renifler la poudre de graines de moutarde, à la manière du tabac à priser, car les éternuements étaient considérés comme bénéfiques pour purger le cerveau.) De nombreuses autres épices comme le safran, le poivre noir ou le fenugrec étaient considérées avec grand respect pour leur pouvoir thérapeutique.

Nous constatons aujourd'hui avec stupéfaction que nos ancêtres étaient passés maîtres dans l'art de deviner quelles épices seraient les plus efficaces. «Les chercheurs ont identifié dans les épices de nombreuses substances dotées d'effets bénéfiques pour la santé», souligne Mme Melanie Polk, directrice de l'éducation à la nutrition à l'Institut américain de recherches sur le cancer.

En Inde, des scientifiques de l'Institut national de la nutrition ont par exemple constaté que le curcuma contient des substances complexes qui pourraient prévenir le cancer. En fait, ces recherches sont à tel point prometteuses que cet institut a lancé l'idée d'une campagne d'éducation du public afin de promouvoir un usage beaucoup plus abondant de cette épice aromatique.

Contrairement aux plantes aromatiques, qui proviennent des feuilles de la plante, les épices sont obtenues à partir de bourgeons, d'écorces, de fruits, de racines ou de graines. Le processus de séchage ne semble pas diminuer leur pouvoir de guérison. Dans de bonnes conditions de conservation, les épices peuvent très bien garder leurs principes actifs durant des mois, voire des années.

Selon Mme Polk, les recherches dans le domaine des épices sont très récentes et les scientifiques commencent seulement à entrevoir leur potentiel thérapeutique. Pourtant, ce qu'ils ont déjà découvert est impressionnant.

PROTECTION CONTRE LE CANCER

Les épices contiennent une grande abondance de substances complexes appelées phytonutriments, ou substances phytochimiques. Un grand nombre de ces substances pourraient contribuer à empêcher les cellules normales et saines de devenir cancéreuses. Les modes d'action de ces complexes phytochimiques sont d'ailleurs aussi variés que les épices elles-mêmes.

De nombreuses épices, par exemple, sont une source d'antioxydants ; ces substances inhibent les effets des radicaux libres dans le corps. Rappelons au passage que les radicaux libres sont des molécules d'oxygène nocives qui s'attaquent aux cellules saines pour s'emparer d'un de leurs électrons, laissant donc un trou dans la cellule. Ces dégâts peuvent entraîner des lésions génétiques et entraîner un cancer.

Le curcuma, par exemple, est une excellente source d'antioxydants, notamment d'une substance complexe appelée curcumine. Dans diverses études portant sur des animaux de laboratoire, les chercheurs ont démontré que la curcumine faisait baisser de 58 % le risque de cancer du côlon chez les cobayes. D'autres recherches suggèrent que cette substance pourrait également être efficace contre le cancer de la peau.

Mieux encore, certaines épices peuvent contribuer à neutraliser les substances nocives dans l'organisme, en détruisant leur potentiel cancérigène. Il est ainsi démontré que la noix de muscade, le gingembre, le cumin, le poivre noir et la coriandre, par exemple, contribuent à inhiber les effets de l'aflatoxine, une moisissure parfois à l'origine du cancer du foie.

Enfin, certaines épices semblent bel et bien capables de tuer les cellules cancéreuses. Dans le cadre d'études en laboratoire, par exemple, des substances complexes en provenance du safran ont été déposées sur des cellules cancéreuses prélevées chez l'être humain, notamment celles qui provoquent la leucémie. Non seulement la croissance des cellules dangereuses s'est interrompue, mais les substances complexes ne semblaient avoir aucun effet sur d'autres cellules normales et saines.

Ces recherches étant très récentes, les scientifiques ne sont pas encore en mesure de préciser quelles épices, ni en quelle quantité, il pourrait être souhaitable d'absorber pour diminuer le risque de cancer. « Le meilleur conseil que je puisse donner actuellement, ajoute Mme Polk, est d'utiliser le plus souvent possible toutes sortes d'épices, en particulier pour remplacer le sel et les corps gras dans votre alimentation. »

À la cuisine

Contrairement aux apparences, les épices ne durent pas éternellement. En outre, même lorsqu'elles sont fraîches, elles ne libèrent en général pas volontiers toute la gamme de leurs saveurs. Voici quelques méthodes qui vous permettront d'en obtenir le plus de goût possible.

Renouvelez vos réserves. Si vous n'avez pas acheté d'épices depuis votre dernier déménagement, sans doute le moment est-il venu de jeter les vieux flacons et de les remplacer par des produits frais. Les épices en poudre perdent rapidement leur saveur, généralement au bout de six mois environ. Les épices entières, en revanche, peuvent conserver leur saveur pendant un an ou deux.

Conservez-les soigneusement. Il est préférable de conserver les épices à l'abri de la lumière, de l'air et de l'humidité afin qu'elles gardent longtemps leur saveur. Afin de mieux préserver toute leur fraîcheur, rangez-les à l'intérieur de récipients hermétiquement fermés et dans un endroit frais et sec, de préférence à l'abri de la lumière.

Cuisez-les longtemps. Contrairement aux herbes aromatiques, qui libèrent leur arôme presque immédiatement après avoir été ajoutées à une préparation culinaire, les épices ont besoin de temps pour se révéler. Il est préférable de les utiliser dans des potages ou des ragoûts longuement mijotés, où elles auront tout le temps de libérer leurs saveurs.

Renforcez-en le goût. Afin de mieux mettre en valeur le goût naturel d'une épice, faites-la griller rapidement sans matière grasse dans une poêle en fonte jusqu'à ce qu'elle brunisse légèrement et qu'une odeur aromatique s'en dégage.

Des artères bien ouvertes

Les maladies cardiovasculaires sont celles qui menacent le plus la santé de la population américaine, mais aussi française. Une bonne part de responsabilité sur ce plan incombe au cholestérol, la substance grasse dans le courant sanguin qui peut, lorsqu'elle est présente en trop grande quantité, se déposer sur les parois de nos artères, ce qui ralentit ou même interrompt l'apport de sang jusqu'au cœur.

Divers travaux suggèrent que le fait d'absorber davantage d'épices par l'alimentation peut favoriser l'ouverture des artères. Une fois de plus, cela s'explique par l'action des antioxydants. Certaines de ces mêmes substances complexes présentes dans les épices, qui empêchent les radicaux libres d'endommager nos cellules saines, leur interdisent également d'endommager le cholestérol. Ceci est important, car lorsque le cholestérol est endommagé, il se dépose beaucoup plus facilement sur les parois de nos artères.

Les clous de girofle, par exemple, contiennent une substance complexe appelée eugénol, qui est un puissant antioxydant. La curcumine (dans le curcuma) peut également protéger les artères. Signalons au passage que le curcuma pourrait offrir une double protection, car non seulement il fait obstacle aux radicaux libres, mais la preuve est également faite qu'il abaisse les taux de triglycérides (des substances grasses dangereuses dans le sang qui, lorsqu'elles sont présentes en trop grande quantité, semblent augmenter le risque de maladies cardiovasculaires).

Les épices abaissent également le taux de cholestérol en piégeant dans l'intestin certaines substances qui en sont chargées. Le fenugrec, par exemple, contient des substances complexes, appelées saponines, qui se lient au cholestérol, entraînant l'excrétion de ce dernier hors de l'organisme. Dans le cadre d'une étude, des chercheurs ont par exemple constaté une baisse d'au moins 18 % du taux de cholestérol chez des animaux de laboratoire auxquels ils avaient administré du fenugrec.

L'excès de cholestérol n'est pas le seul facteur de risque de maladies cardiovasculaires. Un autre problème possible est lié aux plaquettes du sang – de petits disques dans le courant sanguin qui jouent un rôle dans la coagulation. Si les plaquettes sont indispensables pour faire cesser les hémorragies, il peut arriver que leur activité devienne excessive et qu'elles constituent des caillots dans le courant sanguin. Lorsqu'un caillot devient suffisamment volumineux pour boucher une artère, il peut en résulter une crise cardiaque ou un accident vasculaire cérébral.

Les recherches ont montré qu'il existe au moins cinq épices – le curcuma, le fenugrec, les clous de girofle, le piment rouge et le gingembre – qui contribuent à empêcher les plaquettes de s'agglutiner. La structure chimique d'une substance complexe présente dans le gingembre, le gingérol, ressemble d'ailleurs d'assez près à celle de l'aspirine, un médicament efficace pour empêcher une trop grande activité plaquettaire.

Un avenir prometteur

Du fait que les épices contiennent une grande quantité de substances complexes, les chercheurs viennent à peine de commencer à répertorier leurs pouvoirs thérapeutiques. Pourtant, ces recherches, entreprises un peu partout dans le monde, indiquent déjà que les épices ont d'innombrables propriétés dont on ne devine qu'une infime proportion.

Des chercheurs de l'Institut national américain du cancer, par exemple, ont découvert que la curcumine (dans le curcuma) pouvait contribuer à prévenir la réplication du VIH, le virus à l'origine du sida. Les recherches ont d'ailleurs montré que lorsque des sidéens absorbaient régulièrement du curcuma, l'évolution de la maladie ralentissait de manière significative.

Il est également prouvé que la curcumine protège les yeux contre les ravages des radicaux libres, l'une des principales causes de cataractes. En fait, une étude en laboratoire a permis de montrer que la curcumine pouvait réduire de 52 % les lésions dues aux radicaux libres.

Enfin, des chercheurs de la faculté de médecine de l'université du pays de Galles ont découvert qu'une variété de poivre noir, celui d'Afrique occidentale, semblait entraîner des modifications dans le cerveau des souris de laboratoire et diminuer ainsi la gravité des crises d'épilepsie chez ces rongeurs.

«Jusqu'ici, nous ne disposons de données que sur quelques épices, commente Mme Polk, mais il est certain que nous allons découvrir à l'avenir des informations tout aussi enthousiasmantes sur une multitude d'autres épices.»

La figue
Une extraordinaire source de fibres

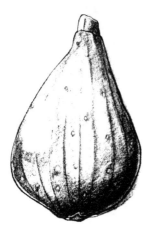

Pouvoir thérapeutique

CONTRIBUE À :

Abaisser l'hypertension artérielle

Soulager la constipation

Maîtriser le cholestérol

Prévenir le cancer du côlon

Très appréciée de générations entières de petits Français lorsqu'elle se présente sous la forme d'un biscuit Figolu, la figue est peut-être le fruit qui a joué le plus grand rôle à travers l'histoire de l'humanité. Les Assyriens utilisaient déjà les figues en pâtisserie 3 000 ans avant l'ère chrétienne. Cléopâtre adorait ce fruit entre tous. Certains historiens pensent même que le fruit défendu du jardin d'Éden était la figue, et non la pomme; mais cette controverse ne sera probablement jamais résolue, même si la feuille de figuier apparaît dans de nombreuses peintures représentant Adam et Ève.

Aujourd'hui, nous savons que la figue est une extraordinaire source de fibres et de potassium. De plus, les figues contiennent de la vitamine B_6, un nutriment relativement rare.

Les figues, source de fibres

Les Français ne consomment en moyenne que 15 à 20 grammes de fibres alimentaires par jour, soit beaucoup moins que les quelque 25 à 35 grammes préconisés par les spécialistes. La Valeur quotidienne est de 25 grammes.

«Les fibres sont très bénéfiques sur de nombreux plans, commente Mme Diane Grabowski-Nepa, diététicienne et expert-conseil en nutrition. Elles augmentent le poids des selles et nous aident ainsi à éliminer les déchets avec plus

À LA CUISINE

Si vous n'avez jamais mangé de figues autrement que sous forme de biscuits du genre Figolu, peut-être serez-vous déconcerté devant le fruit à l'état brut, avec sa forme ronde, sa consistance légèrement molle et sa surface parfois ridée. Mais l'utilisation des figues, fraîches ou séchées, est très facile. Voici comment procéder.

Choisissez-les d'après leur texture. Les figues, fraîches ou séchées, doivent être à la fois fermes et légèrement molles. Évitez d'acheter des figues séchées lorsqu'elles sont dures. Quant aux fruits frais, si les figues ont tendance à s'écraser, il est probable qu'elles ne sont plus de première fraîcheur et mieux vaut renoncer à les acheter. Les figues fraîches trop dures ne sont pas assez mûres et n'auront pas non plus très bon goût.

Dégustez-les sans attendre. Les figues fraîches s'altèrent très rapidement, généralement dans la semaine qui suit leur cueillette. N'achetez par conséquent que la quantité que vous pourrez manger au cours des quelques jours à venir. Conservées au réfrigérateur, elles se garderont pendant trois jours environ. Quant aux figues séchées, vous pourrez les conserver plusieurs mois au réfrigérateur dans un sachet bien fermé.

Empêchez-les de coller. Les figues, par nature extrêmement collantes, sont difficiles à couper. En les réfrigérant au préalable durant une heure environ, vous aurez beaucoup moins de mal à y réussir, tout en évitant que leur chair colle à la lame du couteau. Une autre solution consiste à rincer la lame sous l'eau chaude dès qu'elle devient trop collante.

de rapidité et d'efficacité. Diverses études ont montré que cela contribuait à prévenir la constipation et le cancer du côlon.» En absorbant davantage de fibres alimentaires, il est également possible d'abaisser le taux de cholestérol et, par conséquent, le risque de maladies cardiovasculaires.

Les figues sont une excellente source de fibres. Trois figues, séchées ou fraîches, fournissent environ 5 grammes de fibres, soit 20% de la Valeur quotidienne. Cette modeste quantité peut avoir une grande importance pour la santé. Une étude de l'université Harvard portant sur 43 757 hommes âgés de 40 à 75 ans a permis de constater que le risque de crise cardiaque était divisé par deux chez ceux qui absorbaient le plus de fibres par rapport aux sujets qui en obtenaient le moins par leur alimentation. De plus, les risques cardiovasculaires s'abaissaient de près de 30% chez les participants qui ajoutaient ne fût-ce que 10 grammes de fibres par jour à leur alimentation.

«Les figues sont particulièrement bénéfiques aux personnes corpulentes, car l'embonpoint représente un risque supplémentaire de maladies cardiovasculaires», poursuit Mme Grabowski-Nepa. Grâce à la grande quantité de fibres qu'elles contiennent, les figues séjournent plus longtemps dans l'estomac, favorisant une impression de satiété qui nous aide à manger moins. «De plus, ce fruit très sucré nous aide à satisfaire nos envies de douceurs», fait-elle encore remarquer.

SOULAGER L'HYPERTENSION ARTÉRIELLE

Les figues sont une bonne source de potassium, un minéral crucial pour maîtriser la pression artérielle. Diverses études ont montré que les personnes qui absorbaient beaucoup d'aliments contenant du potassium avaient non seulement une pression sanguine plus basse, mais qu'elles étaient aussi moins exposées à des troubles voisins comme les accidents vasculaires cérébraux.

Le potassium agit de plusieurs manières pour contribuer à faire baisser l'hypertension artérielle. D'une part, il aide à empêcher l'accumulation sur les parois de nos artères du dangereux cholestérol LDL (lipoprotéines de faible densité), souligne le Dr David B. Young, professeur de physiologie et de biophysique. D'autre part, il contribue à évacuer de nos cellules les surplus de sodium, maintenant l'équilibre des fluides de l'organisme et régulant la pression artérielle.

Trois figues fraîches contiennent 348 milligrammes de potassium, soit 10% de la Valeur quotidienne. Les figues séchées sont plus intéressantes encore sur ce plan, car trois fruits séchés nous en apportent 399 milligrammes (11% de la VQ).

UN SUPPLÉMENT DE VITAMINE B$_6$

Enfin, les figues peuvent enrichir notre alimentation en vitamine B$_6$. Si la plupart d'entre nous obtenons suffisamment de ce nutriment, son absorption chez les personnes du troisième âge ne se fait plus de manière aussi efficace que chez les sujets plus jeunes. En outre, la prise de certains médicaments pouvant en gêner l'absorption, il peut être vital d'en obtenir davantage. Trois figues fraîches contiennent 0,18 milligramme de vitamine B$_6$, soit 9% de la Valeur quotidienne.

Critères de choix, préparation et conservation

Découvrez le goût sucré du fruit. Beaucoup de gens hésitent à acheter des figues parce qu'ils ne savent pas trop comment les utiliser. Une méthode très simple pour manger davantage de ce fruit si riche en fibres consiste à ajouter des figues à diverses préparations sucrées: céréales, gâteaux ou bouillie d'avoine. Vous pouvez aussi écraser quelques figues dans de la purée de pommes de terre, la transformant ainsi en un plat inattendu.

Les fruits de mer
Avec modération, c'est la santé

Pouvoir thérapeutique

CONTRIBUENT À:

Prévenir l'anémie

Renforcer l'immunité

Protéger des maladies cardiovasculaires

Pour la plupart des gens, des crustacés comme la langouste, les crevettes, les coquilles Saint-Jacques et les huîtres sont un luxe réservé aux grandes occasions. Effectivement, les fruits de mer coûtent cher: leur prix au kilo représente au moins le double de celui du poisson. De plus, ils ont la fâcheuse réputation de contenir des cargaisons de cholestérol et un océan de sodium, deux substances que les personnes soucieuses de leur santé préfèrent généralement éviter.

S'il est vrai que les fruits de mer contiennent beaucoup de sodium et de cholestérol, il ne s'agit pourtant pas de la terrible menace pour la santé que beaucoup de spécialistes y percevaient jusqu'ici, souligne le Dr Robert M. Grodner, professeur émérite en université. Mieux encore, ils nous apportent de généreuses quantités de vitamines et d'autres substances complexes bénéfiques qui compensent largement ces légers inconvénients sur le plan diététique.

Bénéfiques pour le cœur

Paradoxalement, la substance qui rend les crustacés si bénéfiques pour la santé est précisément celle que la majorité d'entre nous préférons éviter: la matière grasse. En effet, les fruits de mer contiennent une catégorie de corps gras, les acides gras de type oméga 3, particulièrement bénéfiques pour le cœur. Des chercheurs de l'université de Washington à Seattle ont découvert que les individus qui absorbaient suffisamment de crustacés pour obtenir chaque mois près de 6 grammes d'acides gras de type oméga 3 présentaient deux fois moins de risque

À LA CUISINE

Les fruits de mer sont extrêmement périssables. Même lorsqu'ils sont conservés dans des conditions optimales, ils ne gardent leur fraîcheur que pendant un jour ou deux. De plus, ils cuisent très rapidement. La différence entre juste à point et immangeable se mesure fréquemment en minutes, parfois même en secondes. Voici quelques conseils pour réussir vos préparations à tous les coups.

Achetez-les vivants. Puisque les fruits de mer se détériorent si rapidement, il est préférable de les acheter vivants et de les préparer le jour même. Pour les garder bien frais après l'achat, prenez la précaution de les conserver au réfrigérateur jusqu'au moment de préparer le repas.

Vérifiez qu'ils sont cuits. Peu d'aliments sont aussi peu appétissants que des crustacés qui n'ont pas cuit assez longtemps. Les langoustes et les crabes deviennent rouge vif une fois cuits, généralement au bout de 15 à 20 minutes. Palourdes, moules et huîtres sont presque prêtes lorsque leur coque s'ouvre. Il suffit alors de les laisser cuire 5 minutes encore pour pouvoir les servir à point.

d'arrêt cardiaque, une irrégularité souvent mortelle du rythme cardiaque, que ceux qui n'en mangeaient jamais.

En fait, les individus qui mangent souvent des fruits de mer se portent mieux encore que les végétariens sur le plan de la santé du cœur. Dans le cadre d'une étude, des chercheurs ont constaté que les mangeurs de crustacés (qui présentaient une concentration élevée d'acides gras de type oméga 3 dans le sang) avaient une pression sanguine considérablement moins élevée et des taux plus bas de cholestérol et de triglycérides – des substances grasses dans le sang qui peuvent augmenter le risque de maladies cardiovasculaires lorsqu'elles sont présentes en trop grande quantité – que des végétariens qui n'en mangeaient jamais. Quoique les études portant sur les acides gras de type oméga 3 se soient surtout intéressées à des poissons comme le saumon ou le maquereau, tous les poissons, ainsi que les crustacés, contiennent des oméga 3, précise le Dr Dan Sharp, directeur du programme cardiovasculaire de Honolulu.

Les oméga 3 des crustacés comportent un certain nombre d'avantages. Ils renforcent le muscle cardiaque, l'aidant à battre de manière plus régulière et plus fiable. Ils contribuent à faire baisser la pression artérielle, régulent les taux de cholestérol et diminuent également la tendance des plaquettes sanguines – de minuscules disques véhiculés par le sang – à s'agglutiner et à provoquer des caillots. Les huîtres de l'Atlantique et du Pacifique sont des sources particulièrement riches d'oméga 3. Il suffit de manger de cinq à sept fois par mois six huîtres moyennes pour obtenir tous les acides gras de type oméga 3 dont notre cœur a besoin.

S'ALIMENTER AVEC INTELLIGENCE
LES DANGERS DES CRUSTACÉS

Les fruits de mer sont aussi nourrissants que délicieux. Il faut pourtant savoir que si leur préparation ne s'accompagne pas de certaines précautions, ils peuvent aussi se montrer dangereux.

Afin de pouvoir s'alimenter et respirer, des coquillages comme les palourdes ou les huîtres doivent chaque jour filtrer entre 70 et 90 litres d'eau à travers leur coquille. Lorsque cette eau contient des bactéries, notamment la souche potentiellement nocive appelée *Vibrio vulnificus,* les coquillages en sont contaminés et peuvent nous rendre malades.

Ne nous hâtons pas cependant d'en conclure qu'il est impossible de manger des fruits de mer en toute sécurité. Les bactéries étant facilement tuées par la chaleur, il suffit de faire cuire les coquillages pour éviter ce genre de problème. Si vous êtes amateur d'huîtres crues et que ce détail vous désole, peut-être existera-t-il une autre solution dans un avenir proche. Des études de laboratoire suggèrent en effet qu'il pourrait suffire d'arroser les huîtres crues de sauce au piment pour tuer les bactéries. En revanche, jusqu'à ce que d'autres recherches aient été faites, il est préférable de rester prudent et de faire cuire les crustacés avant de les manger.

DES MULTIVITAMINES DANS UNE COQUILLE

Parallèlement à leur rôle protecteur du cœur, les fruits de mer sont des sources absolument extraordinaires de toutes sortes de vitamines et de minéraux généralement plutôt rares. Ils contiennent par exemple de grandes quantités de vitamine B_{12}, dont le corps a besoin pour maintenir les nerfs en bonne santé et pour générer des globules rouges sanguins. Lorsque les taux de vitamine B_{12} s'abaissent, le corps (et l'esprit avec lui) peut en quelque sorte disjoncter, ce qui entraîne des trous de mémoire, de la confusion mentale, un ralentissement des réflexes et une grande fatigue. Chez les personnes du troisième âge, certains comportements que l'on aurait tendance à mettre sur le compte de la sénilité ne sont parfois rien de plus grave qu'un manque de vitamine B_{12}.

Une portion de crabe de 85 grammes contient 10 microgrammes de vitamine B_{12}, soit 167 % de la Valeur quotidienne. Les palourdes en apportent plus encore, car il suffit de 85 grammes de ce coquillage (soit environ neuf petites palourdes cuites à la vapeur) pour obtenir 1 400 % de la Valeur quotidienne.

Excepté les crevettes, les fruits de mer contiennent également beaucoup de zinc, indispensable pour maintenir la force du système immunitaire. Les huîtres en sont la meilleure source, avec quelque 27 milligrammes pour six huîtres, soit près de 181 % de la Valeur quotidienne.

Il est parfois difficile d'obtenir suffisamment de fer à partir de l'alimentation, ce qui explique pourquoi environ 23 % de la population féminine française présente une carence de ce minéral important. En revanche, une seule moule nous apporte suffisamment de fer pour contribuer à prévenir l'anémie ferriprive. Une portion de moules d'environ 85 grammes apporte quelque 6 milligrammes de fer, c'est-à-dire 60 % de l'Apport journalier recommandé (AJR) pour l'homme et 40 % de l'AJR pour la femme.

Enfin, de nombreux crustacés sont de bonnes sources de magnésium, de potassium et de vitamine C. Cette dernière est d'autant plus utile qu'elle aide l'organisme à absorber davantage du fer également contenu dans les fruits de mer.

Une réputation toute neuve

Beaucoup de gens hésitent à manger des crustacés en raison de leur teneur élevée en sodium et en cholestérol; pourtant, aucune de ces deux substances ne risque de causer trop de problèmes pour la majorité des consommateurs.

«Contrairement à d'autres sources de cholestérol, comme par exemple la viande rouge, les fruits de mer ne contiennent pratiquement pas de graisse saturée», explique le Dr Grodner. Une alimentation trop riche en matières grasses saturées a bien plus de chances de faire grimper vos taux de cholestérol que l'absorption du cholestérol en soi, précise-t-il.

Reste le sodium. Comme on peut s'y attendre de la part de créatures marines, les fruits de mer en contiennent d'assez grandes quantités, de 150 à 900 milligrammes par portion de 85 grammes, selon le type de crustacé. En revanche, à moins que votre médecin ne vous ait suggéré de réduire la quantité de sel dans votre alimentation, les fruits de mer ne devraient pas poser de problème. Une portion de crustacés reste dans des limites raisonnables, sans dépasser la Valeur quotidienne pour le sodium qui est de 2 400 milligrammes.

Critères de choix, préparation et conservation

Accompagnez-les de vitamine C. Puisque notre corps est mieux à même d'assimiler le fer contenu dans nos aliments lorsque nous absorbons ces derniers en même temps que de la vitamine C, il est judicieux d'accompagner les repas à base de fruits de mer d'aliments riches en vitamine C comme du brocoli ou du poivron.

De la variété. Du fait que les crustacés sont généralement considérés comme un aliment de luxe, la plupart des gens n'en mangent qu'une très petite quantité à la fois. Une manière simple d'en inclure davantage dans notre alimentation consiste à en mélanger plusieurs variétés dans une préparation mixte de type paella, suggère le Dr Grodner. «Ce genre de repas peut être très bénéfique pour la santé», conclut-il.

LES FRUITS TROPICAUX
LA GUÉRISON EXOTIQUE

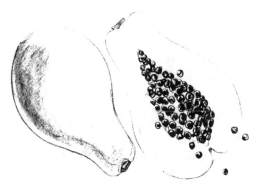

POUVOIR THÉRAPEUTIQUE

CONTRIBUENT À:
Stimuler la digestion

Prévenir les maladies cardiovasculaires et le cancer

La prochaine fois que vous pousserez votre Caddie devant l'étalage des fruits exotiques, prenez le temps d'examiner les divers fruits tropicaux à côté des ananas. En juin, c'est la saison de la mangue, fruit délicieux. Durant l'été, ainsi qu'en hiver, on peut trouver des goyaves, dont l'aspect rappelle un peu celui de limettes ou de très gros citrons. Les papayes, en vente toute l'année, ressemblent un peu à des poires disproportionnées. Même si leur aspect peu courant a de quoi nous surprendre, les fruits tropicaux présentent à peu près les mêmes atouts diététiques que leurs équivalents poussant sous nos climats, mais aussi quelques avantages supplémentaires. Non seulement ils contiennent de grandes quantités de fibres, mais ils apportent également toute une gamme de substances complexes puissamment thérapeutiques pouvant contribuer à lutter contre les maladies cardiovasculaires et même le cancer.

Des dizaines de fruits tropicaux poussent dans le monde entier, mais dans notre pays les plus courants sont la mangue, la papaye et la goyave.

MAGIE DES MANGUES

On ne peut pas vraiment dire que la mangue est un fruit qui se croque et se mâche; plus exactement, elle s'aspire et s'avale. Il n'est pas facile de manger sans se salir ce fruit exceptionnellement juteux, dont le goût rappelle à la fois la pêche et l'ananas (en plus sucré encore), mais l'effort en vaut largement la chandelle.

À LA CUISINE

Les fruits tropicaux présentent un inconvénient, du moins pour le consommateur moyen, c'est que l'on ne sait pas trop comment les choisir. Voici comment obtenir à coup sûr le maximum de saveur.

Faites confiance à votre odorat. Les fruits tropicaux doivent dégager une odeur sucrée et aromatique avant même d'avoir été coupés en tranches. Ne les déposez dans votre Caddie qu'après leur avoir fait subir le test de l'odorat. Si l'odeur est fade, il est probable que le goût se révélera décevant.

Gardez-les au frais, pas au froid. Lorsqu'un fruit exotique a besoin de mûrir un peu, il est préférable de le conserver dans un endroit frais et sec. Évitez de le mettre au réfrigérateur, car le froid en tue la saveur.

La mangue, comme tant d'autres fruits, contient beaucoup de vitamine C. Elle se distingue en outre par sa teneur particulièrement élevée en bêtacarotène. Ces deux nutriments sont des antioxydants, c'est-à-dire qu'ils peuvent inhiber les effets des molécules d'oxygène nuisibles appelées radicaux libres. Cet avantage est important, car les radicaux libres peuvent provoquer des lésions dans les tissus sains de tout le corps. Pire encore, ils endommagent également le «mauvais» cholestérol LDL (lipoprotéines de faible densité), qui se dépose alors plus facilement sur les parois de nos artères, augmentant le risque de maladies cardiovasculaires.

Une mangue contient presque 5 milligrammes de bêtacarotène, soit 50 à 83 % de la dose préconisée (6 à 10 milligrammes), ainsi que 57 milligrammes de vitamine C, c'est-à-dire 95 % de la Valeur quotidienne. Ces deux nutriments ainsi associés sont particulièrement bénéfiques pour la santé. Dans le cadre d'une étude effectuée en Australie, certains des participants ont reçu chaque jour durant trois semaines du jus contenant à la fois du bêtacarotène et de la vitamine C. Les chercheurs ont ensuite constaté que chez les buveurs de jus, les lésions du cholestérol LDL étaient moins prononcées à la suite de cette expérience.

Les antioxydants ne sont pas la seule raison pour laquelle la mangue est bénéfique pour le cœur. Ce fruit contient d'autre part de grandes quantités de fibres, car une mangue de 600 grammes fournit environ 6 grammes de fibres, davantage que n'en apporte une portion de 100 grammes de flocons d'avoine cuits. De plus, les fibres de la mangue sont constituées pour près de la moitié de fibres solubles. Quantité d'études ont montré qu'en ajoutant davantage de fibres solubles dans l'alimentation, il était possible d'abaisser le taux de cholestérol et de réduire le risque d'hypertension artérielle, de maladies cardiovasculaires et d'accident vasculaire cérébral. Quant aux fibres insolubles de la mangue, elles jouent également un rôle important, car elles encouragent les selles – et en même temps les déchets nocifs qu'elles contiennent – à traverser plus rapidement le système digestif. Par conséquent, le fait de manger plus souvent de la mangue peut contribuer à réduire le risque de cancer du côlon.

LE POUVOIR DE LA PAPAYE

Extérieurement, ce fruit ressemble un peu à un avocat jaune ou orange. Après l'avoir coupé en deux, vous y trouverez une chair joliment colorée en jaune orangé, évoquant le pouvoir de guérison de ce fruit.

Les papayes sont bourrées de caroténoïdes, les pigments végétaux qui confèrent leurs belles couleurs vives à beaucoup de fruits et de légumes. Cependant, les caroténoïdes font bien plus que de rendre les végétaux particulièrement esthétiques. Ils peuvent véritablement nous sauver la vie.

Les caroténoïdes contenus dans la papaye sont des antioxydants très puissants. Diverses études ont montré que les sujets qui absorbaient le plus d'aliments riches en caroténoïdes, comme la papaye, présentaient un risque considérablement plus faible de décès par maladies cardiovasculaires ou par cancer.

Beaucoup de fruits et de légumes contiennent des caroténoïdes, mais la papaye vient largement en tête de liste. Dans une étude, des chercheurs allemands ont classé 39 aliments en fonction de leur contenu en caroténoïdes. La papaye était citée en tout premier, avec près de 3,8 milligrammes de caroténoïdes pour la moitié d'un fruit. Le pamplemousse, second de la liste, en offre 3,6 milligrammes et l'abricot 2,6 milligrammes.

La papaye contient en outre un certain nombre d'enzymes protéolytiques comme la papaïne, très similaires aux enzymes qui sont générées de manière naturelle dans l'estomac. Le fait de manger de la papaye crue durant un repas, ou juste après, facilite la digestion des protéines, ce qui peut contribuer à soulager les ennuis gastriques, commente Mme Deborah Gowen, infirmière et sage-femme.

Il est possible que la papaye joue également un rôle dans la prévention des ulcères. Dans le cadre d'une étude en laboratoire, des cobayes auxquels les chercheurs avaient administré de fortes doses de médicaments risquant de provoquer des ennuis gastriques étaient moins susceptibles d'avoir un ulcère lorsqu'ils avaient auparavant reçu de la papaye pendant plusieurs jours consécutifs. Des recherches comparables restent à faire en ce qui concerne l'être humain, mais il semble probable qu'en mangeant chaque jour un peu de papaye, nous pourrions neutraliser les effets irritants de l'aspirine et d'autres médicaments anti-inflammatoires.

DÉLICIEUSE GOYAVE

La goyave n'est pas vendue dans tous les supermarchés, mais ce fruit, de couleur rose ou jaune et de la taille d'un citron, vaut le déplacement, même s'il faut pour cela dénicher une lointaine épicerie exotique ou un marché spécialisé.

L'intérêt tout particulier de la goyave tient à un caroténoïde appelé lycopène. Ce dernier est longtemps passé inaperçu, se dissimulant derrière une substance voisine appelée bêtacarotène. Pourtant, les études suggèrent à présent que le lycopène pourrait être plus puissant encore que son cousin mieux connu. Cette substance est d'ailleurs l'un des antioxydants les plus efficaces, selon le Dr Paul Lachance, professeur de nutrition.

Dans le cadre d'études portant sur des cobayes, des chercheurs israéliens ont constaté que le lycopène pouvait rapidement inhiber la croissance des cellules cancéreuses du poumon et du sein. En outre, une étude de grande envergure portant sur près de 48 000 hommes a permis à des chercheurs de Harvard de constater que le risque de cancer de la prostate s'abaissait de 45 % chez ceux des hommes qui absorbaient le plus de lycopène par l'alimentation, par rapport aux sujets qui en obtenaient le moins. Si la tomate s'est depuis longtemps fait une réputation pour sa teneur élevée en lycopène, la goyave en est une bien meilleure source, avec au moins 50 % de plus de lycopène pour un seul fruit.

Enfin, sur le plan des fibres alimentaires, la goyave est le champion suprême avec environ 6 grammes pour 100 grammes de fruit. Cela représente plus de fibres que n'en fournissent tous ensemble la pomme, l'abricot, la banane et la nectarine. Cette constatation a retenu l'attention des chercheurs qui s'intéressent à la santé du cœur, puisque l'un des meilleurs moyens d'abaisser le cholestérol, et par conséquent les maladies cardiovasculaires, consiste à augmenter la quantité de fibres absorbées par l'alimentation.

Dans une étude portant sur 120 hommes, des chercheurs indiens ont constaté que le taux de cholestérol total s'était abaissé de près de 10 % chez ceux d'entre eux qui avaient mangé de cinq à neuf goyaves par jour durant trois mois. Mieux encore, leur taux de cholestérol HDL bénéfique (à lipoprotéines de haute densité) avait augmenté de 8 %.

Critères de choix, préparation et conservation

Oubliez les conserves. Les fruits tropicaux surgelés conservent certes leurs nutriments, mais on ne saurait en dire autant des fruits en boîte. Une étude effectuée en Espagne, par exemple, a permis de constater que la papaye en conserve perdait une grande quantité de ses caroténoïdes protecteurs durant le processus de transformation.

Ajoutez-y un peu de matières grasses. Le lycopène de la goyave est absorbé plus efficacement par l'organisme si nous y ajoutons un peu de matières grasses. Il suffit par exemple de napper un peu de yaourt sur une goyave coupée en tranches pour libérer davantage de lycopène, tout en tempérant par une note crémeuse le goût plutôt acidulé de ce fruit.

Ne les chauffez pas trop. Les fruits tropicaux entrent souvent dans la composition de recettes gastronomiques, comme par exemple certaines sauces destinées à accompagner la viande. Malheureusement, la chaleur de la cuisson détruit une partie de leur vitamine C, note le Dr Donald V. Schlimme, professeur de nutrition. Pour obtenir le plus possible de vitamines, ce dernier recommande de manger les fruits exotiques crus, sous la forme prévue par la nature.

Conservez-les avec soin. Exposés à l'air et aux rayons du soleil, les fruits tropicaux ne tardent pas à perdre leur vitamine C. En les conservant dans un endroit frais et à l'abri de la lumière, vous maintiendrez leur fraîcheur tout en préservant ce nutriment vital.

LE GINGEMBRE
UNE SAVEUR PIQUANTE ET THÉRAPEUTIQUE

POUVOIR THÉRAPEUTIQUE

CONTRIBUE À :

Prévenir le mal des transports

Apaiser les troubles gastriques

Soulager la migraine

Freiner la coagulation sanguine

Les médecins de la Rome antique en avaient toujours sous la main au cours des campagnes militaires. Pythagore, philosophe grec et génie de la géométrie, le recommandait pour une bonne hygiène digestive. Quant au roi Henri VIII d'Angleterre, il était convaincu que le gingembre offrait une protection contre la peste, même si rien à vrai dire ne laisse penser que ce tubercule puisse avoir un tel pouvoir. Pourtant, de nombreux travaux ont montré que cette racine de forme tarabiscotée, au goût très tonique, pouvait soulager des dizaines de troubles, depuis le mal des transports et autres troubles digestifs jusqu'à la migraine, l'arthrite et l'excès de cholestérol, et qu'il pouvait prévenir le danger que représentent les caillots sanguins. C'est la raison pour laquelle des millions de personnes dans le monde entier considèrent le gingembre comme un aliment guérisseur par excellence.

SOULAGER LES NAUSÉES

S'il vous est déjà arrivé de souffrir du mal des transports, vous savez à quel point les plus merveilleuses vacances peuvent être gâchées par ce trouble, même bénin. C'est bien pourquoi presque toutes les listes de ce qu'il ne faut surtout pas oublier avant un départ en vacances mentionnent non seulement l'écran solaire et les recommandations à la voisine chargée de s'occuper du chat, mais aussi «Penser à la Dramamine».

La prochaine fois que vous aurez l'occasion de voyager, pensez à faire un détour par le supermarché plutôt que d'aller à la pharmacie. Il s'avère en effet que le gingembre est actuellement le meilleur remède connu contre le mal des transports.

Dans le cadre d'une étude souvent citée, menée par le Dr Daniel B. Mowrey, directeur d'un laboratoire de recherches phytothérapiques, 36 étudiants sujets au mal des transports ont été ligotés dans des fauteuils rotatifs inclinés, que les chercheurs ont ensuite fait tourner à toute vitesse jusqu'à provoquer des nausées. Les plus stoïques des participants, qui avaient reçu auparavant 100 milligrammes de dimenhydrinate (Dramamine), demandaient grâce après un peu plus de quatre minutes de ce traitement – moins de temps encore pour la majorité d'entre eux. En revanche, la moitié de ceux qui avaient reçu du gingembre parvenaient à supporter ce traitement brutal pendant 6 minutes, sans éprouver autant de nausées ni d'étourdissements que le groupe qui avait reçu le médicament.

Une autre étude effectuée par des chercheurs néerlandais pour tester les effets du gingembre sur des

À LA CUiSiNE

Si vous n'en avez jamais utilisé, le gingembre frais peut sembler plutôt mystérieux. Ne vous laissez pas dérouter par son aspect torturé et sa couleur brune. Le gingembre frais est plus facile à employer qu'il n'en a l'air. Voici ce qu'il faut savoir.

Emballez-le et mettez-le au réfrigérateur. Non pelé, le gingembre frais se conserve jusqu'à deux semaines, pourvu qu'il soit bien emballé dans un film alimentaire. Au congélateur, il peut se garder jusqu'à deux mois.

Pelez la peau. La peau dure de couleur brun clair n'ajoute rien à la saveur. Avant d'utiliser le gingembre, utilisez un éplucheur ou un couteau de cuisine bien aiguisé pour en ôter la peau.

Coupez-le menu. Afin de mieux révéler toute la saveur du gingembre frais, il est préférable de le hacher le plus fin possible (on peut aussi l'écraser ou le râper). Pour en exprimer le jus, il suffit de couper un petit tronçon du tubercule et de l'écraser à l'aide d'un presse-ail.

élèves officiers de l'école navale qui souffraient du mal de mer a permis de constater que des gélules de gingembre atténuaient nausées et vomissements chez les participants, et que le soulagement pouvait durer jusqu'à 4 heures d'affilée.

Les experts ignorent pour quelle raison le gingembre apaise les troubles gastriques. Cependant, des chercheurs japonais ont suggéré que les gingérols, l'un des éléments du gingembre, pourraient jouer un rôle indirect en inhibant le réflexe qui déclenche les vomissements.

Si vous souhaitez avoir recours au gingembre pour combattre le mal des transports, le Dr Varro E. Tyler, professeur émérite en pharmacognosie (l'étude des médicaments d'origine naturelle), vous conseille de prendre le quart d'une cuiller à café de gingembre frais ou en poudre 20 minutes avant de monter en voiture ou à bord d'un bateau. Recommencez toutes les quatre heures selon les besoins.

Le gingembre est également utile pour apaiser les troubles gastriques courants. Préparez une tisane au gingembre en versant une tasse d'eau bouillante sur trois ou quatre fines tranches de gingembre frais et buvez par petites gorgées, recommande le Dr Charles Lo, praticien en médecine chinoise.

SOULAGER LES MIGRAINES

Si vous faites partie des 12% de Français qui souffrent de migraines, le gingembre peut contribuer à prévenir la douleur et les nausées. Dans une étude de petite envergure, des chercheurs de l'université danoise de Odense ont constaté que le gingembre pouvait court-circuiter l'apparition d'une migraine sans entraîner les mêmes effets indésirables que certains médicaments contre ce trouble. Il semblerait que le gingembre inhibe l'action des prostaglandines, les substances qui provoquent la douleur et l'inflammation dans les vaisseaux sanguins du cerveau.

Les recherches n'en sont qu'au stade préliminaire, et, par conséquent, les experts ne sont pas encore prêts à recommander des traitements spécifiques quant à l'usage du gingembre pour traiter la migraine. Dès les premiers signes précurseurs d'un mal de tête, absorbez le tiers d'une cuiller à café de gingembre frais ou en poudre, ce qui correspond à la dose suggérée par les chercheurs danois.

BÉNÉFIQUE POUR LES ARTHRITIQUES

Les articulations de vos doigts sont-elles si raides et si douloureuses que vous avez le plus grand mal à déboucher un flacon muni d'un bouchon spécial «sécurité enfant»? Pensez à ajouter du gingembre dans votre armoire à pharmacie.

Dans le cadre d'une étude danoise, les chercheurs ont étudié 56 personnes atteintes de polyarthrite chronique évolutive ou d'arthrose et qui se soignaient en absorbant du gingembre frais ou en poudre. Ils ont constaté que le gingembre apportait un soulagement à 55% des personnes atteintes d'arthrose, et à 74% de celles qui souffraient de polyarthrite chronique évolutive.

Certains experts formulent l'hypothèse que le gingembre pourrait soulager l'arthrite de la même manière qu'il aide à prévenir la migraine, en empêchant la formation des prostaglandines inflammatoires qui sont à l'origine de la douleur et de l'enflure.

Pour soulager les douleurs liées à l'arthrite, le Dr Lo recommande de préparer une infusion légère de gingembre, en versant une tasse d'eau bouillante sur trois ou quatre tranches de gingembre frais. Vous pouvez également prendre une fois par jour la moitié d'une cuiller à café de gingembre en poudre, ou jusqu'à 30 grammes (soit environ 6 cuillers à café) de gingembre frais.

BÉNÉFIQUE POUR LE SANG

La coagulation du sang a ses bons côtés. S'il nous arrive de nous couper au doigt, par exemple, les plaquettes – un élément du sang qui facilite la coagulation de ce dernier – contribuent à «recoller» les bords de la blessure afin d'en faciliter la cicatrisation.

En revanche, ces plaquettes par nature collantes peuvent aussi se déposer sur les parois de nos artères ou s'agglutiner entre elles. Lorsque c'est le cas, les caillots cessent d'être bénéfiques et deviennent problématiques. Beaucoup de gens prennent régulièrement de l'aspirine afin d'éviter l'apparition de caillots dans le courant sanguin, ce qui contribue à prévenir les accidents vasculaires cérébraux et les crises cardiaques.

Les chercheurs ont constaté que le gingérol du gingembre présentait une structure chimique assez semblable à celle de l'aspirine. Diverses recherches suggèrent qu'en ajoutant du gingembre à notre alimentation, même si les experts ne savent pas encore en préciser les quantités utiles, il est possible d'inhiber la production d'une substance chimique, la thromboxane, qui joue un rôle clé dans le processus de coagulation.

Critères de choix, préparation et conservation

Préférez-le frais. Le gingembre est vendu sous des formes diverses : frais, séché, confit, en poudre. Selon le Dr Lo, il est préférable de l'utiliser frais. «Le gingembre frais est plus actif que le tubercule séché», dit-il. Mais le gingembre confit est presque comparable au gingembre frais, précise-t-il.

Afin d'obtenir le plus possible de substances complexes thérapeutiques, cherchez à obtenir le gingembre le plus frais possible. «N'achetez pas de gingembre dont certaines parties sont molles ou présentent des moisissures, ou dont la peau est sèche et ridée», conseille le Dr Lo.

Servez-vous d'une râpe. Le fait de râper le gingembre frais permet de libérer davantage de jus, particulièrement riche en principes thérapeutiques, que lorsqu'il est coupé ou haché menu, poursuit le Dr Lo. L'utilisation d'un presse-ail permet en outre d'obtenir le maximum de jus.

Utilisez-le souvent. Si vous voulez bénéficier de tous les bienfaits du gingembre par votre alimentation, absorbez-en le plus souvent possible, souligne le Dr Lo. En revanche, il n'est pas indispensable de mettre le gingembre à toutes les sauces pour bénéficier de son pouvoir thérapeutique. Il suffit d'en absorber moins de 30 grammes par jour. «Par exemple, buvez chaque jour quelques tasses d'infusion de gingembre ou ajoutez une petite quantité de ce tubercule frais à une poêlée de légumes, cela devrait suffire.»

Choisissez la meilleure variété. Chaque fois que possible, préférez le gingembre en provenance d'Afrique ou d'Inde, conseille le Dr Stephen Fulder, auteur du livre *The Ginger Book*. Diverses études montrent que ces variétés sont dotées d'un plus grand pouvoir thérapeutique que le gingembre de Jamaïque, plus courant.

Mais les différences entre ces diverses variétés ne sont pas visibles à l'œil nu. Posez la question au responsable du rayon fruits et légumes de votre supermarché ou du magasin diététique. Ce dernier devrait pouvoir vous préciser l'origine du gingembre vendu par son entremise.

LES HARICOTS SECS
MODESTES MAIS PUISSANTS

POUVOIR THÉRAPEUTIQUE

CONTRIBUENT À :
Abaisser le cholestérol

Stabiliser les taux de glycémie

Réduire le risque de cancer du sein et de la prostate

Prévenir les maladies cardiovasculaires chez les diabétiques

Il n'y a pas très longtemps, aux États-Unis, les haricots secs étaient passablement délaissés sur le plan culinaire. Des paquets poussiéreux de haricots Pinto, lingots blancs et autres pois chiches se languissaient sur les rayons des supermarchés. Dans les bars à salades des steakhouses, de grands saladiers généralement débordants de haricots rouges avoisinaient les pêches, et la salade aux trois fèves du pique-nique traditionnel rassemblant une fois par an toute la famille attirait davantage de mouches que de compliments.

Tout cela a bien changé. La consommation américaine de légumineuses est passée d'environ 2,5 kilos par personne en 1974 à 3,25 kilos en 1994. Cette soudaine popularité est amplement justifiée. Les haricots secs, en effet, sont l'aliment qui rend fort par excellence, contenant très peu de matières grasses, beaucoup de protéines et de fibres et quantité de vitamines et de minéraux.

«Les haricots secs sont en réalité de petites usines de produits chimiques contenant des multitudes de substances biologiquement actives, et divers travaux laissent penser qu'ils pourraient protéger contre le cancer», affirme le Dr Leonard A. Cohen, directeur du programme expérimental américain sur le cancer du sein.

À LA CUISINE

S'il vous arrive souvent de passer sans vous arrêter devant les rayons de légumineuses du supermarché, pour la simple et bonne raison que le peu de temps dont vous disposez ne vous permet pas d'envisager un processus compliqué de trempage suivi de cuisson lente, reconsidérez la chose. La préparation des légumineuses ne représente pas nécessairement une journée entière, selon Mme Patti Bazel Geil, auteur du livre *Magic Beans* et nutrithérapeute spécialisée dans le domaine du diabète. Grâce à la méthode de trempage rapide, vous pourrez économiser des heures entières de cuisson.

1. Rincez les haricots secs dans une passoire, versez-les dans une grande casserole et recouvrez-les de 5 cm d'eau. Amenez à ébullition, réglez sur chaleur moyenne et laissez bouillir 10 minutes.
2. Égouttez les haricots et recouvrez-les de 5 cm d'eau fraîche. («En jetant l'eau de cuisson des haricots secs, on élimine aussi la majeure partie des sucres qu'ils contiennent et qui provoquent des flatulences», explique Mme Geil.)
3. Laissez tremper 30 minutes, puis rincez à nouveau, égouttez et recouvrez d'eau fraîche. Laissez cuire à petit feu durant 2 heures, ou jusqu'à ce que les haricots secs soient devenus tendres.

FAIRE BAISSER LE CHOLESTÉROL

Les haricots secs ne sont certes pas la seule catégorie d'aliments capables de faire baisser le cholestérol, mais c'est certainement l'une des meilleures. Ils sont bourrés de fibres solubles, cette même substance gélatineuse que l'on trouve dans la pomme, l'orge et le son d'avoine. Dans le tube digestif, les fibres solubles piègent la bile chargée de cholestérol et l'éliminent du corps avant qu'elle n'ait eu le temps d'être absorbée.

«Il suffit de manger chaque jour une ration de haricots secs cuits pour abaisser en six semaines le taux de cholestérol total de 10 % environ», souligne Mme Patti Bazel Geil, auteur du livre *Magic Beans* et nutrithérapeute spécialisée dans le domaine du diabète. Même si ces 10 % ne semblent pas énormes, souvenez-vous que le risque de maladie cardiovasculaire diminue de 2 % chaque fois que le cholestérol total s'abaisse de 1 %.

Les haricots secs peuvent abaisser le taux de cholestérol chez pratiquement n'importe qui, mais plus le taux est élevé, plus ils sont efficaces. Dans une étude de l'université du Kentucky, les chercheurs ont administré chaque jour à 20 hommes atteints d'hypercholestérolémie (plus de 260 milligrammes par décilitre de sang) 100 grammes de haricots Pinto et 200 grammes de lingots blancs.

En trois semaines, le cholestérol total des participants s'est abaissé en moyenne de 19 %, diminuant probablement leur risque de crise cardiaque de près de 40 %. Mieux encore, le dangereux cholestérol LDL (lipoprotéines de faible densité), qui peut obstruer les artères, avait baissé de 24 %.

Il semblerait que toutes les légumineuses peuvent contribuer à abaisser le cholestérol, même les haricots blancs en boîte à la sauce tomate. Dans le cadre d'une autre étude de la même université, 24 hommes présentant des taux élevés de cholestérol ont absorbé chaque jour pendant trois semaines près de 200 grammes de haricots en sauce tomate. Leur cholestérol total s'est abaissé de 10,4 %, et leur taux de triglycérides (un autre lipide sanguin qui contribue aux maladies cardiovasculaires) a diminué de 10,8 %.

Les légumineuses jouent un autre rôle moins direct dans le maintien de faibles taux de cholestérol. Elles nous rassasient vite, ce qui veut dire que lorsque nous en mangeons, nous avons moins d'appétit pour d'autres aliments plus riches en matières grasses. Il est très important de réduire les quantités de matières grasses absorbées pour maintenir de faibles taux de cholestérol.

«Les haricots secs sont très riches en fibres, et les aliments qui contiennent beaucoup de fibres sont plus rassasiants», commente Mme Geil. En fait, une étude de petite envergure a permis de constater que les sujets qui avaient mangé une purée de haricots secs se sentaient davantage rassasiés et pendant plus longtemps que d'autres personnes qui avaient absorbé une purée d'aspect similaire, mais à base de pommes de terre.

MAINTENIR STABLE LE TAUX DE GLYCÉMIE

Pour maîtriser le diabète, le secret est de savoir maintenir un taux de glycémie stable. «Peu de gens savent à quel point les haricots secs sont bénéfiques pour les diabétiques», poursuit Mme Geil. En fait, les chercheurs ont démontré que le fait d'absorber de 100 à 200 grammes de haricots secs par jour améliorait considérablement la maîtrise du taux de glycémie.

Les haricots secs sont une excellente source de glucides complexes. Contrairement aux aliments sucrés, qui déversent le sucre (glucose) d'un seul coup dans le courant sanguin, les glucides complexes sont digérés plus lentement. Cela signifie que le glucose pénètre dans le courant sanguin de manière progressive, précise Mme Geil, ce qui contribue à maintenir stable le taux de glycémie.

De plus, les haricots secs contiennent beaucoup de fibres solubles. Diverses études ont montré qu'une alimentation contenant beaucoup de fibres solubles encourageait le corps à générer davantage de sites récepteurs d'insuline, de minuscules points d'attache auxquels viennent s'accrocher les molécules d'insuline. Ainsi, davantage d'insuline pénètre à l'intérieur des cellules individuelles, là où le corps a besoin d'elle, et moins d'insuline est véhiculée dans le courant sanguin, où elle peut provoquer des troubles.

Dans le cadre d'une étude britannique, les participants ont reçu soit environ 50 grammes d'une variété de légumineuse – haricots de Lima, haricots rouges, doliques à œil noir, pois chiches ou lentilles – ou d'autres aliments riches en glucides complexes comme du pain, des pâtes, des céréales et des grains. Après une demi-heure, les taux glycémiques dans le sang des mangeurs de haricots secs ne représentaient qu'environ la moitié de ceux des sujets du groupe témoin qui avaient mangé d'autres sources de glucides complexes.

Les légumineuses ont encore un autre avantage, ajoute Mme Geil. «Les diabétiques sont quatre à six fois plus exposés au risque de maladies cardiovasculaires. En mangeant davantage de haricots secs, ils parviendront à maintenir des taux de cholestérol plus bas, ce qui diminuera ce risque.»

DES LÉGUMINEUSES CONTRE LE CANCER

Diverses études suggèrent que les légumineuses, qui contiennent peu de matières grasses mais beaucoup de fibres, sont l'un des meilleurs aliments contre le cancer. Certains travaux ont montré que les haricots secs contiennent des substances complexes – lignanes, isoflavones, saponines, acide phytique, inhibiteurs de la protéase – capables d'inhiber la croissance des cellules cancéreuses. Ces complexes semblent empêcher les cellules normales de devenir cancéreuses, et font aussi obstacle à la croissance des cellules cancéreuses, souligne le Dr Cohen.

Ces substances complexes offrent à la plante la même protection qu'à l'être humain, poursuit ce médecin. «En fait, elles jouent le rôle d'insectifuge naturel; c'est la méthode utilisée par les plantes pour se protéger des insectes et de divers autres prédateurs, explique-t-il. Si les haricots secs peuvent inhiber la prolifération et l'invasion de toutes sortes d'insectes, de moisissures et de bactéries, comment s'étonner qu'ils soient également capables de faire de même lorsqu'il s'agit d'une cellule cancéreuse?»

Les graines de soja (contrairement aux autres légumineuses) sont également d'excellentes sources de génistéine et de daidzéine, deux substances complexes dont certains experts pensent qu'elles pourraient jouer un rôle dans la prévention du cancer. Baptisées phyto-œstrogènes, ce sont des versions plus faibles de l'œstrogène généré spontanément dans notre organisme. Les experts pensent que ces substances complexes pourraient contribuer à diminuer le risque de cancer du sein et de la prostate en inhibant l'activité de la testostérone et de l'œstrogène, les hormones sexuelles de l'homme et de la femme, qui peuvent à la longue stimuler la croissance de tumeurs cancéreuses.

Les experts ont pu constater que chez les femmes d'origine latino-américaine, le risque de cancer du sein était réduit de moitié par rapport à leurs consœurs de race blanche. Diverses études suggèrent que cet avantage statistique pourrait être dû aux haricots secs, car les foyers latino-américains en mangent pratiquement chaque jour, souligne le Dr Cohen.

Dans le cadre d'une étude, ce dernier et ses collègues ont observé l'alimentation habituelle de 214 femmes américaines blanches, noires et d'origine latino-américaine. Ils ont constaté que celles de la dernière catégorie mangeaient des quantités considérablement plus élevées de haricots secs : 7,4 portions par semaine, par comparaison à 4,6 portions hebdomadaires pour les femmes noires et moins de 3 portions par semaine pour celles de race blanche.

«Pour les femmes d'origine latino-américaine, les légumineuses constituent une source majeure de fibres alimentaires», commente le Dr Cohen. En fait, les chercheurs soulignent que près de 25 % des fibres de leur alimentation provenait de légumineuses, ce qui correspond au double de la moyenne nationale américaine.

LA VIANDE DE SANTÉ

On disait autrefois que les haricots secs étaient la viande du pauvre. En réalité, il serait plus juste de parler de viande de santé. Comme la viande rouge, les légumineuses sont bourrées de protéines. Contrairement à la viande, elles ne contiennent que très peu de matières grasses et plus particulièrement de corps gras saturés et dangereux pouvant obstruer nos artères.

Par exemple, une tasse de doliques contient moins d'un gramme de matières grasses. Sur cette quantité, moins de 1 % provient de graisse saturée. En revanche, 85 grammes de viande de bœuf maigre grillée contiennent 15 grammes de matières grasses, dont 22 % de graisse saturée.

Les légumineuses sont également une excellente source de vitamines et de minéraux essentiels. Une portion de 100 grammes de doliques peut contenir jusqu'à 100 microgrammes de folate, soit 25 % de la Valeur quotidienne (VQ); cette vitamine du groupe B pourrait abaisser les risques cardiovasculaires et contribuer à prévenir les malformations congénitales. Cette même quantité contient également 7,8 milligrammes de fer (30 % de la VQ) et 1 400 milligrammes de potassium (40 % de la VQ). Le potassium est un minéral dont il est prouvé qu'il contribue à maîtriser la pression sanguine de manière naturelle.

Critères de choix, préparation et conservation

Préférez les fibres. Pratiquement tous les haricots secs sont de bonnes sources de fibres, mais certaines variétés en contiennent plus que d'autres. Les doliques, par exemple, fournissent 4 grammes de fibres pour une portion de 100 grammes. Les pois chiches, haricots rouges et haricots de Lima contiennent tous environ 7 grammes de fibres, et les doliques à œil noir viennent à peu près en tête de liste, avec quelque 8 grammes de fibres.

Ne dédaignez pas les conserves. Pas le temps de faire tremper et cuire des haricots secs? Peu importe… Les haricots secs cuisinés en boîte sont tout aussi bénéfiques que leurs cousins déshydratés, affirme Mme Geil. En revanche, leur teneur en sodium est plus élevée et il est donc important de bien les rincer et les égoutter avant de s'en servir.

Pensez aux épices pour éviter les gaz. Avez-vous pris l'habitude de vous priver des avantages considérables des légumineuses parce que vous craignez l'inconfort et l'embarras de peu flatteuses flatulences? Pensez à les relever à l'aide d'une pincée de sauge d'été ou d'une cuillerée de gingembre en poudre. Selon certaines études universitaires, ces aromates pourraient contribuer à neutraliser les effets explosifs des haricots secs.

LES HERBES AROMATIQUES
GUÉRIR PAR LA NATURE

POUVOIR THÉRAPEUTIQUE

CONTRIBUENT À :
Prévenir les infections

Soulager la douleur et l'enflure

Apaiser l'inconfort lors de la ménopause

Abaisser le cholestérol

Pouvez-vous concevoir de l'aïoli sans ail, du pain d'épices sans gingembre, des pommes de terre en robe des champs sans ciboulette? Pour tous ceux qui apprécient la bonne chère, il serait inimaginable de vivre dans un monde sans herbes aromatiques.

Ces dernières font d'ailleurs bien plus que de relever les sauces ou d'ajouter une note acidulée à des aliments comme les pommes de terre ou le tofu. Pour des millions de personnes à travers le monde, les herbes aromatiques sont un médicament indispensable pour rester en bonne santé.

«Avant la découverte de nos produits pharmaceutiques modernes, les habitants d'Europe et d'Amérique employaient couramment les herbes aromatiques», souligne le Dr William J. Keller, professeur de sciences pharmaceutiques. Même aujourd'hui, beaucoup de gens en France, en Allemagne et dans divers autres pays d'Europe ont recours, presque chaque jour, à des plantes médicinales. «Chez nous, aux États-Unis, en revanche, elles sont restées à peu près ignorées jusqu'à ce jour», poursuit le Dr Keller.

Les médecins s'aperçoivent que de nombreuses herbes aromatiques sont tout aussi efficaces que les médicaments pour soulager divers troubles courants, et cela pour une raison très simple. Dans bien des cas, en effet, les principes actifs des plantes sont pratiquement identiques aux produits chimiques contenus dans tel ou tel médicament. En prenant une aspirine, par exemple, nous obtenons les effets bénéfiques d'une substance complexe appelée acide acétylsalicylique qui soulage la douleur, abaisse la fièvre et atténue l'inflammation. Mais avant l'invention de l'aspirine, beaucoup de gens se préparaient une infusion d'écorce de saule. Cette dernière contient en effet une substance complexe, la salicine, dont les effets sont très proches de ceux de l'aspirine.

Ne croyez pas que seuls les médicaments «simples» possèdent leur équivalent botanique. De nombreux médicaments délivrés sur ordonnance ressemblent eux aussi à des plantes, ou sont obtenus à partir de plantes. Un des médicaments utilisés pour traiter certains cancers, par exemple, appelé étoposide, est extrait de la racine d'une plante d'Amérique, la pomme de mai (aussi appelée podophylle en bouclier); quant à la digitaline, utilisée pour les affections du cœur, les complexes qu'elle contient sont comparables à ceux de la digitale. En fait, les chercheurs estiment que jusqu'à 30% des médicaments que nous utilisons aujourd'hui contiennent des ingrédients très similaires à des substances complexes présentes dans les plantes.

DES PLANTES À LA PÉNICILLINE

De nos jours, les chercheurs font appel à des appareillages compliqués et des tests coûteux afin d'identifier les plantes les plus efficaces. Pour les herboristes d'autrefois, en revanche, «faire des recherches» consistait généralement à observer les animaux dans leur milieu naturel dans le but de découvrir quelles feuilles, écorces ou baies ils recherchaient pour se guérir. Avec le temps, les herboristes (et les médecins) ont fini par accumuler ainsi une somme impressionnante d'observations sur les propriétés des plantes médicinales, pour soulager un mal de tête ou mettre fin à une infection, par exemple.

Vers le milieu de notre siècle, les scientifiques ont commencé à s'intéresser davantage aux principes actifs des plantes qu'aux plantes elles-mêmes. «Avec les progrès accomplis dans le domaine de la chimie en laboratoire, il est devenu possible d'isoler et de purifier les substances complexes chimiques contenues dans les plantes pour fabriquer des médicaments pharmaceutiques», commente Mark Blumenthal, directeur de l'*American Botanical Council* et rédacteur de la revue *HerbalGram*.

Ces médicaments d'un type nouveau offraient de nombreux avantages par rapport à leurs prédécesseurs feuillus. Leur élaboration précise en laboratoire permettait de fabriquer des milliers (voire des millions) de cachets, chacun doté très exactement de la même activité thérapeutique. De plus, ces médicaments étaient très pratiques. Inutile désormais de passer des heures à chercher certaines plantes dans la nature, puis à les préparer – les suspendre pour les sécher, en extraire les huiles ou en faire des infusions –, puisqu'il était si simple à présent d'avaler un cachet qui avait le même effet.

À LA CUiSiNE

La plupart des plantes aromatiques sont faciles à cultiver, il suffit pour cela de disposer d'un jardinet ou de quelques pots de fleur sur un rebord de fenêtre. Mais pour qu'elles gardent leur pouvoir thérapeutique, il faut savoir les sécher et les conserver correctement. Voici comment procéder.

- Pour sécher des feuilles ou des fleurs, faites-en de petits bouquets que vous attacherez par la tige et mettrez à sécher en les suspendant la tête en bas dans un endroit sec et bien aéré, comme un grenier ou un grand garde-manger. Si vous préférez les protéger de la poussière, enfermez-les tête en bas dans un cornet de papier percé de trous d'aération, afin de favoriser la circulation de l'air. Évitez d'écraser les plantes, car cela provoquerait l'évaporation des précieuses huiles qu'elles contiennent.
- S'il s'agit de sécher des racines, coupez-les en fines lamelles et enfilez ces dernières sur une ficelle que vous suspendrez ensuite pour le séchage.
- Le séchage des plantes à graines sera facilité si vous enfermez toute la plante, tête en bas, dans un sac en papier. À mesure que la plante se desséchera, les graines tomberont au fond du sachet.
- Afin de garder leur fraîcheur aux plantes séchées, conservez-les dans un récipient hermétiquement fermé et dans un endroit frais, à l'abri de la lumière. Dans de bonnes conditions de conservation, les herbes aromatiques déshydratées conservent leurs propriétés durant au moins une année.

«Si les gens ont cessé d'avoir recours aux plantes, ce n'est pas parce qu'elles n'avaient pas d'effet mais parce que nous disposions à présent de remèdes fiables, moins coûteux et plus pratiques, comme les médicaments de la famille des sulfamides et, plus tard, la pénicilline, commente Mark Blumenthal. C'est ainsi que les plantes médicinales ont fini par être reléguées dans une zone de clair-obscur.»

Retour aux sources

Aujourd'hui, bien sûr, il est beaucoup plus facile de trouver des médicaments en vente libre que des plantes médicinales qui ont le même effet. Pourtant, nous sommes de plus en plus nombreux à préférer des méthodes thérapeutiques naturelles plutôt que de continuer à prendre des médicaments.

L'un des avantages des plantes est qu'elles entraînent généralement moins d'effets indésirables que les médicaments pharmaceutiques modernes. Ces derniers sont très concentrés, ce qui explique d'ailleurs que la prise d'un minuscule cachet ou d'une gélule d'apparence inoffensive puisse avoir des effets si radicaux. Les plantes étant bien moins concentrées, la quantité de principe actif absorbé par l'organisme est considérablement plus faible et des réactions indésirables risquent moins de se produire.

Pourtant, la principale raison pour laquelle beaucoup de gens ont aujourd'hui recours à des plantes comme l'échinacée, l'ail ou la matricaire, est que ces végétaux sont vraiment efficaces. C'est bien pour cette raison qu'en l'espace d'une seule année, les médecins allemands ont rédigé 5,4 millions d'ordonnances pour du ginkgo, une plante dont il est prouvé qu'elle améliore le débit sanguin jusqu'au cerveau. Ils ont également émis plus de 2 millions d'ordonnances pour de l'échinacée, une plante stimulante du système immunitaire souvent utilisée pour traiter le rhume et la grippe. «Diverses études ont montré qu'en prenant de l'échinacée dès les premiers symptômes de refroidissement, il était possible de raccourcir la durée de l'infection», souligne Donald J. Brown, naturopathe et auteur du livre *Herbal Prescriptions for Better Health*.

Parmi toutes les plantes médicinales, l'ail est peut-être celle qui a fait l'objet du plus grand nombre d'études, et c'est à juste titre. Ce bulbe au goût piquant contient des substances complexes dont il est prouvé qu'elles abaissent le cholestérol et l'hypertension artérielle, deux des principaux facteurs de risque de maladies cardiovasculaires. Dans le cadre d'une étude qui fit date, par exemple, les participants répartis en deux groupes ont reçu chaque jour pendant plusieurs semaines 75 grammes de beurre, ce qui fit grimper leur taux de cholestérol. L'un des groupes recevait également chaque jour un extrait contenant l'équivalent de sept gousses d'ail. Comme on pouvait s'y attendre, les taux de cholestérol ont augmenté chez les sujets des deux groupes. Parmi les mangeurs d'ail, cette augmentation restait toutefois plus faible que chez les sujets du groupe de contrôle qui n'avaient pas reçu d'ail. Mieux encore, les chercheurs ont constaté chez les premiers une diminution de 16% du taux de triglycérides, un autre type de lipide sanguin qui joue un rôle dans les maladies cardiovasculaires.

La matricaire est une plante que les chercheurs ont étudiée de très près, car elle semble contribuer à prévenir la migraine. Dans le cadre d'une étude britannique, par exemple, des chercheurs de l'hôpital universitaire de Nottingham ont administré chaque jour durant quatre mois des gélules de matricaire à des sujets migraineux. À l'issue de cette étude, l'incidence de migraines chez ces personnes avait diminué de 24%.

La racine de réglisse présente l'exemple parfait d'une plante dont l'efficacité pourrait égaler, voire même dépasser celle de son équivalent chimique. La racine de réglisse contient des substances complexes, les phyto-œstrogènes, qui renforcent les effets des œstrogènes générés par le corps de la femme. Par conséquent, la réglisse peut être très utile pour traiter toutes sortes de troubles féminins, comme les bouffées de chaleur et les sautes d'humeur dues à la ménopause, note le Dr Mary Bove, naturopathe et directrice d'une clinique de naturopathie.

Pour certaines femmes, la réglisse peut d'ailleurs se montrer tout aussi efficace que les remèdes puissants utilisés en hormonothérapie de remplacement, précise le Dr Bove. Mieux encore, elle ne semble pas augmenter le risque de cancer du sein et de l'utérus comme le font ces médicaments. Si vous souhaitez avoir recours à la racine de réglisse, demandez à votre médecin traitant si ce remède vous convient.

POUR EN TIRER PARTI

Lorsque l'on a pris l'habitude de sortir une pilule d'un emballage avant de l'avaler, il faut parfois quelque temps pour se réaccoutumer à utiliser des plantes. Les herboristeries et magasins diététiques proposent souvent des centaines de plantes thérapeutiques sous forme de gélules, macérées dans l'huile ou en vrac dans de grands bocaux de verre bien fermés. Il n'est pas toujours facile de savoir quelle forme choisir, ni comment préparer les plantes médicinales après l'achat. Voici quelques conseils à l'intention des néophytes dans ce domaine.

Choisissez la forme appropriée. De nombreux remèdes à base de plantes sont proposés sous trois formes: pilules ou gélules, liquides (appelés extraits et teintures), ainsi que la plante sous sa forme naturelle: feuilles, écorce, racines et sommités fleuries. Chacune de ces formes délivre un certain pouvoir thérapeutique, mais leur action est légèrement différente, souligne le Dr Debra Brammer, médecin naturopathe.

Pour un malade qui recherche un soulagement rapide, les extraits de plantes sont généralement le meilleur choix parce qu'ils sont absorbés très rapidement par l'organisme, poursuit le Dr Brammer. Même s'ils ne sont pas aussi pratiques qu'une pilule qu'il suffit d'avaler, puisqu'il faut d'abord en mesurer la dose à l'aide d'un compte-gouttes ou d'une cuiller pour la diluer dans un verre d'eau ou de jus, leur action est presque immédiate, souligne-t-elle.

Si l'on a recours aux plantes pour obtenir une protection à long terme, pour renforcer le système immunitaire, par exemple, leur rapidité d'action n'a pas d'importance. Ce qui compte est la facilité d'utilisation, puisqu'il va falloir en prendre pratiquement chaque jour. Rien n'est plus facile que d'absorber les plantes sous forme de cachet ou de gélule. Il suffit de vérifier l'étiquette avant tout achat, ajoute le Dr Keller. Les gélules de plantes doivent se présenter sous forme galénique, c'est-à-dire que chaque gélule doit contenir la même quantité de principe actif. Lorsqu'une préparation de phytothérapie n'est pas galénique, il se peut qu'elle ne contienne que peu (voire pas du tout) du principe actif de la plante.

Les plantes sont également vendues entières ou en poudre, et servent alors à la préparation de tisanes, poursuit le Dr Brammer. Il est vrai que les tisanes ont une action plus lente que les extraits, mais elles sont néanmoins absorbées plus rapidement par l'organisme que les pilules ou les gélules. En outre, beaucoup de gens apprécient le goût d'une tisane fraîchement préparée. «Le simple fait de se

LES PLANTES QUI GUÉRISSENT

Des milliers de plantes sont utilisés à des fins thérapeutiques dans le monde entier. La plupart des plantes peuvent être absorbées sous forme de gélules, de cachets ou de liquide, de même qu'en tisane. Voici quelques-unes des plantes thérapeutiques les plus prisées, avec les indications nécessaires pour bien les préparer. Il va de soi que si vous êtes enceinte ou si votre état de santé laisse à désirer, vous devez demander conseil à votre médecin traitant avant d'y avoir recours.

Plante	Propriétés	Préparation
Achillée millefeuille	Apaise l'indigestion et stimule l'appétit.	Verser de l'eau bouillante sur 1 grosse cuil. à café de plante finement broyée et laisser infuser.
Ail	Contribue à faire baisser le cholestérol et l'hypertension artérielle et diminue les risques cardiovasculaires.	En absorber chaque jour de 1 à 6 gousses.
Anis	Soulage les bouffées de chaleur et autres troubles liés à la ménopause. Apaise les flatulences.	Verser de l'eau bouillante sur 1 cuil. à café de graines écrasées et laisser infuser.
Busserole (raisin d'ours)	Aide à soulager la rétention d'eau et combat les infections urinaires.	Verser de l'eau froide sur 1 cuil. à café de feuilles réduites en poudre et laisser macérer 12 à 24 heures pour obtenir une tisane.
Camomille	Apaise l'indigestion et les flatulences et soulage les maux de gorge.	Verser de l'eau bouillante sur 1 à 2 cuil. à café de plante et laisser infuser.
Chardon-Marie	Bénéfique pour les troubles du foie comme l'hépatite et la cirrhose.	Prendre chaque jour une gélule de 200 mg.
Échinacée	Renforce le système immunitaire.	Prendre 3 fois par jour 1/2 cuil. à café de teinture dès les premiers signes de refroidissement, ou verser de l'eau bouillante sur 1/2 cuil. à café de plante sèche écrasée et laisser infuser.
Fenouil	Soulage les bouffées de chaleur et autres troubles liés à la ménopause. Apaise les troubles gastriques.	Verser de l'eau bouillante sur 1 à 2 cuil. à café de graines écrasées et laisser infuser.
Gentiane	Stimule l'appétit et favorise la digestion.	Verser de l'eau bouillante sur 1/2 cuil. à café de plante coupée fin ou réduite en poudre et laisser infuser.
Ginkgo	Contribue à éviter les caillots et augmente la circulation du sang jusqu'au cerveau. Soulage l'anxiété.	Prendre 3 fois par jour pendant 1 ou 2 mois une gélule de 40 milligrammes.

Livèche	Soulage les flatulences et la rétention d'eau.	Verser de l'eau bouillante sur 1/2 à 1 cuil. à café de racine coupée fin et laisser infuser. Répéter 3 fois par jour pour un effet diurétique.
Marrube blanc	Expectorant léger, soulage la toux.	Verser de l'eau bouillante sur 1 cuil. 1/2 de feuilles coupées fin et laisser infuser.
Matricaire	Contribue à prévenir et soulager les migraines.	Manger chaque jour 2 à 3 feuilles fraîches.
Mélisse	Plante calmante; aide aussi à guérir les boutons de fièvre.	Verser de l'eau bouillante sur 1 à 2 cuil. à café de feuilles hachées menu et laisser infuser.
Menthe poivrée	Soulage les troubles gastriques et atténue les flatulences.	Verser de l'eau bouillante sur 1 cuil. à café de feuilles séchées et laisser infuser.
Millepertuis	Soulage la nervosité et l'anxiété, améliore la mémoire et la concentration, exerce un effet antiviral et anti-inflammatoire.	Prendre chaque jour une gélule de 250 milligrammes.
Origan	Bénéfique pour guérir les parasitoses et inhiber l'effet des carcinogènes dans la viande cuite.	Ajouter de généreuses quantités de feuilles entières ou de plante en poudre pendant la cuisson.
Ortie	Aide à soulager la rétention d'eau.	Verser de l'eau bouillante sur 2 cuil. à café de feuilles finement coupées et laisser infuser.
Persil	Facilite la digestion; diurétique léger.	Ajouter beaucoup de feuilles et de tiges durant la cuisson.
Réglisse (racine)	Soulage les troubles liés à la ménopause, comme les sautes d'humeur et les bouffées de chaleur. Aide à guérir le mal de gorge et les ulcères.	Verser de l'eau bouillante sur 1/2 cuil. à café de racine hachée fin et laisser infuser. Éviter d'en prendre pendant plus de 4 à 6 semaines d'affilée. Déconseillée en cas d'hypertension artérielle.
Romarin	Améliore la digestion et stimule l'appétit.	Verser de l'eau bouillante sur 1 cuil. à café de feuilles hachées menu et laisser infuser.
Sarriette	Soulage les flatulences et la diarrhée et stimule l'appétit.	Ajouter en cours de cuisson de généreuses quantités de feuilles écrasées.
Saule (écorce)	Soulage la douleur, la fièvre et les maux de tête.	Verser de l'eau bouillante sur 1 ou 2 cuil. à café d'écorce hachée menu et laisser infuser.
Thym	Soulage la toux et les infections des voies respiratoires supérieures.	Verser de l'eau bouillante sur 1 cuil. à café de plante séchée et laisser infuser.
Valériane	Bénéfique en cas d'insomnie.	Verser de l'eau bouillante sur 2 cuil. à café de racine hachée fin et laisser infuser.

préparer une infusion, puis de la boire par petites gorgées, apporte une telle détente que cela suffit à procurer un mieux-être», souligne-t-elle.

Choisissez-les fraîches. Le seul problème, lorsque l'on a recours à des plantes fraîches, c'est qu'elles perdent leurs propriétés après un certain temps.

«Méfiez-vous si vous voyez des bocaux de plantes exposés en plein soleil dans la vitrine d'un magasin, car les plantes perdent leur pouvoir thérapeutique lorsqu'elles sont exposées à l'air et à la lumière», déclare le Dr Keller.

Avant d'acheter des plantes médicinales, faites appel à votre odorat, conseille ce médecin. Une plante fraîche doit dégager une odeur fraîche. «Évitez d'acheter des plantes qui sentent le moisi ou sont couvertes de moisissures, ou qui semblent très sèches ou décolorées», poursuit-il. De retour chez vous, prenez soin de les enfermer dans un récipient hermétiquement clos que vous conserverez à l'abri de la lumière dans un endroit frais, comme un placard de cuisine éloigné de la cuisinière.

Renouvelez-les souvent. Même s'il est pratique d'acheter en vrac de grandes quantités, les plantes séchées ne se conservent pas indéfiniment, souligne le Dr Brammer. Afin d'en retirer le maximum de pouvoir thérapeutique, poursuit-elle, il est préférable de n'acheter que de petites quantités à la fois et de les renouveler un peu plus souvent.

Traitez-les avec respect. Même s'il est vrai que les plantes sont souvent plus douces que les médicaments pharmaceutiques, elles peuvent néanmoins provoquer des effets indésirables, fait remarquer le Dr Keller. Il est donc judicieux d'absorber les plantes thérapeutiques au moment des repas plutôt que lorsqu'on est à jeun. De plus, comme les plantes médicinales sont véritablement des médicaments, demandez conseil à votre médecin avant de les utiliser, surtout si vous prenez d'autres médicaments pour soigner des troubles graves comme le diabète ou des maladies cardiovasculaires.

LES JUS FRAIS
BUVONS À NOTRE SANTÉ

POUVOIR THÉRAPEUTIQUE

CONTRIBUENT À :
Prévenir le cancer et les maladies cardiovasculaires

Stimuler l'immunité

Comme les discos et les tenues de sport, les jus frais étaient très à la mode dans les années 1970, mais cela n'a pas duré bien longtemps. À présent que se multiplient les recherches portant sur les bienfaits pour la santé d'une alimentation fondée sur une abondance de fruits et de légumes, le public redécouvre les jus frais.

Pour certains, le simple geste de passer à la centrifugeuse des fruits et des légumes frais afin d'en extraire de généreuses quantités d'un nectar pulpeux, plein de vitamines, représente l'assurance d'obtenir chaque jour de cinq à sept portions de ces aliments bénéfiques. D'autres ont recours aux jus frais pour absorber davantage de caroténoïdes et de flavonoïdes; selon les experts, ces substances complexes thérapeutiques sont capables de lutter contre des troubles aussi graves que le cancer et les maladies cardiovasculaires. D'autres encore considèrent les jus frais comme un bon moyen de nettoyer le corps et d'éliminer les toxines, de stimuler l'immunité et de contribuer à soulager toutes sortes de troubles, depuis l'anémie et l'arthrite jusqu'à la constipation.

BIEN PLUS QU'UN COCKTAIL DE VITAMINES

Pour des millions d'Américains, les gélules de vitamines et de minéraux qu'ils avalent chaque matin font partie intégrante de leur petit déjeuner, au même titre que le bol de céréales et le verre de jus d'orange. Bien que cette manière d'enrichir l'alimentation ne soit pas foncièrement mauvaise, il en existe peut être de meilleures.

«Les jus sont l'équivalent d'un complément de multivitamines et de minéraux pour tous ceux qui préfèrent ne pas prendre de gélules ou de cachets, note le Dr Eve Campanelli, médecin holistique. D'ailleurs, notre organisme absorbe les nutriments contenus dans les jus frais beaucoup plus efficacement qu'à partir de gélules.»

On peut même dire que le corps absorbe les nutriments des jus frais mieux qu'à partir des aliments eux-mêmes, ajoute le Dr Steven Bailey, naturopathe. Même si les plantes contiennent une abondance de vitamines, minéraux et autres substances thérapeutiques, ces substances sont liées aux tissus fibreux et enfermées dans les parois de la cellulose. En broyant les fruits et légumes pour obtenir du jus, on fait éclater la cellulose qui libère ainsi ces substances complexes, ce qui en facilite l'absorption, souligne le Dr Bailey.

«À moins de mâcher très longuement nos aliments – et rares sont ceux d'entre nous qui le font –, nous n'obtenons pas tous les nutriments qu'il est possible de retirer des jus. Le jus est l'un des aliments complets les plus puissants qu'il soit possible d'absorber, poursuit le Dr Bailey. L'énergie nécessaire à la digestion des jus frais est minime, ce qui nous permet de conserver presque intégralement l'énergie et les nutriments qu'ils nous apportent.»

De plus, une montagne de légumes serait nécessaire pour fournir la quantité de nutriments contenue dans un seul verre de jus frais. «Pour obtenir la même quantité de vitamines que contient un verre de 180 millilitres de jus de carotte, il faudrait manger huit carottes, souligne le Dr Campanelli. Très peu de gens envisageraient de manger une telle quantité de ce légume, tandis qu'ils boiront volontiers un petit verre de jus de carotte.»

Un verre contenant 180 millilitres de jus de carotte apporte de grandes quantités de bêtacarotène et ce dernier, une fois transformé en vitamine A dans le corps, nous fournit 948% de la Valeur quotidienne (VQ). Ce même verre de jus contient également 16 milligrammes de vitamine C, (27% de la VQ), 0,4 milligramme de vitamine B6 (20% de la VQ), 537 milligrammes de potassium (15% de la VQ), et 0,2 milligramme de thiamine (11% de la VQ).

Malgré leur richesse nutritive, souligne le Dr Campanelli, les jus doivent servir à compléter une alimentation comportant par ailleurs une grande abondance de fruits, de légumes et de céréales, mais ils ne sauraient s'y substituer. Aussi bénéfique soient-ils, ils ne contribuent pas beaucoup aux quelque 20 à 35 grammes de fibres alimentaires dont les adultes ont besoin chaque jour. Tandis que huit carottes, par exemple, fournissent 17 grammes de fibres, un verre contenant 180 millilitres de jus de carotte n'en contient que deux malheureux grammes. Les chercheurs ont établi un rapport causal entre une alimentation riche en fibres et une plus faible incidence de certains cancers, de troubles digestifs et d'hypercholestérolémie.

Au-delà des vitamines et des minéraux

Les jus frais nous fournissent bien davantage que les indispensables vitamines et minéraux : ils contiennent également toutes sortes de phytonutriments ; ces substances complexes présentes dans les végétaux pourraient contribuer à nous protéger de certains dangers graves qui menacent notre santé, comme le cancer et les maladies cardiovasculaires.

Parmi tous les phytonutriments, le bêtacarotène est peut-être le mieux connu. Ce pigment végétal est responsable de la belle teinte orange vif des patates douces, des carottes et du melon cantaloup. Diverses études ont montré que les personnes qui absorbaient de grandes quantités de fruits et légumes, surtout ceux qui sont particulièrement riches en bêtacarotène, étaient beaucoup moins exposées au risque de cancer que celles qui n'en mangeaient que peu ou pas du tout.

Le bêtacarotène n'est pas le seul phytonutriment présent dans les fruits et les légumes. On y trouve des centaines de substances complexes, comme la lutéine, le lycopène et l'alphacarotène, dont le rôle de défense contre la maladie est également prouvé. En buvant les jus d'aliments riches en caroténoïdes, tout particulièrement des carottes, des tomates et des légumes vert foncé, nous apportons à notre organisme un arsenal complet de ces substances protectrices, souligne le Dr Bailey.

Les jus de fruits et de légumes contiennent également un autre type de substances complexes, les flavonoïdes, dotées d'un grand pouvoir antioxydant. Ces substances contribuent à prévenir la maladie en neutralisant les radicaux libres (molécules d'oxygène instables et nuisibles, capables d'endommager nos cellules, et qui s'accumulent spontanément dans l'organisme).

Les antioxydants interviennent pour empêcher l'oxydation du dangereux cholestérol LDL (lipoprotéines de faible densité). C'est ce processus d'oxydation qui amène le cholestérol à se déposer sur les parois de nos artères, contribuant ainsi aux maladies cardiovasculaires. Diverses études ont montré que les personnes qui absorbaient régulièrement des aliments riches en flavonoïdes, comme des pommes et des oignons, présentaient un risque moindre de crise cardiaque que celles qui n'en mangent pas.

«Prenez l'habitude de boire toutes sortes de jus de fruits et de légumes, car c'est un moyen extraordinaire pour obtenir des quantités thérapeutiques de toutes ces substances complexes bénéfiques», souligne le Dr Campanelli.

Afin d'en tirer le plus grand parti possible, le Dr Bailey recommande de boire chaque jour environ de 450 millilitres à 1 litre de jus de légumes variés.

Éliminer les toxines

La pollution, les pesticides, les conservateurs, les colorants artificiels, ce n'est là qu'un petit échantillon des éléments toxiques que notre organisme absorbe

Des mélanges délicieux

Les goûts et textures qu'il est possible de créer en mélangeant à la centrifugeuse toutes sortes de fruits et de légumes sont pratiquement illimités. Voici pour commencer quelques cocktails simples.

- Les carottes et le céleri, souvent mélangés dans la préparation de jus, sont considérés comme polyvalents, c'est-à-dire qu'ils s'harmonisent bien avec toutes sortes d'autres légumes. Pour avoir une idée des proportions, comptez trois carottes pour une tige de céleri.
- En mélangeant le jus de deux tomates avec celui de quelques morceaux de poivron vert, vous obtiendrez un jus rafraîchissant dépourvu de sel, contrairement au jus de tomate tout prêt que l'on trouve dans le commerce, qui est saturé de sel.
- Vous obtiendrez une boisson dont le goût frais vous surprendra en passant à la centrifugeuse un gros concombre, préalablement pelé, ainsi qu'un petit oignon. Faites quelques essais avec différentes variétés d'oignons, depuis les rouges au goût sucré jusqu'aux oignons blancs très relevés, pour obtenir toutes sortes de goûts intéressants.

chaque jour. Bien entendu, le corps s'efforce de faire le ménage en éliminant ces toxines à travers des organes de nettoyage comme le foie. Pourtant, fait observer le Dr Campanelli, tout comme il est nécessaire de changer le sac de l'aspirateur de temps à autre si l'on veut que l'appareil puisse continuer à fonctionner, nous devons périodiquement évacuer les toxines de notre corps.

Quoique cette théorie soit loin de faire l'unanimité parmi les médecins classiques, les naturopathes recommandent de faire périodiquement le ménage dans notre organisme en pratiquant un jeûne à base de jus. Ce jeûne consiste à cesser d'absorber des aliments solides durant un jour ou deux, et d'obtenir les nutriments indispensables en buvant des jus frais de fruits et de légumes.

«Lorsque nous avons recours aux jus frais pendant un jour ou deux pour nous fournir l'essentiel des nutriments dont nous avons besoin, non seulement nous absorbons davantage de vitamines, de minéraux et d'enzymes naturelles, mais le corps cesse d'avoir à fournir des efforts pour la digestion. Il en résulte un sang plus riche en éléments nutritifs et plus disponible pour nettoyer l'organisme, cicatriser les cellules surchargées et aider le corps à se régénérer», commente le Dr Bailey.

De plus, il n'est pas impossible que vous constatiez un effet stimulant sur le système immunitaire, ajoute-t-il. Grâce à un jeûne accompagné de jus frais, «il est fréquent que les symptômes de troubles chroniques tels que l'arthrite, la

À LA CUiSiNE

La préparation de jus frais ne consiste pas seulement à mettre dans la centrifugeuse les produits frais ramenés du marché. Voici ce que conseillent les experts pour obtenir les saveurs les plus fraîches tout en conservant un maximum de substances nutritives.

Nettoyez-les. Rincez soigneusement tous les fruits et légumes, en ôtant les parties gâtées ou endommagées.

Pelez-les. Certains fruits et légumes peuvent être utilisés avec la peau, mais la majorité d'entre eux devront être pelés, pour toutes sortes de raisons. La peau des oranges et des pamplemousses, par exemple, contient des substances chimiques qui peuvent se révéler toxiques en grandes quantités. Certains fruits protégés par une fine couche de cire doivent également être pelés, ainsi que les fruits tropicaux, car ces derniers proviennent de pays où l'utilisation des pesticides n'est pas forcément sujette à des règlements très stricts.

Enlevez les pépins et noyaux. Les pépins de pomme, qui contiennent de faibles quantités de cyanure, doivent être éliminés avant la préparation de jus. Les pépins de melon, de citron et de limette, ainsi que les noyaux de pêches, pruneaux et autres fruits du même genre devront également en être ôtés au préalable. En revanche, les pépins de raisin ne présentent pas d'inconvénient et peuvent passer à la centrifugeuse avec les grains.

Utilisez les légumes entiers. La plupart des légumes peuvent être utilisés entiers pour la préparation de jus: feuilles, tiges, voire racines. Deux exceptions, cependant: la rhubarbe et les carottes. Les feuilles de rhubarbe et les fanes de carottes contiennent en effet des substances toxiques.

Coupez-les en tronçons. La plupart des centrifugeuses ont un goulot relativement étroit, ce qui vous obligera à couper vos fruits et légumes en tronçons de dimension appropriée. De plus, vous ménagerez le moteur de l'appareil en y passant des tronçons plus petits, prolongeant ainsi la vie de votre centrifugeuse.

Mélangez vos bananes. Lorsque vous utilisez des fruits et légumes contenant très peu d'eau, comme la banane et l'avocat, il est préférable de faire passer d'abord d'autres fruits et légumes plus juteux, avant d'ajouter ceux qui le sont moins. Cela vous permettra d'obtenir une boisson épaisse et crémeuse.

N'attendez pas pour boire le jus. De même que les jus perdent leur pouvoir nutritif peu après avoir été préparés, leur saveur s'altère également assez vite. Certains jus, comme celui de chou, deviennent rances en quelques heures seulement. Il est donc préférable de préparer de petites quantités à la fois et de les boire sans attendre.

Ou mettez-les au congélateur. Les jus de carotte, de pomme et d'orange se conservent très bien et peuvent se garder au congélateur jusqu'à trois ou quatre semaines dans un récipient en plastique hermétiquement fermé.

sinusite et les allergies s'atténuent de manière spectaculaire», fait-il remarquer. Si les naturopathes sont unanimes à souligner que les jeûnes accompagnés de jus frais ne sauraient être considérés comme un traitement de tels troubles, il n'en reste pas moins qu'ils peuvent apporter un soulagement momentané.

Quoiqu'il soit généralement sans danger de pratiquer le jeûne accompagné de jus frais, cela pourrait néanmoins aggraver certains troubles, notamment le diabète de type I (non-insulinodépendant). Le Dr Bailey souligne qu'il est important d'obtenir l'avis de votre médecin traitant avant d'entreprendre un jeûne, quel qu'il soit.

Critères de choix, préparation et conservation

Buvez-les sans attendre. Aussitôt que fruits et légumes passent à travers la centrifugeuse, les enzymes naturelles qu'ils contiennent commencent à en décomposer les nutriments. Le Dr Bailey fait remarquer que les jus frais perdent rapidement leur valeur nutritive. Pour en profiter au maximum, ce médecin recommande de boire le jus dans la demi-heure qui suit sa préparation.

Il n'en va pas de même des jus en conserve, qui se gardent presque indéfiniment tant que la boîte n'a pas été ouverte. En revanche, ils contiennent beaucoup moins de nutriments que les jus frais. Le meilleur jus pour la santé, souligne le Dr Bailey, est sans conteste celui que l'on prépare chez soi.

Préférez les jus de légumes. Un grand verre de jus de fruit fraîchement préparé est certes un plaisir, surtout l'été. Pourtant, il vaut mieux boire plus souvent du jus de légumes. «Les jus de fruits contiennent trop de sucre et sont trop acides pour qu'on puisse en boire en grande quantité, relève le Dr Bailey. Les jus de légumes ont une plus grande valeur nutritive, et leur contenu est plus alcalin (c'est-à-dire moins acide).»

Variez les plaisirs. Pour obtenir la plus large palette possible de substances bénéfiques, buvez le jus de toutes sortes de légumes, poursuit le Dr Bailey. «L'idéal est d'avoir l'alimentation la plus variée possible. Cet objectif est facile à atteindre lorsque l'on boit toutes sortes de jus, car il est toujours possible de mélanger plusieurs sortes de légumes dans un même cocktail.»

LE LAIT
UN LiQUiDE EXTRAORDiNAiRE

POUVOIR THÉRAPEUTIQUE

CONTRIBUE À :
Maintenir une ossature robuste
et prévenir l'ostéoporose

Abaisser la pression artérielle
et le cholestérol

Diminuer le risque d'accident
vasculaire cérébral

Les personnes qui adorent le lait se sentent souvent coupables lorsqu'elles en absorbent trop. Malgré sa réputation ancestrale d'aliment parfait, le lait contient une très grande quantité de matières grasses. Un verre de lait entier contient à lui seul 49 % de lipides. Le lait demi-écrémé (à 2 % de matières grasses) ne vaut guère mieux, puisqu'un verre contient encore 34 % de lipides. Pire encore, la majeure partie de ces corps gras sont saturés, c'est-à-dire qu'ils appartiennent à la catégorie des matières grasses qui obstruent nos artères. La réputation du lait comme aliment parfait est décidément surfaite.

Avant de renoncer définitivement à votre boisson préférée, cependant, veuillez considérer les versions allégées, lait demi-écrémé ou écrémé. Dans un verre de lait demi-écrémé (à 1 % de matières grasses), les corps gras ne représentent que 23 % de l'apport calorique. Quant au lait écrémé, il bat tous les records, ne contenant pratiquement pas de matières grasses. Ces deux produits représentent deux des manières les plus économiques et les plus faciles de couvrir nos besoins journaliers en toutes sortes de nutriments importants. Mieux encore, le lait écrémé n'est plus aujourd'hui ce liquide aqueux, grisâtre et sans substance qui nous a laissé un si mauvais souvenir. Un certain nombre de fabricants ont pris conscience de la demande de produits sans matière grasse, mais dont le goût et la texture ressemblent aux produits entiers, et ils offrent à présent des variétés de lait écrémé enrichi et bien plus crémeux. Le résultat ressemble à s'y méprendre au lait entier.

CRÉMEUX, MAIS SANS CORPS GRAS

Avec un nom comme «babeurre», on est en droit de s'attendre à ce que cette boisson épaisse, crémeuse et délicieusement acidulée contienne beaucoup de matières grasses. Pourtant, malgré son nom, le babeurre contient moins de corps gras que le lait lui-même, ce qui permet de le substituer avantageusement au lait, à la crème et à la mayonnaise dans toutes sortes de préparations, depuis la vinaigrette jusqu'aux gâteaux et pâtisseries.

Un verre de babeurre obtenu à partir de lait écrémé contient environ 2 grammes de matières grasses. Le babeurre préparé avec du lait demi-écrémé (à 2 % de matières grasses) en contient 5 grammes. À titre de comparaison, un verre de lait entier contient environ 8 grammes de matières grasses. Le simple fait de remplacer une partie du lait que vous absorbez habituellement par du babeurre peut vous permettre d'éliminer de votre alimentation pas mal de matières grasses. Prenez simplement la précaution de lire l'étiquette avant d'arrêter votre choix, car certaines marques de babeurre du commerce ont une teneur en matières grasses relativement moins élevée que d'autres. Le babeurre est proposé sous forme écrémée, demi-écrémée (à 1 % de matières grasses) et allégée.

Cette préparation présente d'autres avantages. De même que le lait demi-écrémé et écrémé, elle compte parmi nos meilleures sources de calcium. Un verre de babeurre obtenu à partir de lait écrémé contient plus de 285 milligrammes de calcium, soit environ 29 % de la Valeur quotidienne.

«Lorsqu'on a supprimé la matière grasse qu'il contient, le lait est un aliment très nutritif», souligne le Dr Curtis Mettlin, chargé de recherches épidémiologiques. Les nombreux nutriments contenus dans le lait jouent un rôle important dans la prévention de l'hypertension artérielle, des accidents vasculaires cérébraux, de l'ostéoporose, voire même du cancer, tout en n'apportant que 85 calories, moins de 5 grammes de cholestérol et moins d'un gramme de matières grasses pour un verre de lait écrémé.

PRÉVENTION DES MALADIES CARDIOVASCULAIRES

Si le cholestérol vous cause du souci, sans doute avez-vous déjà pris l'habitude de manger plus souvent des aliments comme la pomme, l'avoine et les légumineuses. Les plus récentes recherches nous apprennent que le lait, lui aussi, peut avoir un effet bénéfique sur le taux de cholestérol.

Des chercheurs de deux universités américaines (Kansas State University et Pennsylvania State University, à University Park) ont étudié un groupe de 64 sujets qui buvaient chaque jour plus d'un litre de lait écrémé. Après un mois, les chercheurs ont pu constater une baisse de presque 10 points (c'est-à-dire une réduction de presque 7 %) du taux de cholestérol chez ceux des participants qui présentaient au départ le taux le plus élevé. Puisque chaque diminution de 1 % du taux de cholestérol se traduit par une baisse de 2 % du risque de décès par maladie cardiovasculaire, on peut en conclure que le lait avait contribué à faire baisser de près de 14 % le risque de crise cardiaque ou d'accident vasculaire cérébral chez ces individus.

«Diverses études ont montré que le lait contient des substances qui freinent la fabrication de cholestérol par le foie», commente le Dr Arun Kilara, professeur de sciences alimentaires impliqué dans cette étude.

Ce n'est pas tout. La grande quantité de calcium que contient le lait peut contribuer à faire baisser non seulement le cholestérol, mais aussi la pression artérielle. Dans le cadre de l'étude faite à University Park, les chercheurs ont constaté qu'en buvant du lait, il était possible de faire baisser la pression sanguine systolique (le chiffre supérieur) de 131 à 126 en moyenne après huit semaines, tandis que la pression diastolique (le chiffre inférieur) s'abaissait de 82 à 78.

Les chercheurs n'ont pas encore déterminé la quantité de lait qu'il faudrait boire pour abaisser le taux de cholestérol ou la pression artérielle. On peut toutefois retenir à titre d'indication la quantité absorbée par les participants à cette étude, c'est-à-dire quatre verres de lait par jour. S'il vous semble difficile de boire autant de lait, pourquoi ne prendriez-vous pas l'habitude d'accompagner chaque repas d'un verre de 225 millilitres de lait écrémé, et d'en absorber un quatrième entre les repas ?

L'AMI DE NOTRE OSSATURE

Le lait s'est fait une réputation amplement justifiée pour son rôle majeur dans la construction d'une ossature robuste. En effet, il représente une excellente source de calcium : un grand verre de lait écrémé contient à lui seul plus de 300 milligrammes de ce nutriment essentiel, soit un tiers de la Valeur quotidienne. C'est précisément pour cette raison que l'on recommande souvent de boire du lait afin de prévenir l'ostéoporose, le trouble qui provoque une fragilisation osseuse affectant plus de 3 millions de femmes en France.

Dans le cadre d'une étude portant sur 581 femmes ménopausées, des chercheurs de l'université de Californie ont constaté que celles qui avaient absorbé le plus de lait durant leur adolescence et au début de l'âge adulte avaient une ossature plus robuste que celles qui n'en avaient bu que de faibles quantités.

La Valeur quotidienne pour le calcium s'élève à 1 000 milligrammes. En revanche, la quantité dont chaque personne a besoin varie en fonction de l'âge, du sexe et d'autres facteurs. Si les hommes entre 25 et 65 ans et les femmes entre 25 et 50 ans ont besoin de 1 000 milligrammes de calcium par jour, hommes et femmes de plus de 65 ans devraient en absorber 1 500 milligrammes. Une femme ménopausée qui prend des œstrogènes a besoin de 1 000 milligrammes. Une femme enceinte ou qui allaite doit en absorber entre 1 200 et 1 500 milligrammes par jour.

Prévenir l'accident vasculaire cérébral

Non seulement le lait est bénéfique pour le corps, mais les recherches suggèrent qu'il est également bon pour le cerveau. Dans le cadre d'une étude, des hommes qui buvaient chaque jour au moins 450 millilitres de lait présentaient un risque deux fois moindre d'attaque thrombo-embolique (un trouble qui se produit lorsqu'un caillot fait obstacle à l'irrigation sanguine du cerveau) par rapport à ceux qui ne buvaient pas de lait.

Les chercheurs ne savent pas encore pour quelle raison le lait permettait d'obtenir des résultats si convaincants. Le calcium ne semblait pas jouer de rôle, puisque les participants qui prenaient un complément alimentaire de calcium sans absorber en même temps des produits laitiers ne bénéficiaient pas de cette protection, selon le Dr Robert Abbott, professeur de biostatistique qui dirigeait cette étude. «Il est vrai que le lait contient non seulement du calcium, mais aussi toutes sortes d'autres nutriments, et il semblait vraiment avoir un effet protecteur», précise-t-il. Toutefois, on ne peut pas vraiment affirmer que cet effet protecteur était dû exclusivement au lait, poursuit-il. «Les buveurs de lait étaient en général plus sveltes, physiquement plus actifs, et avaient une alimentation plus saine que ceux des participants qui n'en buvaient pas.»

Combattre le cancer

Les fruits et les légumes sont incontestablement les champions de la lutte contre le cancer, et cette réputation est justifiée. Pourtant, il semblerait que le fait de boire du lait écrémé ou demi-écrémé puisse également avoir un effet protecteur.

Des chercheurs de l'institut du cancer Roswell Park, sous la direction du Dr Mettlin, ont demandé à plus de 4 600 personnes (qui n'étaient pas toutes atteintes d'un cancer) combien de verres de lait entier, écrémé ou demi-écrémé elles buvaient chaque jour. Ils ont ainsi constaté que les sujets qui buvaient du lait écrémé ou demi-écrémé présentaient un moindre risque par rapport à plusieurs sortes de cancers, notamment le cancer de l'estomac et du rectum, que ceux qui buvaient du lait entier. «Cet abaissement du risque était vraisemblablement dû au fait qu'ils absorbaient moins de corps gras en provenance non seulement du lait, mais aussi d'autres aliments», commente le Dr Mettlin.

Une autre étude parrainée par la Société américaine du cancer a permis de constater que le risque de cancer des ovaires était trois fois moins élevé chez les femmes qui buvaient du lait écrémé ou demi-écrémé que chez d'autres femmes qui buvaient chaque jour plus d'un verre de lait entier.

Puisqu'il existe une corrélation entre l'absorption de grandes quantités de corps gras alimentaires et l'apparition du cancer, il n'est pas surprenant d'apprendre que les sujets qui buvaient du lait entier présentaient le plus grand risque de cancer. Ce qui est étonnant, en revanche, c'est que dans ces deux études, les individus qui ne buvaient pas de lait du tout présentaient un risque de cancer plus élevé que ceux qui buvaient du lait écrémé ou demi-écrémé. Par conséquent, conclut le Dr Mettlin, il est possible que le lait contienne une substance protectrice.

UNE NUTRITION LIQUIDE

Nous connaissons à présent le rôle du lait dans la prévention de la maladie. N'oublions pas cependant que dans la vie de tous les jours, le lait est un aliment sain et véritablement nutritif. Sans parler de sa teneur élevée en calcium, il faut savoir qu'un verre de lait contient également 100 unités internationales de vitamine D, soit 25 % de la Valeur quotidienne. De même que notre ossature a besoin de calcium pour demeurer robuste, elle a également besoin de vitamine D, qui contribue à l'absorption du calcium.

De plus, un verre de lait écrémé nous fournit environ 400 milligrammes de potassium, soit environ 12 % de la Valeur quotidienne. Ce minéral joue un rôle crucial dans la prévention de l'hypertension artérielle, des accidents vasculaires cérébraux et des troubles cardiaques. Le même verre de lait contient également 0,4 milligramme de riboflavine, c'est-à-dire plus de 23 % de la Valeur quotidienne.

Critères de choix, préparation et conservation

Préférez les emballages opaques. Les bouteilles de lait en plastique transparent ont beau être pratiques, elles laissent passer la lumière, qui détruit la riboflavine et la vitamine A. Le lait conservé ne serait-ce que 24 heures dans un emballage en plastique transparent perd 90 % de sa teneur en vitamine A et 14 % de sa riboflavine. De plus, l'action de la lumière peut altérer le goût du lait, que beaucoup de gens trouvent alors désagréable. Choisissez de préférence le lait en berlingot ou en bouteilles opaques.

Donnez-vous le temps de vous habituer. Certaines personnes n'ont aucun mal à adopter le lait écrémé, tandis que d'autres en trouvent le goût détestable, du moins au début. Pour introduire le lait écrémé dans votre alimentation sans rebuter vos papilles, ménagez-vous une transition en douceur. Commencez par mélanger un pack de lait entier avec un pack de lait demi-écrémé, et buvez ce mélange pendant quelques semaines. Diminuez peu à peu la quantité de lait entier que vous ajoutez à ce mélange, jusqu'à finir par ne boire que du lait demi-écrémé. Lorsque vous en aurez pris l'habitude, commencez à mélanger du lait écrémé à votre lait demi-écrémé. Peu à peu vous en viendrez ainsi à boire avec plaisir du lait écrémé.

Épaississez-le. L'une des raisons pour lesquelles beaucoup de gens n'aiment pas le lait écrémé tient à sa consistance plutôt aqueuse. Afin de le rendre plus épais et plus crémeux, pensez à dissoudre dans chaque verre de lait écrémé 2 à 4 cuillerées à soupe de lait en poudre écrémé.

Changez de marque. Si le lait que vous buvez habituellement ne vous plaît pas trop, essayez-en plusieurs jusqu'à ce que vous ayez trouvé celui qui vous convient. Vous pouvez aussi essayer le lait écrémé enrichi en protéines. On trouve en supermarché ou en magasin diététique des laits de toutes sortes. N'oubliez pas cependant de lire attentivement les étiquettes pour vérifier la quantité de matières grasses, de vitamines et de calcium.

Adoptez-le pour faire la cuisine. Même si vous n'aimez pas beaucoup boire du lait, il existe d'autres moyens d'en absorber davantage. Vous pourriez par exemple préparer votre bouillie de flocons d'avoine en remplaçant l'eau par du lait, ce qui vous permettra de multiplier la teneur en calcium du petit déjeuner qui passe ainsi de 20 à 320 milligrammes.

Les légumes verts feuillus
Notre meilleure protection naturelle

Pouvoir thérapeutique

CONTRIBUENT À:
Maîtriser la pression artérielle

Réduire les risques cardio-vasculaires

Diminuer le risque de cancer

Protéger la vue

Débrouillardise, système D, promotions et astuces en tout genre, nous apprécions les occasions qui nous permettent d'avoir le beurre et l'argent du beurre.

C'est précisément pour cela que les légumes verts feuillus méritent vraiment notre attention. Malgré leur faible apport calorique, ils nous fournissent en effet davantage de nutriments que pratiquement n'importe quel autre type d'aliment.

«Les légumes verts feuillus nous apportent énormément de nutriments importants: magnésium, fer, calcium, folate, vitamine C, vitamine B_6, sans parler d'un véritable cortège de substances phytochimiques permettant de lutter contre les maladies cardiovasculaires et le cancer, souligne le Dr Michael Liebman, professeur de nutrition humaine. C'est la catégorie d'aliments qui nous offre la plus haute densité énergétique.»

En revanche, les experts soulignent que certains types de végétaux, notamment la salade iceberg, au goût fade, n'entrent pas dans la catégorie des légumes verts feuillus. De tous les végétaux que comprend cette grande famille si bénéfique, la salade iceberg est la moins intéressante. Des légumes comme les bettes, les feuilles de pissenlit, la verdure des betteraves, la moutarde germée, la verdure des navets, les épinards et la chicorée lui sont bien supérieurs.

À LA CUISINE

Nos traditions culinaires ne nous ont pas spécialement habitués à tirer parti de la verdure des légumes, même si nous les incorporons à nos crudités ou les utilisons pour garnir nos sandwiches. Mais pourquoi nous limiter de la sorte ? Les quelques conseils ci-dessous vous aideront à préparer très facilement la verdure.

Ôtez-en les tiges. Les feuilles sont souvent étonnamment tendres, mais les tiges ont plutôt tendance à se montrer coriaces et vous aurez intérêt, la plupart du temps, à les éliminer. Avant de faire cuire la verdure, séparez chaque feuille de sa tige en utilisant un couteau bien aiguisé le long de la nervure centrale.

Rincez avec soin. Puisque les légumes verts feuillus poussent au ras du sol et que la forme même des feuilles les amène à ramasser pas mal de poussière et de gravier, il est important de bien rincer la verdure avant de l'utiliser. Le meilleur moyen consiste à remplir d'eau froide l'évier (ou une grande cuvette) et d'y brasser vigoureusement les feuilles, car le gravier et le sable tomberont ainsi au fond. Transférez ensuite la verdure dans une passoire afin de l'égoutter.

Débitez-la en lamelles. Si vous préparez des légumes épais comme des côtes de bettes ou du chou frisé, il est préférable de les débiter en lamelles ou en petits tronçons, ce qui permettra de les cuire plus rapidement et les rendra plus tendres.

Faites-la bouillir rapidement. Le moyen le plus facile de préparer les légumes verts feuillus consiste à les plonger dans l'eau bouillante. Commencez par une tasse d'eau bouillante, ajoutez-y la verdure, couvrez la casserole et laissez cuire pendant environ 4 minutes, ou jusqu'à ce que les feuilles vertes soient tendres.

DES FEUILLES POUR LE CŒUR

Jusqu'à un certain point, la différence entre les individus qui sont victimes d'une crise cardiaque et ceux qui ne le sont pas pourrait tenir à l'importance des portions de crudités absorbées.

Des chercheurs du centre Jean Mayer de recherches sur la nutrition humaine et le vieillissement du ministère américain de l'Agriculture et de l'étude *Framingham Heart Study* ont étudié plus de 1 000 personnes âgées de 67 à 95 ans, afin de déterminer quels facteurs alimentaires pouvaient affecter la santé du cœur. Dans ce domaine, comme sur tant d'autres plans lorsqu'il s'agit de l'alimentation, la réponse était liée à un facteur chimique et, plus spécifiquement, à un acide aminé appelé homocystéine.

L'homocystéine est une substance complexe naturelle, sans danger aussi longtemps que le corps parvient à en réguler les taux. En revanche, lorsque le taux de cette substance dépasse un certain seuil, elle devient toxique et pourrait alors contribuer aux maladies cardiovasculaires et au processus qui finit par obstruer nos artères. Les chercheurs ont constaté que parmi les individus qui avaient le plus d'artères obstruées, 43 % des hommes et 34 % des femmes présentaient des taux sanguins excessifs d'homocystéine.

Quel rapport avec les légumes verts feuillus ? Le corps a besoin de folate et de vitamines B_{12} et B_6 pour maintenir les taux d'homocystéine dans des limites acceptables. De nombreux participants à cette étude présentaient une carence dans ces nutriments essentiels, en particulier le folate et la vitamine B_6. Il s'avère en l'occurrence que les légumes verts feuillus sont une excellente source de folate et qu'ils nous apportent également de la vitamine B_6. C'est précisément pour cette raison que les experts nous conseillent d'enrichir notre alimentation par l'apport de généreuses quantités de légumeuses verts feuillus, afin d'équilibrer les taux d'homocystéine.

Les épinards bouillis sont probablement l'idéal pour mieux gérer l'homocystéine. Une portion de 100 grammes du légume favori de Popeye fournit en effet 0,2 milligramme de folate, soit 50 % de la Valeur quotidienne. Elle contient également 0,5 milligramme de vitamine B_6, soit près du quart de la Valeur quotidienne.

Outre ces vitamines du groupe B si importantes, certains légumes verts feuillus, notamment la verdure des betteraves, la chicorée et les épinards, sont également une bonne source de minéraux bénéfiques pour le cœur, comme le magnésium, le potassium et le calcium. Ces minéraux, ainsi que le sodium, contribuent à réguler la quantité de fluides dans l'organisme. Selon les chercheurs, beaucoup trop de gens présentent un excès de sodium pour un trop faible taux des trois autres minéraux, ce qui est un facteur d'hypertension artérielle.

Même si le fait d'absorber des légumes verts feuillus est un excellent moyen de réguler la pression artérielle, il est important de souligner que l'organisme n'assimile pas bien le calcium fourni par les épinards et la verdure des betteraves. Par conséquent, mangez toutes sortes de légumes verts feuillus différents afin de couvrir tous vos besoins en minéraux.

LE PLAT DE RÉSISTANCE

Diverses études de grande envergure ont montré que beaucoup de cancers restent rares dans les pays dont la population considère les légumes verts feuillus, ainsi qu'une palette très variée de fruits et de légumes divers, comme la base de leur alimentation.

Dans le cadre d'une de ces études, les chercheurs ont comparé 61 fumeurs habitant le Chili et souffrant de cancer du poumon avec 61 hommes du même âge et présentant les mêmes habitudes de tabagisme, mais sans avoir de cancer. La seule différence constatée tenait au fait que les cancéreux absorbaient considérablement moins d'aliments riches en caroténoïdes, particulièrement des côtes de bettes, de la chicorée, des épinards, des betteraves et du chou, que ceux qui n'avaient pas de cancer.

Les caroténoïdes, dont la plupart des légumes verts feuillus sont d'excellentes sources, jouent le rôle de gardes du corps contre les agents cancérigènes, souligne le Dr Frederick Khachik, chimiste chargé de recherches au sein du ministère américain de l'Agriculture. Les scientifiques pensent que certains cancers apparaissent par suite des attaques incessantes des radicaux libres. Ces derniers sont des molécules d'oxygène nuisibles, générées par notre organisme mais également présentes dans la pollution atmosphérique et la fumée de tabac, et qui s'attaquent aux cellules saines du corps. Les caroténoïdes neutralisent les radicaux libres en jouant le rôle d'antioxydants, c'est-à-dire qu'ils s'interposent entre les radicaux libres et les cellules de l'organisme, neutralisant les premiers avant qu'ils puissent provoquer des dégâts, explique-t-il.

«Beaucoup de travaux laissent également entendre que les caroténoïdes pourraient lutter contre le cancer en stimulant les enzymes chargées de détoxifier le corps en débarrassant l'organisme des substances chimiques nocives et souvent cancérigènes», poursuit le Dr Khachik.

«Les légumes verts feuillus figurent parmi les meilleures sources de certains caroténoïdes importants, comme la lutéine, l'alphacarotène, ainsi que le mieux connu d'entre eux, le bêtacarotène», précise-t-il. Si tous les légumes verts feuillus contiennent beaucoup de caroténoïdes, les épinards viennent en tête de liste avec 1 milligramme de bêtacarotène pour 100 grammes de ce légume.

Voir vert

Les carottes doivent forcément être bénéfiques pour nos yeux, selon une blague souvent entendue, puisque jamais encore on n'a vu de lapin portant des lunettes. Selon les recherches, les carottes ne sont vraisemblablement pas seules en cause, mais également tous les légumes verts feuillus que la gent lapine aime tant se mettre sous la dent.

Dans le cadre d'une étude, des chercheurs de la *Massachusetts Eye and Ear Infirmary* ont comparé l'alimentation habituelle de plus de 350 personnes atteintes de dégénérescence maculaire liée à l'âge et déjà à un stade avancé (ce trouble de la vue est la principale cause de cécité chez les adultes d'un certain âge) avec celle de plus de 500 autres personnes qui ne présentaient pas ce trouble. Ils ont ainsi constaté que les sujets qui absorbaient le plus de légumes verts feuillus – en particulier des épinards et les feuilles vertes des crucifères – couraient 35% moins de risque de dégénérescence maculaire que ceux qui en mangeaient moins fréquemment.

Les experts pensent que les caroténoïdes protègent les yeux un peu de la même manière qu'ils luttent contre le cancer, c'est-à-dire en jouant le rôle d'antioxydants pour neutraliser les lésions tissulaires dues aux radicaux libres avant qu'elles n'entraînent des dégâts irréparables dans l'organisme ; il s'agit, dans ce cas précis, de la région de la rétine appelée macula.

FAITES UN SOURIRE ET DITES « VERDURE »

Dans certaines régions du monde, comme la Chine rurale, où le régime végétarien constitue un mode de vie, la population répond à ses besoins quotidiens en calcium non pas en buvant du lait, mais en mangeant des légumes verts feuillus.

En effet, 100 grammes de pissenlit peuvent fournir environ 150 milligrammes de calcium, soit 15 % de la Valeur quotidienne. Ce chiffre dépasse la teneur d'un demi-verre de lait écrémé.

Le seul inconvénient, lorsque l'on se fie aux légumes verts feuillus pour obtenir le calcium indispensable à l'organisme, c'est que certains de ces végétaux contiennent de grandes quantités d'oxalates, un type de substances complexes qui font obstacle à l'absorption du calcium, souligne le Dr Liebman. « Les épinards, les côtes de bettes, les feuilles vertes des crucifères, ainsi que les feuilles de betteraves, contiennent le plus d'oxalates, et ne peuvent par conséquent être considérés comme une bonne source de calcium, poursuit-il. Les autres légumes verts feuillus ne posent aucun problème. Les recherches ont d'ailleurs montré que le calcium contenu dans le chou frisé était particulièrement bien absorbé par l'organisme. »

SE RECHARGER EN MANGEANT DES CRUDITÉS

Si vous faites partie des nombreuses personnes qui mangent moins de viande depuis quelque temps, il est possible que vous vous priviez également d'un minéral très important : le fer. Une fois de plus, les légumes verts feuillus peuvent vous être utiles. Beaucoup de légumes, en particulier les épinards et les côtes de bettes, sont de bonnes sources de fer, un minéral dont l'organisme a besoin pour fabriquer des globules rouges sanguins et pour transporter l'oxygène.

Une portion de 200 grammes d'épinards bouillis nous apporte près de 3 milligrammes de fer, soit 20 % de l'Apport journalier recommandé (AJR) pour les femmes, et 30 % de l'AJR pour les hommes. La même quantité de côtes de bettes en fournit 2 milligrammes, c'est-à-dire 13 % de l'AJR pour les femmes et 30 % de celui pour les hommes.

Malheureusement, le fer contenu dans les végétaux n'est pas absorbé dans l'organisme aussi facilement que le fer fourni par la viande, à moins d'être absorbé en même temps que de la vitamine C au cours du même repas. Voilà donc une bonne nouvelle, puisque les légumes verts feuillus ne contiennent pas seulement beaucoup de fer, mais également de généreuses quantités de vitamine C, ce qui améliore considérablement l'absorption du fer.

Tous les légumes verts feuillus fournissent de grandes quantités de ce nutriment important, mais les champions verts pour leur teneur en vitamine C sont la chicorée (dont 200 grammes en apportent 20 milligrammes, soit environ 37 % de la Valeur quotidienne), ainsi que les feuilles de betterave et la moutarde germée, qui en fournissent toutes deux près de 18 milligrammes (30 % de la Valeur quotidienne).

De plus, la verdure des betteraves et les épinards sont d'excellentes sources de riboflavine, une vitamine du groupe B qui joue un rôle essentiel dans la croissance et la réparation des tissus, et qui aide l'organisme à transformer d'autres nutriments pour les rendre plus assimilables. Une portion de 100 grammes de feuilles de betterave ou d'épinards cuits apporte 0,2 milligramme de riboflavine, soit 12 % de la Valeur quotidienne.

Critères de choix, préparation et conservation

Faites cuire rapidement. Faut-il ou non les cuire? La question est souvent posée par tous ceux qui tiennent à préserver la teneur nutritive élevée des légumes. La réponse lorsqu'il s'agit de légumes verts feuillus, selon les experts, est souvent une réponse de Normand.

«Il est délicat de dire s'il vaut mieux augmenter la digestibilité des nutriments en cuisant les aliments, quitte à perdre ainsi une partie de leurs nutriments, note le Dr Liebman. Pourtant, même s'il est fantastique de les manger crus, vous absorberez vraisemblablement de plus grandes quantités de certains légumes une fois cuits. Soyez simplement attentif à la méthode de cuisson. Pas question de les faire bouillir pendant des heures. N'importe quelle méthode de cuisson rapide, par exemple en les faisant blanchir, est acceptable. Le four micro-ondes semble nous offrir l'une des meilleures méthodes de cuisson pour conserver les nutriments», conclut-il.

LE LIN ET SES GRAINES

PAS SEULEMENT BÉNÉFIQUES POUR LE CŒUR

POUVOIR THÉRAPEUTIQUE

CONTRIBUENT À :
Améliorer la fonction rénale

Diminuer le risque de maladies cardiovasculaires

Prévenir le cancer

Pendant des siècles, les graines de lin (ainsi que la plante dont elles proviennent) servaient à mille et un usages – excepté l'alimentation. Le lin est l'une des plus anciennes sources de fibres textiles et entre dans la fabrication de la toile de lin. Sa graine sert à fabriquer des peintures. Dans notre monde moderne, il n'y a pas si longtemps, son emploi alimentaire se limitait à des fourrages destinés au bétail.

Depuis quelque temps, tout cela a bien changé. Aujourd'hui, en raison de sa nouvelle célébrité en tant qu'«aliment de santé», beaucoup d'entre nous apprécions son goût légèrement sucré et sa saveur proche de celle des noix. Et en échange, nous obtenons une protection contre le cancer et les maladies cardiovasculaires.

PROTECTION CONTRE LE CANCER

Le lin et ses graines sont une source extrêmement riche d'une catégorie de substances complexes, les lignanes. Quantité d'autres aliments végétaux en contiennent également, mais la graine de lin vient en tête de liste avec au moins

À LA CUISINE

Contrairement aux graines de courge ou de tournesol, que l'on peut absorber telles quelles, les graines de lin entrent généralement dans la composition d'autres aliments. Voici quelques conseils pour les utiliser.

Faites-les tremper. La graine de lin étant protégée par une coque dure, il est judicieux de laisser tremper toute la nuit quelques cuillerées de graines dans un peu d'eau, ce qui les ramollira et les rendra plus assimilables. Vous pourrez ensuite soit les manger à la cuiller, soit les ajouter à des céréales ou à un jus de fruits mélangés.

Passez-les au moulin. Un bon moyen d'intégrer davantage de graines de lin dans votre alimentation est de moudre ces graines dans un moulin à café ou à épices et d'ajouter la mouture à du pain, des gâteaux et d'autres préparations du même genre. Vous pouvez remplacer plusieurs cuillerées à soupe de votre farine habituelle par de la farine de lin sans beaucoup modifier le goût ou la texture des aliments ainsi obtenus.

75 fois plus de lignanes que tout autre végétal. (Il faudrait absorber environ 60 portions de brocoli frais ou 100 tranches de pain complet pour obtenir la même quantité de lignanes que fournit un verre de graines de lin.) Ce fait a son importance, car les lignanes ont de puissantes propriétés antioxydantes qui peuvent contribuer à inhiber les effets nuisibles des molécules d'oxygène nocives appelées radicaux libres. D'après les spécialistes, ces molécules sont à l'origine des modifications précancéreuses dans l'organisme qui peuvent dégénérer en cancer.

«Les lignanes atténuent les modifications cancéreuses déjà apparues, ce qui les rend moins susceptibles de proliférer de manière incontrôlée et de provoquer un cancer déclaré», souligne le Dr Lilian Thompson, chercheur spécialiste de la graine de lin et professeur de sciences de la nutrition.

Les lignanes semblent particulièrement prometteurs dans la lutte contre le cancer du sein. En effet, ils inhibent les effets des œstrogènes, qui semblent à la longue augmenter les risques de cancer du sein chez certaines femmes. Même lorsque des tumeurs qui présentent des récepteurs aux œstrogènes parviennent à se développer, les lignanes ont pour effet d'en ralentir, voire d'en stopper la croissance. Dans le cadre d'une étude en laboratoire, des chercheurs ont constaté après sept semaines une diminution de 50% des tumeurs mammaires chez des cobayes qui avaient absorbé des graines de lin.

Les graines de lin recèlent deux autres secrets pour lutter contre le cancer. Elles représentent une excellente source de corps gras polyinsaturés, notamment des acides gras de type oméga 3, qui semblent freiner la production dans l'organisme d'une catégorie de substances chimiques, les prostaglandines. Il s'agit là d'une constatation importante, car des taux trop élevés de prostaglandines peuvent «accélérer la croissance tumorale», selon le Dr Bandaru S. Reddy, chef d'un service de carcinogenèse nutritionnelle.

En outre, les graines de lin sont une excellente source de fibres. Trois cuillerées à soupe de graines contiennent 3 grammes de fibres, soit environ 12% de la Valeur quotidienne. Les fibres alimentaires jouent un rôle très important, car elles peuvent contribuer à inhiber les effets de substances complexes nuisibles dans l'organisme qui pourraient, à la longue, provoquer des lésions cellulaires dans l'intestin et faire le lit du cancer. Elles aident également à évacuer plus rapidement ces substances nocives à travers l'intestin, les empêchant ainsi de causer trop de dégâts.

PROTECTION DU CŒUR ET DES REINS

Certaines de ces mêmes substances complexes présentes dans les graines de lin qui contribuent à lutter contre le cancer semblent également prometteuses pour diminuer le risque de maladies cardiovasculaires. Diverses études montrent que les acides gras oméga 3 contenus dans les graines de lin (et que l'on trouve également dans le poisson) semblent réduire l'incidence de caillots sanguins pouvant augmenter le risque d'accident vasculaire cérébral et de maladie cardiovasculaire.

Les graines de lin semblent également abaisser les taux du dangereux cholestérol LDL (lipoprotéines de faible densité), celui qui contribue aux maladies cardiovasculaires. Dans le cadre d'une étude de petite envergure, des chercheurs ont constaté que le taux de cholestérol LDL nocif s'était abaissé à raison de 8% dans les meilleurs cas, chez des personnes qui avaient absorbé chaque jour pendant quatre semaines 50 grammes (environ 5 cuillerées à soupe) de graines de lin.

De plus, les graines de lin semblent prometteuses pour réparer les lésions rénales provoquées par le lupus, un troubie amenant le système immunitaire à générer des substances nuisibles qui s'attaquent aux tissus sains qu'elles endommagent. Lorsque des chercheurs universitaires canadiens ont administré des graines de lin à neuf personnes atteintes de maladie rénale liée à un lupus, ils ont constaté que plusieurs paramètres de la fonction rénale, notamment l'aptitude à filtrer les déchets, s'amélioraient rapidement. Les chercheurs ont formulé l'hypothèse que les lignanes et les acides gras de type oméga 3 contenus dans les graines de lin luttaient contre l'inflammation dans les artères minuscules et très fragiles qui assurent l'alimentation sanguine jusqu'aux reins, contribuant ainsi à freiner le processus qui finit par boucher les artères et peut conduire à des lésions rénales.

Enfin, des recherches en laboratoire suggèrent que les lignanes des graines de lin pourraient avoir des vertus bactéricides et fongicides, ce qui signifie qu'ils pourraient contribuer à lutter contre l'infection.

Critères de choix, préparation et conservation

Achetez-les moulues. Beaucoup de gens saupoudrent des graines de lin entières sur leurs crudités ou sur le pain fait maison. Mais les graines de lin sous cette forme ne servent pas à grand-chose, car le corps est incapable d'ouvrir la coque dure qui entoure la graine. Il est donc préférable d'acheter les graines de lin déjà moulues, ou en farine, car sous ces formes, elles libèrent aisément les trésors nutritifs qu'elles contiennent.

Oubliez l'huile de lin. Certains fabricants américains, dans l'espoir de tirer profit de la réputation de santé des graines de lin, vantent l'huile de lin comme source d'acides gras oméga 3. Certains proposent même des huiles à teneur élevée en lignanes et contenant encore un résidu de graines de lin.

Mieux vaut faire preuve de prudence, car nous avons de bonnes raisons de penser que l'huile de lin n'est pas un choix judicieux. En effet, la plupart des lignanes contenus dans cette huile se trouvent dans le tourteau, c'est-à-dire la partie des graines qui ne contient pas de corps gras. S'il est vrai que l'huile peut contenir une faible proportion de lignanes, il n'y a aucune comparaison avec les graines de lin. De plus, quoique l'huile de lin ne soit pas entièrement dénuée d'intérêt, elle ne contient pas autant de substances complexes bénéfiques que les graines qui apportent également des fibres, des protéines et des minéraux.

«Même si l'huile de lin peut vous apporter la même quantité d'une substance bénéfique donnée, il est préférable d'absorber l'aliment entier, souligne Mme Cindy Moore, directeur de nutrithérapie. Ce faisant, il est d'ailleurs possible que vous obteniez du même coup quelque autre substance nécessaire à une bonne santé, mais que les chercheurs n'ont pas encore découverte.»

De toute façon, en France, vous n'en trouverez en principe que dans les drogueries, car son usage alimentaire n'est pas autorisé.

LE MAÏS
DES GRAINS
ANTICHOLESTÉROL

POUVOIR THÉRAPEUTIQUE
CONTRIBUE À :
Abaisser le cholestérol

Stimuler le tonus énergétique

Dans la ville de Mitchell, dans le Dakota du Sud, en plein milieu d'une région agricole où la culture du maïs se pratique de manière intensive, les habitants ont coutume de célébrer la moisson. Leur temple est le Palais du maïs, un manoir construit en 1892 et entièrement décoré de 3 000 boisseaux de maïs qui recouvrent ses fresques et minarets, et jusqu'à ses tourelles.

Sans prendre le maïs à ce point au sérieux, cette céréale mérite incontestablement une place d'honneur sur notre table. Avec sa teneur élevée en fibres, le maïs peut contribuer à abaisser le cholestérol. De plus, étant une excellente source de glucides, il fournit un apport énergétique rapide sans presque aucune matières grasses.

«Le maïs est un excellent aliment de base, souligne le Dr Mark McLellan, professeur de sciences alimentaires. Allié à d'autres végétaux dans notre alimentation, il constitue une bonne source de protéines, de glucides et de vitamines.»

DES GRAINS ANTICHOLESTÉROL

La fibre alimentaire contenue dans le maïs appartient à la catégorie des fibres solubles. Lorsque nous mangeons du maïs, cette fibre se lie à la bile, un fluide digestif saturé de cholestérol que produit le foie. Les fibres solubles n'étant pas facilement absorbées par l'organisme, elles s'éliminent à travers les selles, emportant avec elles le cholestérol.

Nous avons souvent entendu dire que le son d'avoine et de blé pouvait abaisser le cholestérol. Le son de maïs appartient à la même catégorie. Dans le cadre d'une étude universitaire, des chercheurs de l'Illinois ont administré un régime maigre à 29 hommes atteints d'hypercholestérolémie. Après deux semaines de ce régime, certains des participants ont reçu chacun 20 grammes (soit près d'une demi-cuillerée à soupe) de son de maïs chaque jour, tandis que les autres absorbaient la même quantité de son de blé. Au cours de cette étude, qui s'est poursuivie sur six semaines, les chercheurs ont constaté une baisse de plus de 5 % du taux de cholestérol, ainsi qu'un abaissement d'environ 13 % des triglycérides (un type de lipides sanguins qui peuvent contribuer aux maladies cardiovasculaires lorsqu'ils sont présents en excès) chez ceux des participants qui absorbaient le son de maïs. Les chercheurs n'ont pu mesurer aucun changement chez ceux qui absorbaient le son de blé, excepté la baisse initiale due au fait d'absorber un régime maigre.

UN BOISSEAU DE NUTRIMENTS

Le grand avantage du maïs, c'est qu'il délivre un apport énergétique élevé sans pour autant nous apporter beaucoup de calories, seulement 83 pour un épi.

Le maïs est une excellente source de thiamine, une vitamine du groupe B qui joue un rôle essentiel dans la conversion des aliments en énergie. Un épi de

À LA CUISINE

Très facile à préparer, le maïs en épi est pour ainsi dire un repas-minute offert par la nature. Il suffit d'ôter l'enveloppe fibreuse et les barbes filandreuses, puis de faire cuire le maïs à la vapeur. Quelques minutes plus tard, il est prêt. Afin d'en améliorer encore le goût, voici quelques conseils utiles.

N'attendez pas pour le faire cuire. Lorsque le maïs est conservé pendant un certain temps, le sucre naturel qu'il contient se transforme en amidon et il perd son goût délicieux. L'idéal serait donc, si possible, de préparer le maïs aussitôt après la cueillette.

Pas de sel. Évitez d'ajouter du sel lorsque vous faites bouillir du maïs dans de l'eau. En effet, le sel pompe une partie du jus des grains de maïs, les rendant coriaces et difficiles à mastiquer.

Détachez les grains. Si vous avez très envie de maïs frais sans apprécier particulièrement de devoir vous battre avec un épi entier, il suffit de détacher les grains. Maintenez l'épi vertical dans un grand bol et à l'aide d'un couteau bien aiguisé, raclez l'épi vers le bas de manière à en détacher quelques rangées de grains à la fois. Lorsque vous en aurez ôté tous les grains, continuez à racler l'épi dégarni à l'aide du côté émoussé du couteau, de manière à récupérer le plus possible de jus laiteux et sucré.

maïs fournit 0,2 milligramme de thiamine, soit 13 % de la Valeur quotidienne. Voilà qui dépasse largement la teneur en thiamine de trois tranches de lard ou de 85 grammes de rôti de bœuf!

De plus, puisque le maïs sucré frais se constitue essentiellement de glucides simples et complexes, il représente une excellente source d'énergie, souligne le Dr Donald V. Schlimme, professeur de nutrition et de sciences alimentaires. «Il répond à nos besoins en énergie sans nous fournir beaucoup de matières grasses», poursuit ce médecin. Le peu de corps gras contenu dans le maïs rentre dans la catégorie des matières grasses polyinsaturées et monoinsaturées, qui sont bien meilleures pour la santé que les graisses saturées fournies par la viande et les produits laitiers.

Critères de choix, préparation et conservation

Observez sa couleur. Il existe différentes variétés de maïs qui n'ont pas toutes le même intérêt. Si le maïs jaune contient plus de 2 grammes de fibres par portion, le maïs blanc en fournit plus du double, avec un peu plus de 4 grammes par épi.

Vérifiez qu'il est bien mûr. Lorsque vous choisissez du maïs au super-marché, sélectionnez des épis dont les grains sont gros et juteux. «Il est préférable d'acheter le maïs lorsqu'il est en pleine maturité, précise le Dr Schlimme. En effet, c'est alors que sa teneur nutritive est la plus élevée.»

Pour vérifier que le maïs est bien mûr, enfoncez un ongle dans l'un des grains. Le liquide qui en sort doit être laiteux. Sinon, c'est le signe que le maïs n'est pas encore mûr, ou, au contraire, qu'il l'est trop. Choisissez un autre épi.

Faites-le cuire à la vapeur. Le mode de préparation traditionnel du maïs en épi consiste à le faire bouillir à l'eau, mais c'est peut-être la manière la moins judicieuse de le cuire puisque l'ébullition diminue le pouvoir nutritif du maïs. «Vous perdrez moins de nutriments en le préparant à la vapeur, souligne le Dr Schlimme. Lorsque l'on plonge le maïs dans de l'eau bouillante, comme le font la plupart des gens, il perd beaucoup plus de nutriments hydrosolubles que s'il est cuit à la vapeur.»

N'en perdez pas une miette. Peu importe le soin que l'on apporte à la dégustation du maïs en épi, il est presque impossible de ne pas gaspiller une partie de sa chair comestible. Afin de mieux tirer parti de chaque épi, il peut être préférable d'acheter le maïs en boîte ou surgelé. Une autre solution consiste à racler chaque épi à l'aide d'un couteau. Contrairement à la méthode tradition-nelle qui consiste à manger le maïs en branche à belles dents, «vous récupérerez davantage des nutriments que contient le maïs si vous grattez chaque épi grâce à un outil qui permet d'en détacher le grain tout entier», relève le Dr McLellan.

Achetez-le sous vide. Le maïs en boîte est peut-être aussi nutritif que le maïs frais, mais il perd une partie de sa valeur lorsque les grains sont conservés en saumure, un liquide salé qui prive les aliments d'une partie de leurs nutri-ments au cours du processus de fabrication, souligne le Dr Schlimme. Afin d'obtenir le plus de vitamines possible, achetez du maïs conditionné sous vide qui ne contient pas de saumure. Lorsque le maïs est sous vide, c'est générale-ment précisé sur l'étiquette et la boîte est le plus souvent compacte et d'un faible volume.

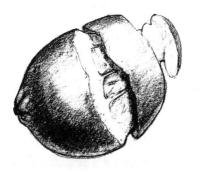

LA MANDARINE
IL SUFFIT DE LA PELER

POUVOIR
THÉRAPEUTIQUE
CONTRIBUE À :
Prévenir les maladies cardio-
vasculaires

Réduire le risque de cancer

Sans doute connaissez-vous la manda-
rine, avec ses jolis segments qui semblent taillés sur mesure pour des mains d'enfant. Ce fruit nous vient de loin, puisqu'il est originaire de Chine, d'où viennent
d'ailleurs la plupart des agrumes. Pourtant, de nos jours, la mandarine n'est guère
plus exotique que beaucoup d'autres fruits courants.

En revanche, ses vertus sortent de l'ordinaire. La mandarine contient en
abondance une palette impressionnante de substances complexes bénéfiques.
Comme l'orange, elle est une excellente source de vitamine C. Une seule mandarine en contient 26 milligrammes, soit 43 % de la Valeur quotidienne. En
outre, ce fruit contient une autre substance complexe, la bêtacryptoxanthine, qui
se transforme en vitamine A dans l'organisme. Un verre de 225 millilitres de jus
de mandarine peut fournir jusqu'à 1 037 unités internationales de vitamine A,
c'est-à-dire plus de 20 % de la Valeur quotidienne.

La présence conjointe de ces deux nutriments a son importance, puisqu'il
s'agit à chaque fois de vitamines antioxydantes, c'est-à-dire capables de contribuer
à empêcher les molécules nuisibles (appelées radicaux libres) de provoquer des
lésions cellulaires dans l'organisme pouvant ainsi entraîner toutes sortes de
troubles, depuis les rides jusqu'aux maladies cardiovasculaires et au cancer, relève
le Dr Bill Widmer, chercheur spécialiste des agrumes.

UNE PROTECTION CONTRE LE CANCER

Si les chercheurs considèrent les mandarines comme un fruit vraiment extraordinaire, cela tient à leur teneur en deux substances complexes, la tangérétine et la nobilétine, qui semblent extrêmement puissantes contre certains types de cancers du sein. Des chercheurs universitaires canadiens ont constaté que chacune de ces substances était 250 fois plus puissante contre un type de cellule humaine atteinte de cancer du sein que la génistéine (substance complexe, présente dans le soja, ayant un puissant effet contre le cancer). Lorsque ces complexes étaient utilisés ensemble, les chercheurs ont constaté que leur efficacité s'en trouvait multipliée.

Au Japon, des chercheurs ont découvert que la tangérétine pouvait inhiber la croissance des cellules leucémiques, essentiellement en les amenant à programmer leur propre destruction. Mieux encore, cette substance complexe n'était pas toxique pour les cellules saines, ce qui est une considération importante dans les traitements du cancer.

Critères de choix, préparation et conservation

Conservez le zeste. Si la chair des mandarines contient une bonne quantité de substances complexes bénéfiques, c'est incontestablement dans le zeste que se concentre l'essentiel de la tangérétine et de la nobilétine qu'elle contient. Afin d'enrichir votre alimentation de ces substances précieuses, ayez recours à un zesteur pour ôter des bandes de peau à l'extérieur du fruit; vous pourrez ensuite les ajouter à un verre de jus de fruit, les mélanger à des plats à base de riz et de pâtes, ou les saupoudrer sur vos crudités. Cela vous permettra non seulement de relever le goût de vos aliments, mais aussi de bénéficier d'une protection supplémentaire.

Buvez-en le jus. La saison des mandarines s'étend d'octobre à mai environ, mais rien ne vous empêche de continuer à boire du jus hors saison. Lorsque vous irez faire vos courses, essayez de vous procurer du jus de mandarine surgelé ou en conserve.

LE MELON
LA SANTÉ POUSSE AU RAS DU SOL

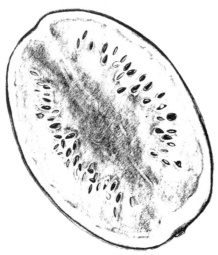

POUVOIR THÉRAPEUTIQUE

CONTRIBUE À :
Prévenir les malformations congénitales

Diminuer le risque de cancer et de maladies cardiovasculaires

Maintenir un faible taux de pression artérielle

Bien souvent, les pique-niques d'été ne commencent à s'animer qu'une fois le barbecue refroidi, lorsque le reste de salade de pommes de terre a été mis au frais. Alors vient ce moment un peu magique où l'on s'empare d'un couteau bien aiguisé pour entamer la peau verte et dure d'une pastèque glacée, afin de révéler la chair rouge sucrée et juteuse qu'elle contient.

Il y a toujours un élément de surprise lorsqu'on coupe en deux une pastèque, un melon brodé ou un cantaloup. D'abord du fait qu'ils se protègent derrière une peau épaisse et dure, et que la chair tendre à l'intérieur présente un contraste pour le moins surprenant. Pourtant, longtemps avant d'être entamés, la plupart des melons nous aiguisent l'appétit par leur parfum suave et délicieux et c'est d'ailleurs la raison pour laquelle on les appelle parfois les «fruits parfumés».

Aujourd'hui, la science nous apporte un argument de plus confirmant à quel point les melons sont merveilleux. Les chercheurs ont constaté que ces fruits contiennent un certain nombre de substances complexes extrêmement bénéfiques pour la santé. Non seulement les pastèques, mais les melons proprement dits (avec des variétés comme le cantaloup, le melon brodé, le melon d'Espagne, le melon Galia…), sont une bonne source de folate, une vitamine du groupe B dont il est prouvé qu'elle diminue le risque de malformations congénitales et de maladies cardiovasculaires. Les melons contiennent également du potassium, essentiel pour maintenir la pression artérielle dans des limites saines. En outre, puisque le melon est très peu calorique et qu'il ne contient pratiquement pas de matières grasses, il représente l'aliment idéal pour les personnes soucieuses de perdre du poids.

Le melon cantaloup est particulièrement bénéfique pour la santé, et contient d'ailleurs des nutriments que l'on ne trouve pas dans d'autres types de melons; c'est la raison pour laquelle il fait l'objet d'un chapitre distinct (voir page 241).

Pas seulement bénéfique pour les futures mères

L'une des principales découvertes de notre XXᵉ siècle est la constatation par les chercheurs que si toutes les femmes en âge de procréer absorbaient chaque jour au moins 400 milligrammes de folate, il serait possible de diviser par deux, voire davantage, l'incidence de malformations congénitales touchant le cerveau et la moelle épinière (malformations du tube neural) chez le fœtus. Pendant longtemps, les médecins n'étaient pas très sûrs du rôle joué par le folate. Ils se doutaient qu'il jouait un rôle dans la prévention des malformations congénitales, mais les divers travaux conduits jusqu'alors n'avaient apporté aucune preuve concluante.

Comment empêcher les melons de rouler

Il est probable que l'inventeur de la roue était aussi un amateur de pastèque. Sans doute l'avez-vous remarqué, la forme lisse et cylindrique de ce fruit fait qu'il a facilement tendance à rouler, généralement pour dégringoler d'une table ou du siège de la voiture, vous laissant un navrant gâchis de pulpe écrasée.

La forme des pastèques présente un autre problème. Puisqu'il est impossible de les empiler, elles tiennent beaucoup de place à l'étalage, ce qui coûte cher aux cultivateurs de melons. Au Japon, où l'espace est très restreint, les agriculteurs ont trouvé une idée de génie: la pastèque cubique.

Au moment où les fruits sont encore jeunes et poussent encore sur leur plant, certains cultivateurs japonais les placent dans des boîtes. Par la suite, la pastèque poursuit sa croissance en remplissant l'espace disponible, prenant donc une forme aplatie sur trois côtés, ce qui la rend ensuite facile à empiler. Les pastèques cubiques ne sont pas encore en vente chez nous, mais rien ne vous empêche de vous amuser à faire cette expérience dans votre propre jardin potager.

C'est alors qu'une étude portant sur près de 4 000 mères a révélé que le risque de donner naissance à un enfant atteint de malformations cérébrales ou de la moelle épinière s'abaissait de 60 % chez celles des participantes qui absorbaient suffisamment de folate, par rapport aux autres femmes qui n'en obtenaient que de faibles quantités.

À LA CUISINE

Contrairement à la plupart des fruits et légumes, dont il est facile de vérifier s'ils sont vraiment mûrs, les melons cachent bien leur jeu derrière une peau épaisse et coriace. Voici quelques conseils qui vous aideront à bien les choisir.

Examinez la base. Une pastèque dont la base est de couleur jaune pâle ou beige a mûri sur pied et sera probablement aussi fraîche qu'on puisse le souhaiter. En revanche, si la couleur est uniforme, cela pourrait signifier qu'elle a été cueillie trop tôt et n'aura pas une saveur extraordinaire.

Mettez-y le nez. La plupart des melons (à l'exception des pastèques) exhalent lorsqu'ils sont vraiment mûrs une odeur richement parfumée. Si votre odorat ne la détecte pas au magasin, n'achetez pas.

Vérifiez la tige. Lorsqu'un cantaloup a mûri en plein champ, le fruit finit par se détacher, abandonnant sa tige qui reste sur la plante. Par conséquent, si vous voyez un cantaloup qui a gardé sa tige, vous saurez qu'il a été cueilli trop tôt et n'est pas entièrement mûr. Dans le cas d'une pastèque, en revanche, le fait d'avoir conservé sa tige ne présente pas d'inconvénient.

Donnez-lui une gifle. Même si la méthode traditionnelle pour vérifier qu'une pastèque est mûre consiste à la laisser tomber, une gifle est plus efficace. Si le fruit émet un son creux plutôt que dense, c'est qu'il est prêt.

Le folate, apporté par la vitamine B_9, joue un rôle essentiel durant la phase de division rapide des cellules. Jouant le rôle de navette, il transporte des fragments de protéines. En présence de trop faibles taux de folate, ces fragments sont privés de moyen de transport et pourraient rester en rade. Par conséquent, les cellules en voie de formation pourraient être atteintes de malformations pouvant dégénérer en malformations congénitales. (Bien plus tard dans l'existence, le même problème pourrait entraîner les modifications cellulaires qui peuvent donner lieu à un cancer.)

Par conséquent, la prochaine fois que vous irez faire vos courses, ne manquez pas d'acheter quelques melons, car ces fruits représentent une excellente source de folate. Une demi-portion de melon d'Espagne à chair verte, par exemple, contient 11 microgrammes de folate, soit 3 % de la Valeur quotidienne. Le melon Casaba vaut mieux encore, puisque la même quantité fournit 29 microgrammes de folate (7 % de la Valeur quotidienne).

Si vous trouvez que ce chiffre de 7 % n'est pas vraiment impressionnant, souvenez-vous qu'une demi-portion de melon correspond à peu près à cinq grandes bouchées de ce fruit. La plupart des gens en mangent au moins deux fois plus par repas, absorbant du même coup de généreuses quantités de folate.

Ne croyez pas non plus que les futures mamans soient seules à bénéficier d'une portion supplémentaire de melon. Les mêmes nutriments qui offrent une protection contre les malformations congénitales sont également bénéfiques pour le cœur.

L'organisme utilise le folate pour maîtriser les taux d'une substance chimique dans le sang, l'homocystéine. «Quoique la présence d'une petite quantité d'homocystéine soit parfaitement normale, tout excès de cette substance contribue au processus qui finit par nous obstruer les artères et qui est à l'origine des maladies cardiovasculaires, commente le cardiologue Killian Robinson. Nous savons qu'il existe une corrélation entre de faibles taux de folate et des taux excessifs d'homocystéine.»

Enfin, il est vérifié que le folate diminue le risque de polypes (excroissances précancéreuses dans le côlon qui peuvent parfois dégénérer en cancer). Des chercheurs de Harvard ont constaté que les personnes qui absorbaient le plus de folate présentaient un risque 33 % inférieur d'avoir des polypes du côlon que celles qui en absorbaient le moins.

LE RÔLE ESSENTIEL DES FIBRES

S'il est une chose dont notre système digestif a besoin, c'est d'absorber régulièrement une bonne quantité de fibres alimentaires. Les fibres ont d'ailleurs une importance telle que les individus qui en absorbent le moins sont exposés au plus grand risque de cancer, de même qu'à une kyrielle de troubles digestifs, selon le Dr John H. Weisburger, de la Fondation américaine de la santé.

Le type de fibre alimentaire que contiennent les melons appartient à la catégorie des fibres solubles, qui jouent un rôle extrêmement important dans l'hygiène du côlon, explique le Dr Weisburger. Les fibres solubles qui absorbent l'eau en traversant le système digestif, ont pour effet de constituer des selles plus lourdes et volumineuses. Par conséquent, le passage de ces dernières à travers l'intestin s'accélère, réduisant ainsi le laps de temps durant lequel les substances nocives contenues dans les matières fécales restent en contact avec les parois du côlon.

«En absorbant davantage de fibres, il est possible de diminuer le nombre de polypes dans le tube digestif et d'abaisser le risque de cancer du côlon», commente le Dr Weisburger. Tous les melons contiennent une certaine quantité de fibres, mais, sur ce plan, le melon d'Espagne est préférable à la pastèque. La moitié d'un melon d'Espagne contient près de 3 grammes de fibres, soit 12 % de la Valeur quotidienne.

DU MELON POUR LES HYPERTENDUS

Si vous êtes atteint d'hypertension artérielle, sans doute avez-vous déjà pris certaines précautions comme de réduire la quantité de sel dans votre alimentation ou d'absorber davantage de minéraux. Il est également judicieux de manger plus souvent du melon. Tous les melons, en particulier le melon d'Espagne, sont de bonnes sources de potassium, peut-être le minéral le plus important pour maintenir une pression basse.

Le potassium contenu dans les melons joue un rôle de diurétique naturel, évacuant l'excès de fluide hors de l'organisme. Ce fait a son importance, car, en présence de taux élevés de fluides, la pression artérielle peut s'élever, précise le Dr Michael T. Murray, naturopathe, auteur du livre *Natural Alternatives to Over-the-Counter and Prescription Drugs*. De plus, le potassium contribue à détendre les parois des artères.

Lorsque la paroi de nos artères est relâchée, les vaisseaux sanguins ne se contractent pas aussi fortement que lorsque les parois sont rigides ou tendues. Par conséquent, la pression sanguine générée à chaque battement du cœur n'est pas aussi élevée. Le résultat final, bien entendu, est un abaissement du taux de pression artérielle, pouvant à son tour diminuer les risques cardiovasculaires, d'accident vasculaire cérébral et d'autres troubles graves.

Les spécialistes conseillent souvent aux personnes atteintes d'hypertension artérielle d'absorber chaque jour au moins la Valeur quotidienne de potassium, qui est de 3 500 milligrammes. Cela n'a rien de difficile lorsque l'on mange régulièrement du melon. La moitié d'un melon d'Espagne, par exemple, fournit environ 1 355 milligrammes de potassium, soit plus d'un tiers de la Valeur quotidienne. On trouve également du potassium dans la pastèque, mais cette dernière ne saurait rivaliser sur ce plan avec d'autres types de melons comme le melon d'Espagne, qui en contient au moins le double.

Critères de choix, préparation et conservation

Préférez le melon d'Espagne. Même si la pastèque est une bonne source de nutriments, ces derniers sont excessivement dilués car ce fruit contient beaucoup d'eau. Le même poids de melon d'Espagne contient au moins deux fois plus de potassium et près de trois fois plus de folate.

Achetez-les entiers. Il est fréquent de trouver en supermarché diverses sortes de melons déjà coupés en deux, voire en tranches. Cette formule est peut-être pratique si vous manquez de place dans votre réfrigérateur, mais vous n'y gagnerez pas en nutriments. Aussitôt que la chair d'un melon est exposée à la lumière, les nutriments qu'il contient commencent à s'altérer. Par conséquent, il est toujours préférable d'acheter un melon entier. Après l'avoir ouvert, couvrez la moitié non utilisée que vous conserverez au réfrigérateur, afin de préserver les vitamines du fruit.

Gardez-les au frais. Le folate est rapidement détruit par la chaleur ; par conséquent, il est important de conserver les melons, entiers ou coupés, dans un endroit frais et à l'abri de la lumière.

LE MELON CANTALOUP
UN PEU DE DOUCEUR
POUR AMÉLIORER LA CIRCULATION

POUVOIR THÉRAPEUTIQUE

CONTRIBUE À :

Abaisser l'hypertension artérielle et le cholestérol

Diminuer les risques cardiovasculaires

Réduire le risque de cancer

Prévenir les cataractes

Le melon cantaloup contient en abondance toutes sortes de substances bénéfiques susceptibles de maîtriser la pression artérielle, d'abaisser le cholestérol, de favoriser la fluidité du sang et de protéger contre le cancer.

«Le cantaloup compte parmi les quelques rares fruits ou légumes qui contiennent à la fois de la vitamine C et du bêtacarotène», commente le Dr John Erdman, directeur d'un service universitaire de sciences de la nutrition. Des chercheurs ont vérifié que l'une et l'autre de ces substances complexes antioxydantes offraient une protection contre le cancer, les maladies cardiovasculaires et divers autres troubles liés au vieillissement, comme les cataractes.

LE POTASSIUM PROTECTEUR

Lorsqu'il est question de melon cantaloup, sans doute imaginez-vous l'éclat brillant d'une belle tranche de fruit orange pâle jouxtant un bol de céréales. En revanche, si vous êtes atteint d'hypertension artérielle, vous auriez intérêt à manger du cantaloup aussi à d'autres moments de la journée, et pas seulement

241

À LA CUISINE

Peu d'aliments ont une odeur aussi parfumée et aromatique qu'un melon cantaloup bien mûr. En revanche, un cantaloup qui n'a pas atteint sa maturité risque de vous décevoir. Voici quelques conseils pour vous en faciliter le choix.

Faites confiance à votre odorat. La méthode traditionnelle pour vérifier qu'un melon est bien mûr consiste peut-être à le cogner, mais votre odorat est un bien meilleur juge. Un melon bien mûr devrait dégager une odeur à la fois forte et sucrée. Si vous ne sentez pas grand-chose, n'achetez pas.

Vérifiez la tige. Il ne devrait pas y en avoir. Un cantaloup bien mûr ne conserve que la base lisse et symétrique à l'endroit où se trouvait autrefois sa tige, et la chair à cet endroit cède quelque peu à la pression.

au petit déjeuner. Selon le Dr Georg Webb, professeur adjoint de physiologie et de biophysique, le cantaloup est une excellente source de potassium, un minéral susceptible de faire baisser la pression artérielle.

La moitié d'un cantaloup contient en effet 825 milligrammes de potassium, soit 24 % de la Valeur quotidienne. «Nous absorbons davantage de potassium en mangeant la moitié d'un melon cantaloup qu'en prenant une banane», commente le Dr Webb.

Le corps a besoin de potassium pour éliminer l'excès de sodium, ce dernier pouvant faire monter la pression artérielle lorsque les taux dépassent un certain seuil, poursuit ce médecin. Plus nous absorbons de potassium, plus nous éliminons de sodium et plus notre taux de pression artérielle va s'abaisser. Selon le Dr Webb, cette constatation s'applique surtout aux personnes particulièrement sensibles au sel.

Dans le cadre d'une étude internationale de grande envergure portant sur plus de 10 000 personnes, les chercheurs ont relevé que celles qui présentaient les taux de potassium les plus élevés avaient également le plus faible taux de pression artérielle. Les individus dont le taux de potassium était le plus faible, en revanche, présentaient plus souvent de l'hypertension artérielle.

De plus, un certain nombre d'études ont montré que le potassium pourrait également contribuer à empêcher le dangereux cholestérol LDL (lipoprotéines de faible densité) de subir des modifications chimiques qui l'amènent ensuite à se déposer sur la paroi de nos artères. «Divers travaux laissent entendre qu'une alimentation riche en potassium a tendance à faire baisser le taux de cholestérol LDL, tout en augmentant celui de cholestérol HDL bénéfique (celui des lipoprotéines de haute densité)», commente le Dr Webb. Le potassium pourrait également prévenir le durcissement des artères (athérosclérose) et la formation de caillots sanguins susceptibles de déclencher une crise cardiaque ou un accident vasculaire cérébral.

Un couple dynamique

Nous l'avons déjà vu, le cantaloup contient en abondance deux anti-oxydants puissants, la vitamine C et le bêtacarotène. Les antioxydants sont des substances complexes qui neutralisent les radicaux libres, ces molécules nuisibles pour nos cellules, qui apparaissent spontanément dans l'organisme et dont les spécialistes pensent qu'elles jouent un rôle dans les modifications cellulaires pouvant entraîner le cancer, les maladies cardiovasculaires et les cataractes.

Tout comme le potassium, la vitamine C contribue à maintenir les artères bien ouvertes et favorise la fluidité de la circulation sanguine en empêchant le cholestérol LDL de s'oxyder et d'obstruer les parois des artères. Le corps utilise également la vitamine C pour produire du collagène, une protéine qui sert à la structure de la peau et des tissus conjonctifs. Le cantaloup est une excellente source de vitamine C, puisqu'une portion de 300 grammes de fruit en contient 30 milligrammes, soit la moitié de la Valeur quotidienne.

Le cantaloup est également une bonne source de bêtacarotène, un autre antioxydant qui contribue à lutter contre le cancer et les maladies cardiovasculaires. La moitié d'un cantaloup fournit 5 milligrammes de bêtacarotène, soit environ la moitié de la dose quotidienne recommandée par la plupart des experts.

Critères de choix, préparation et conservation

Choisissez-les bien mûrs. Plus un cantaloup est mûr, plus il contient de bêtacarotène, souligne le Dr Erdman. Pour choisir votre cantaloup, soupesez-le d'abord afin de vérifier qu'il est bien lourd par rapport à son volume, puis mettez-y le nez pour vous assurer qu'il dégage une odeur sucrée et parfumée. Si vous ne percevez pas d'odeur, choisissez-en un autre.

N'attendez pas pour le manger. La vitamine C se dégrade très vite lorsqu'elle est exposée à l'air, et, par conséquent, il est important de manger votre cantaloup assez rapidement après l'avoir ouvert, note le Dr Erdman. Cela est tout particulièrement vrai lorsque le fruit est débité en morceaux, ce qui augmente sensiblement la quantité d'air à laquelle il est exposé.

LE MIEL
UN PRÉCIEUX CADEAU DES ABEILLES

POUVOIR THÉRAPEUTIQUE

CONTRIBUE À :

Accélérer la cicatrisation

Soulager la douleur des ulcères

Améliorer la constipation et la diarrhée

Dans la mythologie grecque, lorsque le dieu Zeus était encore un nourrisson, des abeilles l'ont maintenu en vie en le nourrissant de miel dans la caverne où il avait été caché. Il en fut si reconnaissant qu'il remercia les abeilles en leur conférant une intelligence supérieure.

Aujourd'hui encore, alors même que toutes sortes d'aliments sucrés sont disponibles, le miel garde un petit quelque chose qui n'appartient qu'à lui. Non seulement il est plus sucré, à poids égal, que le sucre raffiné, mais sa texture merveilleusement épaisse et liquide se laisse particulièrement bien tartiner sur du pain, des gâteaux ou des biscuits secs.

Quoique le miel contienne de faibles quantités de minéraux et de vitamines du groupe B, il n'est guère plus nutritif que le sucre de table. Pourtant, le miel exerce un certain nombre d'effets dont le sucre serait bien incapable. Les recherches suggèrent que le miel peut soulager la constipation, accélérer la cicatrisation des plaies et prévenir les infections. «Certains parlent même du miel comme d'un remède redécouvert», commente le Dr Peter Molan, professeur de biochimie et directeur d'un laboratoire spécialisé en recherches sur le miel, qui étudie depuis quinze ans les propriétés thérapeutiques du miel.

ACCÉLÉRER LA CICATRISATION

S'il vous arrivait d'apercevoir dans la sacoche de votre médecin un pot de miel, vous ne manqueriez pas d'en conclure qu'il a préparé ses affaires dans

À LA CUISINE

Quoique le miel et le sucre soient pratiquement interchangeables dans bon nombre de recettes, il pourrait être nécessaire d'adapter quelque peu ces dernières. Ainsi:

- Le pouvoir sucrant du miel est supérieur à celui du sucre; vous pouvez donc remplacer 150 grammes de sucre par 100 grammes de miel, et diminuer d'un quart la quantité de liquide prévue par la recette.
- Lorsque vous utilisez du miel pour préparer des pains et des gâteaux, ajoutez-y une pincée de bicarbonate de soude. Ce dernier permet de neutraliser l'acidité du miel, tout en aidant la pâte à monter. (Oubliez le bicarbonate, cependant, si votre recette nécessite de la crème acidulée ou du babeurre.)
- Si vous remplacez le sucre par du miel pour préparer des confitures, des gelées ou du caramel, augmentez légèrement la température de cuisson afin de favoriser l'évaporation du liquide supplémentaire.

Parmi les innombrables variétés de miels, de goûts très différents, il est important de choisir celle qui convient le mieux pour une recette donnée. Le miel de fleurs d'oranger, par exemple, présente une saveur subtile et délicate qui se prête surtout à la préparation d'aliments peu relevés, comme un gâteau aux noix et au miel. Le miel de sarrasin, en revanche, a un goût beaucoup plus prononcé et se prête mieux à la préparation de tartines ou de gâteaux à base de grains complets.

---

l'obscurité. Pourtant, il s'avère qu'à travers les siècles, d'innombrables médecins ont eu recours au miel. «Jusqu'à la Seconde Guerre mondiale, le miel était couramment employé pour le traitement des plaies superficielles», souligne le Dr Molan.

Lorsque les antibiotiques ont fait leur apparition dans les années 1940, les médecins ont remis à la cuisine le pot de miel qu'ils transportaient auparavant dans leur sacoche. Mais aujourd'hui, certains médecins s'efforcent de faire revivre ce vieux remède traditionnel. «Nous constatons que des médecins ont à nouveau recours au miel dans certains cas où les médicaments modernes n'avaient permis d'obtenir aucun résultat dans la guérison des plaies cutanées», souligne le Dr Molan.

Le miel contient trois ingrédients qui en font le remède idéal pour traiter les plaies. En raison de sa teneur élevée en sucre, il absorbe une bonne partie de l'humidité contenue dans la plaie, compromettant du même coup la survie des bactéries, explique le Dr Molan. De plus, de nombreuses variétés de miels contiennent de grandes quantités d'eau oxygénée, cette même substance souvent

S'ALIMENTER AVEC INTELLIGENCE
DANGEREUSE GÂTERIE

Malgré sa réputation bénéfique, le miel ne doit en aucun cas être administré à un nourrisson, car il pourrait contenir de très petites quantités de spores d'un micro-organisme responsable du botulisme, le *Clostridium botulinum*. Les spores ne peuvent proliférer dans les intestins des adultes, ni chez les enfants plus âgés. En revanche chez le nourrisson, ces spores sont susceptibles de se multiplier, ce qui pourrait entraîner une forme grave d'intoxication alimentaire, le botulisme infantile.

Les médecins des centres américains pour la maîtrise et la prévention des maladies (CDC) et l'Académie américaine de pédiatrie recommandent, par mesure de prudence, de ne jamais donner de miel à un enfant âgé de moins d'un an.

utilisée au foyer pour désinfecter coupures et écorchures sans gravité. Enfin, certains miels contiennent également de la propolis, un nectar complexe distillé par les abeilles et pouvant tuer les bactéries.

Dans le cadre d'une étude en laboratoire, le Dr Molan a badigeonné de miel sept types de bactéries qui provoquent souvent une surinfection des blessures. «Dans les sept cas, le miel a permis de tuer très efficacement les bactéries en question», poursuit-il.

LA SANTÉ PAR L'INTÉRIEUR

De la même manière que le miel peut mettre fin à une infection à l'extérieur du corps, il peut contribuer à maintenir nos organes internes en bonne santé.

Le miel Manuka de Nouvelle-Zélande, par exemple, obtenu lorsque les abeille butinent une variété de buisson à fleurs, semble apte à tuer les bactéries qui sont à l'origine des ulcères d'estomac. Dans le cadre d'une étude de petite envergure, des chercheurs ont administré, quatre fois par jour, 1 cuillerée à soupe de miel Manuka à plusieurs personnes souffrant d'ulcères. «Le miel a permis de soulager les symptômes d'ulcère chez tous les participants», commente le Dr Molan.

En outre, le miel semble prometteur dans le traitement de la diarrhée. Chez l'enfant, tout particulièrement, la diarrhée peut être dangereuse à cause des grandes quantités d'eau qu'elle élimine du corps. Afin de remplacer les fluides et les minéraux essentiels, les médecins ont généralement coutume de traiter la diarrhée à l'aide d'une solution de glucose. Il est toutefois possible qu'une solution à base de miel soit encore meilleure, car ce dernier peut détruire les bactéries intestinales qui pourraient être à l'origine du problème. En fait, des chercheurs universitaires sud-africains ont constaté que lorsqu'ils administraient une solution à base de miel à des enfants atteints de diarrhée due à une infection bactérienne, les jeunes patients se rétablissaient environ deux fois plus rapidement que d'autres enfants qui recevaient la solution traditionnelle à base de glucose.

Le miel pourrait également se montrer utile contre la constipation. En effet, il contient de grandes quantités de fructose, un sucre qui parvient fréquemment dans le gros intestin sans avoir été digéré au préalable. Lorsque les bactéries intestinales commencent le processus de fermentation, une certaine quantité d'eau est attirée dans l'intestin, jouant le rôle d'un laxatif, explique le Dr Marvin Schuster, directeur d'un centre spécialisé dans les troubles de la digestion. La teneur en fructose du miel dépasse celle de pratiquement n'importe quel autre aliment, souligne ce spécialiste.

Critères de choix, préparation et conservation

Préférez le miel non chauffé. Le Dr Molan fait remarquer que la chaleur intense nécessaire à l'obtention de miel traité a pour effet de neutraliser une partie des substances complexes protectrices. Le miel non chauffé est nettement préférable si vous souhaitez bénéficier d'une action bactéricide.

Cherchez du miel Manuka. La plupart des miels non chauffés ont une teneur plus ou moins élevée en principes actifs, mais le miel Manuka en est le plus riche. Cette précision est particulièrement importante si vous faites appel au miel pour soulager des ulcères, poursuit le Dr Molan. Ce miel en provenance de Nouvelle-Zélande est souvent vendu dans les magasins diététiques. Soyez attentif à l'étiquette, qui doit bien préciser «miel Manuka actif». En effet, explique le Dr Molan, cet aliment n'aura aucun effet sur vos ulcères s'il ne contient pas les indispensables principes actifs.

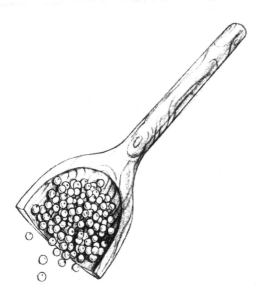

Le millet

Une céréale utile à la santé des femmes

Pouvoir thérapeutique

CONTRIBUE À :
Soulager l'inconfort prémenstruel

Accélérer la cicatrisation

Dans de nombreuses régions du monde, le millet constitue la base de l'alimentation depuis quelque 6 000 ans. En Éthiopie, par exemple, cette céréale nutritive au goût relativement fade qui ressemble à une petite perle jaune sert à fabriquer du pain.

Chez nous, en revanche, le millet sert plus souvent à nourrir les volatiles que l'être humain. La prochaine fois que vous aurez l'occasion de remplir une mangeoire destinée à des oiseaux, vous constaterez la présence de petites boules pâles remplissant les interstices entre les graines de tournesol. Ce sont précisément des grains de millet.

Nous ferions bien de suivre l'exemple de nos amis ailés, car le millet est une céréale très nutritive. Il contient du magnésium, un minéral essentiel qui pourrait contribuer à soulager les douleurs prémenstruelles chez la femme. De plus, le millet contient davantage de protéines que la plupart des autres céréales – une bonne nouvelle pour tous ceux qui mangent peu ou pas du tout de viande. Et comme toutes les céréales, le millet contient des fibres alimentaires, même si une bonne partie de ces dernières est éliminée au cours des processus de transformation du grain. Malgré tout, une portion de millet contient plus de fibres que la même quantité de riz complet cuit.

Soulager l'inconfort périodique

Le magnésium joue dans l'organisme un rôle régulateur de plus de fonctions que presque n'importe quel autre nutriment : il gère la régularité des

À LA CUISINE

Contrairement au riz complet, le millet ne nécessite pas une cuisson très prolongée. Il est d'ailleurs très facile à préparer.

Mélangez dans une casserole 1 volume de millet complet avec 2 volumes 1/2 à 3 volumes d'eau. Amenez à ébullition, réduisez le feu et laissez mijoter à couvert jusqu'à ce que les grains soient devenus tendres (compter environ une demi-heure). Quoique le millet soit généralement apprêté seul, voici plusieurs suggestions pour en varier le goût et la texture.

- Vous obtiendrez une céréale de goût plus doux en remplaçant l'eau de cuisson par du jus de pomme.
- Si vous préférez le millet lorsque les grains se détachent et que sa texture est floconneuse (un peu comme du riz), laissez-le cuire pendant 20 minutes sans intervenir.
- Pour obtenir une texture plus crémeuse, remuez souvent le millet en cours de cuisson : de cette manière, les grains absorbent davantage d'eau.

battements du cœur, soutient la fonction nerveuse et maintient la robustesse de l'ossature. Il pourrait même jouer un rôle en atténuant l'inconfort ressenti par certaines femmes avant les règles.

Les recherches ont montré que les femmes atteintes de syndrome prémenstruel présentaient souvent de faibles taux de magnésium. «Une carence marginale en magnésium pourrait rendre certaines femmes plus sensibles au syndrome prémenstruel», relève le Dr Donald L. Rosenstein, chef d'un service de consultation psychiatrique.

Une portion d'un peu plus de 30 grammes de millet cru contient près de 53 milligrammes de magnésium, soit 13% de la Valeur quotidienne préconisée pour ce minéral. En mangeant davantage de millet, ainsi que d'autres aliments riches en magnésium comme du tofu, de l'avocat, des épinards, de la banane et du beurre de cacahuète, il serait possible de soulager les pénibles symptômes auxquelles certaines femmes sont sujettes chaque mois : irritabilité, dépression, sautes d'humeur et autres, selon le Dr Rosenstein.

INDISPENSABLE POUR RÉPARER L'ORGANISME

Le corps utilise les protéines pour construire et réparer les muscles, les fibres conjonctives et divers autres tissus. Il est particulièrement important d'absorber davantage de protéines après une coupure, une brûlure ou une opération chirurgicale, souligne le Dr Michele Gottschlich, directrice du service de nutrition d'un centre de grands brûlés. «Lorsque l'alimentation comporte trop peu de protéines, la cicatrisation des blessures peut traîner en longueur», explique-t-elle.

Une demi-tasse de millet contient près de 4 grammes de protéines, soit plus de 8% de la Valeur quotidienne. Par comparaison, la même quantité de riz complet n'apporte que 2,5 grammes de protéines.

Si la viande est également une bonne source de protéines, elle comporte souvent des matières grasses saturées susceptibles de faire grimper le taux de cholestérol, ajoute le Dr Lynne Brown, professeur adjoint en sciences alimentaires. Une tasse de millet cuit fournit à peu près autant de protéines que 30 grammes de viande de bœuf, et c'est donc une excellente manière de remplacer la viande sans pour autant absorber plus de matières grasses ni compromettre notre taux de cholestérol.

Critères de choix, préparation et conservation

Achetez-le entier. La cuisson du millet concassé est certes plus rapide que celle du millet entier, mais le processus de transformation a privé le premier d'une partie de ses nutriments. Pour obtenir le plus possible de nutriments bénéfiques, il est donc préférable d'acheter du millet complet.

Utilisez-le en farine. Pour incorporer davantage de cette céréale bénéfique dans votre alimentation, pensez à remplacer la farine de blé ou de maïs par de la farine de millet. En revanche, cette céréale étant dépourvue de gluten (la protéine contenue dans la farine de blé qui permet à la pâte à pain de monter), il convient surtout à la préparation de galettes rapides et d'autres recettes ne nécessitant pas de levure.

Conservez-le soigneusement. Le millet peut devenir rance assez rapidement, perdant alors à la fois sa saveur et une partie de ses nutriments essentiels. Pour qu'il reste frais, conservez-le dans un récipient hermétique et dans un endroit frais et sec.

LES NOIX DIVERSES
DES COQUILLES BOURRÉES DE BiENFAiTS

POUVOIR THÉRAPEUTiQUE

CONTRIBUENT À :
Abaisser le cholestérol

Prévenir les maladies cardiovasculaires

Protéger du cancer

Dans l'Antiquité, les Perses pensaient qu'il suffisait de manger cinq amandes avant d'absorber une boisson alcoolisée pour éviter l'ivresse, ou tout au moins la gueule de bois. Ils étaient également persuadés que les amandes faisaient non seulement fuir les sorcières, mais aussi qu'elles stimulaient la production de lait chez les mères qui allaitaient.

Tout cela nous paraît bien farfelu, mais à la lumière de ce que nous savons aujourd'hui, il n'est pas étonnant que les civilisations anciennes aient éprouvé un tel respect pour les noix. Ces dernières représentent en effet, sous une forme très compacte, une excellente source d'énergie ; en outre, elles se conservent facilement sans trop craindre la froidure de l'hiver ni la chaleur de l'été, et restent donc disponibles à longueur d'année. Mieux encore, les noix contiennent toutes sortes de substances complexes qui pourraient prévenir les maladies cardiovasculaires et le cancer.

L'iNCONVÉNiENT DES CORPS GRAS

Avant de poursuivre notre éloge des noix et de leurs bienfaits pour la santé, il est important de mentionner l'un de leurs principaux inconvénients. Malgré leur teneur élevée en nutriments, elles contiennent de grandes quantités de matières grasses. Une portion de 100 grammes de noix fournit en moyenne 651 kilocalories, dont près de 10 % de lipides.

Toutes les variétés de noix ne sont pas ainsi saturées de graisse, mais c'est néanmoins vrai de la plupart d'entre elles. La noix de coco, par exemple, contient beaucoup de matières grasses, essentiellement du type saturé si dangereux pour la santé. «En revanche, nous avons à l'autre extrémité de la palette une noix comme la châtaigne qui ne contient presque pas de matières grasses, et le peu que l'on y trouve est insaturé», souligne le Dr Joan Sabaté, présidente d'un service universitaire de nutrition.

«Il est bien dommage que tant de gens évitent de manger des noix simplement parce qu'elles sont trop caloriques, ajoute le Dr Sabaté. Le secret consiste à en manger de petites quantités à la fois, ce qui permet de les intégrer judicieusement dans un plan alimentaire équilibré.»

Même si les noix contiennent surtout une forme saine de matières grasses, il est préférable de ne pas en manger de trop grandes quantité. S'il vous arrive de commettre des excès dans ce domaine, le Dr Sabaté vous recommande de diminuer la quantité d'autres matières grasses moins saines que vous absorbez, comme le beurre, les margarines hydrogénées et les amuse-gueules sans intérêt nutritif comme les chips et les biscuits pour l'apéritif.

Bénéfique pour le cœur

L'un des aspects remarquables des noix est qu'elles contiennent un certain nombre de substances complexes qui contribuent à maintenir nos artères bien ouvertes et favorisent la fluidité du débit sanguin.

C'est tout à fait par hasard que des chercheurs de l'université Loma Linda ont découvert qu'il était possible de se protéger contre les maladies cardiovasculaires en mangeant des noix. Ils ont questionné 26 000 Adventistes du septième jour – bien connus pour leurs habitudes alimentaires particulièrement saines – sur 65 aliments, afin de déterminer chez chacun des participants la fréquence d'absorption.

Les chercheurs ont ainsi constaté que les Adventistes aimaient particulièrement les noix. Vingt-quatre pour cent des participants mangeaient des noix au moins cinq fois par semaine. Dans l'ensemble de la population, en revanche, 5 % seulement des gens en mangent aussi souvent. Comme l'ont découvert les chercheurs, cette différence dans la consommation de noix suffisait à faire une différence énorme dans le risque de maladies cardiovasculaires. Il suffisait de manger des noix entre une et quatre fois par semaine pour diminuer de 25 % le risque de décès par athérosclérose. Ce même risque était divisé par deux chez les individus qui mangeaient des noix cinq fois par semaine ou plus souvent encore.

D'autres recherches seront nécessaires afin de déterminer le type de noix le plus bénéfique sur ce plan. La majorité des sujets questionnés préféraient les cacahuètes, les amandes et les noix. Bien que les arachides appartiennent théoriquement à la catégorie des légumineuses, elles sont très proches des noix sur le plan nutritionnel et, d'ailleurs, dans les pays anglo-saxons, on les appelle aussi *groundnuts* (pois souterrains).

Que peuvent bien contenir les noix, avec leur teneur élevée en matières grasses, pour ainsi débarrasser nos artères de leurs dépôts de graisse ? «À quelques exceptions près, la plupart des noix ont une teneur élevée en corps gras monoinsaturés et polyinsaturés, relève le Dr Sabaté. Lorsque ces types de corps gras remplacent les matières grasses saturées dans l'alimentation, ils peuvent contribuer à faire baisser le cholestérol total, de même que le dangereux cholestérol LDL (lipoprotéines de faible densité).» En revanche, les noix n'affectent pas les taux de cholestérol HDL (lipoprotéines de haute densité), bénéfique pour le cœur.

Un autre facteur qui contribue à l'influence bénéfique des noix sur le cœur est un acide aminé, l'arginine. Une certaine quantité cette dernière pourrait être transformée par l'organisme en oxyde azotique, une substance complexe qui contribue à dilater les vaisseaux sanguins. L'action de cette substance est d'ailleurs très similaire à celle de la nitroglycérine, un médicament utilisé pour dilater rapidement les artères afin de faciliter un débit sanguin plus abondant vers le cœur. L'oxyde azotique semble également prévenir l'agrégation des plaquettes, ce qui peut diminuer encore les risques cardiovasculaires.

«De plus, les noix contiennent beaucoup de vitamine E, ce qui pourrait empêcher le cholestérol LDL de s'oxyder», poursuit le Dr Sabaté. Lorsque le cholestérol s'oxyde, il a davantage tendance à se déposer sur la paroi de nos artères, gênant alors le flux sanguin. Les noix contiennent davantage de vitamine E que n'importe quel autre aliment, à l'exception des huiles alimentaires. Les amandes et les noix figurent en tête de liste sur ce plan. En effet, 40 à 50 grammes de noix ou d'amandes peuvent contenir environ 12 unités internationales de vitamine E, soit 40 % de la Valeur quotidienne.

De plus, les noix nous apportent de généreuses quantités de cuivre et de magnésium, bénéfiques pour le cœur. Le magnésium semble jouer un rôle dans la régulation non seulement du cholestérol et de la pression artérielle, mais aussi du rythme cardiaque, tandis que le cuivre pourrait contribuer à abaisser le cholestérol.

Prévention du cancer

Les noix contiennent non seulement des substances complexes qui pourraient contribuer à prévenir les maladies cardiovasculaires, mais également des substances capables de s'opposer à l'évolution du cancer.

On trouve par exemple dans les noix de l'acide ellagique, une substance complexe qui semble avoir plusieurs modes d'action pour lutter contre le cancer. «L'acide ellagique est un bon antioxydant, neutralisant les molécules d'oxygène nocives appelées radicaux libres, dont le rôle dans l'apparition des processus cancéreux est bien connu», déclare le Dr Gary D. Stoner, directeur d'un programme de chimioprévention du cancer. L'acide ellagique contribue également à détoxifier diverses substances potentiellement cancérigènes, tout en empêchant les cellules cancéreuses de se diviser.

Dans le cadre d'une étude, les animaux de laboratoire auxquels les chercheurs ont administré de l'acide ellagique en même temps qu'une substance cancérigène présentaient un risque 33 % moindre d'être ensuite atteints de cancer de l'œsophage que les animaux du groupe témoin qui n'avaient reçu que la substance cancérigène. Au cours d'une autre étude, des cobayes qui avaient absorbé de l'acide ellagique purifié présentaient un risque 70 % plus faible de tumeur du foie.

UN TRÉSOR SUR LE PLAN NUTRITIF

Toutes les noix sont d'excellentes sources de protéines, et la plupart d'entre elles nous apportent également une généreuse quantité de vitamines et de minéraux, ainsi que des fibres alimentaires.

Si cette bonne vieille cacahuète ne jouit pas d'une réputation thérapeutique extraordinaire, elle vient en tête de liste parmi toutes les noix pour sa teneur en protéines. En effet, 100 grammes de cacahuètes grillées contiennent 24 grammes (soit plus de 40 % de la Valeur quotidienne). Une telle quantité de protéines dépasse largement ce que nous fournirait la même quantité de viande de bœuf ou de poisson. Mieux encore, les protéines des cacahuètes sont complètes, c'est-à-dire qu'elle contiennent tous les acides aminés indispensables. D'autres noix telles que noix du Brésil, noix de cajou, noix (fruit du noyer), ainsi que les amandes, sont également de bonnes sources de protéines, chacune de ces variétés contenant au moins 15 grammes pour 100 grammes de produit, soit 45 % de la Valeur quotidienne.

De plus, toutes les noix sont une bonne source de fibres, puisqu'une portion de 100 grammes en contient généralement au moins 2 grammes, soit à peu près autant que la même quantité de céréales Cheerios. Parmi les noix les plus riches en fibres, on peut citer les pistaches (près de 2 grammes pour 100 grammes, soit presque 20 % de la Valeur quotidienne), ainsi que les amandes (un peu plus de 2,6 grammes, environ 10 % de la VQ).

L'OIGNON, L'ÉCHALOTE ET COMPAGNIE
À LA RACINE D'UNE BONNE SANTÉ

Pouvoir THÉRAPEUTiQUE

CONTRIBUENT À :

Augmenter le «bon» cholestérol HDL

Abaisser la pression artérielle

Diminuer le risque de cancer

Soulager la congestion

Diminuer l'inflammation

Imaginez la scène. Nous sommes aux États-Unis, en 1864, en pleine guerre de Sécession. Les soldats confédérés sont terrassés par la dysenterie. Le général Ulysses S. Grant envoie au ministère américain de la Guerre l'ultimatum suivant: «Je refuse de déplacer mon armée si l'on ne me fournit pas d'oignons!»

Dès le lendemain, on lui en expédie trois cargaisons par voie ferrée. Le reste figure en bonne place dans les livres d'histoire.

De là à dire que l'oignon a remporté la victoire, il y a un pas que nous ne saurions franchir. D'ailleurs, il reste à prouver scientifiquement que les oignons peuvent guérir la dysenterie. Pourtant, l'oignon et les autres membres de la famille des liliacées, qui comprend également le poireau, l'échalote et la ciboule, contiennent des dizaines de substances complexes capables de soulager toutes sortes de troubles, depuis le cancer ou l'asthme jusqu'à l'hypertension artérielle, les maladies cardiovasculaires et l'excès de cholestérol.

Munissez-vous donc d'un oignon, d'un couteau bien aiguisé et d'une planche à découper et commencez dès à présent à vous construire une meilleure santé.

Pour les asthmatiques, le fait de manger des oignons crus ou cuits pourrait contribuer à lutter contre l'inflammation des voies respiratoires qui accompagne les crises d'asthme. En revanche, avertissent les chercheurs, mieux vaut éviter de manger des oignons au vinaigre, car cela pourrait entraîner l'effet inverse.

Dans le cadre d'une étude effectuée en Espagne, des scientifiques ont constaté l'apparition d'une crise d'asthme chez certains asthmatiques qui venaient de manger des oignons d'Espagne au vinaigre (les oignons de Hollande au vinaigre, en revanche, n'avaient pas le même effet). Il semblerait que cela tienne aux grandes quantités de sulfite employé à titre de conservateur.

Si votre médecin a détecté chez vous une sensibilité aux sulfites, sans doute est-il préférable d'éviter les oignons au vinaigre. S'il vous arrive d'en avoir envie, lisez soigneusement l'étiquette pour vérifier qu'ils ont été préparés sans sulfite.

Quel rapport entre l'oignon et le cœur?

En Hollande, dans le cadre d'une étude souvent citée, des chercheurs ont étudié un groupe d'hommes en bonne santé qui mangeaient régulièrement des préparations à base d'oignons.

Au cours de cette étude très remarquée, les chercheurs ont constaté que le risque de décès par crise cardiaque était divisé par trois chez les participants qui absorbaient chaque jour le quart d'une tasse d'oignon, ainsi qu'une pomme et quatre tasses de thé, par rapport à ceux qui ne prenaient que très peu de ces types d'aliments.

Mais qu'est-ce que l'oignon a donc de si spécial? Bien à l'abri sous sa pelure parcheminée se dissimulent des dizaines de substances complexes qui contribuent à faire baisser le taux de cholestérol, à liquéfier le sang et à prévenir le durcissement des artères, autant de facteurs très bénéfiques dans la prévention des maladies cardiovasculaires.

Les flavonoïdes sont la première catégorie de complexes utiles au cœur que contient l'oignon. Ces substances présentes dans certains végétaux possèdent un grand pouvoir antioxydant, c'est-à-dire qu'elles contribuent à prévenir la maladie en évacuant des molécules d'oxygène nuisibles (les radicaux libres) qui s'accumulent spontanément dans l'organisme, dont elles endommagent les cellules.

Les recherches ont montré que l'un des flavonoïdes contenus dans l'oignon, la quercétine, contribuait de deux manières différentes à lutter contre les maladies cardiovasculaires. Tout d'abord, la quercétine aide à prévenir l'oxydation du dangereux cholestérol LDL (lipoprotéines de faible densité), l'empêchant de se déposer sur les parois de nos artères. Deuxièmement, elle contribue à freiner la tendance des plaquettes du sang à s'agglutiner pour former des caillots.

L'oignon contient un deuxième groupe de substances complexes protectrices, celles-là même qui nous font pleurer en l'épluchant: les complexes sulfurés. Selon les experts, ces complexes augmentent le taux de cholestérol HDL «bénéfique» (lipoprotéines de haute densité), qui contribue à empêcher le dépôt de plaque sur la paroi de nos artères. Parallèlement, ils abaissent le taux d'un type de lipides sanguins dangereux, les triglycérides, favorisant ainsi la fluidité du sang et maintenant la pression artérielle dans des limites raisonnables.

Il n'est pas nécessaire de manger de grandes quantités d'oignons pour fournir à notre muscle cardiaque toutes les substances protectrices souhaitables. Selon diverses études, il suffit d'absorber chaque jour un oignon moyen, cru ou cuit, pour obtenir un niveau de protection adéquat.

PROTECTION CONTRE LE CANCER

Quiconque souhaite se protéger contre le cancer a tout intérêt à manger beaucoup d'oignons. Ces derniers, selon les experts, pourraient jouer un rôle protecteur de tout premier plan dans la prévention du cancer, en particulier celui du tube digestif.

«Le principal flavonoïde que l'on trouve dans l'oignon, la quercétine, réussit à stopper la progression des tumeurs dans le côlon chez les animaux de laboratoire», souligne le Dr Michael J. Wargovich, professeur de médecine. Autant dire que l'oignon joue un rôle double sur ce plan, car les composés sulfurés qu'il contient luttent également contre le cancer, ajoute ce médecin.

Dans le cadre d'une étude de grande envergure effectuée aux Pays-Bas, des chercheurs ont étudié l'alimentation de près de 121 000 hommes et femmes pour constater que plus les participants absorbaient d'oignons chaque jour, plus faible était le risque de cancer de l'estomac auquel ils étaient exposés.

Les scientifiques pensent que l'oignon protège contre le cancer non seulement en freinant le développement des tumeurs, mais aussi en anéantissant les bactéries nuisibles qui pourraient déclencher un cancer de l'estomac.

UN EFFET BÉNÉFIQUE SUR LES VOIES RESPIRATOIRES

L'habitude de manger des sandwiches de dinde généreusement agrémentés de rondelles d'oignon cru ne fera rien pour améliorer votre haleine, mais pour les asthmatiques (ainsi que les personnes atteintes d'autres types de troubles respiratoires), ces mêmes oignons pourraient dégager les bronches.

«Les oignons contiennent des substances complexes sulfurées capables d'inhiber la réponse allergique inflammatoire, comme dans le cas de l'asthme», note le Dr Erich Block, professeur de chimie.

D'autres recherches restent à faire pour confirmer l'utilité de l'oignon dans les crises d'asthme, mais vous pouvez vérifier très facilement l'effet anti-inflammatoire de ce précieux bulbe. La prochaine fois que vous aurez subi une piqûre d'insecte ou tout autre type d'inflammation cutanée bénigne, frottez dessus une rondelle d'oignon. Selon le Dr Block, cela devrait soulager l'inflammation.

Il suffit d'absorber chaque jour quelques portions d'oignon pour favoriser le passage de l'air dans les voies respiratoires. «Contrairement à certains aliments, dont il faudrait manger des quantités inimaginables pour obtenir un effet significatif, l'oignon permet d'avoir un vrai soulagement, poursuit le Dr Block. Si vous aimez ce bulbe, vous n'aurez pas de mal à en manger des quantités relativement importantes. Un certain nombre de travaux laissent entendre que c'est là une sage précaution.»

PRIVILÉGIEZ LA VARIÉTÉ

Que l'on mange pour se maintenir en bonne santé ou simplement pour le plaisir, pourquoi se limiter aux seuls oignons? En effet, divers autres bulbes de la famille des liliacées comme la ciboule et l'échalote, entre autres, contiennent non seulement les mêmes complexes sulfurés et flavonoïdes que l'oignon lui-même, mais également un certain nombre de nutriments qui leur sont propres et peuvent également lutter contre la maladie et stimuler l'immunité.

La ciboule, en réalité, n'est autre qu'un oignon encore très jeune et immature. Sa teneur nutritive est en revanche plus élevée que celle de l'oignon adulte, surtout pour ce qui est du folate et de la vitamine C.

Une portion de 25 grammes de ciboule crue hachée nous apporte 32 microgrammes de folate (8% de la Valeur quotidienne). Ce nutriment essentiel pour une croissance normale des tissus pourrait jouer un rôle protecteur contre le cancer, les maladies cardiovasculaires et les malformations congénitales. Cette même quantité nous fournit en outre plus de 10 milligrammes de vitamine C (près de 16% de la Valeur quotidienne); rappelons que cette vitamine, élément antioxydant, stimule l'immunité et contribue à neutraliser les radicaux libres (molécules d'oxygène nuisibles pour nos tissus).

Quant à l'échalote, un autre membre miniature de la famille des liliacées, elle offre certains avantages qui lui sont propres. Une seule cuillerée à soupe d'échalote hachée contient 600 unités internationales de vitamine A, soit 12% de la Valeur quotidienne. Ce nutriment indispensable contribue à fortifier le système immunitaire, tout en protégeant contre divers troubles de la vue liés au vieillissement comme les cataractes et la cécité nocturne.

Critères de choix, préparation et conservation

Une touche de couleur. Afin d'absorber le plus possible de nutriments grâce à votre dose quotidienne d'oignons, il est préférable d'en utiliser différentes variétés. L'oignon rouge, l'oignon jaune et l'échalote ont la teneur la plus élevée en flavonoïdes, tandis que l'oignon blanc en contient le moins.

Une haleine fraîche. Si vous avez peur d'acquérir une haleine chargée en mangeant souvent de l'oignon, malgré tous les avantages que comporte ce dernier, mangez un brin de persil frais. Grâce à cette précaution, vous neutraliserez les complexes sulfurés avant qu'ils puissent se transformer en mauvaise haleine. Un désodorisant de l'haleine à base d'huile de graine de persil peut également se révéler utile.

Ouvrez les yeux. Même si vous raffolez des oignons, il se pourrait que vous éprouviez quelque difficulté à en manger un chaque jour. C'est précisément la raison pour laquelle les scientifiques travaillent à mettre au point une nouvelle variété d'oignon ayant une teneur particulièrement élevée en flavonoïdes comme la quercétine. Pour le moment, les experts ne peuvent pas encore préciser à quelle date ces oignons d'un genre nouveau seront commercialisés, mais essayez de ne pas manquer cet événement.

L'OLIVE ET SON HUILE
Un élixir pour le cœur

Pouvoir thérapeutique
CONTRIBUE À :
Abaisser le cholestérol

Diminuer le risque de maladies cardiovasculaires et de cancer du sein

Il y a plus de 40 ans de cela, des chercheurs sont restés stupéfaits peu après avoir commencé à étudier les habitants d'une île grecque, la Crète. L'alimentation crétoise traditionnelle avait beau être saturée de matières grasses, l'incidence de maladies cardiovasculaires parmi les habitants de cette île était exceptionnellement faible. «Il fallut bien nous rendre à l'évidence: il y avait forcément quelque chose dans leur alimentation qui leur apportait la protection nécessaire, et tout nous porte à croire que l'huile d'olive joue un rôle essentiel», déclare le Dr Dimitrios Trichopoulos, professeur d'épidémiologie et de prévention du cancer.

Nous serions bien inspirés de suivre l'exemple des Crétois. Non seulement l'huile d'olive semble abaisser les risques cardiovasculaires, mais elle pourrait également diminuer celui de cancer du sein.

Un corps gras supérieur

Tous les types de matières grasses, depuis le beurre et la margarine jusqu'à l'huile d'olive, se valent à peu près sur le plan calorique. En revanche, leur comportement dans l'organisme diffère du tout au tout. Les corps gras saturés, par exemple, que l'on trouve essentiellement dans la viande et les produits laitiers, sont

À LA CUISINE

Certains types d'huile d'olive particulièrement rares ont un goût (et un prix) exquis. D'autres sont bien moins onéreuses, mais leur goût s'en ressent aussi, bien évidemment. Beaucoup de gourmets aiment avoir dans leur cuisine au moins deux types différents d'huile d'olive: une huile de goût plus raffiné pour arroser les crudités ou la pizza, et une huile de goût plus robuste, réservée à la cuisson.

- **Huile d'olive vierge extra première pression à froid.** Cette huile de qualité supérieure est la reine de toutes les huiles d'olive. Elle est généralement employée en assaisonnement plutôt que pour la cuisson. Lors de l'achat, fiez-vous à la couleur. Plus celle-ci est sombre, plus le goût de l'huile sera prononcé.
- **Huile d'olive vierge.** De teinte plus pâle que l'huile obtenue par première pression à froid, son goût est moins prononcé. Elle est généralement utilisée pour les fritures effectuées à température faible à moyenne.
- **Huile d'olive raffinée.** Cette qualité est souvent utilisée par les personnes qui apprécient les avantages que représentent pour la santé les corps gras monoinsaturés, mais qui n'apprécient pas le goût prononcé de l'huile d'olive. Cette qualité supporte bien la chaleur, et vous pourrez par conséquent l'utiliser pour des fritures à température élevée.

incroyablement nuisibles parce qu'ils rendent très difficile l'élimination par l'organisme du dangereux cholestérol LDL (lipoprotéines de faible densité), celui qui obstrue nos artères et augmente les risques cardiovasculaires.

En revanche, l'huile d'olive est un corps gras monoinsaturé. Lorsque nous remplaçons les matières grasses saturées dans notre alimentation par de l'huile d'olive, cela permet d'abaisser le taux de cholestérol LDL sans affecter le cholestérol HDL «bénéfique» (celui des lipoprotéines de haute densité).

Les Grecs, grands amateurs d'huile d'olive, ne consomment que très peu de beurre ou de margarine, ajoute le Dr Trichopoulos. De plus, leurs repas principaux se composent généralement de légumes ou de haricots secs plutôt que de viande. Ainsi, même s'ils utilisent de grandes quantités d'huile d'olive, la proportion de matières grasses saturées reste très faible.

Au cours d'un projet scientifique portant sur sept pays, les chercheurs ont fait une constatation intéressante: parmi les hommes américains d'une quarantaine d'années, 46% des décès avaient pour cause les maladies cardiovasculaires, tandis que chez les Crétois, cette cause de décès n'affectait que 4% des hommes du même âge, soit un risque 10 fois plus faible.

DES COMPLEXES CHIMIQUES POUR LE CŒUR

Si l'huile d'olive est si bénéfique pour le cœur, cela ne tient pas seulement à sa teneur en matières grasses monoinsaturées. Elle contient également d'autres complexes capables de lutter contre la maladie et d'empêcher les dégâts à l'intérieur de nos artères avant même qu'ils ne commencent.

En voici la raison. Le corps génère spontanément des molécules d'oxygène nuisible, les radicaux libres. Ces molécules endommagent le cholestérol LDL dans le courant sanguin, ce qui fait que cette forme nuisible de cholestérol se dépose alors plus facilement sur la paroi de nos artères. En revanche, plusieurs des substances complexes que contient l'huile d'olive, comme les polyphénols, sont de puissants antioxydants. Cela signifie qu'ils peuvent neutraliser les radicaux libres avant que ces derniers ne puissent engendrer des problèmes, explique le Dr Trichopoulos. Par conséquent, il est possible de maintenir les artères bien ouvertes en augmentant la quantité d'huile d'olive absorbée.

LA MEILLEURE AMIE DE LA FEMME

La réputation de l'huile d'olive repose surtout sur son rôle de protecteur cardiaque, mais divers travaux suggèrent qu'elle pourrait également jouer un rôle préventif dans le cancer du sein. Au cours d'une étude portant sur plus de 2 300 femmes, des chercheurs de deux écoles de santé publique, celle de Harvard et celle d'Athènes (Grèce), ont constaté que les femmes qui se servaient d'huile d'olive plus d'une fois par jour présentaient un bien moindre risque de cancer du sein (25% plus faible) que d'autres femmes qui utilisaient cette huile moins fréquemment. Il faut également souligner chez les femmes grecques un risque beaucoup plus faible de décès par suite d'un cancer du sein que parmi leurs consœurs américaines.

«Nous ne savons pas encore exactement comment expliquer cet apparent effet protecteur», note le Dr Trichopoulos. L'huile d'olive contient beaucoup de vitamine E, dont il est prouvé qu'elle inhibe les lésions cellulaires pouvant déclencher un cancer. En outre, les mêmes polyphénols qui contribuent à protéger le cœur contre les lésions dues aux radicaux libres pourraient également jouer un rôle protecteur contre le cancer.

Critères de choix, préparation et conservation

Choisissez la première pression à froid. Tous les types d'huile d'olive ont une teneur élevée en corps gras monoinsaturés, mais ils ne contiennent pas la même quantité de polyphénols protecteurs. Afin d'obtenir le plus possible de ces substances complexes, vérifiez avant l'achat que l'huile d'olive qui vous intéresse a bien été obtenue par première pression à froid. Cette qualité provenant du premier pressage d'olives mûries à point garantit une teneur optimale en polyphénols, et le goût de l'huile n'est pas altéré par la présence d'acides.

Gardez-la au frais. Les quantités utilisées d'un jour à l'autre restant modestes, il arrive relativement souvent que l'huile d'olive s'altère lorsqu'elle reste dans un placard de cuisine, perdant alors non seulement son goût agréable mais aussi ses substances protectrices. Pour lui garder toute sa fraîcheur, conservez-la au réfrigérateur ou dans un endroit frais et à l'abri de la lumière. Si elle se solidifie, il suffira de la laisser un moment à température ambiante pour qu'elle retrouve sa consistance initiale.

L'ORANGE
LA DOUCEUR DES AGRUMES

POUVOIR THÉRAPEUTIQUE

CONTRIBUE À :

Abaisser le risque de maladies cardiovasculaires et d'accident vasculaire cérébral

Soulager l'inflammation

Lutter contre le cancer

L'orange est presque le fruit parfait. Non seulement elle contient beaucoup de vitamine C et de fibres, mais elle nous offre également un apport énergétique rapide par la grande quantité de sucre naturel qu'elle nous fournit. En outre, présentée par la nature tout emballée dans son épaisse peau protectrice, elle se laisse facilement manger n'importe quand et en tout lieu.

Pourtant, l'orange est bien davantage qu'un aliment sain et pratique. Elle recèle en outre toute une série de substances complexes – limonine, limonène, glucoside de limonine, hespéridine – qui semblent porteuses d'espoir dans la lutte contre le cancer. De plus, elle contient des éléments complexes qui pourraient stopper la maladie cardiovasculaire avant même que celle-ci ne se déclenche.

BÉNÉFIQUE POUR LE CŒUR

Diverses études ont montré que les vitamines et autres substances complexes contenues dans les oranges sont des antioxydants d'une efficacité surprenante. En clair, cela signifie que ces substances sont en mesure de neutraliser les radicaux libres (molécules d'oxygène destructrices pouvant endommager les cellules de l'organisme) avant que ces derniers ne puissent causer des dégâts. C'est là une considération importante, car les lésions dues aux radicaux libres sont l'une des causes du processus qui finit par obstruer nos artères et qui est l'un des facteurs clés dans l'accident vasculaire cérébral et la maladie cardiovasculaire.

La vitamine C est reconnue depuis longtemps comme un antioxydant puissant. Pourtant, il semblerait que l'orange contienne d'autres substances complexes plus puissantes encore.

«Lorsque nous avons mesuré la capacité antioxydante totale des oranges, nous avons constaté que la vitamine C ne représentait que quelque 15 à 20% de l'activité totale, souligne Ronald L. Prior, responsable de recherches. Il s'est avéré que les autres substances complexes contenues dans l'orange étaient des antioxydants très puissants, de trois à six fois aussi puissants que la vitamine C.»

Dans le cadre d'une étude, des chercheurs ont administré à des rats un extrait de pelure et de peau blanche provenant d'oranges. Cet extrait, qui contenait une substance complexe appelée hespéridine, eut pour effet d'augmenter de manière significative chez ces animaux de laboratoire les taux de cholestérol HDL bénéfique (lipoprotéines de haute densité), tout en abaissant le cholestérol LDL dangereux (celui des lipoprotéines de faible densité). Si les recherches à venir devaient confirmer, au cours d'essais portant sur l'être humain, que l'hespéridine exerce le même effet chez l'homme, l'orange pourrait aider à faire baisser l'excès de cholestérol, qui est l'un des principaux facteurs de maladies cardiovasculaires.

L'hespéridine pourrait avoir d'autres avantages. Dans le cadre d'études en laboratoire, par exemple, des chercheurs brésiliens ont constaté que cette substance pouvait contribuer à stopper l'inflammation. En outre, comme elle n'endommage pas la délicate muqueuse de l'estomac (contrairement à l'aspirine), il se pourrait qu'elle soit un jour utilisée pour réduire l'inflammation chez les personnes qui présentent une sensibilité à des médicaments anti-inflammatoires tels que l'aspirine ou l'ibuprofène.

Maîtriser le cancer

Diverses études en laboratoire ont montré que le limonène présent dans les oranges pouvait contribuer à inhiber le cancer des poumons et du sein, selon le Dr Bill Widmer, chercheur spécialisé dans les agrumes.

Dans le cadre d'une étude effectuée au centre médical de l'université Duke, des animaux de laboratoire qui avaient reçu une alimentation contenant 10% de limonène présentaient une réduction de 70% de leurs tumeurs cancéreuses. Sur les tumeurs restantes, 20% ont diminué jusqu'à atteindre moins de la moitié de leur volume antérieur.

Dans une autre étude, des chercheurs de l'université Cornell ont administré à des cobayes atteints d'un début de cancer du foie un extrait de concentré de jus d'orange dont toute la vitamine C avait été supprimée. L'incidence et le volume des lésions précancéreuses ont néanmoins baissé de 40%.

«Ces rats ont bu chaque jour pendant quatre mois une quantité de jus d'orange équivalant pour un être humain à plus de 4 litres et demi, ajoute le Dr Robert S. Parker, professeur de sciences de la nutrition et de l'alimentation. Pour l'espèce humaine, une telle quantité serait largement excessive, mais puisque nous n'avons administré à ces cobayes que certaines des substances constitutives du jus, il est possible que l'effet protecteur de ce dernier lorsqu'il est absorbé entier soit encore supérieur à ce que laissent entendre les résultats obtenus. Il est concevable que l'être humain soit en mesure d'obtenir un effet protecteur tout en absorbant des quantités moins élevées, surtout lorsque ce jus est absorbé régulièrement sur une durée prolongée.»

Les recherches portant sur le limonène se sont révélées si prometteuses que des chercheurs britanniques évaluent ses effets sur le cancer du sein.

«L'effet du limonène sur les cellules ou les lésions tumorales est sans pareil et tout à fait passionnant», déclare le Dr Michael Gould, professeur d'oncologie humaine. Pour simplifier, on peut dire que cette substance complexe entraîne l'autodestruction des cellules cancéreuses. Elle aide ces dernières à conduire leur propre suicide.

Toujours la vitamine C

C'est à juste titre que les oranges sont surtout connues pour leur teneur élevée en vitamine C. Une seule orange en contient environ 70 milligrammes, soit près de 117% de la Valeur quotidienne. Ce nutriment joue un rôle essentiel non seulement en neutralisant les dangereux radicaux libres, mais également en

Les oranges représentent bien plus qu'un fruit sucré à se mettre sous la dent lorsque l'on a un petit creux. Que vous en fassiez du jus ou qu'il s'agisse d'agrémenter de quelques quartiers d'orange un plat de viande cuisinée, mieux vaut connaître le type d'orange qui correspond à cet usage. L'orange navel de Californie est souvent considérée comme la meilleure variété d'orange comestible. Elle se pèle facilement, est sucrée et juteuse et n'a pas de pépins. L'orange Valencia de Floride, dont la peau conserve souvent des traces de vert, est plus juteuse que la navel et sert généralement à préparer du jus. Voici quelques conseils pour tirer le meilleur parti des oranges.

- Si vous devez cuire des oranges navel, ajoutez-les à la dernière minute. Leur goût peut devenir amer à la cuisson.
- Il est préférable de ne pas congeler le jus des oranges navel, car le froid, comme la chaleur, peut rendre leur goût amer.
- Afin d'obtenir le plus possible de jus, réchauffez les oranges à température ambiante, puis faites-les rouler sur la table ou sur le bord de l'évier tout en les comprimant de la paume avant d'en faire du jus.

favorisant la cicatrisation et en stimulant l'immunité. C'est d'ailleurs à son pouvoir immunostimulant que la vitamine C doit sa réputation de remède efficace pour lutter contre les symptômes de refroidissement.

Cette vitamine aide également l'organisme à mieux absorber le fer contenu dans les aliments, un fait particulièrement important pour la femme puisque celle-ci perd chaque mois un peu de fer (et de sang) pendant ses règles.

Dans le cadre d'une étude très étendue, le Dr Gladys Block, professeur d'épidémiologie, a passé en revue 46 études de petite envergure examinant les effets de la vitamine C. La plupart de ces études concluaient que les personnes qui absorbaient le plus de vitamine C étaient également exposées au plus faible risque de cancer.

UNE EXCELLENTE SOURCE DE FIBRES

Une orange contient 3 grammes de fibres, soit environ 12% de la Valeur quotidienne. Les fibres insolubles rendant les selles plus volumineuses, elles peuvent contribuer à soulager quantité de troubles intestinaux, depuis la constipation et les hémorroïdes jusqu'à la diverticulose. En accélérant la digestion, elles peuvent aussi abaisser le risque de cancer du côlon, puisque le transit du bol fécal chargé de substances nuisibles s'effectue plus rapidement à travers le gros intestin.

Les oranges contiennent en outre des fibres solubles. Ce type de fibre auquel appartient également la pectine se décompose pour constituer dans l'intestin grêle une barrière semblable à une gelée. Diverses études ont montré que les fibres solubles pouvaient contribuer à faire baisser le cholestérol tout en régularisant les modifications des taux glycémiques, qui jouent un rôle critique chez les diabétiques.

En mangeant plus de sept oranges par jour, il serait possible d'abaisser d'environ 20% le taux de cholestérol total. Bien entendu, peu d'individus ont une telle passion pour les oranges. En revanche, en absorbant chaque jour toutes sortes de fruits et de légumes, en particulier des oranges et le plus souvent possible, il n'est guère difficile de maintenir des taux bénéfiquement bas de cholestérol.

Critères de choix, préparation et conservation

Faites des réserves au congélateur. L'un des moyens les plus faciles d'augmenter la quantité de vitamine C absorbée par l'alimentation consiste à boire beaucoup de jus d'orange. Le jus frais est certes délicieux, mais sa préparation demande du temps et pas mal de travail. Heureusement, le jus d'orange surgelé conserve la majorité des nutriments. On peut même dire, puisque les fabricants de jus ont des appareils d'extraction perfectionnés qui ne laissent aucune place au gaspillage, qu'une grande quantité des substances complexes si puissantes que recèle le zeste se retrouve dans le jus concentré surgelé, dont le pouvoir thérapeutique et le goût se trouvent donc renforcés.

N'omettez rien. La moitié de la pectine d'une orange se trouve dans la peau blanche, sous le zeste. Ne soyez donc pas trop soigneux lorsque vous pelez vos oranges. Vous absorberez davantage de cette fibre bénéfique si vous laissez un peu de cette couche spongieuse sur chaque tranche que vous mangez.

L'ORGE

UNE CÉRÉALE BONNE POUR LE CŒUR

POUVOIR THÉRAPEUTIQUE

CONTRIBUE À:
Abaisser le cholestérol

Freiner la formation de caillots sanguins

Améliorer la digestion

Réduire le risque de cancer

Si vous êtes de ceux qui ne jurent que par la vitamine E, sans doute avez-vous déjà entendu parler des tocotriénols. Comme la vitamine E, ces substances sont des antioxydants, c'est-à-dire qu'elles sont capables de limiter dans l'organisme les dégâts des radicaux libres (dangereuses molécules d'oxygène). Il s'avère que l'orge est l'une des meilleures sources de ces substances complexes.

«Les tocotriénols sont des antioxydants potentiellement plus puissants que d'autres versions chimiques de la vitamine E, affirme le Dr David J. A. Jenkins, professeur de médecine et de sciences de la nutrition. Leur capacité à lutter contre les radicaux libres est au moins 50% supérieure à celle des autres formes.» Voilà qui représente une considérable force de frappe contre les maladies cardiovasculaires.

Les tocotriénols luttent contre ces maladies sur deux fronts. Tout d'abord, ils contribuent à empêcher l'oxydation des radicaux libres, un processus au cours duquel est généré le dangereux cholestérol LDL (lipoprotéines de faible densité), celui qui se dépose le plus facilement sur la paroi de nos artères. En outre, ils exercent une action sur le foie pour freiner la production de cholestérol par l'organisme.

L'orge contient également des lignanes; grâce à leur pouvoir antioxydant, ces dernières renforcent l'effet de protection. Selon le Dr Lilian Thompson, professeur de sciences de la nutrition, les lignanes peuvent contribuer à empêcher la formation de minuscules caillots sanguins, diminuant d'autant les risques cardio-vasculaires.

Enfin, l'orge contient des quantités exceptionnellement élevées de sélénium et de vitamine E. Il est vrai que les résultats des recherches sur ce plan sont inégaux, mais des travaux de plus en plus nombreux semblent indiquer que ces deux nutriments contribuent à protéger du cancer. Certains chercheurs sont même persuadés que l'efficacité du sélénium en tant qu'agent de lutte contre le cancer serait à son maximum lorsque ce minéral est absorbé en même temps que d'autres antioxydants; or, comme nous venons de le voir, l'orge contient une multitude de nutriments antioxydants.

Une tasse d'orge perlé cuit contient 36 microgrammes de sélénium, soit plus de la moitié de la Valeur quotidienne (VQ), ainsi que 5 unités internationales de vitamine E (17% de la VQ).

PROTECTION FIBREUSE

Non seulement l'orge contribue à limiter les dégâts causés par le dangereux cholestérol LDL, mais il joue un autre rôle bénéfique pour la santé des vaisseaux sanguins. En effet, cette céréale contient une abondance de bêtaglucane, un type de fibre soluble qui constitue une gelée dans l'intestin grêle. Le cholestérol de l'organisme se lie à cette gelée, qui est ensuite excrétée.

Non seulement les fibres solubles contribuent à faire baisser le cholestérol, mais elles se lient également dans l'intestin à certains agents potentiellement cancérigènes dont elles empêchent ainsi l'absorption. En outre, comme les fibres solubles se chargent de grandes quantités d'eau dans le côlon, elles stimulent l'efficacité des processus de digestion, contribuant ainsi à prévenir la constipation.

Critères de choix, préparation et conservation

Achetez des graines entières. L'orge perlé est plus courant en magasin que la céréale entière, mais le premier a subi au moins cinq cycles de raffinage destinés à le débarrasser de l'enveloppe extérieure si bénéfique, ainsi que de la couche de son.

Un choix plus judicieux sur le plan nutritif est l'orge mondé. Ce dernier, débarrassé uniquement de l'écorce extérieure non comestible, est la meilleure source de fibres, de minéraux et de thiamine. Son goût plus prononcé rappelle celui des noix. L'orge mondé est vendu dans la plupart des magasins diététiques.

Préparez-le au four. À moins d'être grand amateur d'orge, vous ne risquez guère d'en absorber un verre par jour, comme le recommande le Dr Jenkins, pour bénéficier le plus possible de son pouvoir thérapeutique. Voici un autre moyen d'augmenter la quantité d'orge dans votre alimentation : ajoutez-en à vos pains et pâtisseries maison. Comptez environ 100 grammes de farine d'orge à la place de 200 grammes de votre farine habituelle. Vous pouvez aussi ajouter des flocons d'orge à des biscuits, des petits pains ou du pain. Ils y ajouteront un agréable goût de noix tout en vous fournissant davantage de fibres et de nutriments que la farine blanche.

LE PAMPLEMOUSSE
LE POUVOIR DE LA PECTINE

POUVOIR THÉRAPEUTIQUE

CONTRIBUE À :

Soulager les symptômes du rhume

Prévenir le cancer

Réduire les ecchymoses

Prévenir les maladies cardio-vasculaires et les accidents vasculaires cérébraux

Parmi tous les fruits habituellement présents au petit déjeuner, le pamplemousse est peut-être bien le plus gros, sans pour autant obtenir nécessairement le succès qu'il mérite. En effet, beaucoup de gens redoutent son goût amer et lui préfèrent d'autres variétés d'agrumes plus sucrées.

Sur le plan de la santé, pourtant, le pamplemousse (particulièrement celui à chair orange) se distingue très nettement. Parmi les nombreuses substances complexes antioxydantes qu'il contient, on peut citer non seulement la vitamine C, mais aussi le lycopène, les limonoïdes et la naringine. Ensemble, ces substances complexes peuvent contribuer à soulager les symptômes de refroidissement et diminuer les risques de maladies cardiovasculaires et de cancer.

Toutes ces substances ont une caractéristique commune : leur aptitude à éponger les radicaux libres (dangereuses molécules d'oxygène dans le corps). Si les radicaux libres font partie intégrante du métabolisme, ils peuvent aussi avoir des conséquences dangereuses. En mangeant un pamplemousse, nous absorbons une sorte d'éponge capable de neutraliser chimiquement toutes sortes de troubles potentiels.

De plus, le pamplemousse contient de grandes quantités de pectine, un type de fibre dont il est prouvé qu'elle abaisse considérablement le cholestérol, diminuant ainsi le risque de maladies cardiovasculaires, d'hypertension artérielle et d'accident vasculaire cérébral.

LA VIE EN ROSE

L'une des substances complexes qui confère au pamplemousse sa belle teinte rose est le lycopène. Ce dernier, également présent dans la tomate et les poivrons rouges, «est un antioxydant majeur, très puissant pour neutraliser les radicaux libres, souligne le Dr Paul Lachance, professeur de nutrition. Sans le lycopène de nos aliments, nous aurions beaucoup plus de cas de cancer et de maladies cardio-vasculaires.»

En outre, le pamplemousse est une excellence source de limonoïdes, dont les recherches ont prouvé (comme pour la vitamine C) l'efficacité contre le cancer. Au cours d'études en laboratoire, des chercheurs du ministère américain de l'Agriculture ont constaté que les limonoïdes augmentaient les taux de certaines enzymes qui contribuent à détoxifier les agents cancérigènes et favorisent leur excrétion.

«Le pamplemousse est probablement notre meilleure source de limonoïdes», souligne le Dr Antonio Montanari, chargé de recherches sur les agrumes. Un verre

À LA CUiSiNE

Beaucoup de gens apprécient le goût acide et rafraîchissant du pamplemousse, mais quelques-uns préfèrent une saveur légèrement plus sucrée. Voici quelques conseils pour choisir un fruit moins acide et plus doux.

Achetez-le à point. Le pamplemousse est vendu à longueur d'année, mais la saison idéale se situe entre janvier et juin. C'est alors que le fruit atteint sa pleine maturité et que son goût est le plus sucré.

Préférez les variétés hybrides. Il existe un certain nombre de cousins germains du pamplemousse, de goût beaucoup plus sucré. Certaines variétés hybrides telles que le Sweetie ont un goût qui rappelle celui du pamplemousse, en plus doux et plus sucré.

Un autre voisin du pamplemousse est le pomelo. Ce dernier, vendu dans les marchés et magasins exotiques, «est un peu plus sec et plus sucré que le pamplemousse, et son goût est toujours moins amer et moins acide», commente Andrea S. Boyle, déléguée des producteurs américains de pamplemousses.

Ajoutez-y du sucre. Vous pouvez toujours saupoudrer un peu de sucre sur un pamplemousse, ou le napper de miel, pour en ôter l'acidité et en améliorer le goût. Autre possibilité: saupoudrez chaque moitié de fruit de sucre complet, puis mettez-le quelques minutes sous le gril jusqu'à ce que le sucre commence à se caraméliser.

de 180 millilitres de jus de pamplemousse contient par exemple plus de 100 milligrammes de substances complexes diverses de la catégorie des limonoïdes.

D'autre part, le pamplemousse contient de grandes quantités d'une autre substance complexe, la naringine, qui n'est semble-t-il présente dans aucun autre fruit. Au cours d'essais en laboratoire, des chercheurs ont montré que la naringine inhibait la croissance de certains types de cellules cancéreuses impliqués dans le cancer du sein.

Enfin, le pamplemousse est une excellente source de vitamine C. C'est l'un des rares aliments dont une seule portion suffit à en fournir plus que la Valeur quotidienne (VQ). Une portion de 100 grammes de cet agrume contient en effet 40 milligrammes de vitamine C, soit près des deux tiers de la VQ.

Si la vitamine C est un antioxydant puissant, elle entre aussi dans la constitution du collagène, la «colle» qui lie ensemble les cellules cutanées. Lorsque nous n'absorbons pas assez de vitamine C, les blessures sont lentes à guérir et les gencives ont tendance à saigner. En outre, il est prouvé que la vitamine C contribue à soulager les symptômes du rhume en faisant baisser les taux d'histamine, une substance chimique naturelle qui provoque un écoulement nasal abondant.

Le pouvoir de la pectine

Depuis quelques années, le pamplemousse retient l'attention des chercheurs en raison des généreuses quantités de pectine qu'il contient. La pectine est une fibre soluble qui peut contribuer à faire baisser le cholestérol, ramenant celui-ci à des taux raisonnables. Pour ce faire, la pectine constitue un gel dans l'intestin, empêchant les matières grasses d'être absorbées dans le courant sanguin.

Au cours d'études portant sur des animaux de laboratoire, le Dr James Cerda, professeur de médecine, a constaté que la pectine pouvait entraîner une baisse de 21% du taux de cholestérol. Parallèlement, elle contribuait à empêcher les plaquettes sanguines (élément du sang responsable de la coagulation) de constituer des caillots dans le courant sanguin, ce qui augmente le risque de maladies cardiovasculaires et d'accident vasculaire cérébral. Chez ceux des cobayes qui avaient reçu durant neuf mois une alimentation contenant 3% de pectine de pamplemousse, le Dr Cerda a pu constater que plus de 5% de la paroi des artères était recouverte de plaque athéromateuse. Chez d'autres cobayes qui n'avaient pas reçu de pectine, en revanche, 14% de la paroi des artères était recouverte de plaque.

Une portion de pamplemousse pesant 115 grammes nous apporte 1 gramme de pectine. Cette dernière est présente non seulement dans la chair du fruit, mais également dans son zeste et dans la pellicule blanche sous l'écorce.

Critères de choix, préparation et conservation

Mangez-le en segments. Lorsque l'on coupe le pamplemousse en deux pour l'évider ensuite à la cuiller, environ la moitié de la pectine reste dans la peau. Afin d'absorber le plus possible de fibres, les experts recommandent de peler le fruit et d'en manger les quartiers à la manière d'une orange.

Buvez-en le jus par petites gorgées. Par rapport au fruit mangé entier, le jus de pamplemousse est une source concentrée de naringine. Rien ne vous empêche de préparer vous-même le jus de pamplemousse, mais les jus tout prêts sont peut-être préférables puisque les processus d'extraction du commerce permettent de conserver dans le jus une partie de la pulpe et du zeste si bénéfiques pour la santé.

Achetez-le rose. Le pamplemousse rose contient davantage de lycopène que son cousin plus pâle. Selon le Dr Bill Widmer, chercheur spécialisé dans les agrumes, les variétés suivantes sont les plus intéressantes sur ce plan: Ruby Red ou Ruby et Star Ruby.

LE PANAIS

Un partenaire contre les accidents vasculaires cérébraux

Pouvoir thérapeutique

CONTRIBUE À :
Prévenir le cancer du côlon

Abaisser les risques cardiovasculaires

Stabiliser les taux glycémiques

Diminuer le risque d'accident vasculaire cérébral

Protéger contre les malformations congénitales

Beaucoup de gens font la grimace lorsqu'il est question de manger du panais. Il est certain que ce légume-racine au goût prononcé et curieusement sucré ne risque guère d'emporter un prix d'esthétique lors du prochain concours agricole. Ne dirait-on pas une carotte qui vient de voir un fantôme?

Pourtant, malgré sa saveur relevée et son aspect pâlot, le panais nous offre pas mal d'atouts sur le plan nutritif. Ce membre de la famille du persil est une bonne source de folate, de fibres et d'acide phénolique, dont divers essais en laboratoire ont prouvé qu'ils contribuent à inhiber le cancer.

Fantastiques fibres

Chaque fois que les experts compilent leurs listes d'aliments champions par les substances thérapeutiques qu'ils contiennent, ce sont les fibres alimentaires qui apparaissent à la place d'honneur. Il s'avère que le panais est une excellente source de fibres. Une tasse de panais cuit en contient près de 7 grammes, soit 28 % de la Valeur quotidienne (VQ).

Un peu plus de la moitié des fibres contenues dans le panais appartient à la catégorie des fibres solubles, ce qui signifie qu'elles deviennent semblables à une gelée dans le système digestif, empêchant l'intestin d'absorber les matières grasses et le cholestérol en provenance des aliments. D'autre part, ces fibres ont pour effet de diluer les acides biliaires dans l'intestin, ce qui peut les empêcher de provoquer un cancer. Le panais contient également des fibres insolubles, qui accélèrent le transit du bol fécal à travers l'intestin. Cela a son importance, car si les acides biliaires restent moins longtemps dans l'intestin, ils risquent moins d'endommager les cellules en provoquant des modifications pouvant dégénérer en cancer.

Passant en revue plus de 200 études scientifiques, des chercheurs ont constaté que le simple fait d'absorber davantage de fibres alimentaires pouvait offrir une protection contre toutes sortes de cancers, notamment ceux de l'estomac, du pancréas et du côlon.

À LA CUISINE

Le panais se cuit de la même façon que les carottes, à cela près que la cuisson est plus rapide. Les modes de préparation sont d'ailleurs très similaires à ceux de la carotte, le panais pouvant être écrasé grossièrement ou en purée, ou encore débité en tronçons.

En revanche, contrairement à la carotte, le panais se distingue par sa vigueur. Au potager, il n'est pas rare de le voir prendre de l'ampleur jusqu'à atteindre parfois une cinquantaine de centimètres de longueur. Mais lorsqu'un panais est aussi volumineux, son goût particulièrement fort n'est pas forcément apprécié. «Mieux vaut acheter des panais petits ou moyens, conseille le Dr Marilyn A. Swanson, professeur de nutrition, car leur goût et leur texture sont bien meilleurs.» Les panais mesurant environ 20 cm de long sont les plus tendres.

Les fibres ont en outre démontré une efficacité impressionnante dans le soulagement et la prévention de nombreux autres troubles. Les chercheurs ont par exemple découvert que le fait d'absorber suffisamment de fibres alimentaires pouvait contribuer à prévenir les hémorroïdes et certains troubles intestinaux. Chez les diabétiques, les fibres peuvent normaliser les trop grandes variations des taux glycémiques.

PRÉVENTION DE L'ACCIDENT VASCULAIRE CÉRÉBRAL

Certains experts en nutrition soutiennent que le manque de folate représente notre principale carence alimentaire, surtout chez les jeunes qui absorbent volontiers de grandes quantités d'aliments industriels le plus souvent dépourvus de vitamines. Le panais est une bonne source de folate, puisqu'une portion de

350 grammes en contient près de 90 microgrammes (23% de la Valeur quotidienne).

Il est démontré que certaines malformations congénitales peuvent être évitées si la future mère absorbe suffisamment de folate. Ce nutriment, selon les chercheurs, jouerait également un rôle préventif majeur contre les accidents vasculaires cérébraux. En effet, le folate diminue les taux sanguins d'homocystéine, une substance chimique qui peut obstruer les artères et stopper le flux sanguin.

Des chercheurs qui participaient à l'étude Framingham Health Study ont constaté que le risque d'accident vasculaire cérébral s'abaissait de 59% chez les hommes qui mangeaient habituellement le plus de fruits et de légumes frais, par rapport à ceux qui en mangeaient le moins. Même ceux qui n'absorbaient qu'un peu plus de ces aliments vitaux avaient un avantage substantiel. Cette étude a conclu que le risque d'accident vasculaire cérébral s'abaissait de 22% chez les sujets qui ajoutaient chaque jour trois portions de fruits et de légumes à leur alimentation habituelle.

Bien évidemment, à moins d'avoir une véritable passion pour le panais, nous ne risquons guère d'en manger trois ou quatre portions par jour. Pourtant, rien qu'en absorbant une portion de 150 grammes de ce légume bénéfique, nous obtenons non seulement des fibres et du folate, mais également 400 milligrammes de potassium, soit 16% de la VQ. Voilà qui est intéressant pour la santé de nos artères.

PRÉCIEUX ACIDES

Comme la carotte et le persil, le panais appartient à la famille des ombellifères. Les aliments de cette famille contiennent un certain nombre de substances complexes naturelles, ou phytonutriments, dont divers travaux en laboratoire ont prouvé qu'elles inhibaient la prolifération des cellules cancéreuses. Parmi toutes ces substances, les plus remarquables sont les acides phénoliques. Ces composés se lient aux agents potentiellement cancérigènes dans le corps, créant ainsi une molécule beaucoup plus volumineuse – trop grosse, en fait, pour pouvoir être absorbée par l'organisme.

Les recherches ont montré que les membres de la famille des ombellifères pouvaient également lutter contre le cancer en inhibant la croissance des tumeurs.

Pour le moment, ces recherches n'en sont encore qu'au stade préliminaire, et les scientifiques ne sauraient affirmer avec certitude que le panais est véritablement efficace pour inhiber le cancer. En revanche, rien ne vous empêche de déguster du panais en sachant qu'il vous fournit des quantités appréciables de fibres et de folate.

Critères de choix, préparation et conservation

Éliminez la verdure. Avant de déposer le panais au réfrigérateur, débarrassez-le de ses feuilles vertes. Sans cette précaution, les feuilles se nourriront du jus et des nutriments contenus dans la racine, selon le Dr Densie Webb, coauteur du livre *Foods for Better Health*.

Conservez-les au frais. Certains légumes-racines se conservent sans problème à température ambiante, mais le panais doit être placé au réfrigérateur ou à la cave. «Il faut le maintenir frais et humide pour l'empêcher de se dessécher et de perdre une partie de sa valeur nutritive», souligne Mme Susan Thom, spécialiste en nutrition.

Faites des provisions. Le panais se garde jusqu'à deux semaines lorsqu'il est conservé au réfrigérateur, préalablement emballé dans un sac plastique perforé ou fermé non hermétiquement. «Plus on le conserve longtemps, plus son goût s'adoucit», souligne Mme Thom.

Ne le pelez qu'une fois cuit. Le panais contient des nutriments hydrosolubles qui disparaissent rapidement à la cuisson. «Ils ne supportent pas bien l'eau bouillante et une certaine quantité de ces vitamines s'évapore», commente Mme Anne Dubner, spécialiste en nutrition.

Lorsque l'on fait cuire des panais déjà pelés, il n'est pas rare de perdre ainsi près de la moitié des nutriments hydrosolubles qu'il contiennent. L'astuce consiste à faire bouillir les panais entiers sans les peler au préalable. Lorsqu'ils sont devenus tendres, laissez-les refroidir avant de gratter ou de peler la peau.

La patate douce

Une abondance d'antioxydants

Pouvoir thérapeutique

CONTRIBUE À:

Renforcer la mémoire

Maîtriser le diabète

Diminuer les cardiovasculaires et de cancer

Vous êtes-vous jamais demandé comment pouvait bien faire Scarlett O'Hara pour conserver une taille aussi fine (48 cm)? L'un de ses secrets était peut-être bien la patate douce. Chaque fois que Scarlett avait l'occasion de manger à un barbecue, sa nounou lui servait avant son départ une bonne portion de patate douce afin de lui ôter toute envie de se bourrer d'aliments conviviaux qui font grossir. C'est tout juste si nous n'entendons pas la plainte discrète de Scarlett: «J'aurais bien du mal à avaler grand-chose», au moment où elle repoussait la tentation, rassasiée qu'elle était par ces tubercules nutritifs au goût sucré, de forme tarabiscotée.

Il va sans dire que la patate douce n'est pas seulement un aliment très bourratif. Sans aucun rapport avec la pomme de terre, ce membre de la famille du volubilis contient trois antioxydants bien connus: du bêtacarotène et des vitamines C et E. Autant dire que la patate douce peut jouer un rôle dans la prévention du cancer et des maladies cardiovasculaires. De plus, comme ce tubercule peu calorique (117 calories seulement pour 115 grammes) est aussi une excellente source de glucides complexes, les experts le recommandent volontiers à ceux qui souhaitent mieux maîtriser leur poids, ainsi qu'aux diabétiques.

Une protection multiple

Les spécialistes recommandent la patate douce pour sa teneur élevée en bêtacarotène. Une portion de 115 grammes fournit en effet plus de 14 milligrammes de ce nutriment vital. La patate douce représente donc un moyen commode d'enrichir notre alimentation en absorbant davantage de ce nutriment bénéfique tant pour le cœur que dans la prévention du cancer, souligne la diététicienne Pamela Savage-Marr.

De même que les vitamines C et E et certains autres antioxydants, le bêtacarotène contribue à protéger le corps des radicaux libres (molécules d'oxygène nuisibles), selon le Dr Dexter L. Morris, professeur universitaire. En mangeant de la patate douce, ainsi que d'autres aliments qui contiennent beaucoup de bêtacarotène, il est possible de neutraliser ces molécules nocives avant qu'elles n'aient le temps de provoquer des lésions dans diverses parties du corps, comme les vaisseaux sanguins ou certains éléments de l'œil.

Dans le cadre d'une étude portant sur près de 1 900 hommes, le Dr Morris et ses collègues ont constaté que l'incidence de crises cardiaques était de 72% plus faible parmi ceux des participants dont le sang contenait le plus de caroténoïdes – non seulement du bêtacarotène mais aussi d'autres substances

À la cuisine

En raison du traitement que lui font subir les producteurs avant la mise en vente (entreposage durant une dizaine de jours en un lieu chaud et humide), la patate douce se conserve très facilement et reste fraîche environ un mois après l'achat. Quelques précautions sont toutefois indispensables pour l'empêcher de s'avarier.

Conservez-la au frais. La patate douce doit être conservée à la cave, au garde-manger ou dans tout local dont la température se situe entre 7° et 13° C. (Il est préférable de ne pas la garder au réfrigérateur, car cela raccourcit sa durée de conservation.) À température ambiante, la patate douce se garde environ une semaine.

Gardez-la au sec. La patate douce ne tarde pas à s'avarier lorsqu'elle est mouillée. C'est précisément la raison pour laquelle il est préférable de la conserver au sec, et de ne la laver qu'immédiatement avant la cuisson.

Traitez-la avec ménagements. N'achetez pas une patate douce abîmée ou portant des traces de meurtrissure, car elle se gâterait très rapidement. Manipulez-la avec douceur afin de prolonger sa longévité.

proches comme la lutéine et la zéaxanthine –, par comparaison à ceux dont le taux sanguin de cet élément était le plus bas. Cet avantage était mesurable même chez les fumeurs, qui ont pourtant besoin d'une bonne dose de protection supplémentaire. L'incidence de crise cardiaque était 25% plus faible parmi ceux des fumeurs chez qui le taux de ces substances bénéfiques était le plus élevé, par rapport à ceux qui en avaient le moins.

La patate douce est également une excellente source de vitamine C, car une portion de 115 grammes en fournit 28 milligrammes, soit près de la moitié de la Valeur quotidienne (VQ). De plus, la même portion nous apporte 6 unités internationales de vitamine E (20% de la VQ). «Il faut savoir que ce nutriment est très difficile à obtenir de sources naturelles», fait remarquer le Dr Paul Lachance, professeur de nutrition.

MAÎTRISER LA GLYCÉMIE

La patate douce étant une bonne source de fibres, c'est également un aliment particulièrement sain pour les diabétiques. Indirectement, les fibres contribuent à faire baisser les taux de sucre dans le sang, car elles ralentissent la vitesse de conversion des aliments en glucose et l'absorption de ce dernier dans le courant sanguin. En outre, comme la patate douce contient beaucoup de glucides complexes, elle peut être utile pour tous ceux qui souhaitent mieux maîtriser leur poids (ce qui est également le cas des diabétiques).

Le rapport entre le poids corporel et les taux glycémiques n'est pas à prendre à la légère. En effet, les statistiques révèlent qu'environ 85% des personnes atteintes de diabète de type II (non-insulinodépendant) présentent une surcharge pondérale. La patate douce étant un aliment particulièrement rassasiant, la tentation est moins grande de se bourrer d'autres aliments plus gras.

La perte de poids qui en résulte peut entraîner une amélioration spectaculaire. D'ailleurs, selon le Dr Stanley Mirsky, professeur clinicien en troubles du métabolisme (également auteur du livre *Controlling Diabetes the Easy Way*), le simple fait de perdre de 2 à 4,5 kilos peut aider certaines personnes à maintenir des taux glycémiques normaux.

BON POUR L'ESPRIT

La patate douce contient non seulement des fibres et des vitamines antioxydantes, mais également deux vitamines du groupe B: le folate et la vitamine B_6. Ces deux nutriments peuvent stimuler le cerveau et l'aider à remplir certaines de ses fonctions qui pourraient diminuer avec le vieillissement.

Dans le cadre d'une étude effectuée au centre Jean Mayer de recherches sur la nutrition humaine et le vieillissement, des chercheurs ont examiné le taux de folate et de vitamines B_6 et B_{12} dans le sang de 70 hommes âgés de 54 à 81 ans. Ceux des participants qui présentaient un faible taux sanguin de folate et de vitamine B_{12} avaient également les taux les plus élevés d'un acide aminé, l'homocystéine. Un lien de cause à effet a été mis en évidence entre des taux élevés d'homocystéine et de moins bonnes performances dans certains tests spatiaux nécessitant par exemple de copier un cube ou un cercle, ou d'identifier des dessins géométriques.

Critères de choix, préparation et conservation

Choisissez-les d'après la couleur. Lors de l'achat, sélectionnez des patates douces qui se distinguent par leur teinte orange vif intense. Plus la couleur est soutenue, plus les tubercules contiennent de bêtacarotène, selon le Dr Mark Kestin, professeur d'épidémiologie.

Mangez un peu de matières grasses. Certaines vitamines sont hydrosolubles, mais le bêtacarotène, quant à lui, a besoin de matières grasses pour pouvoir traverser la paroi de l'intestin, souligne le Dr John Erdman, expert en bêtacarotène. Dans la plupart des cas, poursuit-il, les autres aliments absorbés au cours du même repas suffisent à fournir la quantité requise, généralement entre 5 et 7 grammes.

LE PERSIL
PAS SEULEMENT DÉCORATIF

POUVOIR THÉRAPEUTIQUE

CONTRIBUE À :
Soulager les infections urinaires

Prévenir les malformations congénitales

Soulager l'inconfort prémenstruel

Parmi tous les types de verdure, le persil est sans doute le végétal le plus apprécié. Chaque année, des tonnes de cette herbe aromatique servent à décorer des assiettes garnies dans le monde entier, pour finir tristement ensuite à la poubelle. Aux yeux de bien des gens, le persil n'a d'autre but que d'ajouter une touche naturelle à la garniture, agrémentée parfois d'une tranche de citron ou d'orange, d'un plat principal par ailleurs terne et sans couleur. Pourtant, à l'origine, la présence du persil sur nos assiettes était destinée à servir une cause beaucoup plus noble. Ce végétal parfumé est en effet le désodorisant de l'haleine idéal, tel que la nature l'a prévu ; en outre, il représente une manière délicieuse de se nettoyer le palais.

Ce que nous savons aujourd'hui du pouvoir thérapeutique de ces brins aromatiques fait oublier leur usage pour nous rafraîchir l'haleine. Considéré plus comme un aliment qu'une simple garniture, le persil s'est taillé une solide réputation en tant que remède naturel.

SOULAGEMENT URINAIRE

Le remarquable pouvoir thérapeutique du persil tient à deux substances complexes qu'il contient : la myristicine et l'apiol, qui peuvent contribuer à augmenter le volume des urines, relève le Dr Varro E. Tyler, professeur émérite en pharmacognosie (l'étude des médicaments d'origine naturelle). En éliminant davantage d'urine, nous évacuons également des voies urinaires les bactéries qui sont à l'origine d'infections.

La même action diurétique pourrait également soulager la rétention d'eau assez fréquente chez la femme avant les règles. Il suffit de grignoter du persil durant quelques jours avant le début des règles pour augmenter le volume d'urine, évacuant de l'organisme l'excès de fluide avant qu'il puisse causer de l'inconfort.

UNE MULTIVITAMINE NATURELLE

Quoique le persil soit utilisé le plus souvent par petites quantités, il possède un pouvoir thérapeutique tout aussi grand que bien d'autres aliments bénéfiques, à quantités égales.

Par exemple, 25 grammes de persil frais contiennent 50 milligrammes de vitamine C, soit près de 80% de la Valeur quotidienne (VQ). Cela représente plus de la moitié de la teneur en vitamine C d'une orange entière.

En outre, le persil est une bonne source de folate puisque 20 grammes en fournissent 46 microgrammes (plus de 11% de la VQ). Notre corps a besoin de ce nutriment, assimilé aux vitamines du groupe B, pour fabriquer des globules rouges et pour prévenir les malformations congénitales.

À LA CUISINE

Quoique le persil frais soit facile à trouver au marché ou dans les magasins d'alimentation, il n'est pas si facile à conserver chez soi. En effet, cette herbe aromatique a tendance à s'avarier très vite et il est parfois difficile de la conserver ne serait-ce que d'un repas à l'autre.

Voici quelques conseils utiles pour avoir toujours du persil frais sous la main.

Conservez-le au frais. Conservé à température ambiante, le persil se fane en quelques heures. Par conséquent, mettez-le dès que possible au réfrigérateur.

Maniez-le avec précaution. Rincez le persil dès votre retour chez vous, en éliminant les tiges et les feuilles avariées. Séchez-le délicatement à l'aide de papier absorbant avant de l'emballer sans serrer dans une feuille de papier absorbant humide, que vous conserverez dans un sachet plastique fermé non hermétiquement, placé dans le bac à légumes du réfrigérateur.

Donnez-lui à boire. Une autre méthode pour lui garder sa fraîcheur consiste à faire tremper les tiges dans un verre à moitié rempli d'eau, en entourant les feuilles d'un papier absorbant humide pour les empêcher de se faner.

Critères de choix, préparation et conservation

Préférez-le frais. Le persil déshydraté a certes sa valeur sur le plan nutritionnel, mais le persil frais lui est de loin préférable. «Il est possible que les précieuses huiles thérapeutiques, hautement volatiles, se conservent mieux dans la plante fraîche que dans le persil séché», commente le Dr Tyler.

Réservez-lui la place d'honneur. Même s'il est généralement utilisé comme herbe culinaire, le persil vous apportera bien plus de pouvoir thérapeutique si vous le traitez comme un ingrédient majeur. Le taboulé, par exemple, hors-d'œuvre libanais, nécessite au moins une tasse de persil frais haché. Vous pouvez aussi ajouter un demi-bouquet de persil à un grand plat de salade du jardin. Les tiges entières présentent une texture agréable et un goût qui rappelle celui du céleri. Le persil plat, d'origine italienne, a un goût plus prononcé que le persil frisé.

Conservez-le avec soin. Le persil déshydraté se conservant beaucoup plus facilement que la plante fraîche, on trouve dans la plupart des cuisines un flacon ou un sachet de plante séchée. Afin d'empêcher le persil déshydraté de perdre son pouvoir thérapeutique, il doit être conservé dans un endroit frais et sec, de préférence dans un flacon opaque hermétiquement fermé.

LES PETITS POIS
DE PETITS PIÈGES VERTS CONTRE LE CANCER

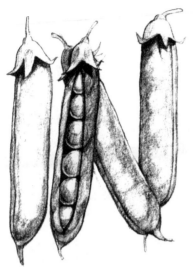

POUVOIR THÉRAPEUTIQUE

CONTRIBUENT À :
Soulager les symptômes du rhume

Prévenir le cancer et les maladies cardiovasculaires

Si la génétique figure aujourd'hui parmi nos sciences, c'est grâce aux petits pois et à un moine autrichien appelé Gregor Johann Mendel. Ce dernier s'est aperçu en effet que lorsqu'il hybridait deux variétés différentes de petits pois, leurs «descendants» présentaient les caractéristiques des deux «parents». Il en a donc conclu que les caractéristiques physiques se transmettaient d'une génération à l'autre non seulement chez les végétaux, mais également chez l'être humain.

Toutefois, les petits pois valent mieux qu'une intéressante note scientifique en bas de page. Les chercheurs ont constaté qu'ils contenaient une substance complexe puissante, capable de contribuer à empêcher les cellules saines de devenir cancéreuses. De plus, les petits pois contiennent des substances qui peuvent faire baisser le cholestérol et soulager les symptômes du rhume.

LE VERT DE LA SANTÉ

La substance complexe des petits pois qui permet de lutter contre le cancer s'appelle la chlorophylline; c'est le pigment qui leur confère leur teinte vert brillant. Ce complexe proche de la chlorophylle (substance grâce à laquelle les végétaux convertissent la lumière du soleil en nourriture) présente une configuration moléculaire inhabituelle qui lui permet de s'emparer dans l'organisme des agents chimiques cancérigènes. «Lorsque nous mangeons des petits pois, la chlorophylline se lie aux carcinogènes et contribue à empêcher leur absorption», commente le Dr Mary Ellen Camire, professeur de nutrition.

Selon le Dr Camire, les chercheurs n'ont pas encore déterminé la quantité exacte de petits pois qu'il faudrait absorber pour obtenir des quantités thérapeutiques de chlorophylline. Vous avez tout à gagner en les intégrant le plus souvent possible à vos repas, ainsi que d'autres végétaux de ton vert vif. Après tout, plus un végétal est vert, plus il contient de chlorophylline.

BÉNÉFIQUES POUR LE CŒUR

Les médecins savent depuis longtemps que l'un des meilleurs moyens de faire baisser le cholestérol, et avec lui les risques de maladies cardiovasculaires et d'autres troubles graves, consiste à absorber davantage de fibres alimentaires. Les petits pois sont une excellente source de fibres, puisque chaque portion de 100 grammes en fournit plus 6 grammes.

Dans l'intestin, les fibres des petits pois se lient à la bile (un fluide digestif généré par le foie) qu'elles entraînent à l'intérieur du bol fécal. La bile contenant beaucoup de cholestérol, le taux de ce dernier baisse forcément lorsque l'organisme évacue la bile à travers les selles.

Les recherches suggèrent qu'en mangeant des petits pois, il est également possible d'abaisser les taux de triglycérides (lipides sanguins qui jouent un rôle dans les maladies cardiovasculaires). Une étude danoise a par exemple permis de constater que lorsque les participants recevaient de petites quantités de fibres provenant de petits pois en complément de leur alimentation habituelle, les taux de triclycérides totaux s'abaissaient de près de 13% au bout de deux semaines.

DES GOUSSES POUR LA SANTÉ

Si les petits pois figurent souvent au menu des cantines scolaires, ce n'est pas pour donner aux enfants l'occasion de s'amuser en les utilisant comme projectiles, mais parce qu'ils contiennent quantité de vitamines bénéfiques. En effet, 100 grammes de petits pois cuits, par exemple, contiennent près de 9 milligrammes de vitamine C, soit près de 19% de la Valeur quotidienne. Il est important de le mentionner, car les recherches ont montré qu'une alimentation riche en vitamine C permettait de réduire le risque de cancer et de maladies cardiovasculaires. Chacun sait d'ailleurs qu'en cas de refroidissement, la vitamine C permet de soulager quelque peu les symptômes.

Critères de choix, préparation et conservation

Préférez-les frais. Les petits pois frais sortis de leur gousse contiennent plus de vitamine C que ceux qui proviennent d'une boîte, car les petits pois en conserve perdent une bonne partie de leurs nutriments au cours des processus de transformation, souligne le Dr Donald V. Schlimme, professeur de nutrition et de science alimentaire.

N'oubliez pas le congélateur. Les petits pois frais ne sont disponibles qu'à certaines époques, mais ce n'est pas le cas des surgelés. Si ces derniers n'ont pas la texture légèrement croquante des petits pois frais, ils ont la même valeur nutritive car les surgelés conservent la plupart des nutriments, notamment la vitamine C.

Renoncez aux pois gourmands. Même si ces variétés, dont la gousse aussi est comestible, contiennent de grandes quantités de vitamine C, ce sont les petits pois qui ont la teneur la plus élevée en fibres, folate, niacine, phosphore, riboflavine, thiamine et vitamine A. Si vous tenez à obtenir la meilleure valeur nutritive, relève le Dr Camire, mieux vaut manger des petits pois que la même quantité de pois gourmands.

Préparez-les à la vapeur. Que vous utilisiez des petits pois frais ou surgelés, la cuisson à la vapeur est préférable à l'ébullition, cette dernière faisant passer une bonne partie des nutriments dans l'eau de cuisson. De plus, la chaleur élevée nécessaire à l'ébullition peut détruire certains nutriments, en particulier la vitamine C. Si vous n'avez pas de marmite à vapeur, une cuisson rapide au micro-ondes est aussi une bonne solution.

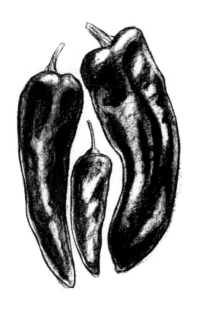

LE PIMENT ROUGE

UN GUÉRISSEUR INCENDIAIRE

POUVOIR THÉRAPEUTIQUE

CONTRIBUE À:

Dégager les sinus
et soulager la congestion

Prévenir les ulcères

Diminuer le risque de maladies
cardiovasculaires et d'accident
vasculaire cérébral

Selon un vieux dicton, «tout ce qui ne nous tue pas nous rend plus fort». Voilà qui pourrait servir de devise au piment rouge. Beaucoup de gens sont capables d'en supporter le goût intense et y prennent même du plaisir. Les amateurs de piment apprécient sa morsure en toute occasion, non seulement pour accompagner des plats traditionnels comme le couscous, mais aussi dans des préparations courantes telles que ragoûts, omelettes et même crudités.

Il ne s'agit pas seulement d'une humble épice culinaire. Un peu partout dans le monde, ces étranges fruits calorifiques sont appréciés non seulement pour le feu qu'ils génèrent dans notre bouche, mais aussi pour leur pouvoir thérapeutique. Le piment rouge est utilisé de longue date pour soigner la toux, le rhume, la sinusite et la bronchite, selon le Dr Irwin Ziment, professeur de médecine. Certains travaux semblent indiquer qu'il peut faire baisser le cholestérol LDL (lipoprotéines de faible densité), celui qui contribue à provoquer les accidents vasculaires cérébraux, l'hypertension artérielle et les maladies cardiovasculaires. Il semblerait en outre que le piment rouge contribue également à prévenir – surprise! – les ulcères d'estomac.

Des frictions analgésiques

Vous appréciez le goût vigoureux de la harissa avec le couscous. Mais sur votre épiderme?

Eh bien, pourquoi pas? Il est prouvé que lorsqu'elle est utilisée sous forme de pommade, la capsaïcine (la substance responsable du goût particulièrement fort des piments) soulage l'inconfort du psoriasis, les douleurs nerveuses et l'arthrite.

Selon les spécialistes, l'efficacité des pommades à base de capsaïcine tient au fait qu'elles débarrassent les cellules nerveuses et les récepteurs de leur substance P (agent chimique qui transmet au cerveau la douleur et les démangeaisons). Lorsque l'on applique sur l'épiderme une crème à base de capsaïcine, les nerfs libèrent une quantité de substance P. À la longue, les nerfs ne parviennent plus à refaire leurs réserves. Moins ils ont de «carburant», moins nous ressentons de douleur.

Mais attention, les pommades à base de capsaïcine ne peuvent être utilisées pour soulager de simples douleurs musculaires. Il faut que la douleur provienne des nerfs, et non pas des muscles.

Les pommades à la capsaïcine ne sont plus en vente libre. En effet, il s'agit d'un remède particulièrement vigoureux. Par conséquent, prenez la précaution d'en parler d'abord à votre médecin, conseille le Dr Rup Tandan, neurologue. Après avoir obtenu l'accord de votre praticien habituel, suivez les conseils du Dr Tandan.

- Commencez par un produit à faible concentration, à 0,025 % par exemple. D'autres produits peuvent être trois fois plus puissants, avec une concentration de 0,075 %.
- Protégez votre main à l'aide d'un gant de caoutchouc ou d'un protège-doigt. «Si vous négligez cette précaution, et qu'ensuite vous vous mettiez accidentellement le doigt dans l'œil, vous passerez un mauvais quart d'heure», précise le Dr Tandan.
- N'utilisez qu'une très petite quantité de pommade. «Si vous pouvez la voir sur votre peau, c'est que vous en avez mis trop», souligne ce médecin.
- Évitez d'appliquer la pommade dans les deux heures qui suivent une douche ou un bain chauds. «La chaleur renforce l'effet de la pommade et peut aggraver les douleurs», relève-t-il.
- Soyez persévérant. «Il est possible que votre épiderme reste cuisant pendant quelques jours, jusqu'à ce qu'il s'habitue à la pommade», remarque le Dr Tandan. Cette douleur ne tardera pas à s'atténuer et dans la plupart des cas, la pommade commencera à faire effet après deux semaines environ.

RÉCHAUFFEZ UN RHUME

Les amateurs savent depuis fort longtemps que toutes les variétés de piment sont d'excellents décongestionnants et permettent de dégager un nez bouché en un rien de temps. Les chercheurs ont d'ailleurs confirmé que le piment rouge (ainsi que diverses préparations comme la harissa ou le Tabasco) peuvent se révéler aussi efficaces que les remèdes en vente libre contre les refroidissements, souligne le Dr Ziment. «Certains aliments traditionnellement utilisés depuis des siècles pour soigner les maladies respiratoires, comme le piment rouge, ressemblent beaucoup aux médicaments employés aujourd'hui.»

La substance qui explique l'efficacité du piment rouge pour dégager les voies respiratoires est la capsaïcine, un agent phytochimique qui confère à ce végétal son goût cuisant. Sur le plan chimique, la capsaïcine ressemble à une substance médicamenteuse, la guaïfénésine, qui entre dans la composition d'un grand nombre de remèdes contre les refroidissements vendus librement ou sur ordonnance, comme par exemple le Toplexil, note le Dr Ziment.

Bien entendu, l'absorption d'un piment rouge entraîne un effet bien plus immédiat que celle d'une cuillerée de sirop médicinal. Aussitôt que le piment rouge entre en contact avec la langue, le cerveau est assailli d'une multitude de messages nerveux. Il réagit à ce message de surprise en stimulant les glandes sécrétrices qui tapissent les voies respiratoires. Survient alors un flux liquide qui nous fait couler les yeux et le nez, explique le Dr Ziment, et le mucus de nos poumons se fluidifie à son tour. En d'autres termes, le piment rouge joue le rôle de décongestionnant et d'expectorant naturel.

Inutile d'absorber de grandes quantités de piment pour en obtenir un effet thérapeutique. Le simple fait d'ajouter à un bol de soupe au poulet 10 gouttes de condiment liquide à base de piment rouge peut se révéler très efficace, souligne le Dr Paul Bosland, professeur d'horticulture et fondateur d'un institut consacré au piment rouge. «Ici, au Nouveau-Mexique, la plupart des gens font cela lorsqu'ils sont malades, souligne-t-il. Nous nous sentons tous mieux après avoir pris un peu de piment.»

Le Dr Ziment recommande de soigner un refroidissement en se gargarisant à l'aide d'eau chaude additionnée de 10 gouttes de sauce Tabasco. «Ce remède peut être très efficace, surtout si vous avez besoin de dégager vos sinus», conclut-il.

BÉNÉFIQUE POUR LE CŒUR ET L'ESTOMAC

Non seulement le piment contribue à dégager les voies respiratoires, mais il pourrait également faire baisser le cholestérol sanguin, selon le Dr Earl Mindell, pharmacien et professeur de nutrition, auteur de l'ouvrage *Earl Mindell's Food as Medicine*. «Lorsque des animaux de laboratoire recevaient une alimentation contenant beaucoup de capsaïcine et peu de matières grasses saturées, cela contribuait à faire baisser leur cholestérol LDL «nuisible», commente le Dr Mindell.

À LA CUISINE

Mieux vaut être prudent lorsque l'on utilise du piment en cuisine. «Traitez le piment rouge avec respect, conseille Bill Hufnagle, auteur de *Biker Billy Cooks with Fire*. Toutes sortes de gens viennent me raconter toutes sortes d'histoires pas banales sur le piment fort – où ils en ont touché, qui ils ont touché, et ce qui s'est passé ensuite.»

Afin de tirer parti du piment frais sans vous brûler la peau, suivez les conseils de ce spécialiste.

Protégez-vous les mains. Lorsque vous devez préparer des piments très forts, protégez-vous les mains par des gants jetables en plastique. Votre tâche terminée, rincez soigneusement vos doigts toujours gantés à l'eau savonneuse avant d'ôter les gants, afin d'éviter le dépôt huileux en provenance du piment. Ensuite, rincez-vous immédiatement les mains.

Utilisez beaucoup de savon. L'huile du piment adhère à la peau et l'eau seule ne suffit pas à l'en faire disparaître. Vous devez pour cela utiliser de grandes quantités de savon. «Selon la variété de piment utilisée et la quantité préparée, il pourra être nécessaire de vous laver les mains plus d'une fois», souligne M. Hufnagle.

Protégez-vous contre la poudre de piment. Lorsque vous écrasez des piments séchés ou s'il vous arrive d'en moudre, prenez la précaution de vous protéger le nez et la bouche à l'aide d'un masque antipoussière et de vous protéger les yeux par des lunettes de plongée. «La poussière de piment peut pénétrer dans la gorge et les yeux», précise-t-il.

Mieux vaut l'écraser à la main. Sans doute est-il pratique de moudre le piment rouge dans un moulin à café ou un petit mixer, mais les répercussions risquent de vous secouer. Ce type de robot ménager est plutôt difficile à nettoyer, poursuit M. Hufnagle. Si vous l'utilisez pour moudre du piment, vous risquez d'avoir une cuisante surprise la prochaine fois que vous aurez une autre préparation à y faire.» Une bonne solution serait de réserver un moulin pour le piment séché.

En outre, l'absorption de piment semble fluidifier le sang. Des chercheurs allemands ont constaté que le piment pouvait empêcher la formation de caillots sanguins en rallongeant le laps de temps nécessaire à la coagulation. Selon le Dr Mindell, cela pourrait jouer un rôle en empêchant les caillots sanguins qui sont à l'origine des crises cardiaques et des accidents vasculaires cérébraux.

Pendant des années, les chercheurs conseillaient aux personnes sujettes à des ulcères de s'abstenir de manger des aliments épicés. Aujourd'hui, les recherches suggèrent toutefois le contraire: il se pourrait que le piment contribue à prévenir l'apparition des ulcères.

En stimulant la sécrétion de sucs digestifs protecteurs, la capsaïcine semble protéger la muqueuse gastrique de l'alcool et des acides pouvant provoquer un ulcère. Après avoir constaté que les personnes qui absorbaient habituellement le plus de chili en poudre avaient le moins d'ulcères, des chercheurs à Singapour en ont conclu que le facteur protecteur était la capsaïcine que contient le chili.

VITAMINES CUISANTES

Il est concevable que nous puissions renforcer nos ressources antivieillissement en absorbant davantage de piment fort. En effet, ce dernier est une excellente source de deux nutriments antioxydants, la vitamine C et le bêtacarotène (ce dernier se convertit en vitamine A dans l'organisme).

Ces antioxydants contribuent à protéger le corps en «neutralisant» les radicaux libres (molécules d'oxygène nuisibles qui s'accumulent constamment dans l'organisme de manière naturelle, provoquant des lésions cellulaires). Les chercheurs pensent qu'en augmentant la quantité de vitamines antioxydantes dans l'alimentation, il est possible de prévenir les lésions qui peuvent entraîner le cancer, les maladies cardiovasculaires et les accidents vasculaires cérébraux, de même que d'autres troubles comme l'arthrite et l'affaiblissement du système immunitaire.

Un piment rouge contient 3 milligrammes de bêtacarotène, soit 30 à 50% de la dose recommandée par la plupart des experts. Diverses études ont montré que les personnes qui absorbaient plus d'aliments contenant du bêtacarotène étaient moins sujettes au cancer et aux maladies cardiovasculaires.

Critères de choix, préparation et conservation

Mangez-le cru. Il est vrai que le piment cru peut se révéler beaucoup trop fort pour certains palais, mais c'est pourtant sous cette forme qu'il contient le plus de vitamine C, ce nutriment étant en partie détruit durant la cuisson, fait remarquer le Dr Bosland. En revanche, la capsaïcine n'est pas affectée par la chaleur et par conséquent, si votre but est par exemple de soulager la congestion, rien ne vous empêche de cuire le piment à votre goût.

Mastiquez la membrane. Il se trouve à l'intérieur du piment cru une mince membrane qui relie les graines à la chair. C'est précisément là qu'est concentrée presque toute la capsaïcine du piment, selon les experts.

Sachez conserver la poudre. Conservée à température ambiante, la poudre de piment finira par perdre son bêtacarotène. «Conservez la poudre dans un endroit frais et à l'abri de la lumière, par exemple au congélateur», recommande le Dr Bosland.

Pas de masochisme. Le piment rouge le plus fort n'est pas nécessairement le plus thérapeutique; inutile donc de vous astreindre à souffrir. Voici quelques variétés, par ordre décroissant d'intensité calorifique, que vous pouvez essayer.

- Les piments habanero et Japone figurent parmi les variétés les plus corsées.
- L'intensité des variétés habanero est deux fois plus forte que celle des piments jalapeño et Fresno.
- Les piments paprika et les Anaheim, de goût beaucoup moins fort, conviennent le mieux aux palais délicats.

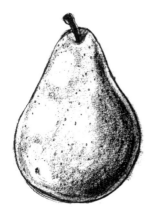

LA POIRE
LE FRUIT ANTICHOLESTÉROL

POUVOIR THÉRAPEUTIQUE

CONTRIBUE À :

Abaisser le cholestérol

Améliorer la mémoire et la vigilance

Préserver la robustesse de notre ossature

En matière de santé, on pourrait croire que la poire a davantage de points communs avec la pomme et l'orange qu'avec un bol de haricots secs. Pourtant, il s'avère que, comme les légumineuses, ce fruit juteux contient un type de fibre alimentaire très efficace pour faire baisser le cholestérol.

En effet, la poire contient de la lignine, une fibre insoluble qui contribue à évacuer le cholestérol hors du corps. La lignine se comporte comme du Velcro, piégeant les molécules de cholestérol dans l'intestin avant qu'elles ne soient absorbées dans le courant sanguin. Dans l'impossibilité de traverser la paroi de l'intestin, la lignine aboutit dans les selles, entraînant avec elle le cholestérol, explique le Dr Mary Ellen Camire, professeur de nutrition. «C'est à cause de la lignine contenue dans la poire qu'il peut être très bénéfique de manger régulièrement de ce fruit pour abaisser le taux de cholestérol, poursuit-elle. Peu de fruits ont autant de lignine que la poire.»

Les fibres insolubles de la poire remplissent un autre rôle utile. Comme leur nom l'indique, ces types de fibres ne peuvent se dissoudre dans l'intestin. En revanche, elles absorbent de grands volumes d'eau, accélérant ainsi le passage du bol fécal à travers le système digestif, ce qui contribue à prévenir la constipation et les hémorroïdes tout en réduisant le risque de cancer du côlon.

La poire contient un autre type de fibre, la pectine, celle-là même que nous ajoutons à la confiture ou la gelée pour les faire «prendre». La pectine est une fibre soluble, c'est-à-dire qu'elle se dissout dans l'intestin où elle constitue un revêtement collant, semblable à une gelée. Tout comme la lignine, la pectine se lie au cholestérol dont elle facilite l'excrétion par le biais des selles.

Une seule poire fournit environ 4 grammes de fibres, soit davantage qu'une portion de corn flakes ou qu'un petit pain sucré au son. Il suffit de manger deux poires pour absorber environ 32% de la Valeur quotidienne de fibres.

PRÉCIEUX MINÉRAUX

Il peut sembler surprenant de parler de la poire comme d'un aliment pour notre ossature, mais ce fruit contient pourtant un minéral, le bore, qui semble jouer un rôle en maintenant la robustesse du squelette.

Jusqu'à une date très récente, le bore n'était pas considéré comme un nutriment essentiel pour une alimentation saine. Depuis lors, des chercheurs ont découvert qu'en absorbant suffisamment de bore, il était possible pour une femme ménopausée d'éviter la perte de calcium. Il s'agit là d'une constatation importante, car après la ménopause, la femme est exposée à un risque élevé d'ostéoporose (trouble provoquant une fragilisation osseuse due à la perte progressive de minéraux dans l'organisme).

Ce qui est bénéfique pour notre ossature est également bon pour le cerveau. Au cours de tests de mémoire, de perception et d'atten-

À LA CUISINE

Il existe plus de 5 000 variétés de poires dans le monde; nous pourrions donc en déguster une sorte différente chaque jour durant des années sans jamais retrouver deux fois le même goût. Voici quelques variétés de poires faciles à trouver sur nos marchés.

Anjou. Ces poires à la peau vert-jaune sont généralement vendues l'hiver. Sucrées et très juteuses, elles se marient agréablement aux plats de crudités.

Bartlett. En vente durant l'été et au début de l'automne, les poires Bartlett ont une peau vert-jaune et une chair sucrée et juteuse. On peut les manger crues entre les repas, ou les peler et les cuire.

Bosc. Cette variété de poire se distingue par son extrémité effilée, sa peau jaune tirant sur le roux, et son goût à la fois sucré et acidulé. Grâce à sa chair ferme, elle se prête bien au pochage. Il est même possible de la râper afin d'ajouter une note sucrée à la bouillie d'avoine ou aux céréales du petit déjeuner.

Comice. Avec leur teinte qui peut aller du vert-jaune au jaune teinté de rouge, les comices fondent dans la bouche et leur goût sucré est particulièrement parfumé. Ce fruit moelleux et savoureux est souvent servi au dessert.

tion, des sujets présentant un faible taux de bore n'obtenaient pas d'aussi bons résultats qu'à d'autres moments où leur taux était plus élevé. Une étude effectuée par des chercheurs américains a permis de constater que les réflexes et la vivacité intellectuelle s'amélioraient lorsque les participants absorbaient davantage de bore.

De petites quantités de ce nutriment suffisent. Des chercheurs ont vérifié qu'une dose de seulement 3 milligrammes par jour contribuait à prévenir la perte de calcium tout en stimulant les facultés intellectuelles. Il est peu probable que nous obtenions tout le bore nécessaire en mangeant seulement des poires, puisqu'une poire en contient un peu plus de 0,3 milligramme, mais en prenant l'habitude d'absorber chaque jour au moins cinq portions de fruits et de légumes variés, notamment des poires, nous obtiendrons tout le bore nécessaire à l'organisme.

Critères de choix, préparation et conservation

Conservez la peau. C'est dans la peau que se trouvent la plupart des fibres du fruit. En mangeant les poires sans les peler, vous absorberez le plus possible de fibres pour faire baisser votre taux de cholestérol, souligne le Dr Camire.

Préférez-les fraîches. Les poires en boîte ont beau être pratiques, elles sont loin d'apporter autant de nutriments que les fruits frais, relève le Dr Donald V. Schlimme, professeur de nutrition et de science alimentaire. Pour commencer, les poires en conserve sont pelées et ont donc perdu la majorité de leurs fibres bénéfiques. De plus, les processus de transformation les privent généralement de grandes quantités de nutriments.

Cela ne veut pas dire que les poires en boîte ne vous apporteront rien; mais sans doute vous passeriez-vous d'une telle contribution, puisque l'apport calorique d'une portion de poires en conserve au sirop est 25% plus élevé que celui du fruit frais, conclut le Dr Schlimme.

LE POISSON
LA SANTÉ VENUE DE L'OCÉAN

POUVOIR THÉRAPEUTIQUE

CONTRIBUE À :
Réduire les risques
de maladies cardiovasculaires

Prévenir le cancer du sein
et du côlon

Faire augmenter le poids des
nouveau-nés à la naissance

Atténuer l'inflammation des
poumons chez les fumeurs

Pendant des années, les Américains, et à leur exemple les Français, ont judicieusement fait des efforts pour diminuer la part des corps gras dans leur alimentation. Pourtant, il est une catégorie de matières grasses qu'il pourrait être intéressant d'absorber plus souvent: les huiles de poisson. Pour une alimentation saine, le poisson vient s'inscrire en tête de liste.

Les poissons d'eau froide contiennent un certain nombre d'acides gras polyinsaturés, appelés collectivement acides gras de type oméga 3. Dans son milieu marin, ces lipides sont utiles au poisson pour l'aider à conserver sa chaleur corporelle en eau froide. Chez l'être humain, ces mêmes corps gras jouent un rôle important dans le maintien d'une bonne santé.

Pensons aux Esquimaux du Groenland. Si l'incidence des maladies cardiovasculaires parmi eux est aussi basse, c'est peut-être bien parce qu'ils mangent du poisson jusqu'à satiété. Les chercheurs ont d'ailleurs fait la même constatation un peu partout dans le monde. Les populations qui font au poisson une place de choix dans leur alimentation sont bien moins susceptibles de décéder de maladies cardiovasculaires.

«Les recherches devront se poursuivre, mais les données déjà obtenues montrent de manière tout à fait convaincante que les huiles de poisson pourraient contribuer à maîtriser un certain nombre de troubles», commente le Dr Gary J. Nelson, chimiste. Une alimentation comportant beaucoup de poisson, qui contribue à inhiber la production dans l'organisme de substances chimiques potentiellement dangereuses, fait davantage que de simplement réduire le risque de maladies cardiovasculaires. Il est également prouvé qu'elle contribue à lutter contre le cancer du sein et celui du côlon, accroît le poids des nouveau-nés à la naissance et diminue l'inflammation des poumons.

UNE PROTECTION CONTRE LES MALADIES CARDIOVASCULAIRES

Au cours des années 1980, par suite d'une série d'études signalant qu'une alimentation comportant souvent du poisson pouvait offrir une protection contre les maladies cardiovasculaires, de nombreux Américains, puis de nombreux Français, ont été incités à remplacer un peu de la viande rouge et de la volaille qu'ils mangeaient auparavant chaque semaine contre deux ou trois repas à base de poisson.

Ce fut un choix judicieux. Les recherches ont montré que les personnes qui mangent du poisson sont moins exposées aux risques cardiovasculaires que celles qui n'en mangent pas. Mieux encore, il n'est pas nécessaire de manger beaucoup de poisson pour bénéficier de cette protection. Les résultats des recherches suggèrent qu'il suffit de faire chaque semaine deux repas à base de poisson pour s'assurer que nos artères restent bien ouvertes et que notre cœur conserve toute son efficacité.

Il semblerait que les acides gras oméga 3 du poisson freinent la production dans l'organisme de prostaglandines, de leucotriènes et de thromboxane, des substances générées de manière naturelle qui, lorsque leurs taux deviennent trop importants, peuvent amener les vaisseaux sanguins à se resserrer, ce qui fait grimper la pression artérielle. Ces complexes pourraient également provoquer l'apparition de caillots indésirables dans le courant sanguin, ce qui est un facteur de maladies cardiovasculaires.

L'aptitude des oméga 3 à prévenir les caillots est particulièrement importante, souligne le Dr James Kenney, chercheur spécialisé en nutrition. Ces caillots qui se constituent dans le courant sanguin peuvent obstruer le flux sanguin jusqu'au cœur, ce qui pourrait provoquer une crise cardiaque. De plus, l'huile de poisson semble avoir pour effet d'augmenter les taux de «bon» cholestérol HDL (lipoprotéines de haute densité), celui qui empêche les dépôts graisseux de se déposer sur la paroi des artères.

Les recherches montrent que le poisson est particulièrement bénéfique pour les personnes qui ont déjà subi une crise cardiaque. En absorbant chaque semaine deux repas de poisson (comprenant chaque fois environ 85 grammes de poisson), elles pourraient éviter une récidive potentiellement mortelle. De plus, il semblerait qu'en mangeant du poisson d'eau froide comme le saumon, il serait possible

À LA CUISINE

Le poisson frais est un mets délicat offrant toute une palette de goûts raffinés; en revanche, il s'altère très rapidement. Une seule journée suffit pour transformer un plat appétissant et savoureux en un magma tout juste bon pour le tas de compost. Voici quelques conseils qui vous permettront de réussir vos plats de poisson à tous les coups.

Faites confiance à votre odorat. Le poisson frais doit sentir légèrement la marée. C'est dans la cavité des boyaux que les odeurs nauséabondes apparaissent en premier lieu. Lorsque vous achetez du poisson, humez toujours cette partie du poisson afin de vous assurer qu'il est propre et très frais.

Mieux vaut se méfier du poisson préemballé sous plastique. À l'exception du poisson surgelé, il peut s'avarier très vite.

Examinez les yeux. Lors de l'achat d'un poisson entier, regardez si ses yeux sont clairs, brillants et globuleux. Si les yeux ont un aspect laiteux ou semblent enfoncés, c'est que le poisson n'est plus de première fraîcheur.

Vérifiez les ouïes. Elles doivent être humides et rouge vif, presque rouge sombre. Si elles sont grises ou brunes, le poisson est trop vieux, ne l'achetez pas.

Appuyez sur la chair. La chair d'un poisson bien frais doit être ferme et élastique. Si vous appuyez du doigt et qu'une marque en creux demeure, c'est que le poisson n'est pas assez frais et n'aura plus aussi bon goût.

d'empêcher les artères de se refermer après une angioplastie (intervention visant à déboucher les vaisseaux sanguins obstrués à l'intérieur du cœur).

Non seulement l'huile de poisson exerce un effet favorable sur la formation de caillots et les taux de cholestérol, mais il semblerait qu'elle aide aussi à régulariser le rythme cardiaque. C'est là un atout important, car l'arythmie cardiaque (irrégularité des battements du cœur, trouble potentiellement grave) peut entraîner l'arrêt du cœur (le cœur cesse complètement de battre). Des travaux de plus en plus nombreux laissent entendre que les oméga 3 de l'huile de poisson fortifient le muscle cardiaque et favorisent des battements réguliers. Dans le cadre d'une étude, des sujets qui absorbaient chaque mois près de 6 grammes d'oméga 3 – soit l'équivalent d'une portion de 85 grammes de saumon chaque semaine – présentaient un risque d'arrêt cardiaque divisé par deux par rapport à ceux qui n'en absorbaient pas.

Les avantages qu'il peut y avoir à manger davantage de poisson sont bien connus, mais il est préférable de rester modéré dans ce domaine. Une étude effectuée à Chicago a permis de constater que les participants qui mangeaient chaque semaine plus de 230 grammes de poisson étaient exposés à un risque d'accident vasculaire cérébral légèrement plus élevé que ceux qui en absorbaient moins.

Comme le Dr Kenney s'empresse de l'ajouter, cela ne veut pas dire qu'il faut cesser de manger du poisson. En mangeant deux fois par semaine de petites portions (de 60 à 85 grammes) de poisson, vous obtiendrez des avantages appréciables sans vous exposer aux risques possibles.

Faire obstacle au cancer

Les diététiciens nous recommandent depuis longtemps d'absorber moins de matières grasses, notamment celles en provenance de la viande et des produits laitiers, afin de réduire le risque de certains types de cancer. En revanche, l'huile de poisson est une exception bénéfique. «De nombreux travaux laissent à penser que le fait de manger du poisson apporte une protection contre le cancer du sein et celui du côlon», précise le Dr Bandaru S. Reddy, chef d'un service de carcinogenèse nutritionnelle.

Le poisson protège contre le cancer un peu de la même manière qu'il contribue à prévenir les maladies cardiovasculaires, en freinant la production de prostaglandines dans l'organisme. Lorsque les taux de prostaglandines deviennent trop élevés, ces dernières stimulent la croissance des tumeurs, précise le Dr Reddy.

Dans le cadre d'une étude portant sur des habitants de 24 pays d'Europe, des chercheurs britanniques ont constaté que ceux qui mangeaient régulièrement du poisson étaient beaucoup moins exposés au risque de cancer. Ils ont d'ailleurs calculé qu'avec trois repas par semaine comportant de petites portions de poisson et en réduisant par ailleurs la quantité d'autres corps gras d'origine animale, le taux de mortalité par cancer du côlon chez l'être humain diminuerait de près d'un tiers.

Favoriser la respiration

Il semble *a priori* peu probable que l'absorption de poisson puisse améliorer les difficultés respiratoires dues au tabagisme, mais c'est pourtant bien ce que les chercheurs ont constaté. Certains fumeurs présentent un trouble appelé syndrome respiratoire obstructif, c'est-à-dire que leur aptitude à faire circuler l'oxygène entrant et sortant des poumons est fortement réduite. Certains travaux laissent à penser que le fait de manger du poisson pourrait contribuer à prévenir ce trouble.

Si vous êtes fumeur, le steak de thon que vous allez manger de temps à autre ne vous protégera que jusqu'à un certain point. En revanche, si vous souhaitez cesser de fumer ou si vous vivez avec un fumeur, le fait de manger du poisson vous offre au moins une manière d'atténuer les dégâts.

Protection multiple

Voici deux raisons supplémentaires de manger plus souvent du poisson. Au cours d'une étude, des chercheurs ont examiné les habitudes alimentaires, plus précisément quant au poisson, de plus de 1 000 futures mamans dans les îles Féroé, un archipel au nord de l'Écosse. Ils ont ainsi constaté que plus ces femmes mangeaient de poisson, plus le poids de naissance de leur bébé était élevé. Le poids des nourrissons dont la mère mangeait souvent du poisson dépassait même en moyenne de plus 200 grammes celui des nouveau-nés dont la maman n'en mangeait pas autant. Cette constatation est importante, car plus le poids de naissance est élevé, plus le nouveau-né a tendance à jouir d'une meilleure santé par rapport à un nourrisson chétif.

Les chercheurs émettent l'hypothèse que les acides gras oméga 3 du poisson contribuent à stimuler le flux sanguin à travers le placenta, ce qui permettrait au fœtus d'obtenir davantage de nutriments. De plus, en inhibant les effets des prostaglandines, qui déclenchent les contractions lors de l'accouchement, les oméga 3 pourraient également prévenir les naissances prématurées.

Critères de choix, préparation et conservation

Achetez du saumon. Tous les types de poisson contiennent des oméga 3, mais le saumon en est peut-être la meilleure source. Une portion de saumon royal (ou saumon chinook) pesant 85 grammes en fournit 3 grammes.

Préférez les tons intenses. Plus la couleur du saumon est soutenue, plus il contient d'oméga 3. Le saumon chinook est la meilleure source de ces précieux lipides, tandis que le saumon rose, de couleur plus claire, en contient moins. En règle générale, les variétés les plus coûteuses sont également les plus riches en oméga 3.

Recherchez la variété. Le saumon n'est pas le seul poisson qui contienne des oméga 3. Parmi d'autres sources intéressantes, on peut citer le maquereau, la truite arc-en-ciel, le thon, le poisson blanc (frais et non fumé), ainsi que le hareng de l'Atlantique au vinaigre.

N'oubliez pas les conserves. L'un des meilleurs moyens d'absorber davantage d'oméga 3 est d'ouvrir une boîte de thon à l'eau. Si vous préparez une salade de thon, en revanche, évitez de la noyer dans la mayonnaise. Les corps gras peu sains de la plupart des mayonnaises du commerce ne peuvent que gommer les effets bénéfiques des huiles de poisson.

Pendant que vous serez au rayon des conserves, pensez à y prendre aussi une boîte de sardines, autre bonne source d'acides gras de type oméga 3.

Servez-vous du micro-ondes. La chaleur élevée nécessitée par les méthodes de cuisson traditionnelles comme la cuisson au gril peuvent détruire près de la moitié des précieux oméga 3 du poisson. La cuisson au micro-ondes n'a pratiquement pas d'effet sur ces huiles bénéfiques et présente par conséquent un très bon choix pour préserver les avantages nutritionnels du poisson.

LE POIVRON
DES COULEURS ET DES SAVEURS BÉNÉFIQUES

POUVOIR THÉRAPEUTIQUE

CONTRIBUE À :
Prévenir les cataractes

Réduire le risque
de maladies cardiovasculaires

Il fut un temps où les poivrons, dont la couleur va du vert sombre au rouge tomate, selon leur degré de mûrissement, étaient relativement peu connus et utilisés. Aujourd'hui, au contraire, ils sont employés pour des potages et des sauces ou servis en purée ou pour accompagner certains plats de pâtes. Les poivrons ne se contentent pas d'ajouter aux recettes une note sucrée. Ils sont également d'excellentes sources de nutriments dont il est prouvé qu'ils combattent les maladies cardiovasculaires et les cataractes. Contrairement au piment, leur cousin au goût cuisant, les poivrons n'agressent pas nos papilles et nous pouvons en manger de grandes quantités pour bénéficier de leur pouvoir thérapeutique.

UNE EXCELLENTE SOURCE D'ANTIOXYDANTS

Bien que les divers poivrons (poivron d'Amérique, les poivrons du type pimentos et les piments doux) n'aient pas fait l'objet de recherches aussi poussées que le brocoli, le chou-fleur et d'autres aliments particulièrement bénéfiques, ils figurent parmi les aliments dotés de la plus grande densité nutritive, surtout sur le plan de la vitamine C et du bêtacarotène. (De manière générale, plus un poivron est rouge, plus il contient de bêtacarotène.)

À poids égal, peu de légumes contiennent autant de bêtacarotène (qui se convertit en vitamine A dans l'organisme) que le poivron rouge. C'est un atout important, car le bêtacarotène joue un rôle très important pour le maintien d'un

À LA CUISINE

Certains l'aiment fort, d'autres pas. Si vous préférez les poivrons doux à ceux qui vous emportent la bouche, voici quelques variétés intéressantes.

- **Les poivrons d'Amérique (à quatre lobes).** On les trouve dans presque toutes les couleurs de l'arc-en-ciel et ils se mangent crus, grillés, cuits au four ou sautés à la poêle.

  Les poivrons du type pimentos sont de petits poivrons en forme de cœur dont les connaisseurs affirment que leur goût surpasse celui de toutes les autres variétés. Souvent utilisés pour farcir les olives que l'on peut acheter dans le commerce, on les trouve également frais dans certains marchés spécialisés, depuis la fin de l'été jusqu'à l'automne.

  Les piments doux ont un goût légèrement sucré; avec leur chair peu épaisse, ils se prêtent de manière idéale aux préparations sautées et peuvent aussi se manger en garniture sur du pain italien grillé.

- **Le piment paprika** est généralement déshydraté pour obtenir l'épice en poudre, mais le fruit frais peut également être frit, farci ou mangé cru.

- **Le poivron jaune de Hongrie** rappelle la banane, tant par sa couleur que par sa forme. Souvent utilisé dans les crudités et les sandwiches, son goût est sucré et peu prononcé.

système immunitaire vigoureux. Ce nutriment est également un antioxydant puissant, ce qui revient à dire qu'il lutte contre les molécules d'oxygène appelées radicaux libres; ces derniers provoquent des dégâts dans les tissus de l'organisme, ce qui, selon les scientifiques, serait une cause majeure de troubles graves comme les cataractes et les maladies cardiovasculaires.

Les poivrons rouges sont une si bonne source de bêtacarotène qu'un groupe de chercheur allemands les a qualifiés d'aliments indispensables pour tous ceux qui souhaitent absorber davantage d'antioxydants. Un seul poivron rouge contient 4 milligrammes de bêtacarotène, soit 40 à 66 % de la Valeur quotidienne recommandée (de 6 à 10 milligrammes).

Les poivrons, rouges ou verts, contiennent également de généreuses quantités de vitamine C, un autre antioxydant puissant. Un demi-poivron vert haché d'environ 40 grammes contient environ 45 milligrammes de vitamine C (74 % de la Valeur quotidienne). Les poivrons rouges en contiennent plus encore, puisque la même quantité en apporte 142 milligrammes (236 % de la VQ). Cela représente plus de deux fois la quantité contenue dans une orange moyenne.

L'alliance de vitamine C et de bêtacarotène peut apporter une protection très efficace contre les cataractes. En effet, dans le cadre d'une étude portant sur plus de 900 individus, des chercheurs italiens ont constaté que ceux qui mangeaient régulièrement des poivrons et d'autres aliments contenant beaucoup de bêtacarotène étaient nettement moins exposés au risque de cataracte que ceux n'en mangeaient pas.

Critères de choix, préparation et conservation

Évitez les cuissons prolongées. La vitamine C est fragile et peut être facilement détruite au cours de la cuisson. C'est en mangeant les poivrons crus que l'on absorbe le plus de ce nutriment. Le bêtacarotène, au contraire, a besoin d'un peu de chaleur pour se libérer des cellules fibreuses des poivrons. Afin d'obtenir le plus possible de ces deux nutriments, il est préférable de faire cuire les poivrons rapidement à la vapeur, à la poêle ou au four micro-ondes jusqu'à ce qu'ils soient tendres tout en restant légèrement croquants.

Ajoutez-y un peu de matières grasses. Pour que le bêtacarotène puisse être absorbé dans le courant sanguin, il doit s'accompagner d'une petite quantité de lipides. Pour obtenir une plus grande quantité de ce nutriment vital, il suffit d'arroser le poivron d'un peu d'huile, avant ou après la cuisson. Si vous mangez des poivrons crus, trempez-les dans une sauce afin de faciliter l'absorption du bêtacarotène.

Mélangez-les. Même si les poivrons sont l'un des légumes les plus sains qui soient, peu de gens en mangent suffisamment pour en obtenir de grands avantages. Le meilleur moyen d'absorber davantage de poivrons consiste à s'en servir dans la préparation d'autres aliments, selon le Dr Bosland. Pensez à des recettes comme la ratatouille niçoise ou ajoutez une note colorée à vos plats de pâtes, à la salade de thon et aux crudités.

Faites-en du jus. Un autre moyen d'absorber davantage de poivrons consiste à en faire du jus. Le jus de deux poivrons verts contient 132 milligrammes de vitamine C, soit trois fois la quantité contenue dans une demi-tasse de poivron haché. Il est vrai que le jus de poivron pur n'est pas très appétissant, mais pourquoi ne pas le mélanger à d'autres jus, par exemple du jus de carotte. Passez par exemple à la centrifugeuse deux poivrons verts et quatre ou cinq carottes pour obtenir un cocktail antioxydant sensationnel.

LA POMME
TOUT EST
À FLEUR DE PEAU

POUVOIR THÉRAPEUTIQUE

CONTRIBUE À:

Abaisser les risques cardiovasculaires

Prévenir la constipation

Maîtriser le diabète

Prévenir le cancer

Il n'est vraiment pas étonnant que la pomme soit depuis longtemps considérée comme un symbole de santé et de vitalité. Tout d'abord, ce fruit si pratique est toujours disponible, prêt à être dégusté n'importe où, n'importe quand: il suffit d'en glisser une dans le sac à main, le porte-documents ou le sac à dos. Mieux encore, elle se présente tout emballée dans sa propre peau à la fois protectrice et savoureuse, cachant la chair sucrée et légèrement acidulée. C'est à croire que le Créateur s'est dit: «La pomme est bénéfique, rendons-la donc facile à manger.»

Pourtant ce fruit délicieux est bien plus qu'une collation saine. Diverses études suggèrent qu'il est possible d'abaisser les risques cardiovasculaires en mangeant des pommes. En laboratoire, les chercheurs ont vérifié que la pomme inhibait les cellules cancéreuses. Les travaux en sont encore au stade préliminaire, mais l'adage anglais bien connu *An apple a day keeps the doctor away* (Une pomme par jour éloigne le médecin) semble se justifier amplement.

TOUT EST DANS LA PEAU

Quoique beaucoup de gens préfèrent la chair du fruit, une bonne partie du pouvoir thérapeutique de la pomme se trouve dans la peau, qui contient de grandes quantités – environ 4 milligrammes – d'une substance complexe appelée quercétine. Tout comme la vitamine C et le bêtacarotène, il s'agit d'un complexe antioxydant qui peut empêcher les molécules d'oxygène nuisibles d'endommager

À LA CUISINE

Il existe aux États-Unis quelque 2 500 variétés de pommes, et en France, on en produit couramment plus de 30 variétés dont la Golden, la plus consommée. Même s'il est impossible de goûter à chaque type de pomme qui existe dans le monde, il y en a que vous remarquerez facilement sur les étals. Voici quelques précisions pour vous y retrouver.

Braeburn. Sa couleur va du vert doré jusqu'au rouge le plus soutenu; à la fois sucrée et acidulée, c'est une excellente pomme à croquer.

Fuji. Disponible toute l'année, la pomme Fuji, croquante et sucrée avec une note épicée, est délicieuse crue.

Gala. Caractérisée par les raies rouges qui strient sa peau jaune-orangé, cette pomme croquante et sucrée est délicieuse crue et sert aussi à préparer des compotes.

Jonagold. Avec son goût sucré légèrement acidulé, la Jonagold peut se manger crue ou cuite au four.

Reinette. Se reconnaît à sa peau brun-vert un peu rêche. Sa chair ferme et son goût frais en font une excellente pomme à manger crue ou cuite.

Granny-smith. Se distingue par sa peau verte, sa chair ferme et juteuse de goût acidulé; bonne pomme à croquer, peut servir à confectionner des tartes.

Idared. Grosse pomme rouge foncé à chair juteuse et ferme, se prête à tous usages.

les cellules de l'organisme. Avec le temps, l'action des antioxydants peut prévenir certaines modifications cellulaires pouvant dégénérer en cancer.

Même dans l'univers thérapeutique des antioxydants, la quercétine passe pour un nutriment d'exception. Au cours d'une étude sur 20 ans, des chercheurs finlandais ont comparé la quantité de divers antioxydants qu'un certain nombre d'individus obtenaient par leur alimentation aux risques cardiovasculaires présentés par ces mêmes sujets. Les hommes qui absorbaient chaque jour le plus de quercétine et d'autres antioxydants (leur alimentation habituelle comprenait environ le quart d'une pomme) présentaient un risque de maladie cardiovasculaire diminué de 20% par rapport aux hommes qui en absorbaient le moins. Les chercheurs en ont conclu que la quercétine était à l'origine de l'essentiel des résultats bénéfiques constatés au cours de cette étude.

Une étude néerlandaise a permis de constater que des hommes qui absorbaient chaque jour une pomme (ainsi que 2 cuillerées à soupe d'oignon et quatre tasses de thé) présentaient un risque de crise cardiaque réduit de 32% par rapport à d'autres hommes qui mangeaient des pommes beaucoup moins souvent.

«Il est manifestement judicieux de manger chaque jour une pomme», souligne le Dr Lawrence H. Kushi, professeur de santé publique, épidémiologie et nutrition.

Les maladies cardiovasculaires ne sont pas le seul type de trouble que la quercétine peut soulager. Cette substance complexe a également fait ses preuves contre le cancer. Des études en laboratoire ont montré qu'elle pouvait non seulement inhiber la croissance des tumeurs, mais aussi empêcher la prolifération des cellules cancéreuses.

«Lorsque l'on met les cellules en présence d'une substance cancérigène et qu'on y ajoute ensuite de la quercétine, cette dernière empêche les mutations de se produire en faisant obstacle à l'action de l'agent cancérigène, commente le Dr Kushi. La teneur en quercétine des pommes est relativement élevée.»

DES FIBRES EN QUANTITÉ

Laissons un moment les plus récentes découvertes pour parler des fibres, puisque la pomme doit en grande partie sa réputation aux fibres qu'elle contient. Il s'agit de fibres solubles et insolubles, notamment de la pectine. Une pomme pesant 140 grammes que l'on mange avec sa peau contient environ 3 grammes de fibres. «Ce fruit est une bonne source de fibres», souligne le Dr Chang Lee, professeur de sciences alimentaires.

Les fibres insolubles, qui se trouvent surtout dans la peau du fruit, sont ce que l'on qualifiait autrefois de substances de lest, recommandées de longue date pour soulager la constipation. Leur intérêt, cependant, dépasse largement le simple confort. Diverses études ont montré qu'un système digestif efficace et régulier pouvait éviter la diverticulose, un trouble lié à l'apparition de cavités (ou diverticules) dans le gros intestin, ainsi que le cancer du côlon. Mieux encore, les fibres insolubles ont le pouvoir de nous rassasier, et c'est précisément pour cette raison que la pomme est un aliment idéal pour tous ceux qui souhaitent perdre du poids sans avoir constamment faim.

Quant aux fibres solubles de la pomme, elles appartiennent à la même catégorie que celles du son d'avoine et leur action diffère de celle des fibres insolubles. Au lieu de traverser le système digestif en demeurant plus ou moins intactes, les fibres solubles constituent dans le tube digestif une substance semblable à une gelée qui contribue à faire baisser non seulement le cholestérol, mais aussi le risque d'accident vasculaire cérébral et de maladie cardiovasculaire.

Ce n'est pas la fibre soluble en elle-même qui est si bénéfique, mais un type particulier de fibre soluble appelé pectine. Cette dernière (le même ingrédient utilisé pour faire «prendre» confitures et gelées) semble diminuer la quantité de cholestérol générée par le foie, apportant ainsi une double protection. «De plus, la capacité de la pectine à constituer une gelée ralentit la digestion, ce qui freine l'augmentation des taux glycémiques; elle est par conséquent bénéfique aux diabétiques», commente le Dr Joan Walsh, nutritionniste.

Avec 0,7 gramme de pectine, la teneur de la pomme dépasse celle de la fraise ou de la banane.

Critères de choix, préparation et conservation

Préférez celles qui brunissent. «Certaines variétés de pommes, comme les granny-smith, ont été spécialement étudiées pour contenir peu de substances complexes protectrices qui ont pour effet de faire brunir les pommes lorsqu'on les pèle», relève le Dr Mary Ellen Camire, professeur de nutrition. Préférez-leur les variétés qui brunissent rapidement, car elles contiennent davantage de nutriments thérapeutiques.

Ne comptez pas sur le jus de pomme. Même si le jus de pomme contient un peu de fer et de potassium, il ne saurait se comparer au fruit entier. Le jus de pomme ne contient plus beaucoup de fibres ni de quercétine.

Bien évidemment, s'il s'agit de faire un choix entre une boisson gazeuse sucrée et le jus de pomme, ce dernier est nettement préférable, mais ne croyez pas toutefois qu'il puisse remplacer la pomme elle-même.

LA POMME DE TERRE

VRAIMENT BONNE À TOUT FAIRE

POUVOIR THÉRAPEUTIQUE

CONTRIBUE À :
Prévenir le cancer

Maîtriser l'hypertension
artérielle et le diabète

Tout au début de l'histoire du Nouveau Monde, dans la cordillère des Andes, au Pérou et en Bolivie, les autochtones avaient un millier de noms pour désigner la pomme de terre. Voilà qui traduit bien toute l'importance de ce tubercule à leurs yeux.

Au cours des quelque 4 000 années qui ont suivi, la réputation de la pomme de terre a connu des hauts et des bas. Les conquistadors ont jugé cette racine jusqu'alors inconnue suffisamment intéressante pour la rapporter jusqu'en Europe. (Après quelques années seulement, la pomme de terre figurait en bonne place parmi les aliments servis à bord des navires espagnols, car elle prévenait le scorbut.) Mais après son arrivée en Europe, le sort de ce tubercule connut d'abord un rapide déclin lié non pas à un quelconque défaut, mais au fait qu'il s'apparente à la famille des solanacées (végétaux réputés pour leur toxicité). La pomme de terre faisait peur et n'était guère appréciée.

Peu à peu, pourtant, les botanistes et les gourmets ont fini par tirer tout cela au clair. La pomme de terre ne présente aucun danger. Mieux encore, c'est un remarquable aliment de base universel; à l'heure actuelle, elle vient en tête de liste parmi tous les types de récoltes dans le monde. Il n'est d'ailleurs pas rare que l'on serve des pommes de terre, préparées de diverses manières, à tous les repas.

«On pourrait presque dire que la pomme de terre contient un peu de tout, relève le Dr Mark Kestin, professeur adjoint d'épidémiologie. Si nous n'avions que des pommes de terre à nous mettre sous la dent, cela suffirait pourtant à nous fournir une bonne partie des nutriments indispensables.»

LE POUVOIR DES PELURES

Le pouvoir thérapeutique de la pomme de terre commence dans sa pelure, qui contient une substance complexe anticancéreuse appelée l'acide chlorogénique, selon le Dr Mary Ellen Camire, professeur de nutrition. Au cours d'études en laboratoire, des chercheurs ont prouvé que cet acide permettait aux fibres de la pomme de terre d'absorber les benzopyrènes, agents potentiellement cancérigènes présents dans les aliments fumés comme les hamburgers cuits sur le gril. «L'acide de la pomme de terre réagit avec la substance cancérigène à laquelle il se lie, formant ainsi une molécule trop volumineuse pour pouvoir être absorbée dans l'organisme, explique-t-elle. Dans notre étude en laboratoire, il s'est avéré efficace presque à 100% pour empêcher la substance cancérigène d'être absorbée.»

FAIRE BAISSER LA PRESSION

Il peut paraître surprenant que la pomme de terre soit une bonne source de potassium; pourtant, la teneur d'une grosse pomme de terre au four pesant 200 grammes est plus de deux fois supérieure à celle d'une banane moyenne. Une pomme de terre en robe des champs fournit environ 1 137 milligrammes de potassium, soit près d'un tiers de la Valeur quotidienne (VQ).

Le potassium est un nutriment important, car il semble atténuer l'effet stimulant du sel sur la pression artérielle. Certaines personnes auraient moins besoin de médicaments destinés à faire baisser l'hypertension artérielle si elles se contentaient d'absorber davantage de potassium en mangeant plus souvent des pommes de terre, relève le Dr Earl Mindell, pharmacien et professeur de nutrition, également auteur de l'ouvrage *Earl Mindell's Food as Medicine*. Dans une étude portant sur 54 personnes atteintes d'hypertension artérielle, la moitié des participants ont ajouté à leur alimentation habituelle des aliments riches en potassium tels que des pommes de terre, tandis que les autres ne changeaient rien à leur manière de s'alimenter. Le Dr Mindell souligne qu'à l'issue de cette étude, 81% des mangeurs de pommes de terre ne prenaient plus que moins de la moitié des médicaments qui leur étaient nécessaires jusqu'alors pour maîtriser leur pression artérielle.

MAÎTRISER LA GLYCÉMIE

Lorsque la vitamine C est évoquée, il n'est généralement pas question d'un effet possible sur la glycémie; pourtant, des travaux de plus en plus nombreux laissent entendre que cette vitamine puissamment antioxydante, bien connue pour son rôle préventif des maladies cardiovasculaires, pourrait être bénéfique aux diabétiques. De plus, la vitamine C pourrait également se montrer efficace pour atténuer les lésions des protéines dues aux radicaux libres (dangereuses molécules d'oxygène qui endommagent les tissus de l'organisme).

Dans le cadre d'une étude néerlandaise, les chercheurs ont constaté que des hommes qui absorbaient une alimentation saine, comprenant non seulement de grandes quantités de pommes de terre mais également du poisson, des légumes et des haricots secs, semblaient présenter un plus faible risque de diabète. Les recherches n'ont pas encore permis d'élucider le mécanisme protecteur qui intervient dans ce cas, mais les chercheurs formulent l'hypothèse que les antioxydants, notamment la vitamine C, pourraient jouer un rôle en empêchant l'excès de sucre d'aboutir dans le courant sanguin. Une pomme de terre pesant 200 grammes contient environ 27 milligrammes de vitamine C, soit à peu près 45 % de la Valeur quotidienne.

Les pommes de terre, contenant beaucoup de glucides complexes, sont également intéressantes

À LA CUISINE

D'une variété à l'autre, les pommes de terre ne sont pas interchangeables. Certaines se prêtent mieux à la cuisson au four, tandis que d'autres ont meilleur goût en potage ou sous forme de salade. Une troisième catégorie, la pomme de terre à tout faire, a été mise au point pour pouvoir être cuite soit au four, soit à la vapeur. Voici quelques conseils pour vous guider lors de l'achat.

Pommes de terre à chair ferme. Ces variétés, comme la charlotte ou la BF15, ont une faible teneur en amidon et contiennent beaucoup d'humidité. De bonne tenue à la cuisson, elles se prêtent bien à la préparation de potages, de ragoûts et de salades.

Pommes de terre farineuses. Les variétés hidaho ou russet, mais aussi la bintje, reine des frites, et la désirée, appartiennent à la catégorie des pommes de terre farineuses. Leur chair compacte et poudreuse convient à la préparation de purées et de plats cuits au four.

pour les diabétiques. En effet, ces types de glucides doivent être décomposés en sucres simples avant d'être absorbés dans le courant sanguin. Cela signifie que les sucres y pénètrent de manière progressive, plutôt que d'un seul coup, ce qui contribue donc à maintenir des taux glycémiques stables, indispensables pour maîtriser le diabète. De plus, la pomme de terre peut jouer un rôle clé pour aider les diabétiques à mieux maîtriser leur poids corporel; c'est un atout important, puisque l'embonpoint gêne la production d'insuline (l'hormone qui contribue à transporter jusqu'aux cellules individuelles le sucre prélevé dans le courant sanguin), la rendant insuffisante. En outre, la surcharge pondérale réduit l'efficacité de l'insuline générée par le corps. La pomme de terre crée une impression de satiété, et l'on a donc moins tendance à souffrir de la faim un peu plus tard.

Au cours d'une étude portant sur 41 étudiants voraces de l'université de Sydney (Australie), les chercheurs ont constaté que les pommes de terre leur procuraient une plus grande impression de satiété que d'autres aliments, tout en ayant un apport calorique moindre. Sur une échelle de satiété où le pain blanc s'affichait à 100, les flocons d'avoine à 209 et le poisson à 225, les pommes de terre figuraient largement en tête avec 323.

Critères de choix, préparation et conservation

Conservez la pelure. Pour bénéficier du pouvoir anticancer de la pomme de terre, il faut en manger la peau, souligne le Dr Camire. C'est d'autant plus important que l'on mange des aliments grillés, sur lesquels subsistent de petites quantités de substances cancérigènes. L'idéal serait de manger un hamburger du commerce dans un petit pain à la pelure de pomme de terre, poursuit le Dr Camire. «Ce serait une manière d'absorber au moins en partie les agents cancérigènes dus au mode de cuisson par grillade», souligne-t-elle.

Une solution plus pratique consiste tout simplement à ajouter sur votre assiette une pomme de terre en robe des champs, ou une salade de pommes de terre (non pelées) chaque fois que vous mangez un hamburger grillé, un hot dog ou d'autres aliments préparés sur le gril.

Cuisez-les en douceur. L'une des méthodes les plus courantes pour cuire les pommes de terre pourrait bien être la pire du point de vue nutritionnel, puisque l'ébullition prive les pommes de terre de leur vitamine C et de certaines vitamines du groupe B, qui se retrouvent dans l'eau de cuisson. Les pommes de terre bouillies peuvent ainsi perdre à peu près la moitié de leur vitamine C, un quart de leur folate, et 40% de leur potassium, souligne le Dr Marilyn A. Swanson, professeur de nutrition.

Lorsque vous choisissez délibérément de faire bouillir des pommes de terre, vous pourrez récupérer une partie de ces nutriments en conservant l'eau de cuisson pour l'utiliser dans d'autres aliments comme un potage ou un ragoût.

La cuisson au four ou à la vapeur est utile pour attendrir les pommes de terre tout en conservant une plus grande partie de leurs nutriments. «Le micro-ondes est la meilleure méthode», affirme Mme Susan Thom, spécialiste en nutrition.

Préparez-les au dernier moment. Beaucoup de ménagères un peu débordées ont pris l'habitude de peler et de couper les pommes de terre à l'avance, en les laissant tremper dans de l'eau pour les empêcher de brunir. Cette pratique leur conserve certes une apparence de fraîcheur, mais elle les prive aussi de précieux nutriments. «Une partie des vitamines solubles vont se perdre dans l'eau», commente Mme Mona Sutnik, conseillère en nutrition.

LE POTAGE DE POULET

POUR NOURRIR LE CORPS ET L'ÂME

POUVOIR THÉRAPEUTIQUE

CONTRIBUE À :
Soulager la congestion nasale

Adoucir les voies respiratoires irritées

«Mettez dans une grande casserole un poulet, de l'eau, des oignons, des carottes, des grains de poivre et un peu de sel. Laissez cuire jusqu'à ce que la chair se détache du volatile. Passez le tout à travers une passoire. Éliminez le gras. Donnez à quelque animal domestique le poulet trop cuit et les légumes. Ajoutez au bouillon restant un piment rouge entier, la moitié d'une grosse gousse d'ail, et de fines tranches de citron. Servez très chaud. Ce remède soigne le rhume courant.»

La recette préférée de grand-maman? Pas tout à fait. Nous devons cette potion au Dr Pauline M. Jackson, psychiatre, qui est profondément convaincue du pouvoir apaisant du bouillon de poulet. «C'est chaud, ça sent bon, et ça nous rappelle les remèdes de notre enfance», précise-t-elle.

Sans doute n'est-il pas besoin de tout un comité d'experts pour confirmer que le potage de poulet est un remède efficace lorsque l'on est malade. Pourtant, divers travaux laissent entendre qu'il ne s'agit pas seulement d'un aliment consolateur. Selon le Dr Jackson, aucun autre remède n'est aussi efficace lorsque nous sommes en proie aux pénibles reniflements et autres symptômes du rhume ou d'une quelconque infection des voies respiratoires supérieures.

À LA CUISINE

Dès les premiers signes de refroidissement, il est bien possible que vous ayez envie de boire du bouillon de poulet fait maison. Mais quel malade voudrait sortir de son lit chaud et douillet pour en préparer? Vous vous épargnerez cette peine en prenant la précaution de faire à l'avance votre potage de poulet, qui pourra ensuite être congelé par petites portions.

La préparation du bouillon n'a rien de compliqué. Mettez dans une grande casserole plusieurs morceaux de poulet (sans la peau), recouvrez-les d'eau froide, ajoutez-y une carotte, un oignon, une gousse d'ail et une feuille de laurier, et laissez mijoter pendant plusieurs heures. Récupérez le bouillon en passant le tout à travers une passoire. Laissez refroidir.

Pour dégraisser le bouillon, commencez par transférer celui-ci à l'aide d'une louche dans des récipients peu profonds, que vous laisserez refroidir pendant un maximum de 2 heures. Ensuite, gardez-le au réfrigérateur toute la nuit. Le gras deviendra solide, formant à la surface une fine couche qu'il vous suffira ensuite d'éliminer.

Le bouillon surgelé se conserve jusqu'à six mois. Afin de vous faciliter la vie davantage encore, faites-le congeler dans des bacs à glaçon plutôt que dans de grands récipients; les cubes peu volumineux redeviendront liquides bien plus rapidement que de plus grandes quantités de bouillon congelé.

MIEUX RESPIRER

L'étude classique sur les vertus du bouillon de poulet s'est déroulée en 1978 en Floride, sous l'égide de trois pneumologues. Intrigués par la pléthore de légendes qui attribuaient à cette préparation savoureuse tant de vertus thérapeutiques, ces médecins ont demandé à 15 personnes enrhumées de boire par petites gorgées soit du potage de poulet chaud, soit de l'eau chaude, soit de l'eau froide. Ils ont ensuite mesuré l'écoulement du mucus à travers le nez des participants (rapidité, degré de fluidité), ainsi que la circulation de l'air dans les voies respiratoires. Conclusion? Le bouillon de poulet soulageait la congestion nasale mieux que l'eau (chaude ou froide).

La raison pour laquelle le bouillon de poulet soulage les symptômes du rhume, selon les chercheurs, est que la chaleur «augmente la vélocité naturelle du mucus». En d'autres termes, elle fait couler le nez, ce qui pourrait diminuer le laps de temps que les microbes passent dans les fosses nasales et nous aider ainsi à guérir plus rapidement.

Mais alors, pourquoi l'eau chaude ne s'est-elle pas montrée aussi efficace que le potage de poulet pour soulager le rhume? Il se pourrait que le secret thérapeutique du bouillon tienne à son arôme et à son goût savoureux, qui «semblent comporter une substance supplémentaire capable d'augmenter la vélocité du mucus dans le nez», signalent les chercheurs. La nature exacte de cette substance, en revanche, demeure inconnue.

Plus récemment, le Dr Stephen Rennard, professeur de médecine interne, a effectué une série de tests portant sur le bouillon de poulet préparé par son épouse d'après une recette de la grand-mère de cette dernière. Il a ainsi constaté que ce potage freinait l'action des neutrophiles – globules blancs qui sont attirés jusqu'aux sites d'inflammation et qui pourraient provoquer certains symptômes du rhume tels que l'irritation des voies respiratoires et la production de mucus.

Les chercheurs supposent également qu'une partie du pouvoir thérapeutique du potage de poulet pourrait tenir au volatile lui-même. Le poulet contient en effet de la cystéine, un acide aminé naturel dont la structure chimique ressemble à celle du principe actif de plusieurs médicaments, l'acétylcystéine, souligne le Dr Irwin Ziment, professeur de médecine. Les médecins ont recours à l'acétylcystéine pour traiter les bronchites et d'autres infections respiratoires. «À l'origine, l'acétylcystéine était dérivée des plumes et de la peau de poulet», fait remarquer le Dr Ziment.

Critères de choix, préparation et conservation

À boire souvent, par petites gorgées. Les effets thérapeutiques du bouillon de poulet se prolongent environ 30 minutes, selon l'étude de Floride. Il est donc judicieux d'en préparer une assez grande quantité que l'on conservera de manière à pouvoir en réchauffer et en prendre une tasse dès que les symptômes se manifestent à nouveau.

Corsez-le. En ajoutant au bouillon de poulet des épices fortes – par exemple une gousse d'ail, un piment rouge haché ou un peu de gingembre frais râpé –, vous augmenterez les vertus thérapeutiques de ce breuvage, ajoute le Dr Ziment.

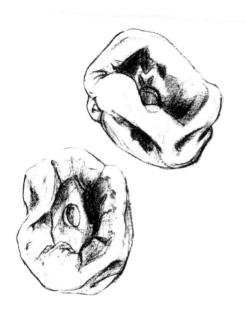

LES PRUNEAUX
Un laxatif naturel

Pouvoir thérapeutique

CONTRIBUENT À :

Soulager la constipation

Abaisser le cholestérol

Diminuer le risque de cancer
et de maladies cardiovasculaires

Les pruneaux ne jouissent pas d'une image particulièrement glorieuse. Après tout, ces fruits ridés, noirs et brillants, sont surtout connus comme un remède maison pour soulager la constipation – pas exactement un thème de choix pour une campagne de marketing BCBG. D'ailleurs, dans un effort pour redorer la réputation des pruneaux, les industriels de la branche ont pris l'habitude de parler plutôt de pruneaux séchés.

Il est dommage que l'image peu flatteuse des pruneaux les aient empêchés d'être plus universellement appréciés. Peut-être ne s'agit-il pas du fruit le plus séduisant du marché, mais c'est certainement l'un des plus sains.

Un laxatif naturel

On trouve en pharmacie des dizaines de médicaments pour prévenir et soulager la constipation. Pourtant, dans la plupart des cas, ils n'ont vraiment pas de raison d'être, pour peu que nous prenions l'habitude de manger chaque jour des pruneaux. Ces derniers contiennent non pas un seul, mais trois ingrédients qui ont une action synergique sur le système digestif.

Tout d'abord, les pruneaux contiennent beaucoup de fibres insolubles, qui sont peut-être le secret de la prévention de la constipation. Les fibres insolubles n'étant pas absorbées dans l'organisme, elles restent dans le tube digestif. En outre, leur pouvoir absorbant considérable leur permet de se charger de grandes quantités d'eau, ce qui rend les selles plus volumineuses et plus faciles à expulser. (Les pruneaux contiennent également des fibres solubles, celles qui contribuent à abaisser le cholestérol et, par conséquent, les risques cardiovasculaires.) Cinq pruneaux séchés contiennent près de 3 grammes de fibres, soit environ 12% de la Valeur quotidienne (VQ).

De plus, les pruneaux contiennent un sucre naturel, le sorbitol. De même que les fibres, ce dernier absorbe l'eau partout où il en trouve, fait remarquer le Dr Mary Ellen Camire, professeur de nutrition. La plupart des fruits contiennent de petites quantités de sorbitol (généralement moins de 1%). Les pruneaux, eux, sont constitués de quelque 15% de sorbitol, ce qui explique pourquoi ils sont une si remarquable substance de lest et sont souvent recommandés pour soulager la constipation.

Enfin, les pruneaux contiennent une substance complexe qui stimule les intestins, ce qui a pour effet de les contracter. Ce processus est indispensable pour aller à la selle régulièrement.

Il n'est pas nécessaire de manger de grandes quantités de pruneaux pour bénéficier de ces avantages. Une portion quotidienne (environ cinq pruneaux) suffit à la plupart des gens pour maintenir leur régularité.

À LA CUISINE

Les pruneaux peuvent aisément remplacer les corps gras dans diverses préparations culinaires. La purée de pruneaux peut servir à remplacer le beurre, la margarine ou l'huile dans les gâteaux et les pâtisseries, ce qui permet de réduire jusqu'à 90% leur teneur en matières grasses, sans pour autant sacrifier le goût savoureux et la texture agréable généralement associés aux corps gras.

Pour utiliser des pruneaux en pâtisserie, mettez dans un mixer environ 25 pruneaux (230 grammes) préalablement dénoyautés, ajoutez-y 6 cuillerées à soupe d'eau et réduisez-les en purée. Pour adapter votre recette, commencez par remplacer 1 cuillerée à soupe de matières grasses par la même quantité de purée de pruneaux. Poursuivez les essais en goûtant au fur et à mesure et en remplaçant des quantités croissantes de matières grasses par la purée de pruneaux, jusqu'à obtenir le goût et la texture souhaités. La purée de pruneaux restante, conservée dans un récipient bien couvert, se conserve plusieurs semaines au réfrigérateur.

PROTECTION GLOBALE

Comme la plupart des fruits, les pruneaux contiennent de généreuses quantités de toute une palette de vitamines, minéraux et autres substances complexes bénéfiques. En réalité, ils représentent un source d'énergie concentrée parce qu'ils perdent une partie de leur humidité au cours du processus de séchage. Cela signifie qu'une très petite quantité suffit pour nous procurer de grands bienfaits.

L'une des substances complexes les plus bénéfiques des pruneaux est le bêta-carotène. De la même façon que les vitamines C et E, le bêtacarotène est un anti-oxydant, c'est-à-dire qu'il contribue à neutraliser les molécules d'oxygène nuisibles dans le corps. Les pruneaux contiennent en outre de généreuses quantités de potassium, un minéral indispensable pour maintenir une pression artérielle peu élevée. Diverses études ont montré que lorsque les taux de potassium diminuaient, même durant de courts laps de temps, la pression artérielle augmentait. Les pruneaux sont une excellente source de potassium, puisque cinq pruneaux en contiennent 313 milligrammes (environ 9% de la VQ).

Critères de choix, préparation et conservation

Pour obtenir des vitamines, buvez du jus. Quoique le jus de pruneau contienne moins de fibres que le fruit entier, c'est néanmoins une source plus concentrée de vitamines. Par exemple, cinq gros pruneaux contiennent plus de 1 milligramme de vitamine C, tandis qu'un verre de 180 millilitres de jus de pruneau en contient près de 8 milligrammes.

Mangez le fruit entier pour un transit régulier. Les fibres étant un aspect si important de la santé digestive, les médecins recommandent de manger les pruneaux séchés entiers, soit tels quels, soit en boîte, lorsque votre but est de régulariser le transit. Il est vrai que le jus de pruneau a également été parfois utilisé pour soulager la constipation, mais il est toutefois comparativement moins efficace que le fruit entier.

Le raisin et son jus
Une boisson bénéfique pour le cœur

Pouvoir thérapeutique

CONTRIBUE À :

Abaisser le cholestérol

Diminuer le risque
de maladies cardiovasculaires

Réduire l'hypertension artérielle

Aux États-Unis, le jus de raisin est connu depuis la fin du XIXᵉ siècle, lorsque certaines communautés religieuses pratiquant l'abstinence ont décidé qu'il leur fallait remplacer le vin utilisé pour la communion par un substitut non alcoolisé.

Aujourd'hui, tous ceux qui préfèrent ne pas boire d'alcool continuent à apprécier cette innovation. Cela leur permet d'obtenir des bienfaits comparables à ceux dont bénéficient les amateurs de vin (ce dernier, comme le jus de raisin, contient de puissantes substances complexes capables d'abaisser le cholestérol, de prévenir le durcissement des artères et de lutter contre les maladies cardiovasculaires) sans les effets indésirables de l'alcool.

Du jus pour le cœur

Sans la France, peut-être les chercheurs n'auraient-ils jamais découvert, de manière tout à fait fortuite, les avantages du vin et du jus de raisin pour la santé.

Il y a quelques années, des scientifiques ont pris conscience d'un phénomène qu'ils ont baptisé le paradoxe français. En effet, le Français moyen mange presque quatre fois autant de beurre et trois fois autant de saindoux que le consommateur américain, ses taux de cholestérol et de pression artérielle sont plus élevés que ceux de l'Américain moyen, il fume tout autant que ce dernier, mais, malgré tout, son risque de décéder d'une crise cardiaque est de deux fois et demie plus faible.

Les chercheurs sont convaincus qu'au moins une partie du secret français pour la santé du cœur est lié au vin rouge, qui contient des substances complexes appelées flavonoïdes. Un rapport causal a pu être établi entre ces complexes et un plus faible taux de maladies cardiovasculaires.

Si le vin rouge apporte une protection, se dirent les chercheurs, pourquoi pas le jus de raisin rouge?

Ils ont ainsi vérifié que le jus de raisin contenait un certain nombre de ces mêmes flavonoïdes que l'on trouve dans le vin. Diverses études suggèrent que ces substances complexes pourraient abaisser le cholestérol, empêcher ce dernier de se déposer sur les parois des artères et empêcher les plaquettes sanguines de s'agglutiner pour former de dangereux caillots dans le courant sanguin.

MERVEILLEUX RAISINS

Les scientifiques n'ont pas fini d'élucider les mystères du mécanisme par lequel le jus de raisin nous protège des maladies cardiovasculaires. En revanche, ils savent une chose, c'est qu'il semble avoir plusieurs actions bénéfiques.

Les flavonoïdes du jus de raisin comptent parmi les antioxydants les plus puissants qui soient, peut-être même sont-ils supérieurs aux vitamines C ou E, selon le Dr John D. Folts, professeur de médecine.

Dans notre corps, ils contribuent à empêcher l'oxydation du dangereux cholestérol LDL (lipoprotéines de faible densité), ce même processus qui amène le cholestérol à se déposer sur la paroi de nos artères, provoquant à la longue l'obstruction de ces dernières.

Pour prévenir les maladies cardiovasculaires, une bonne précaution de base consiste à maintenir des taux raisonnables de cholestérol LDL. D'autre part, il faut également empêcher les plaquettes (élément du sang qui amène ce dernier à former des caillots) de s'agglutiner à tort et à travers. Les flavonoïdes du jus de raisin, selon le Dr Folts, jouent également ce rôle. Dans le cadre d'une étude à l'université du Wisconsin, les chercheurs ont constaté, chez les animaux de laboratoire qui avaient reçu du jus de raisin, une diminution significative des caillots anormaux. Par conséquent, nous obtenons deux avantages pour le prix d'un seul en buvant du jus de raisin.

D'ailleurs ce breuvage nous offre encore d'autres atouts. C'est également une assez bonne source de potassium: en effet, un verre de 225 millilitres de jus de raisin nous en fournit 334 milligrammes, soit 10% de la Valeur quotidienne. Il s'agit là d'un avantage important, puisque le potassium contribue à maîtriser l'hypertension artérielle et nous protège d'un accident vasculaire cérébral.

LE CHAÎNON MANQUANT

Malgré les nombreuses substances complexes très puissantes qu'il recèle, le jus de raisin ne les contient pas toutes. À vrai dire, il faudrait absorber trois fois plus de jus de raisin que de vin pour obtenir les mêmes effets protecteurs, selon le Dr Folts.

Tous les flavonoïdes protecteurs du raisin se trouvent dans le moût, mélange grossièrement broyé de peau, pulpe, grains et tiges qui sert à fabriquer le vin et le jus de raisin, explique ce médecin. Lorsque le moût entre en fermentation au cours de la fabrication du vin, de grandes quantités de flavonoïdes se déversent dans le liquide, poursuit-il. Le jus de raisin ne subissant aucune fermentation, il ne contient que les seuls flavonoïdes qui ont abouti dans le jus au cours des processus de pasteurisation et de transformation.

Néanmoins, les substances complexes qui se retrouvent dans le jus sont relativement puissantes, ajoute-t-il. Il faut simplement boire davantage de jus pour en obtenir suffisamment.

Critères de choix, préparation et conservation

Buvez-en un grand verre. Puisqu'il est nécessaire de boire plus de jus de raisin que de vin pour obtenir les mêmes avantages pour la santé, il s'agit d'en absorber 340 ml par jour, souligne le Dr Folts.

Préférez-le rouge. «Ce sont les flavonoïdes qui confèrent au jus sa belle robe pourpre; par conséquent, si vous cherchez à acheter le jus de raisin le plus riche en flavonoïdes, choisissez le plus sombre parmi ceux qui vous sont proposés.»

Le jus vaut mieux que le nectar. Le nectar de raisin n'est autre qu'un succédané dilué et sucré de jus authentique. Sur le plan nutritif, il ne peut y avoir aucune comparaison. Pour obtenir les bienfaits du jus de raisin, préférez celui-ci au nectar.

LES RAISINS SECS
Mieux maîtriser l'hypertension artérielle

POUVOIR THÉRAPEUTIQUE

CONTRIBUENT À:
Améliorer la digestion

Abaisser la pression artérielle

Maintenir le sang
en bonne santé

Malgré leur aspect assez peu appétissant, les raisins secs ont un passé glorieux. L'homme des cavernes leur attribuait certains pouvoirs religieux. Il confectionnait des colliers et des décorations à l'aide de raisins secs et dessinait ces petits fruits sur les parois de certaines cavernes. Dès 1000 avant J.-C., les Israélites s'en servaient pour payer leurs impôts au roi David. Imaginez la tête du percepteur si nous faisions de même aujourd'hui!

De nos jours, les raisins secs ont une place beaucoup plus modeste au sein de la société. Pourtant, ils demeurent tout aussi utiles. Randonneurs et alpinistes les apprécient comme un aliment très énergétique, sans matière grasse, et particulièrement pratique. Ils trouvent facilement leur place parmi les sandwiches et autres aliments prévus pour le déjeuner, sans ramollir comme une banane si on a le malheur de les oublier dans le tiroir du bureau. Mieux encore, ils ne s'altèrent presque jamais, même lorsqu'on les oublie dans le placard pendant des mois.

Les raisins secs nous offrent davantage qu'une utilisation vraiment pratique. Diverses études suggèrent qu'ils peuvent faire baisser la pression artérielle et le cholestérol, et jouent même un rôle en maintenant la digestion et le sang en bonne santé.

ABAISSER LA PRESSION

Si vous êtes atteint d'hypertension artérielle – ou même vous ne l'êtes pas, mais tenez à prendre vos précautions pour que vos taux restent raisonnables –, les

À LA CUISINE

Sur le plan nutritionnel, il y a très peu de différence entre les raisins secs noirs et dorés. (La variété noire contient davantage de thiamine, tandis que les raisins dorés sans pépins contiennent un peu plus de vitamine B_6.) La principale différence entre ces deux variétés tient au processus de séchage.

- **Raisins noirs, ou séchés au soleil.** Leur séchage s'effectue vraiment au soleil, ce qui leur donne leur aspect sombre et ratatiné. Ils sont utilisés en pâtisserie ou comme collation.

- **Raisins secs dorés, sans pépins.** Le processus de séchage consiste à les exposer à la fumée de soufre en combustion dans une chambre close, ce qui leur donne leur belle couleur. En raison de leur aspect appétissant, on les utilise généralement en pâtisserie, par exemple dans des cakes au fruits.

Les deux variétés se conservent très longtemps. Il suffit de bien les emballer dans un récipient ou dans un sachet plastique hermétiquement fermé pour qu'ils puissent se garder plusieurs mois dans un placard de cuisine, et une année ou davantage s'ils sont conservés au réfrigérateur ou au congélateur. Vous saurez qu'ils ne sont plus bons si vous constatez à la surface une accumulation de cristaux de sucre blanc.

Il est normal que les raisins secs continuent à se déshydrater quelque peu en cours de conservation. Ne les jetez pas pour autant. Il suffira de les passer à la vapeur pendant 5 minutes environ pour leur rendre une bonne partie de l'humidité perdue et leur redonner du volume. Si vous avez l'intention d'en utiliser en pâtisserie, recouvrez-les d'eau chaude ou de jus de fruit pendant 5 minutes environ avant de les incorporer à la recette choisie.

raisins secs sont l'un des meilleurs aliments à grignoter entre les repas. Ils sont une bonne source de potassium, un minéral dont il est prouvé qu'il abaisse l'hypertension artérielle.

Dans le cadre d'une étude, des chercheurs de Baltimore ont administré à 87 hommes de race afro-américaine soit un complément de potassium, soit un placebo. Chez ceux qui avaient reçu du potassium, les chercheurs ont constaté un abaissement de près de 7 points de la pression systolique (le chiffre supérieur), tandis que la pression diastolique s'abaissait de près de 3 points. Il est vrai que la quantité de potassium administrée au cours de cette étude était relativement élevée – il faudrait absorber environ 3 tasses de raisins secs pour en obtenir autant –, mais de moins grandes quantités sont également bénéfiques. Une portion de 25 grammes de raisins secs contient environ 272 milligrammes de potassium, soit près de 8% de la Valeur quotidienne.

S'ALIMENTER AVEC INTELLIGENCE
UNE COULEUR SUSPECTE

Le traitement qui donne aux raisins secs dorés leur belle teinte appétissante pourrait être à l'origine de troubles graves chez certaines personnes.

Au cours du processus de transformation, cette variété de raisin est exposée à des sulfites, les mêmes substances complexes parfois utilisées pour empêcher les crudités de brunir dans les restaurants. Il fallut attendre le milieu des années 1980 pour que les chercheurs s'aperçoivent que certaines personnes avaient une sensibilité particulière à ces complexes, qui peuvent déclencher des crises d'asthme ou d'autres réactions allergiques.

«Toute personne sensible aux sulfites fera bien d'éviter les raisins secs dorés sans pépins», souligne le Dr Mark McLellan, professeur de sciences alimentaires.

«Tous les Français, après la quarantaine en particulier, devraient absorber d'assez grandes quantités d'aliments qui sont de bonnes sources de potassium, comme les raisins secs», recommande le Dr Donald V. Schlimme, professeur de nutrition.

PAS SEULEMENT DU FER

Lorsqu'il est question d'aliments qui contiennent beaucoup de fer, c'est généralement à la viande rouge et au foie que nous pensons spontanément. Pourtant, il se pourrait que les raisins secs soient une meilleure source de fer, surtout pour les individus qui ne mangent que peu, voire pas de viande. «Si l'on me demandait quel aliment, à part la viande rouge, je recommanderais comme une excellente source de fer, je répondrais les raisins secs», affirme le Dr Schlimme.

Le fer est essentiel à la fabrication de l'hémoglobine des globules rouges sanguins, dont le corps se sert pour le transport de l'oxygène. S'il est vrai que le fer est présent en abondance dans nos aliments, la femme peut avoir besoin de ce minéral en plus grande quantité si elle enceinte ou durant ses règles.

Une portion de 25 grammes de raisins secs contient près de 0,8 milligramme de fer, soit plus de 8% de l'Apport journalier recommandé pour l'homme, et 5% de celui pour la femme.

Comme beaucoup d'autres fruits secs, les raisins secs sont également une bonne source de fibres alimentaires, puisque cette même quantité contient près de 2 grammes de fibres (environ 8% de la Valeur quotidienne). Non seulement les fibres jouent un rôle bénéfique en évitant des troubles courants comme la constipation et les hémorroïdes, mais elles abaissent le cholestérol et le risque de maladies cardiovasculaires.

Au cours d'une étude, des chercheurs de Los Altos en Californie ont demandé à des sujets atteints d'hypercholestérolémie de manger chaque jour

85 grammes de raisins secs dans le cadre d'une alimentation riche en fibres et pauvre en matières grasses. Au bout d'un mois, le cholestérol total des participants s'était abaissé de plus de 8% en moyenne, tandis que leur taux de «mauvais» cholestérol LDL s'abaissait de 15%.

Critères de choix, préparation et conservation

Mangez-les avec d'autres aliments. Le fer contenu dans les raisins secs appartient au type non héminique, plus difficile à absorber que le fer héminique (ou hème ferreux) contenu dans la viande. Il suffit toutefois d'absorber les raisins secs avec des aliments qui contiennent de la vitamine C pour améliorer l'absorption du fer non héminique.

Simplifiez-vous la vie. Afin d'augmenter la quantité de raisins secs absorbée habituellement, beaucoup de nutritionnistes recommandent d'acheter de petites portions en sachet. Leur faible volume et le fait que les raisins secs ne s'altèrent pratiquement jamais en font l'aliment parfait qui se glisse sans problème dans le sac à main, la boîte à gants ou le tiroir du bureau, en attendant le prochain petit creux.

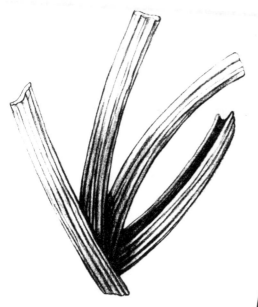

LA RHUBARBE
POUR SOULAGER LA CONSTIPATION

POUVOIR THÉRAPEUTIQUE

CONTRIBUE À :
Abaisser le cholestérol

Prévenir le cancer

Stimuler l'immunité

Soulager les problèmes digestifs

Admettons-le, les amateurs de ce curieux végétal acidulé sont relativement rares et il ne viendrait à l'esprit de personne d'en célébrer les vertus en vers. Pourtant, il se pourrait bien que la rhubarbe fournisse l'occasion de chanter d'allégresse à tous ceux qui souffrent de constipation.

Si vous êtes du nombre, sachez que vous n'êtes pas le seul. Les recherches montrent en effet que les personnes atteintes d'hypercholestérolémie ou d'un déficit immunitaire auraient de bonnes raisons de grossir les rangs du chœur voué à la rhubarbe. De plus, même si les recherches dans ce domaine ne sont pas terminées, divers travaux laissent entendre que la rhubarbe pourrait contribuer à lutter contre certains cancers.

Avant de poursuivre, un petit avertissement s'impose toutefois. Les tiges sont la seule partie comestible de la rhubarbe. Ses feuilles contiennent en effet des taux extraordinairement élevée d'oxalates, sels minéraux que le corps est incapable de métaboliser; pour les personnes sensibles, ils peuvent être toxiques. Utilisée judicieusement, en revanche, la rhubarbe est un aliment merveilleusement sain dont il serait dommage de se priver.

UN LAXATIF DANS VOTRE JARDIN

Cela relève de la sagesse populaire, mais la plupart des experts le confirment: la rhubarbe soulage la constipation, en raison des fibres que ce membre de la famille du sarrasin contient en abondance.

Pour réduire l'acidité de la rhubarbe, la plupart des gens la saupoudrent d'une montagne de sucre avant même d'en porter la première cuillerée à leur bouche, ajoutant ainsi des quantités de calories vides à un aliment par ailleurs des plus sains.

Voici quelques conseils donnés par les spécialistes pour déguster la rhubarbe sans faire d'excès de sucre.

Donnez-lui du jus. Beaucoup de cordons-bleus font cuire la rhubarbe dans du jus d'orange ou d'ananas, ce qui en réduit l'acidité en lui ajoutant une agréable touche sucrée.

Pour faire cuire la rhubarbe en compote, découpez les tiges en petits tronçons que vous disposerez dans une casserole; ajoutez-y un demi-volume d'eau ou de jus de fruit pour 3 ou 4 volumes de rhubarbe. Laissez cuire pendant 15 minutes environ, ou jusqu'à ce que les tronçons soient devenus tendres.

Ajoutez-y des épices. Voilà un bon moyen d'atténuer le goût acide de la rhubarbe sans avoir recours au sucre. Choisissez entre diverses possibilités comme le zeste d'orange, l'eau de rose, le gingembre et la cannelle.

«Traditionnellement, la rhubarbe est utilisée en compote ou sous forme de tartes pour soulager la constipation, mais, pendant longtemps, personne ne savait comment expliquer son efficacité, souligne le Dr Tapan K. Basu, professeur de nutrition. Aujourd'hui, nous savons qu'elle est une bonne source de fibres.»

Les tiges fibreuses de la rhubarbe contiennent de grandes quantités de fibres alimentaires – plus de 2 grammes dans une portion de 250 grammes – qui nous apportent les substances de lest nécessaires pour un transit régulier.

Le Dr Ronald L. Hoffman, auteur du livre *Seven Weeks to a Settled Stomach*, propose la recette suivante à base de rhubarbe pour vous aider la prochaine fois que l'appel de la nature se fera quelque peu désirer.

Hachez trois tiges de rhubarbe fraîche crue (en prenant soin d'éliminer et de jeter les feuilles toxiques) et mélangez cette pulpe grossière avec 1 tasse de jus de pomme, le quart d'un citron pelé et 1 cuillerée à café de miel. Versez tous les ingrédients dans un mixer et réduisez-les pour obtenir une purée lisse. (La rhubarbe crue étant très acide, ajoutez si nécessaire d'autres jus à cette préparation afin d'en adoucir le goût.) Prenez cette boisson lorsque le besoin s'en fait sentir.

EXPULSER LE CHOLESTÉROL

La rhubarbe, de même que d'autres aliments riches en fibres comme le son d'avoine et les haricots secs, a le pouvoir d'absorber le cholestérol et de l'expulser

S'ALIMENTER AVEC INTELLIGENCE
PRÉVENIR LES CALCULS

Si vous avez tendance à faire des calculs rénaux, peut-être vaut-il mieux renoncer à votre portion de tarte à la rhubarbe.

Ce végétal contient en effet de grandes quantités d'oxalates (sels minéraux que le corps ne peut métaboliser, mais qui se retrouvent dans l'urine). Lorsque les personnes sensibles aux oxalates mangent trop de rhubarbe ou d'autres aliments dont la teneur en oxalates est élevée, ces minéraux peuvent s'accumuler, ce qui pourrait contribuer à l'apparition de calculs rénaux (où l'on retrouve une grande concentration d'oxalates).

du corps avant qu'il n'ait eu le temps de se déposer sur les parois de nos artères pour les obstruer et contribuer ainsi aux maladies cardiovasculaires.

Dans le cadre d'une étude, des chercheurs de l'université d'Alberta ont constaté que les fibres de la rhubarbe faisaient baisser de manière significative le taux de cholestérol, surtout le dangereux cholestérol LDL (lipoprotéines de faible densité), et qu'elles abaissaient également les triglycérides (substances grasses dangereuses dans le courant sanguin). Les participants à cette étude avaient absorbé chaque jour pendant 30 jours 27 grammes de tiges de rhubarbe en poudre, à teneur élevée en fibres.

«Nous ne savons pas encore combien de rhubarbe il faudrait manger pour obtenir le même effet, commente le Dr Basu, chercheur responsable de cette étude. Cependant, nous pouvons affirmer dès à présent que la rhubarbe contient un type de fibre très efficace, et qu'il est donc bénéfique d'en manger.»

LUTTER CONTRE LES TUMEURS

Les travaux en sont encore au stade préliminaire, mais diverses recherches indiquent que la rhubarbe pourrait contenir des substances complexes capables de prévenir le cancer.

Dans la seule étude publiée concernant l'efficacité de la rhubarbe contre le cancer, des chercheurs de l'université de Mainz (Allemagne) ont testé le jus de rhubarbe, ainsi que les jus de divers autres fruits et légumes, contre divers agents cancérigènes. Ils ont ainsi constaté que la rhubarbe venait presque en tête de liste pour son aptitude à inhiber les mutations cellulaires qui dégénèrent souvent en cancer.

Même si ces recherches pionnières semblent prometteuses, les chercheurs ne savent pas encore s'il faut boire du jus de rhubarbe ou manger des tiges entières pour obtenir les mêmes effets bénéfiques que ceux constatés en éprouvette.

Une protection acidulée

La rhubarbe contient de la vitamine C; cette vitamine antioxydante attaque et paralyse les radicaux libres (molécules d'oxygène nuisibles qui contribuent à l'apparition des maladies cardiovasculaires, de certains cancers, et de divers «symptômes» de vieillissement comme les rides ou les lésions oculaires).

De plus, il est prouvé que la vitamine C contribue à empêcher l'oxydation du «mauvais» cholestérol LDL dans l'organisme: il s'agit du processus qui amène ce cholestérol à se déposer sur la paroi de nos artères. La vitamine C joue également un rôle important dans la formation du collagène, une protéine qui entre dans la constitution de la peau et des tissus conjonctifs et contribue à maintenir la peau lisse. De plus, la vitamine C est connue pour son aptitude à stimuler l'immunité, aidant l'organisme à écarter refroidissements et infections.

Une portion de 100 grammes de rhubarbe en compote fournit près de 6 milligrammes de vitamine C, soit plus de 7% de la Valeur quotidienne.

Critères de choix, préparation et conservation

Préférez-la rouge. Le goût acide de la rhubarbe empêche beaucoup de gens d'en avaler plus de quelques bouchées. Voici un conseil utile lorsque vous irez faire vos courses: en général, plus les tiges sont rouges, plus leur goût est doux et moins on fait la grimace en les mangeant.

LE RIZ
Un grain bénéfique pour le cœur

Pouvoir thérapeutique

CONTRIBUE À :
Réduire le cholestérol

Abaisser le risque de cancer du côlon

Régulariser la digestion

S'il ne devait y avoir qu'un seul aliment dans le placard de toute ménagère, sans doute s'agirait-il du riz. Ce dernier est l'ingrédient gastronomique majeur un peu partout sur notre planète, et l'on en recense quelque 40 000 variétés à travers le monde. En France, il est possible d'acheter, entre autres, du riz basmati, en provenance de l'Inde et du Pakistan, du riz arborio d'Italie, du riz valencia d'Espagne, du riz parfumé de Thaïlande et du riz gluant du Japon. (Quant au riz dit «sauvage», il s'agit en réalité d'une variété de graminée plutôt que de riz.)

Le plus nutritif de tous les riz est le riz complet, qui contient de grandes quantités de fibres, des glucides complexes, ainsi que des vitamines essentielles du groupe B, souligne le Dr Maren Hegsted, professeur de nutrition humaine. De plus, il contient une substance complexe puissante capable de réduire la quantité de cholestérol générée par l'organisme. L'excès de cholestérol étant l'un des principaux facteurs de risques cardiovasculaires, le riz complet peut jouer un rôle crucial dans tout programme de protection du cœur.

Frapper à la source

Nous oublions volontiers que le corps a besoin de petites quantités de cholestérol pour diverses fonctions comme la création des parois cellulaires ou la fabrication d'hormones essentielles. Afin d'en fournir les quantités néces-

À LA CUISINE

Bon nombre de fabricants aiment à promettre que leur riz réussit à tous les coups, ce qui laisse à penser que certains types de riz aboutissent sur la table collants et mouillés ou, pire encore, durs et secs. Voici une stratégie pour réussir votre riz à chaque fois, quelle que soit la variété utilisée.

N'y touchez pas. Beaucoup de gens ont le plus grand mal à s'empêcher de remuer le riz dans la casserole ou d'aller voir ce qui se passe en cours de cuisson. L'ennui, c'est qu'en remuant fréquemment le riz en train de cuire, on endommage les grains qui deviennent alors mous et collants. (Le riz arborio, lui, doit être remué en cours de cuisson.)

Choisissez votre liquide. Le riz est traditionnellement cuit à l'eau, mais de nombreux chefs préfèrent utiliser des liquides aromatisés qui donnent à la préparation un goût raffiné. Le bouillon de poulet ou de bœuf se prête particulièrement bien à cet usage. Vous pouvez aussi y ajouter un peu de jus de citron, un filet de vinaigre parfumé ou une pincée d'herbes aromatiques.

Surveillez la fin de cuisson. Pour éviter de trop cuire le riz, il est utile de vérifier ce qui se passe juste avant le moment où vous avez prévu que la cuisson se termine. Si le riz semble encore un peu mouillé, c'est qu'il a besoin d'une ou deux minutes de plus (voire davantage) pour absorber l'eau restante.

Lorsque le riz est à point, les grains des variétés à grain long se détachent facilement, sans être ni secs, ni mouillés, ni collants. Quant au riz à grain rond ou moyen, il a tendance à s'agglutiner. Vous obtiendrez les meilleurs résultats en laissant le riz sur la plaque chaude éteinte pendant 15 à 20 minutes après la fin de la cuisson.

saires, le foie fabrique chaque jour du cholestérol. En revanche, lorsque nous absorbons une alimentation grasse, le corps génère plus de cholestérol qu'il ne peut en utiliser. C'est alors que les risques cardiovasculaires augmentent.

Selon le Dr Hegsted, il est possible de prévenir ce trouble en absorbant davantage de riz complet. La couche externe du riz (le son) contient une substance complexe, l'oryzanol, dont il est prouvé qu'elle freine la production de cholestérol par l'organisme. D'ailleurs, la structure chimique de ce complexe ressemble à celle de certains médicaments destinés à faire baisser le taux de cholestérol.

Dans le cadre d'une étude de l'université d'état de Louisiane, les participants ont absorbé chaque jour pendant trois semaines environ 100 grammes de son de riz. À l'issue de cette étude, les chercheurs ont constaté que leur taux de cholestérol s'était abaissé de 7 % en moyenne. Mieux encore, les taux de «mauvais» cholestérol LDL (lipoprotéines de faible densité) avaient baissé de 10%, tandis que les taux de «bon» cholestérol HDL (lipoprotéines de haute densité) demeuraient relativement élevés.

Une baisse de 10% du taux de cholestérol LDL ne paraît peut-être pas très impressionnante, mais les médecins considèrent que chaque fois que le taux de cholestérol s'abaisse de 1%, les risques cardiovasculaires diminuent de 2%. Cela signifie donc que les mangeurs de riz avaient fait baisser ce risque de 20% après seulement trois semaines.

«Allié à une alimentation maigre, le riz complet est l'un des meilleurs aliments pour abaisser le taux de cholestérol», affirme le Dr Hegsted.

Une éponge digestive

Le riz complet doit sa teinte plus sombre et sa consistance plus élastique que celle du riz blanc au fait qu'il est entouré d'une couche extérieure nutritive. C'est justement cette partie du grain qui contient le plus de fibres, souligne Mme Christine Negm, nutritionniste. Une portion de 150 grammes de riz complet contient environ 2 grammes de fibres, précise-t-elle.

Les fibres du riz complet appartiennent à la catégorie des fibres insolubles, qui jouent le rôle d'une éponge dans l'intestin, absorbant de grandes quantités d'eau, souligne le Dr Hegsted. Cela contribue à rendre les selles plus volumineuses et plus humides, ce qui en facilite l'excrétion. De plus, lorsque le bol fécal est plus volumineux, il traverse plus rapidement le côlon, si bien que les substances nocives qu'il contient ont moins de temps pour endommager les cellules de la paroi du côlon, réduisant par conséquent le risque de cancer. Certains chercheurs pensent que si nous augmentions de 39 grammes par jour la quantité de fibres absorbées par l'alimentation, le risque de cancer du côlon diminuerait de 31%.

Ce qui est bénéfique pour le côlon l'est également pour les seins. En effet, les fibres du riz complet se lient aux œstrogènes dans le tube digestif, et une moins grande quantité de ces hormones restent ainsi en circulation dans le courant sanguin. Ce fait a son importance, puisqu'il est prouvé que des taux élevés d'œstrogènes déclenchent des modifications dans les cellules, ce qui peut aboutir à un cancer du sein. Une étude conduite par des chercheurs australiens et canadiens a permis de constater que le risque de cancer du sein était de 38% plus faible chez les femmes qui absorbaient chaque jour 28 grammes de fibres, par rapport à d'autres femmes qui n'en absorbaient que la moitié.

Un coup de main à la nature

L'ennui, avec le riz blanc, c'est qu'il a été débarrassé au cours des processus de transformation de ses couches externes nutritives, ce qui ne laisse qu'un grain certes tendre sous la dent, mais beaucoup moins bénéfique pour la santé. Pour pallier cet inconvénient, les fabricants ont recours à une astuce et remplacent une partie des nutriments perdus lors de la transformation, comme la niacine et la thiamine. Par conséquent, il n'est pas exclu que le riz blanc contienne davantage de ces nutriments que la nature n'y avait mis au départ.

Une portion de 150 grammes de riz blanc contient 0,2 milligramme de thiamine, une vitamine du groupe B essentielle pour transformer les aliments en énergie, et 2 milligrammes de niacine, qui contribue au métabolisme. Le riz complet, quant à lui, ne contient que 0,1 milligramme de thiamine et 1 milligramme de niacine. «Le riz blanc est hypervitaminé», commente Mme Negm.

Ce qui manque au riz blanc, en revanche, ce sont les fibres. Une portion de 100 grammes n'en contient que 0,2 gramme, soit 10 fois moins que la même quantité de riz complet. Par conséquent, le riz complet est généralement un meilleur choix sur le plan nutritif.

Critères de choix, préparation et conservation

Gardez-le au frais. En raison des lipides qu'il contient, le riz complet devient vite rance s'il est conservé à température ambiante, souligne le Dr Hegsted. Afin de préserver ses substances complexes thérapeutiques, conservez le riz complet au réfrigérateur dans un récipient hermétiquement fermé; il gardera ainsi toute sa fraîcheur pendant une année environ.

Conservez l'eau. Qu'il s'agisse de riz blanc ou complet, une grande partie des nutriments qu'ils contiennent passent dans l'eau de cuisson. Afin que ces nutriments se retrouvent dans votre assiette plutôt que dans l'évier, laissez la cuisson du riz se poursuivre jusqu'à ce que toute l'eau soit absorbée.

Évitez de le rincer. La niacine et la thiamine contenues dans le riz blanc vitaminé se trouvant à la surface du grain, ces nutriments seront éliminés si l'on rince le riz avant de le faire cuire. Il est préférable de verser le riz directement du paquet dans l'eau de cuisson, fait remarquer Mme Negm. La seule exception concerne le riz importé de certains pays lointains, qui pourrait contenir davantage d'impuretés que les variétés en provenance de nations industrialisées.

LE SARRASIN
UNE DOUBLE PROTECTION

POUVOIR THÉRAPEUTIQUE
CONTRIBUE À :
Prévenir le cancer et les maladies cardiovasculaires

Maîtriser le diabète

Les hédonistes du monde moderne considèrent généralement Paris comme la ville gastronomique par excellence. Pourtant, Mark Twain fut très déçu de son passage dans la ville des lumières. En effet, le célèbre écrivain américain, qui parcourut l'Europe en 1878, ne parvint pas à trouver dans tout Paris le seul aliment de base américain dont ses papilles avaient tant envie afin de soulager son mal du pays: des crêpes de sarrasin.

Même si le sarrasin (ou kasha, ainsi qu'il s'appelle lorsqu'il a été préalablement grillé) est aussi américain que le maïs, cette céréale n'est plus très appréciée aux États-Unis, selon le Dr Michael Eskin, chercheur spécialiste du sarrasin et professeur de chimie alimentaire. En revanche, le sarrasin est très prisé au Japon, et certains chercheurs pensent même que cela pourrait expliquer jusqu'à un certain point l'incidence très faible de cancer dans ce pays, ajoute le Dr Eskin.

PROTECTION DOUBLE

Le sarrasin contient toute une gamme de substances complexes appelées flavonoïdes, dont un certain nombre d'études ont montré qu'elles inhibent la prolifération du cancer. Deux complexes en particulier, la quercétine et la rutine, sont particulièrement prometteurs, car elles semblent lutter contre le cancer de deux manières différentes.

Les hormones qui favorisent le cancer ont du mal à se lier aux cellules saines en présence de ces substances, qui peuvent littéralement stopper le cancer avant même qu'il n'apparaisse. Si des substances cancérigènes pénétraient à l'intérieur des cellules, ces complexes pourraient atténuer les lésions de l'ADN, le message chimique codé qui dicte le processus normal de division cellulaire.

FAVORISER LE FLUX SANGUIN

La rutine du sarrasin joue encore un autre rôle protecteur. En synergie avec certains autres complexes, elle contribue à empêcher les plaquettes – élément du sang qui favorise la coagulation – de s'agglutiner. En améliorant la fluidité du sang, le sarrasin peut jouer un rôle important dans un programme global de protection du cœur.

D'autre part, la rutine du sarrasin exerce une autre influence bénéfique sur la fluidité du sang. Il semblerait en effet qu'elle fasse fondre les particules du dangereux cholestérol LDL (lipoprotéines de faible densité). Ainsi, ces dernières ont moins tendance à se déposer sur les parois de nos artères, ce qui diminue d'autant le risque de maladie cardiovasculaire ou d'accident vasculaire cérébral.

Cela pourrait expliquer pourquoi le peuple Yi de Chine, dont l'alimentation, dès le plus jeune âge, se constitue principalement de sarrasin, présente des taux exceptionnellement faibles de cholestérol total. Mieux encore, son taux de cholestérol LDL est relativement bas, tandis que le taux de «bon» cholestérol HDL (lipoprotéines de haute densité) demeure élevé.

Selon certains chercheurs, la rutine stabilise également les vaisseaux sanguins et maîtrise l'accumulation excessive de fluides dans le corps. Cela pourrait contribuer à faire baisser la pression artérielle et, avec elle, les risques cardiovasculaires.

Les recherches suggèrent que lorsque des flavonoïdes sont absorbés en même temps que la vitamine E, également présente dans le sarrasin, les avantages sont plus marqués encore. La vitamine E étant liposoluble, elle peut neutraliser les dangereux radicaux libres (molécules d'oxygène pouvant provoquer des lésions dans la partie adipeuse de nos cellules). Les flavonoïdes, d'autre part, sont hydrosolubles; ils s'attaquent aux radicaux libres dans la partie aqueuse des cellules. «Cette double action a pour effet d'introduire un antioxydant tant dans la partie aqueuse des cellules que dans leur partie adipeuse», commente le Dr Timothy Johns, professeur de diététique et de nutrition.

LE POUVOIR DES PROTÉINES

Voici de quoi réjouir les végétariens et tous ceux qui ne tiennent pas à manger beaucoup de viande. Parmi toutes les sources de protéines végétales, le sarrasin vient en tête pour la qualité de l'apport protidique qu'il nous fournit. Notre corps a besoin de protéines pour toutes ses fonctions, depuis la cicatrisation des blessures jusqu'au fonctionnement du cerveau. Or, les protéines du

À LA CUISINE

Contrairement au riz et au blé, le sarrasin ne contient pas de gluten (protéine de consistance collante). Sans gluten pour maintenir les grains entiers, «il se transforme en bouillie à moins d'être cuit à l'avance», précise M. Clifford Orr, spécialiste du sarrasin. Voici ce qu'il préconise.

• Après avoir rincé et égoutté le sarrasin, placez-le dans une poêle de fonte épaisse et faites-le légèrement griller pendant 3 à 5 minutes. «L'enveloppe extérieure du grain se trouve renforcée et élargie, ce qui l'aidera à rester intacte en cours de cuisson.»

• Si vous utilisez du sarrasin concassé et prégrillé (kasha), mélangez-le à un blanc d'œuf avant de le verser dans la poêle. L'albumen de l'œuf contribuera à préserver sa texture. Quant au kasha entier, on peut le cuire sans œuf.

• Versez le sarrasin dans une casserole où vous ajouterez 2 volumes d'eau pour chaque volume de sarrasin. Commencez toujours avec de l'eau bouillante, qui aura pour effet de maintenir la surface extérieure et de conserver la forme du grain.

• Laissez mijoter le sarrasin à couvert pendant 15 minutes, ou jusqu'à ce que toute l'eau soit absorbée et que les grains soient tendres.

---

sarrasin vont plus loin encore, puisqu'elles contribuent également à faire baisser le cholestérol.

Au cours d'expériences en laboratoire, des cobayes alimentés à l'aide d'un extrait de protéines de sarrasin présentaient un taux de cholestérol sensiblement plus bas que celui des animaux du groupe de contrôle qui n'en avaient pas reçu. En fait, les taux chez les cobayes nourris de sarrasin étaient même plus bas que ceux d'autres animaux qui avaient reçu un extrait de protéines de soja, l'un des aliments les plus efficaces pour faire baisser le cholestérol.

De plus, le sarrasin est une excellente source de nutriments essentiels. «Il contient en abondance toutes sortes de minéraux, plus particulièrement du magnésium et du manganèse, mais également du zinc et du cuivre», commente le Dr Eskin.

BÉNÉFIQUE POUR LA DIGESTION

L'un des aspects les plus précieux du sarrasin est son aptitude à maîtriser les taux glycémiques chez les sujets atteints du diabète de la maturité (forme la plus courante de ce trouble).

Les glucides du sarrasin (l'amylose et l'amylopectine) sont digérés plus lentement que d'autres types de glucides. Ainsi, l'augmentation des taux glycémiques se fait de manière plus lente et plus régulière, ce qui est bénéfique pour chacun d'entre nous mais tout particulièrement pour les diabétiques, puisque leurs taux glycémiques ont tendance à grimper beaucoup trop vite et à rester élevés trop longtemps. Il est prouvé qu'en maîtrisant les taux glycémiques, il est possible de prévenir ou d'atténuer un grand nombre des complications graves du diabète, notamment les lésions rénales.

Même si vous n'êtes pas diabétique, le sarrasin peut vous être bénéfique. En effet, comme il est métabolisé plus lentement que d'autres céréales, son effet rassasiant est plus durable. Il devient alors plus facile d'absorber des quantités moins importantes et de maîtriser notre poids corporel.

N'oubliez pas le sarrasin si vous-même, ou quelqu'un dans votre entourage, est atteint de maladie cœliaque. Ce trouble intestinal potentiellement grave se produit chez les sujets sensibles au gluten, une protéine présente dans le blé et diverses autres céréales. Le sarrasin ne contenant pas de gluten, vous pouvez en manger autant que vous voulez.

Critères de choix, préparation et conservation

Préparez-le au four. Même si le sarrasin est souvent servi en garniture, rien ne vous empêche d'utiliser la farine de sarrasin pour préparer du pain, des petits pains sucrés et des crêpes. En revanche, il est important d'utiliser de la farine de sarrasin «allégée», car malgré les apparences, celle-ci contient en réalité davantage de nutriments que la farine de sarrasin «complète».

La farine de sarrasin complète est obtenue en pulvérisant l'écorce du sarrasin, qui est ensuite ajoutée à la farine. On obtient ainsi une coloration sombre et apparemment bénéfique, alors qu'en réalité, cela n'ajoute pratiquement pas de nutriments, fait remarquer M. Clifford Orr, spécialiste du sarrasin. Au contraire, ce processus a pour effet de diluer la farine pure, bien plus nutritive, et de réduire du même coup le coefficient coût/valeur (qui s'abaisse de 8% environ). «Tout le monde s'imagine que la variante complète est meilleure pour la santé, mais dans ce cas, ce n'est tout simplement pas vrai», conclut M. Orr.

LE SOJA ET LES ALIMENTS À BASE DE SOJA

UN COUP DE POUCE HORMONAL

POUVOIR THÉRAPEUTIQUE

CONTRIBUENT À :
Prévenir les maladies cardiovasculaires

Soulager les symptômes liés à la ménopause

Réduire le risque de cancer du sein et de la prostate

Dans un monde idéal, nous n'aurions qu'à boire un milk-shake pour abaisser le cholestérol, à manger des hamburgers pour prévenir le cancer, et à nous régaler de cheesecake (gâteau au fromage blanc) pour soulager les bouffées de chaleur, les sautes d'humeur et divers autres désagréments liés à la ménopause.

Tiré par les cheveux? Peut-être pas, si tous ces aliments sont à base de soja. Selon des chercheurs, ce petit haricot sec que beaucoup d'entre nous n'avons jamais vu, moins encore goûté, pourrait nous apporter tous ces avantages et plus encore.

Diverses études ont montré que plusieurs substances complexes dans la graine de soja, ainsi que divers aliments à base de soja comme le tofu, le tempeh et le lait de soja, pourraient contribuer à faire baisser le cholestérol, à diminuer le risque de cancer et de maladies cardiovasculaires et à soulager certains troubles liés à la ménopause. Si les recherches préliminaires se révèlent concluantes, il est même possible qu'à l'avenir, une femme puisse avoir recours aux aliments à base de soja pour remplacer, ou tout au moins compléter, une œstrogénothérapie substitutive.

Selon les chercheurs, le secret du pouvoir thérapeutique du soja tient à une catégorie de substances complexes appelées phyto-œstrogènes. La génistéine et la

À LA CUISINE

Sans doute avez-vous déjà vu du tofu à l'étalage réfrigéré de votre supermarché habituel. Mais comment faire pour cuisiner cette étrange substance pâle et spongieuse ? En fait, toutes les possibilités sont permises. L'avantage du tofu est d'avoir un goût tellement fade qu'il absorbe la saveur des aliments avec lesquels il est préparé.

On peut donc l'ajouter à des préparations à base de viande, à des potages ou à des plats de légumes, et même l'utiliser pour certains desserts.

Il existe deux variétés de tofu : l'une est de consistance ferme, l'autre est molle et crémeuse. Chacune se prête à des usages différents.

- **Le tofu ferme** a subi un égouttage prolongé visant à en éliminer le plus possible d'eau, afin d'obtenir une consistance solide. Il est à préférer si vous souhaitez qu'il conserve sa forme, par exemple pour des préparations sautées à la poêle, des ragoûts ou des croquettes végétariennes.
- **Le tofu mou** contient plus d'eau que la variante ferme, ce qui lui donne une texture lisse et crémeuse. Il sert le plus souvent à préparer des sauces froides, des assaisonnements pour salades et des desserts.

Les deux variétés de tofu doivent être rincées à l'eau froide avant usage. Si vous n'avez pas l'intention d'utiliser tout le tofu immédiatement après avoir ouvert l'emballage scellé, ou si vous l'avez acheté en vrac chez un épicier asiatique, rincez-le chaque jour et recouvrez-le d'eau fraîche pour le conserver. Vous pouvez aussi le congeler en attendant de vous en servir.

Après l'avoir rincé, comprimez le tofu entre vos mains (ou encore, entourez-le au préalable de plusieurs épaisseurs de papier absorbant avant de faire pression), de manière à en exprimer le plus possible d'eau. Ainsi, le tofu conservera mieux sa forme en cours de cuisson.

---

daidzéine, en particulier, sont des variantes, quoique plus faibles, de l'œstrogène, l'hormone générée par l'organisme féminin. Ces substances semblent exercer un certain nombre d'actions bénéfiques, comme par exemple inhiber les effets négatifs des œstrogènes naturels ou renforcer leur action lorsque leurs taux s'abaissent.

Pour le moment, les travaux prouvant les avantages du soja pour la santé en sont encore au stade préliminaire, nous avertissent les experts. Quoi qu'il en soit, les possibilités semblent passionnantes. « Les données qui commencent à s'accumuler concernant le soja sont vraiment enthousiasmantes », affirme le Dr James W. Anderson, professeur de médecine et de nutrition clinique.

Bénéfique pour le cœur

L'excès de cholestérol est un facteur majeur de risques cardiovasculaires ; or, il est possible que l'absorption plus fréquente de produits à base de soja joue un rôle bénéfique sur les taux de cholestérol.

Afin d'attester l'action bénéfique du soja, les chercheurs citent les pays d'Asie où l'alimentation quasi quotidienne de la population se constitue de tofu, de tempeh ou d'autres aliments à base de soja. Prenons par exemple les Japonais : leur longévité dépasse celle de tous les autres peuples de la terre. Les hommes ont le plus faible taux de décès par maladies cardiovasculaires, les femmes japonaises les suivant d'ailleurs de près sur ce plan. Selon les chercheurs, cela pourrait s'expliquer par le fait que les Japonais absorbent quelque 23 kilos d'aliments à base de soja par an et par personne, soit environ 30 grammes par jour.

Les chercheurs pensent que les aliments tirés du soja augmentent l'activité des récepteurs de «mauvais» cholestérol LDL (lipoprotéines de faible densité). Ces «pièges», à la surface de nos cellules, s'emparent des molécules nuisibles de cholestérol LDL dans le courant sanguin pour les expédier dans le foie, d'où elles finissent par être excrétées. Lorsque les taux sanguins de cholestérol LDL s'abaissent, il se pourrait que ce cholestérol «dangereux» s'oxyde moins facilement et, par conséquent, risque moins d'obstruer les artères qui conduisent au muscle cardiaque.

Dans le cadre d'une étude de grande envergure, le Dr Anderson et ses collègues ont analysé les résultats de 38 études individuelles qui examinaient le rapport entre le soja et les taux de cholestérol. Ils en ont conclu qu'en absorbant chaque jour entre 30 et 45 grammes de protéines de soja (à la place des habituelles protéines d'origine animale), il était possible d'abaisser de 9% le taux de cholestérol total et de 13% le taux du dangereux cholestérol LDL.

Apaiser les bouffées de chaleur

Au moment de la ménopause, une large majorité des femmes se plaignent de bouffées de chaleur et de sueurs nocturnes, qui sont les symptômes les mieux décrits. En langue japonaise, en revanche, il n'existe aucun terme pour désigner les bouffées de chaleur. Se pourrait-il que les Japonaises subissent moins de troubles liés à la ménopause parce qu'elles absorbent davantage de soja ?

«Certaines données préliminaires suggèrent que le soja atténue les symptômes liés à la ménopause, les bouffées de chaleur, par exemple», commente le Dr Mark Messina, ancien président du programme alimentaire de l'Institut national américain du cancer.

Lors d'une étude, des chercheurs australiens ont administré chaque jour à 58 femmes ménopausées environ 45 grammes soit de farine de soja, soit de farine de blé. Après trois mois, les femmes qui avaient reçu la farine de soja ont signalé

Les joies du soja

Tofu ou tempeh, autant de mots mystérieux pour vous? Voici plusieurs aliments à base de soja parmi les plus courants, avec quelques suggestions pour les utiliser.

Succédanés de la viande. Si vous souhaitez absorber moins de viande et davantage de soja, ne manquez pas d'aller examiner l'étalage réfrigéré d'un magasin diététique. Côte à côte avec divers produits à base de viande issue de l'agriculture biologique, vous y trouverez toutes sortes de «viandes» qui n'en sont pas, puisqu'il s'agit de produits à base de soja. Dans certains cas, leur goût est tout à fait convaincant.

Farine de soja. Obtenue à partir de graines de soja grillées et réduites en poudre, la farine de soja peut être utilisée pour remplacer une partie de la farine de blé dans la préparation de pain ou de gâteaux. Les nutritionnistes préconisent d'acheter de la farine de soja dégraissée, moins grasse et plus riche en protéines que la variété non dégraissée.

Lait de soja. Boisson crémeuse, ressemblant à du lait, obtenue à partir de graines de soja moulues et trempées dans de l'eau. On trouve des variantes nature ou additionnées de divers arômes. Certaines personnes préfèrent le lait de soja allégé. Ce dernier contient moins de matières grasses que le lait nature, mais peut-être moins, en revanche, de phyto-œstrogènes protecteurs.

Tempeh. Ces galettes friables, de forme irrégulière, sont obtenues à partir de graines de soja fermentées additionnées de moisissure, ce qui leur confère un goût particulier légèrement fumé rappelant celui des noix. Le tempeh s'utilise pour des grillades, peut être incorporé dans une sauce pour accompagner des pâtes ou servir à préparer diverses recettes (ragoûts).

Protéines de soja texturées. Obtenu à partir de farine de soja, ce succédané de la viande se présente sous forme de boulettes sèches plus ou moins grosses; il peut remplacer au moins une partie de la viande qui entre dans la composition de recettes comme les pains de viande, hamburgers, ragoûts, etc.

Tofu. Cet aliment blanc, crémeux, dont la consistance rappelle celle du fromage, est obtenu à partir de lait de soja caillé. Il existe du tofu de consistance ferme ou molle; le tofu se prête à toutes sortes de recettes, depuis les potages jusqu'aux desserts.

Vous trouverez les deux sortes de tofu au comptoir réfrigéré de la plupart des supermarchés. Les autres produits à base de soja sont vendus en magasin diététique ou dans certaines épiceries exotiques.

une baisse de 40% de leurs bouffées de chaleur, alors que la diminution n'était que de 25% chez les femmes qui avaient absorbé de la farine de blé.

«Si ces données devaient être confirmées, il se pourrait que dans quelques années, les médecins en viennent à prescrire 2 tasses de lait de soja par jour au lieu de recommander une hormonothérapie de substitution pour soulager les symptômes liés à la ménopause», commente le Dr Messina.

UNE PUISSANTE PROTECTION POUR LE SEIN

Les chercheurs pensent que les phyto-œstrogènes du soja, qui imitent le comportement des œstrogènes naturels dans le corps de la femme, pourraient contribuer à atténuer les effets de ces derniers dans l'organisme. Étant donné que l'on soupçonne les œstrogènes de stimuler la croissance des tumeurs du sein, une activité plus faible de ces hormones pourrait être synonyme de moindre risque de cancer du sein.

Les œstrogènes du soja peuvent jouer des rôles protecteurs multiples chez la femme, en fonction de son âge. Chez les femmes en période de préménopause, par exemple, une alimentation comprenant beaucoup de produits à base de soja pourrait allonger le cycle menstruel. Ce fait a son importance, puisqu'une augmentation des taux d'œstrogènes se produit en début de cycle chez toutes les femmes. L'addition de ces pics hormonaux sur toute une vie expose l'organisme à de grandes quantités d'œstrogènes, ce qui pourrait en fin de compte provoquer des mutations cellulaires susceptibles de dégénérer en cancer. En allongeant le cycle menstruel, selon les experts, il serait possible de diminuer la fréquence de ces pointes et, par conséquent, de diminuer les taux d'œstrogène auxquels une femme est exposée durant toute son existence.

Dans le cadre d'une étude, des chercheurs de l'université de Singapour ont constaté que le risque de cancer du sein était divisé par deux chez des femmes pré-ménopausées qui absorbaient de grandes quantités d'aliments à base de soja, ainsi que de généreuses quantités de bêtacarotène et de corps gras polyinsaturés, par rapport à d'autres femmes qui mangeaient quant à elles beaucoup de protéines d'origine animale. Il est intéressant de noter que chez les femmes ménopausées, les aliments à base de soja semblent apporter un supplément d'œstrogène pouvant compenser les faibles taux de cette hormone dans l'organisme. Cet apport offre, semble-t-il, les avantages protecteurs de l'œstrogène (en contribuant par exemple à prévenir l'ostéoporose), sans pour autant augmenter le risque de cancer.

UNE PROTECTION POUR L'HOMME

La majorité des travaux récents visant à explorer les effets protecteurs des aliments à base de soja portaient sur la femme, mais les experts sont néanmoins unanimes à confirmer que l'homme peut en bénéficier lui aussi.

Il semblerait qu'une alimentation comprenant beaucoup de produits à base de soja puisse contribuer à atténuer les effets nocifs de la testostérone, l'hormone masculine, soupçonnée de stimuler la croissance de cellules cancéreuses dans la prostate.

Une étude portant sur 8 000 hommes d'origine japonaise et vivant à Hawaii a permis de constater que ceux qui absorbaient le plus de tofu présentaient le plus faible taux de cancer de la prostate. Bien que l'incidence de ce type de cancer soit tout aussi élevée parmi les hommes japonais que chez les Occidentaux, les premiers présentent cependant le plus faible taux de décès par cancer de la prostate parmi tous les peuples de la terre. Les experts pensent que les aliments à base de soja, qui inhibent les effets de la testostérone, contribuent à épuiser le «carburant» qui stimule la prolifération cancéreuse.

Pour l'homme, comme pour la femme, «ces études suggèrent qu'il suffit d'absorber une portion par jour d'aliments à base de soja pour réduire le risque de cancer, déclare le Dr Messina. Si cela devait se vérifier, le soja pourrait avoir alors un impact considérable sur la santé publique.»

BONUS NUTRITIONNEL

Le tofu, le tempeh et divers autres aliments à base de soja ne sont pas seulement d'intéressantes sources de phyto-œstrogènes, ces types d'aliments sont tout simplement bénéfiques. «Du seul point de vue diététique, il existe toutes sortes de bonnes raisons de manger davantage de soja», souligne le Dr Messina.

Une portion de 100 grammes de tofu fournit par exemple environ 20 grammes de protéines, soit 40% de la Valeur quotidienne (VQ). La même portion contient en outre environ 258 milligrammes de calcium (plus de 25% de la VQ), et 13 milligrammes de fer (87% de l'apport journalier recommandé pour la femme et 130% de celui pour l'homme).

La teneur en corps gras des aliments à base de soja est modérément élevée, mais il s'agit pour l'essentiel de matières grasses polyinsaturées. Par conséquent, ces types d'aliments ne contiennent que peu des matières grasses dangereuses pour nos artères, matières grasses que l'on trouve dans la viande et de nombreux produits laitiers, conclut le Dr Messina.

Critères de choix, préparation et conservation

Ajoutez-les en fin de cuisson. Lorsque vous cuisinez du tofu ou d'autres produits à base de soja, attendez toujours le dernier stade de cuisson pour les intégrer à votre recette. Les chercheurs pensent qu'une cuisson prolongée à température élevée pourrait diminuer, voire même annuler, un grand nombre des avantages thérapeutiques de ces aliments.

Soyez un consommateur averti. S'il est préférable d'absorber des produits à base de soja non transformé industriellement, il est parfois bien commode d'avoir recours à un produit tout prêt, comme une saucisse ou un burger végétal. Vérifiez à l'achat que de tels produits contiennent bien des «protéines de soja», des «protéines végétales hydrolysées» ou des «protéines végétales texturées», qui sont toutes des sources acceptables de phyto-œstrogènes. En revanche, n'attendez rien d'extraordinaire des produits qui contiennent des concentrés de protéines de soja, fait remarquer le Dr Anderson. «Malheureusement, il ne reste plus beaucoup de substances bénéfiques dans ces types de produits», précise-t-il.

Préférez les produits entiers. La plupart du temps, il est certes préférable de réduire la part de matières grasses dans notre alimentation; en revanche, la teneur en phyto-œstrogènes du lait de soja entier est de 50% supérieure à celle du même produit allégé, selon le Dr Anderson. «L'absorption d'un peu plus de matières grasses est négligeable, comparée à cet apport considérablement plus élevé de phyto-œstrogènes», conclut-il.

LE THÉ
LA SANTÉ DANS UNE SIMPLE TASSE

POUVOIR THÉRAPEUTIQUE

CONTRIBUE À :

Maîtriser le cholestérol

Prévenir l'infarctus et les maladies cardiovasculaires

Freiner les caries

Prévenir le cancer de l'intestin

Croyez-le si vous voulez, mais le thé prévient le cancer de la peau, des poumons, de l'estomac, du côlon, du foie, du sein, de l'œsophage et du pancréas... Sans parler d'autres troubles comme le cancer de l'intestin grêle, les maladies cardiovasculaires et l'accident vasculaire cérébral. Et même les caries.

Divers travaux en laboratoire ont confirmé que le thé était capable d'inhiber la croissance de tumeurs cancéreuses. Chez les buveurs de thé, le risque de maladies cardiovasculaires et d'infarctus est relativement faible. Il est également vérifié que le thé freine l'apparition des caries.

Cette boisson contient des centaines de substances complexes appelées polyphénols qui jouent un rôle similaire à celui des antioxydants, c'est-à-dire qu'elles contribuent à neutraliser les radicaux libres (dangereuses molécules d'oxygène dans le corps) qui eux-mêmes participent à l'apparition du cancer, des maladies cardiovasculaires et de divers autres troubles moins graves, comme les rides.

« En général, les polyphénols sont d'excellents antioxydants. C'est dans le thé que l'on trouve les meilleurs polyphénols, car ils y sont très concentrés, commente le Dr Joe A. Vinson, professeur de chimie. Ils constituent près de 30 % du poids sec du thé. »

Voilà qui pourrait expliquer en partie pourquoi le thé est la boisson la plus appréciée qui soit au monde.

LA COULEUR DU THÉ

Thé vert. Thé noir. Thé d'érable vanillé. Thé à la vanille. Thé à la framboise, au cassis, à l'abricot... Dans quelle variété de thé trouve-t-on le plus de polyphénols thérapeutiques? Peu importe. Pourvu qu'il s'agisse bien de thé et non pas d'une tisane, cette dernière ne contenant pas de feuilles de *Camellia sinensis* (théier), il y a très peu de différence entre les diverses sortes de thé, affirme le Dr Joe A. Vinson, chercheur spécialiste du thé. Après tout, ils contiennent tous des feuilles en provenance de la même plante.

Toutefois, les différentes variétés de thé ne sont pas identiques. Voici quelques détails sur les diverses sortes de «vrais» thés.

- **Le thé vert** est le plus frais et a subi le moins de transformations. Son goût léger et subtil est apprécié tout particulièrement en Asie et en Afrique du Nord.
- **Le thé noir,** de goût fort et savoureux, est en réalité du thé vert qui a subi pendant environ 6 heures un processus de fermentation. C'est au cours de ce processus que les feuilles de thé noircissent. En outre, les polyphénols spécifiques du thé vert se transforment alors en d'autres catégories, comme les théaflavines.
  «Ces complexes sont eux aussi de très bons antioxydants», commente le Dr Vinson.
- **Le thé oolong semi-fermenté** est à mi-chemin entre le thé vert et le thé noir.
  Très prisé à Taïwan et dans certaines régions de Chine, il se distingue par un goût plus prononcé que celui du thé vert.

PROTECTION DE NOS ARTÈRES

L'obstruction des artères, avec son cortège de conséquences désastreuses – crise cardiaque, hypertension artérielle, accident vasculaire cérébral –, ne se produit pas d'un jour à l'autre. En général, il s'agit d'un processus de détérioration progressif se produisant sur des années, au cours duquel le dangereux cholestérol LDL (lipoprotéines de faible densité) dans l'organisme s'oxyde et se dépose peu à peu sur la paroi des artères, ce qui les rend de plus en plus rigides et étroites.

C'est précisément sur ce plan que le thé peut être bénéfique. Au cours d'un certain nombre d'études, le Dr Vinson a constaté que les polyphénols du thé étaient extrêmement efficaces pour prévenir l'oxydation du cholestérol, et par conséquent pour empêcher celui-ci de nuire à nos vaisseaux sanguins. En fait, l'un des polyphénols du thé, le gallate d'épigallocatéchine, serait capable de neutraliser cinq fois autant de cholestérol LDL que la vitamine C, qui est pourtant la plus efficace de toutes les vitamines antioxydantes.

L'une des raisons de la remarquable efficacité des polyphénols du thé tient à leur aptitude à entrer en action dans deux endroits différents, inhibant les effets nocifs du cholestérol LDL oxydé à la fois dans le courant sanguin et sur la paroi des artères, «précisément là où le LDL génère l'athérosclérose», comment le Dr Vinson.

Dans le cadre d'une étude hollandaise portant sur 800 hommes, des chercheurs ont constaté que le risque de décès par maladie cardiovasculaire s'abaissait de 58% chez ceux des participants qui absorbaient le plus de flavonoïdes (vaste famille de substances chimiques qui comprennent également les polyphénols du thé) par rapport à ceux qui en obtenaient le moins. Lorsque ces résultats furent analysés plus finement, on put observer que les participants les plus en forme étaient ceux qui obtenaient plus de la moitié de leurs flavonoïdes à partir de thé noir et le reste principalement à partir de pommes et d'oignons.

Il n'est pas indispensable de boire des litres de thé pour obtenir une protection. Au cours de cette étude hollandaise, les hommes qui jouissaient de la meilleure santé buvaient environ 4 tasses de thé par jour.

Le thé contribue non seulement à protéger les artères qui partent du cœur, mais il exerce également un effet similaire sur celles du cerveau et sur celles qui y conduisent, poursuit le Dr Vinson.

Dans une autre étude de grande envergure, des chercheurs néerlandais ont passé au crible l'alimentation de 550 hommes âgés de 50 à 69 ans. Comme dans l'étude portant sur la santé du cœur, le risque d'accident vasculaire cérébral s'abaissait de 69% chez ceux des hommes qui présentaient les taux de flavonoïdes les plus élevés, c'est-à-dire ceux qui buvaient chaque jour près de 5 tasses de thé noir, voire davantage.

UNE PROTECTION CONTRE LE CANCER

Chaque fois que vous faites frire un hamburger, des substances complexes appelées amines hétérocycliques se constituent à la surface de cet aliment. Dans le corps, ces agents chimiques se transforment pour devenir plus dangereux, pouvant même se révéler cancérigènes, souligne le Dr John H. Weisburger, membre de la Fondation américaine pour la santé.

C'est alors qu'interviennent les polyphénols du thé. Toujours selon le Dr Weisburger, ces substances complexes contribuent à empêcher la formation de tels agents cancérigènes dans l'organisme. En d'autres termes, elles interviennent pour empêcher l'apparition du cancer.

Au cours d'expériences scientifiques, le Dr Hasan Mukhtar, professeur de dermatologie et de sciences de la santé et de l'environnement, a pu constater que le thé stoppait le cancer à toutes les étapes de son évolution, faisant obstacle à sa croissance comme à sa prolifération. Si des tumeurs cancéreuses s'étaient déjà constituées, il a constaté que le thé les faisait régresser.

Lorsque le Dr Mukhtar a étudié les effets du thé vert sur des animaux de laboratoire atteints de coups de soleil, il a constaté que ceux qui absorbaient du

À LA CUISINE

S'il est une chose que les Anglais apprécient plus encore que leur jardin, c'est bien une bonne tasse de thé. Voici leur stratégie pour réussir le thé à coup sûr.

1. Rincez soigneusement la théière, d'abord à l'eau savonneuse afin d'en éliminer les résidus amers, puis à l'eau claire.
2. Réchauffez la théière en y versant de l'eau bouillante. Rincez vivement, d'un mouvement tournant, et laissez égoutter la théière à l'envers. Ainsi préchauffée, celle-ci conservera le thé bien chaud plus longtemps.
3. Mettez dans la théière 1 cuillerée de thé en vrac par personne, plus 1 supplémentaire (pour la théière, disent les Britanniques).
4. Versez de l'eau bouillante sur le thé, recouvrez la théière et laissez infuser de 3 à 5 minutes.
5. Si vous n'avez pas l'intention de boire le thé immédiatement, ôtez les feuilles de thé de la théière à l'aide d'une passoire ou d'une cuiller. Sinon, le thé infusera trop longtemps et prendra un goût amer.

thé n'avaient qu'un dixième de tumeurs cancéreuses par rapport à ceux qui buvaient de l'eau. (Même lorsque les cobayes traités à l'aide de thé avaient des tumeurs, ces dernières étaient souvent bénignes.) Mieux encore, le thé se montrait tout aussi efficace, qu'il soit administré comme boisson ou utilisé à même la peau. Certains fabricants de produits cosmétiques ont déjà commencé à inclure le thé vert parmi les ingrédients de leurs produits dermatologiques afin de tirer parti de cet avantage protecteur.

UNE PROTECTION POUR NOS DENTS

Le thé peut prévenir les maux de dents, car il contient toutes sortes de substances complexes – polyphénols et tanins – qui jouent le rôle d'antibiotiques. En d'autres termes, le thé est idéal pour absorber les bactéries qui sont à l'origine des caries.

En outre, le thé contient du fluor, autre agent protecteur de la dentition. Lorsque des chercheurs de Boston ont testé un certain nombre d'aliments afin d'en déterminer les qualités bactéricides, ils ont découvert que le thé était de loin le plus efficace.

Des chercheurs japonais ont identifié quatre éléments dans le thé: tanins, catéchines, caféine, et tocophérol (une substance semblable à la vitamine E), qui contribuent à augmenter la résistance de l'émail dentaire aux acides. L'efficacité de ce groupe de substances complexes augmentait encore grâce à l'addition de fluor. Cette formule permettait de protéger l'émail des dents à 98% contre l'action des acides.

Critères de choix, préparation et conservation

Trois minutes suffisent. Lorsque vous préparez le thé, il faut attendre trois minutes pour que les substances complexes bénéfiques puissent se dégager pleinement. Ce laps de temps correspond d'ailleurs à la durée respectée par les chercheurs dans le cadre des études déjà mentionnées. Lorsque le thé infuse plus longtemps, peut-être libère-t-il davantage de complexes, mais «il s'agit de substances amères, et rien ne laisse penser qu'une dose plus importante permette d'absorber deux fois plus de ces complexes», commente le Dr Vinson.

Ne dédaignez pas les infusettes. Les vrais amateurs utilisent toujours du thé en vrac, regardant de haut l'humble et commode infusette. Pourtant, le contenu pulvérisé d'un sachet de thé libère davantage de polyphénols que les feuilles de thé, plus larges, car les particules minuscules contenues dans une infusette permettent d'exposer une plus grande surface à l'eau chaude qui libère les polyphénols.

Choisissez vos arômes. Le thé vert a fait l'objet d'études plus poussées que le thé noir (essentiellement parce que les premières études se sont déroulées en Chine et au Japon, où le thé vert est davantage apprécié); pourtant les deux variétés possèdent les mêmes effets thérapeutiques, précise le Dr Vinson.

Si vous préférez le thé déthéiné, rien ne vous empêche d'en boire. L'absence de théine n'a que très peu d'effet sur la teneur en polyphénols, souligne ce médecin.

En outre, il en va de même des thés du commerce en flacon, du thé glacé (Ice tea) et du thé instantané en poudre, poursuit-il. Certains fabricants de jus et de boissons non alcoolisées ont même été si favorablement impressionnés par les avantages du thé qu'ils commencent à ajouter du thé vert à certains de leurs produits. Renseignez-vous auprès de votre magasin diététique habituel.

Passez-vous de lait – jusqu'à nouvel ordre. Une étude préliminaire effectuée en Italie a conclu qu'en ajoutant du lait au thé, ainsi que le font systématiquement les Britanniques, on inhibe le pouvoir antioxydant de cette boisson. «Certains travaux laissent entendre que les protéines du lait se lient à une partie des substances complexes du thé, empêchant ainsi leur absorption. En revanche, il est possible que ces complexes se libèrent à nouveau dans l'estomac. Par conséquent, nous n'avons encore aucune certitude que le lait soit véritablement nocif sur ce plan», ajoute le Dr Vinson.

Buvez-le sans attendre. Si vous préparez vous-même du thé glacé, buvez-le dans les quelques jours qui suivent sa préparation, suggère ce médecin. «Prenez également la précaution de le couvrir avant de le réfrigérer, conseille-t-il. D'après mon expérience, il est préférable de ne pas garder le thé glacé plus d'une semaine, car la concentration de complexes bénéfiques s'abaisse au point que quelque 10% des substances thérapeutiques ont disparu ou se sont altérées.»

Buvez du thé avec la viande. Les polyphénols complexes du thé pouvant inhiber la formation d'agents chimiques cancérigènes, il est judicieux de faire suivre un repas de viande frite ou grillée de quelques bonnes tasses de thé.

LA TOMATE

UNE PROTECTION POUR LA PROSTATE

POUVOIR THÉRAPEUTIQUE

CONTRIBUE À :
Diminuer le risque
de cancer et de maladies
cardiovasculaires

Prévenir les cataractes

Maintenir actives
les personnes âgées

Sans le colonel Robert Gibbon Johnson, les Américains n'auraient peut-être jamais découvert la tomate.

Pendant des siècles, ce fruit de la famille (potentiellement mortelle) des solanacées avait la réputation d'être toxique et de pouvoir provoquer l'appendicite, le cancer et la «fièvre cérébrale». Pourtant, le colonel Johnson – réputé pour ses excentricités – avait là-dessus d'autres idées. Après un voyage lointain au début du XIXᵉ siècle, il revint à Salem (New Jersey) avec une provision de tomates, fermement décidé à libérer ce fruit rouge appétissant de sa terrible réputation.

Appréciant l'occasion de pouvoir se donner en spectacle, le colonel Johnson fit donc savoir à ses compatriotes que le 26 septembre 1820, il allait manger non pas une seule tomate, mais un plein panier. Quelque 2 000 spectateurs se rassemblèrent pour voir cet événement, et le public trépignait d'impatience en attendant que ce téméraire commette ce que tous prenaient pour un suicide.

Bien entendu, le colonel survécut et les tomates sont ainsi devenues l'un des fruits favoris des Américains.

En effet, les habitants des États-Unis mangent davantage de tomates (fraîches ou transformées industriellement) que pratiquement n'importe quel autre fruit ou légume. Et vraiment, il n'est pas étonnant que la tomate compte parmi leurs aliments préférés. Elle est incroyablement polyvalente et se prête à tous les usages, depuis les sauces jusqu'aux plats de résistance. Mieux encore, la tomate contient des substances complexes qui peuvent contribuer à prévenir toutes sortes de troubles graves, depuis les maladies cardiovasculaires et le cancer jusqu'à la cataracte.

Protéger nos cellules

On trouve dans les tomates un pigment rouge, le lycopène. Cet élément semble jouer le rôle d'antioxydant, c'est-à-dire qu'il contribue à neutraliser les radicaux libres (molécules d'oxygène potentiellement nuisibles pour nos cellules) avant qu'ils puissent provoquer des dégâts. Jusqu'à une date récente, la réputation thérapeutique du lycopène semblait secondaire par rapport à celle de son cousin le bêtacarotène, qui avait fait l'objet d'études très approfondies. En revanche, des études plus récentes indiquent que le lycopène pourrait être deux fois plus efficace que le bêtacarotène contre le cancer.

Au cours d'une étude de grande envergure portant sur près de 48 000 hommes, des chercheurs de Harvard ont découvert que le risque de cancer de la prostate pouvait s'abaisser de 45% chez ceux des participants qui absorbaient au moins 10 portions de tomates par semaine, peu importe sous quelle forme : crues, cuites ou en sauce. Peut-être dix portions par semaine vous paraissent-elles excessives, mais compte tenu du fait qu'elles se répartissent sur sept jours, il est pourtant tout à fait possible que cela ne dépasse guère la quantité de tomates que vous absorbez déjà. Après tout, une portion ne représente qu'une demi-tasse de sauce tomate, soit environ la quantité de sauce sur une tranche de pizza.

«Le lycopène est un antioxydant très puissant, commente le Dr Meir Stampfer, coauteur de cette étude et professeur d'épidémiologie et de nutrition. Nous ignorons pour quelle raison cela se produit, mais le lycopène se concentre dans la prostate, et le risque de cancer de cette dernière est plus faible chez les hommes dont le taux sanguin de lycopène est élevé.»

Les avantages thérapeutiques de la tomate ne se limitent pas à la prostate. Au cours d'études en laboratoire effectuées en Israël, des chercheurs ont constaté que le lycopène était en outre capable d'inhiber très efficacement la prolifération des cellules cancéreuses impliquées dans les cancers du sein, des poumons et de l'endomètre.

Les Italiens sont sans doute les premiers à bénéficier de ce pouvoir protecteur des tomates, puisqu'ils en mangent sous une forme ou une autre pratiquement chaque jour. Des chercheurs italiens ont découvert que les individus qui mangeaient chaque semaine au moins sept portions de tomates crues présentaient une diminution de 60% du risque de cancer de l'estomac, du côlon et du rectum, par rapport à d'autres qui n'en mangeaient que deux portions (ou moins encore) par semaine. Dans ce cas également, les scientifiques pensent que le lycopène joue un rôle au moins partiel dans cette protection.

Les recherches suggèrent d'autre part qu'en absorbant davantage de lycopène par l'alimentation, les personnes du troisième âge pourraient rester actives plus longtemps. Au cours d'une étude portant sur 88 religieuses âgées de 77 à 98 ans, les chercheurs ont constaté que celles qui absorbaient le plus de lycopène avaient également le moins besoin d'aide pour diverses activités quotidiennes, s'habiller ou marcher par exemple.

NOUVELLES DÉCOUVERTES

Dans un avenir relativement proche, il se pourrait que des médecins en viennent à recommander la tomate pour prévenir le cancer des poumons. En effet, ce fruit contient deux substances complexes puissantes, l'acide coumarique et l'acide chlorogénique, qui pourraient contribuer à inhiber les effets des nitrosamines; ces complexes cancérigènes qui se constituent spontanément dans l'organisme «sont les agents cancérigènes les plus puissants contenus dans la fumée de tabac», commente le Dr Joseph Hotchkiss, professeur de chimie alimentaire et de toxicologie.

Jusqu'à une date récente, les scientifiques étaient persuadés que c'était la vitamine C des fruits et des

S'ALIMENTER AVEC INTELLIGENCE
ALLERGIES À LA TOMATE?

Malgré ses atouts nutritionnels, la tomate n'est pas toujours bien tolérée.

Il est fréquent en effet qu'elle entraîne des allergies, engendrant divers symptômes tels que l'eczéma, l'asthme et des maux de tête, selon le Dr Richard Podell, professeur clinicien en médecine générale. Pour certaines personnes, le seul inconvénient de la tomate est son acidité qui peut donner lieu à des troubles gastriques ou provoquer une irritation buccale.

Soyez particulièrement prudent si vous êtes allergique à l'aspirine, du moins avant d'avoir obtenu l'aval de votre médecin traitant. En effet, la tomate contient des salicylates (substances chimiques correspondant au principe actif de l'aspirine). Il est vrai que la plupart des individus allergiques à l'aspirine ne réagissent pas pour autant aux salicylates des aliments, mais il se pourrait que vous soyez justement l'exception qui confirme la règle, et les réactions allergiques peuvent être graves, voire mortelles, précise le Dr Podell.

légumes qui contribuait à neutraliser ces dangereuses substances complexes. Mais une étude menée à bien par le Dr Hotchkiss et ses collègues a révélé que les tomates inhibaient la formation de nitrosamines même lorsque toute vitamine C en avait été ôtée.

Les acides coumarique et chlorogénique protecteurs que l'on trouve dans la tomate sont également présents dans d'autres fruits et légumes, comme les

À LA CUISINE

En hiver, vers le mois de février, la savoureuse tomate en grappe n'est plus qu'un agréable souvenir d'été. Pourtant, ne perdez pas courage pour autant. Même lorsque les tomates fraîches ne sont plus de saison, les tomates séchées au soleil nous offrent un moyen extraordinaire de bénéficier à longueur d'année de leur goût délicieux.

Malheureusement, les tomates séchées au soleil que l'on trouve dans le commerce coûtent généralement cher. Afin d'en avoir toujours sous la main sans devoir débourser une fortune, pourquoi ne pas les sécher vous-même? Voici comment procéder.

1. Rincez soigneusement les tomates, puis ôtez la tige, ainsi que la partie dure qui retient le pédoncule.

2. Coupez chaque tomate en tranches d'environ 5 mm.

3. Placez les tranches sur un plat allant au four, que vous disposerez dans le four préchauffé à 50-60° C. Laisser sécher au four durant 24 heures environ. Les tomates sont prêtes lorsque leur consistance ressemble à celle du cuir souple.

4. Empilez les tranches de tomate séchée dans des bocaux, des sacs à congélation ou des récipients en plastique et conservez-les au réfrigérateur ou au congélateur en attendant de vous en servir. Afin d'éviter tout danger d'éclatement si vous utilisez des bocaux de verre, attendez que leur contenu ait refroidi avant de les mettre au congélateur.

Éliminez toute tomate séchée qui présenterait des taches noires, jaunes ou blanches; ces taches pourraient être dues à des moisissures apparues durant le séchage.

carottes, les poivrons verts, l'ananas et les fraises. Le Dr Hotchkiss formule l'hypothèse que ces substances complexes pourraient être l'une des raisons pour lesquelles les individus qui absorbent de plus grandes quantités de fruits et de légumes présentent un plus faible risque de cancer.

UNE PROTECTION SUPPLÉMENTAIRE

Les citrons, jaunes et verts, ne sont pas les seuls fruits à contenir de grandes quantités de vitamine C. La tomate est elle aussi bourrée de cette vitamine puissamment thérapeutique, dont il est prouvé qu'elle soulage divers troubles allant de la cataracte ou au cancer jusqu'aux maladies cardiovasculaires. Une tomate moyenne nous en fournit près de 24 milligrammes, soit 40% de la Valeur quotidienne (VQ).

De plus, les tomates sont une bonne source de vitamine A, un nutriment bien connu pour son effet stimulateur de l'immunité et son rôle protecteur contre le cancer. Une tomate moyenne fournit 766 unités internationales de vitamine A, soit 15% de la VQ.

Enfin, une tomate fournit 273 milligrammes de potassium (8% de la VQ). La même tomate contient également environ 1 gramme de fer (7% de l'Apport journalier recommandé pour la femme et 10% de celui pour l'homme). Cette quantité de fer reste, il est vrai, relativement modeste, mais notre corps est capable de l'absorber très efficacement lorsqu'elle s'accompagne de vitamine C, comme c'est le cas pour la tomate qui en contient également en abondance.

Critères de choix, préparation et conservation

Choisissez-les d'après la couleur. Lors de l'achat de tomates fraîches, cherchez à vous procurer des fruits bien rouges. Les tomates mûres, d'un beau rouge brillant, peuvent avoir jusqu'à quatre fois la teneur en bêtacarotène des fruits encore verts qui n'ont pas atteint la maturité.

Facilitez-vous la vie. Inutile d'acheter des tomates fraîches – ou ces pâles imitations que l'on trouve en supermarché vers le début février – pour obtenir une bonne protection. Le lycopène supporte très bien la chaleur élevée des processus de transformation, si bien que des produits tout prêts comme les tomates en boîte ou la sauce tomate contiennent autant de ce complexe bénéfique que des tomates fraîches.

Faites-les cuire. Le lycopène de la tomate se situe dans les parois des cellules. En faisant cuire les tomates dans un peu d'huile, on libère davantage de lycopène; en effet, la chaleur fait éclater les parois des cellules.

Absorbez un peu de matières grasses. «Si vous mangez une tomate avec un peu de matières grasses, comme de l'huile d'olive, l'absorption du lycopène sera facilitée», fait remarquer le Dr Stampfer.

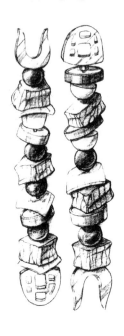

LA VIANDE
UNE MINE
DE MINÉRAUX

POUVOIR
THÉRAPEUTIQUE
CONTRIBUE À :
Prévenir l'anémie ferriprive

Stimuler le système immunitaire

Prévenir l'anémie pernicieuse

Aux États-Unis, la viande rouge connaît aujourd'hui un regain de popularité. Est-ce à dire que la nation américaine se précipite vers un désastre sur le plan de la santé? Pas du tout. Avec modération, les viandes maigres – le bœuf, le porc, le gibier et diverses autres viandes dont la teneur en matières grasses représente moins de 25 à 30% de l'apport calorique – peuvent nous apporter d'intéressants avantages pour la santé, prévenant certaines carences en vitamines et minéraux, stimulant l'immunité, fortifiant le sang.

«Tant de gens, ayant lu des rapports alarmistes selon lesquels la viande rouge provoque le cancer et les maladies cardiovasculaires, pensent qu'il s'impose de renoncer à en manger, commente le Dr Susan Kleiner, nutritionniste. Ce qu'ils ignorent, c'est que les participants à de telles études absorbent habituellement des quantités très importantes de viande rouge, quelque chose comme 300 grammes par jour.»

«La modération, voilà le secret, poursuit le Dr Kleiner. Si vous mangez de la viande rouge, n'en prenez pas plus de 85 à 140 grammes par jour. Cela représente à peu près le volume d'un paquet de cartes. Pour beaucoup de gens, une si petite quantité ne vaut guère mieux qu'une garniture. Pourtant, en utilisant juste assez de viande pour donner du caractère à votre repas, vous obtiendrez tous les avantages de la viande sans ses éventuels inconvénients.»

Lutter contre l'anémie

En France, la carence en fer est surtout un problème pour les adolescents et les femmes en âge de procréer Cependant, en cas de fatigue inexpliquée, principal symptôme de l'anémie ferriprive, un médecin généraliste commencera par prescrire une prise de sang, pour contrôler le taux de fer.

La viande est une source importante de fer, minéral indispensable favorisant le transport de l'oxygène dans le sang. Lorsque nos réserves de fer sont épuisées, les globules rouges du sang diminuent de volume. Les poumons peinent alors pour envoyer suffisamment d'oxygène au reste de l'organisme. En l'absence d'un apport d'oxygène adéquat, l'épuisement s'installe.

«La femme en particulier n'obtient souvent pas assez de fer, commente le Dr Kleiner. Cela tient surtout au fait que, contrairement à l'homme, elle a tendance à se priver d'aliments comme la viande rouge, qui contiennent ce minéral en abondance.» Cet état de choses est d'autant plus fâcheux que la femme a généralement besoin de plus de fer que l'homme, afin de remplacer ce qu'elle perd chaque mois lors de ses règles. De plus, une femme qui pratique des activités sportives est exposée à un risque plus élevé d'anémie, poursuit le Dr Kleiner. En effet, le corps a besoin de plus de fer durant l'exercice, afin de répondre à une demande accrue en oxygène. Si vos réserves de fer sont insuffisantes au départ, il est facile de les épuiser en faisant de l'exercice.

Au cours d'une étude, des chercheurs ont demandé à 47 femmes qui ne faisaient habituellement pas d'exercice d'augmenter leur activité au cours d'un programme sur 12 semaines comprenant des exercices d'endurance d'intensité moyenne. Après 4 semaines seulement, les réserves de fer s'étaient considérablement abaissées chez l'ensemble des participantes. Plus vous êtes active, plus il est important de veiller à maintenir vos réserves de fer.

Quel est donc l'avantage de la viande, puisqu'il est également possible d'obtenir du fer en absorbant des aliments comme les céréales vitaminées pour le petit déjeuner, le tofu ou les haricots secs? Ou encore, pourquoi ne pas prendre du fer sous forme de complément alimentaire?

Tout d'abord, la viande est particulièrement riche en fer. Une portion de gîte à la noix pesant 85 grammes, par exemple, contient 3 milligrammes de fer, soit 20% de l'Apport journalier recommandé (AJR) pour la femme et 30% de celui pour l'homme. Une portion de filet de porc de même poids nous fournit 1 milligramme de fer, soit 7% de l'AJR pour femme et 10% pour l'homme.

Il est vrai que divers végétaux comestibles sont également de bonnes sources de fer – une pomme de terre en robe des champs, par exemple, en contient 3 milligrammes –, mais ce minéral est alors fourni sous une forme moins facile à absorber par l'organisme que le fer contenu dans la viande.

Ce dernier appartient à la catégorie de l'hème ferreux (ou fer héminique), dont l'absorption se produit 15% plus facilement que celle du fer non héminique

À LA CUISINE

Chez les ménagères soucieuses de santé, les viandes maigres, comme le flanchet de bœuf ou la longe de porc, ont aujourd'hui pris la place des morceaux plus gras utilisés jusqu'alors. Pourtant, quelques précautions s'imposent pour en réussir la préparation.

«Les viandes maigres, précisément parce qu'elles contiennent si peu de matières grasses, peuvent se révéler excessivement sèches et coriaces, à moins d'être cuisinées avec les égards qu'elles méritent», commente Michael Hughes, éleveur de gibier.

Voici quelques conseils qui vous aideront à cuisiner la viande pour qu'elle soit aussi savoureuse et tendre que possible.

- Commencez par une marinade. Il suffit de laisser mariner la viande maigre durant quelques heures au réfrigérateur avant de la cuisiner pour en améliorer la saveur. En outre, elle évitera ainsi de se dessécher en cours de cuisson.
- Laissez-la mijoter. Lorsque vous préparez du bœuf maigre, oubliez les autres modes de préparation – rôti, gril ou autres méthodes de cuisson à sec; la viande ne contient pas assez de matières grasses pour cela. Vous aurez bien plus de succès avec la viande maigre en la préparant à l'étouffée, ou encore en la laissant mijoter, braiser ou pocher.

fourni par les végétaux. De plus, lorsque nous absorbons le fer héminique de la viande, celui-ci aide l'organisme à mieux absorber le fer non héminique, fait remarquer le Dr Kleiner, ce qui favorise l'absorption du fer fourni par l'ensemble de notre alimentation.

UNE BONNE IMMUNITÉ GRÂCE AU ZINC

Le rôle de notre système immunitaire est d'empêcher notre corps de craquer. Quant au zinc, son rôle est d'empêcher le système immunitaire de s'effondrer. Lorsque nous n'absorbons pas assez de ce minéral important, le système immunitaire a plus de peine à lutter contre les infections, les refroidissements et divers autres envahisseurs pouvant compromettre la santé.

De même que le fer, le zinc est présent dans d'autres aliments que la viande, les céréales complètes et le germe de blé par exemple. Ici aussi, toutefois, notre corps a plus de mal à extraire le zinc d'origine végétale, tandis que celui fourni par la viande est absorbé très facilement, explique le Dr Kleiner.

En absorbant un peu de viande dans le cadre de notre alimentation habituelle, il est facile d'obtenir la Valeur quotidienne de zinc qui s'élève à 15 milligrammes. Un steak de gîte à la noix pesant 85 grammes, par exemple, en fournit 5 milligrammes, soit environ le tiers de la VQ pour ce minéral important.

Une bonne source de vitamines du groupe B

La plupart d'entre nous n'avons pas de mal à obtenir assez de vitamine B_{12} (la Valeur quotidienne est de 6 microgrammes). Si vous mangez habituellement de la viande, du poisson, des œufs, de la volaille ou des produits laitiers, il est pratiquement certain que vous en obtenez suffisamment. En revanche, si vous êtes végétarien et préférez par conséquent vous abstenir de manger ces types d'aliments, vous pourriez avoir des problèmes. Lorsque le taux de vitamine B_{12} tombe trop bas, cela peut entraîner un trouble sanguin rare et parfois mortel, l'anémie pernicieuse, qui provoque divers problèmes neurologiques et notamment une grande fatigue et des trous de mémoire. Plus grave encore, vous risquez de ne pas vous douter qu'il existe un problème avant que l'évolution de ce trouble soit déjà bien avancée.

«L'anémie pernicieuse survient très lentement et il faut parfois jusqu'à sept ans pour qu'elle se manifeste, explique le Dr Kleiner. Comme l'un des symptômes de ce trouble est une détérioration des fonctions intellectuelles, beaucoup de gens ne se doutent même pas que quelque chose ne va pas. Il faut parfois très longtemps pour venir à bout de ce trouble, et les dégâts peuvent se révéler irréversibles, surtout chez l'enfant.»

Selon le Dr Kleiner, il est facile d'obtenir suffisamment de vitamine B_{12} en absorbant régulièrement de petites quantités de viande ou d'autres aliments d'origine animale. En revanche, si vous êtes un végétarien strict et que vous n'obtenez pas de vitamine B_{12} à partir d'aliments d'origine animale, il est essentiel de prendre un complément alimentaire de vitamines du groupe B ou de manger des produits à base de soja tels que le tempeh et le miso, qui contiennent ce nutriment en abondance. De plus, beaucoup de céréales, pâtes et autres aliments tout prêts sont vitaminés et comprennent de la vitamine B_{12}, souligne-t-elle.

Des grillades plus saines

Les aliments grillés sont certes délicieux, mais les chercheurs s'inquiètent depuis longtemps déjà de leurs dangers pour la santé. L'ennui, c'est que lors du passage sous le gril, certains éléments de la viande se transforment en substances complexes potentiellement cancérigènes, les amines hétérocycliques.

Mais alors, que faire? Selon certains chercheurs, la solution consiste à faire mariner la viande. Dans le cadre d'une étude, des scientifiques ont constaté que lorsque des morceaux de poitrine de poulet avaient préalablement mariné (ou simplement été trempés) dans un mélange d'huile d'olive, de sucre complet, de moutarde et d'autres épices, avant d'être placés sous le gril, leur teneur en complexes cancérigènes s'abaissait de 90% par rapport à d'autres morceaux préparés de la même façon sans avoir été marinés au préalable.

La plupart des viandes contiennent également d'autres vitamines du groupe B. Elles apportent généralement 10 à 20% de la VQ pour les vitamines du complexe B : riboflavine (essentielle pour réparer les tissus), vitamine B_6 (nécessaire pour l'immunité), niacine (indispensable pour la peau, les nerfs et la digestion), et thiamine (aide l'organisme à convertir en énergie le sucre dans le sang).

Critères de choix, préparation et conservation

Achetez bio. Certains experts préconisent d'acheter de la viande issue de l'agriculture biologique afin d'être sûr d'absorber une viande vraiment thérapeutique. Les conditions d'élevage de ces animaux sont telles qu'ils peuvent se déplacer librement dans de vrais pâturages, au lieu d'être confinés dans un espace clos et restreint. Ce mode de vie plus sain permet également aux éleveurs d'utiliser beaucoup moins d'antibiotiques et de renoncer entièrement aux hormones de croissance, commente le Dr Kleiner.

«Même si je recommande la viande bio parce qu'elle ne contient pas de produits chimiques, si son prix vous paraît prohibitif au point que vous préférez vous en priver, oubliez les produits chimiques et achetez de la viande moins chère pour en absorber les nutriments, poursuit le Dr Kleiner. C'est plus important à long terme.»

Privilégiez la variété. Une bonne partie des recherches portant sur les avantages de la viande pour la santé se basent sur du bœuf maigre, mais les experts s'empressent d'ajouter qu'il est préférable de ne pas se limiter à cette seule viande. D'autres, comme celle de porc et d'agneau, ont également un rôle à jouer dans une alimentation saine. «De même qu'il est judicieux d'absorber toutes sortes de céréales et de légumes, nous devons également manger diverses sortes de viandes afin d'obtenir le plus possible des nutriments qu'elles peuvent nous offrir», commente le Dr Kleiner.

Pensez également au gibier. Beaucoup de gens considèrent que le gibier, faisandé ou non, est plus savoureux que des viandes plus courantes comme le bœuf. De plus, le gibier est généralement beaucoup plus maigre (les matières grasses représentant moins de 18% de son apport énergétique), tout en apportant à l'organisme autant de précieux minéraux et vitamines du groupe B. Par comparaison, dans le cas d'un steak de bœuf maigre (gîte à la noix), la matière grasse représente 34% de l'apport énergétique.

LE VIN
LE SECRET
D'UN CŒUR SAIN

POUVOIR
THÉRAPEUTIQUE
CONTRIBUE À :
Prévenir l'infarctus et
les maladies cardiovasculaires

Maîtriser les bactéries
intestinales

Depuis que l'homme a découvert les avantages de la fermentation, le vin est très apprécié non seulement sur la table au cours des repas, mais dans toutes les grandes occasions – mariages, cérémonies religieuses, parfois même chez le médecin.

C'est seulement depuis une date récente, toutefois, que les chercheurs ont commencé à se pencher sur les avantages thérapeutiques du vin. Leurs constatations sont suffisamment enthousiasmantes pour amener tout amateur de vin à lever son verre pour un toast retentissant.

Absorbé avec modération, le vin – surtout le vin rouge – peut contribuer à faire baisser le cholestérol et lutter contre les maladies cardiovasculaires et le durcissement des artères. De plus, diverses études suggèrent qu'il peut exterminer les bactéries pouvant causer des intoxications alimentaires et prévenir la diarrhée des touristes. Bien évidemment, les experts n'encouragent personne à boire comme un trou ; il s'agit plutôt de savourer le vin par petites gorgées. Pas question non plus d'encourager ceux qui ne boivent pas de vin à en prendre l'habitude du jour au lendemain. En revanche, les résultats des travaux dans ce domaine laissent entendre que dans le cadre d'une alimentation saine, l'absorption de petites quantités de vin peut être bénéfique.

LE FRUIT DE LA VIGNE

Pendant des années, les chercheurs américains sont restés perplexes en constatant à quel point la population française semblait s'en donner à cœur joie, à grands renforts de cigarettes, croissants au beurre, pâtés et autres folies, tout en ayant un risque de maladies cardiovasculaires deux fois et demi plus faible que celui des Américains, pourtant censés être moins déraisonnables.

Les chercheurs n'ont pas fini de passer au crible ce qu'ils ont fini par baptiser le paradoxe français, mais il semblerait que si les Français ont un cœur plus sain, c'est au moins en partie grâce à leur penchant pour le vin rouge. Ce breuvage contient en effet des substances complexes qui contribuent à faire baisser le cholestérol, empêchant le dangereux cholestérol LDL (lipoprotéines de faible densité) de se déposer sur la paroi des artères (début du processus qui conduit aux maladies cardiovasculaires). De plus, le vin rouge empêche les plaquettes du sang de s'agglutiner pour former des caillots potentiellement dangereux.

DOUBLE PROTECTION POUR LE CŒUR

Le vin rouge exerce une action protectrice complexe sur le cœur. Diverses substances complexes thérapeutiques y contribuent, et les chercheurs précisent que certaines d'entre elles comportent des avantages multiples.

Tout d'abord, il est possible que l'alcool du vin rouge soit bénéfique. Diverses études, par exemple, semblent indiquer que les personnes qui boivent de petites quantités d'alcool présentent un meilleur niveau de protection contre les maladies cardiovasculaires.

Selon les chercheurs, cela tient au fait que l'éthanol (c'est-à-dire l'alcool) contenu dans les boissons fermentées augmente le taux de cholestérol HDL bénéfique (lipoprotéines de haute densité), protecteur du cœur.

En revanche, si le seul avantage du vin rouge était de faire monter le taux de cholestérol HDL, ce breuvage ne serait pas plus efficace que le whisky ou la bière, alors qu'il leur est nettement préférable sur ce plan.

La raison de la protection accrue qui semble être offerte par le vin est que ce dernier contient des flavonoïdes puissants, comme la quercétine. Avec d'autres substances complexes potentiellement protectrices, comme le resveratrol, la quercétine semble prévenir l'oxydation du dangereux cholestérol LDL dans l'organisme. Ainsi, le cholestérol LDL risque moins de se déposer sur les parois de nos artères, provoquant leur obstruction et les rendant rigides.

«Les flavonoïdes du vin rouge sont plus puissants que la vitamine E, pourtant bien connue pour ses remarquables vertus antioxydantes», commente le Dr John D. Folts, professeur de médecine.

Pour lutter contre les maladies cardiovasculaires, il est judicieux de commencer par maîtriser le cholestérol LDL, souligne le Dr Folts, mais le rôle de la quercétine du vin ne s'arrête pas là. Elle contribue également à empêcher les plaquettes sanguines de s'agglutiner. Une étude conduite par le Dr Folts et ses collègues a d'ailleurs permis de vérifier que lorsque des animaux de laboratoire recevaient du vin rouge, cela suffisait à disperser des caillots potentiellement dangereux.

«Le vin rouge remplit un double office et nous apporte deux avantages majeurs au même endroit», commente le Dr Folts.

L'IMPORTANCE DE LA COULEUR

Lorsque les chercheurs parlent des avantages thérapeutiques du vin, il s'agit généralement du vin rouge. Pour la santé du cœur, selon les scientifiques, les vins clairs passent en arrière-plan par rapport à leurs homonymes rouges plus robustes.

LES AVANTAGES SANS L'ALCOOL

S'il existe des amateurs de vins fins et de millésimes choisis, sans doute bon nombre d'autres personnes préféreraient n'être pas obligées d'absorber une boisson alcoolisée.

Si vous avez une préférence marquée pour les boissons sans alcool, vous avez de la chance. Il existe aujourd'hui un certain nombre de vins sans alcool qui contiennent malgré tout les mêmes principes actifs thérapeutiques que le vin authentique – quercétine et resveratrol.

Les experts recommandent de choisir les vins sans alcool selon les mêmes critères que leur équivalent alcoolisé, en fonction de la couleur. Plus cette dernière est sombre, plus la teneur de la boisson en complexes thérapeutiques est élevée.

Au cours d'une étude en laboratoire effectuée en Californie, par exemple, des chercheurs ont constaté que l'efficacité du vin rouge pour empêcher l'oxydation du cholestérol LDL se situait entre 46 et 100%, tandis que le vin blanc n'était pas aussi protecteur. De même, diverses études en laboratoire suggèrent que le vin blanc n'est pas aussi efficace que le rouge pour empêcher la formation de caillots, note le Dr Folts.

Pourquoi le vin rouge est-il tellement supérieur au vin blanc? Selon les experts, cela tient au procédé de fabrication.

Lors de la préparation du vin, le vigneron verse en vrac dans le tonneau le raisin, ainsi que la peau, les grains et les tiges. L'ensemble est alors écrasé de manière à obtenir le moût, un mélange grossier qui contient précisément les flavonoïdes bénéfiques.

«Plus longtemps se prolonge la fermentation du moût, plus grande sera la quantité de ces complexes qui va se libérer dans le vin, note le Dr Folts. Dans le cas du vin blanc, le moût est enlevé beaucoup plus tôt pour empêcher le vin de revêtir une couleur plus sombre. Dans celui du vin rouge, le moût est conservé longtemps, et le vin absorbe beaucoup de flavonoïdes.»

S'alimenter avec intelligence
Les raisins de la colère

Nous savons tous qu'un excès de vin rouge peut avoir des effets désastreux, notamment la fameuse gueule de bois.

Pour certaines personnes particulièrement sujettes aux migraines, en revanche, même de faibles quantités de vin peuvent suffire pour déclencher des maux de tête. Le vin rouge contient des amines; ces substances provoquent tour à tour la contraction et l'expansion des vaisseaux sanguins du cerveau. Chez les sujets particulièrement sensibles, cela suffit pour provoquer de terribles maux de tête.

Le vin blanc, qui contient moins d'amines que le vin rouge, risque moins de déclencher des maux de tête; en revanche, sa teneur en substances complexes bénéfiques est également plus faible. Par conséquent, si les maux de tête sont un problème pour vous, pourquoi ne pas demander à votre médecin si le vin sans alcool pourrait être une solution dans votre cas.

Du vin contre les infections

Durant notre enfance, nous avons tous rencontré diverses bactéries qui ont provoqué des diarrhées. Peut-être aussi avons-nous passé pas mal de temps à fuir notre mère, qui nous poursuivait avec une cuiller de sous-salicylate de bismuth rose vif.

Aujourd'hui encore, les experts conseillent d'emporter de bonnes provisions de sous-salicylate de bismuth lors des voyages à l'étranger, afin de prévenir les infections bactériennes qui peuvent provoquer la diarrhée des touristes. Si seulement ce remède n'avait pas tellement mauvais goût! Que diriez-vous de troquer ce breuvage contre quelque chose d'un peu plus savoureux – comme par exemple un bon verre de bordeaux?

Selon des chercheurs de Honolulu, cette possibilité n'a rien de farfelu. Intrigués par l'utilisation du vin comme digestif à travers les siècles, ces scientifiques ont soumis le vin rouge, le vin blanc et le sous-salicylate de bismuth à divers essais pour vérifier leur efficacité respective contre certaines des bactéries intestinales les plus désagréables, notamment *Shigella*, *Escherichia coli* et diverses salmonelles. Ils ont ainsi constaté que le vin, rouge ou blanc, était plus efficace que le remède pharmaceutique pour éliminer les bactéries nocives.

Les recherches devront se poursuivre dans ce domaine, mais il semble possible qu'en buvant un peu de vin avec nos repas durant nos vacances, nous puissions améliorer la santé de nos intestins, prévenant les pénibles diarrhées des voyageurs.

Critères de choix, préparation et conservation

Pratiquez la modération. Ainsi que le soulignent les experts, pour bénéficier au maximum des avantages du vin, il faut savoir dire stop. La limite à ne pas dépasser chaque jour est de 150 ml pour la femme et de 300 ml pour l'homme.

Choisissez un vin robuste. Lors de l'achat, sachez que les vins bien charpentés sont également ceux qui contiennent le plus de complexes bénéfiques pour le cœur, selon le Dr Andrew L. Waterhouse, professeur de viticulture et d'œnologie.

«Il existe dans le vin rouge un rapport très étroit entre le niveau de tanins – les substances qui rendent le vin sec – et le taux de complexes thérapeutiques», affirme le Dr Waterhouse. Les vins les plus bénéfiques pour le cœur proviendraient des cépages rouges cabernet sauvignon, merlot (Bordelais) et sirah ou petite sirah (Drôme, Côtes-du-Rhône).

LA VOLAILLE
DES VOLATILES POUR FORTIFIER LE SANG

POUVOIR THÉRAPEUTIQUE

CONTRIBUE À :

Prévenir l'anémie ferriprive

Prévenir la perte d'acuité visuelle

Maintenir la santé du système nerveux

Prévenir les troubles liés à l'énergie et à la mémoire

Maintenir un système immunitaire vigoureux

Depuis fort longtemps, les Américains considèrent la volaille comme un symbole de prospérité. Au cours de la grande dépression économique, Franklin Delano Roosevelt – comme l'un de nos rois de France – avait promis de mettre un poulet dans toutes les marmites. En novembre de chaque année, à l'occasion de Thanksgiving, jour d'action de grâce, les Américains ont coutume de se rassembler en famille autour d'une dinde parée de tous ses atours de fête, en témoignage de reconnaissance pour les bénédictions reçues. Chez nous, c'est plutôt à Noël que la dinde est à l'honneur.

Un volatile sur la table, pourtant, représente bien plus qu'un simple symbole. Bien préparée, la viande de volaille mérite de tenir une place de choix dans une alimentation saine. Une fois débarrassée de sa peau, la volaille offre non seulement une alternative maigre à d'autres viandes comme celles de bœuf ou de porc, mais elle nous apporte aussi toutes sortes de vitamines et de minéraux pour lutter contre la maladie et pour augmenter notre énergie; les aliments végétaux à eux seuls ne sauraient lui faire concurrence sur ce plan.

Le revers de la médaille, c'est que si vous préférez manger la volaille avec sa peau, une portion de cette viande par ailleurs saine et bénéfique aura l'inconvénient de vous faire grossir. Ceci est tout particulièrement applicable à la volaille prête à consommer que l'on achète chez les traiteurs et dans les établissements de restauration rapide. Des chercheurs ont par exemple constaté qu'un plateau comportant un demi-poulet, proposé par certaines chaînes de restaurants américains, ne valait pas mieux en termes de matières grasses, sodium et calories, qu'un Big Mac accompagné de frites et arrosé d'un milk-shake au chocolat.

UNE BONNE SOURCE DE VITAMINES DU GROUPE B

La plupart d'entre nous savons à quel point il est important d'obtenir chaque jour suffisamment de vitamines essentielles, comme les vitamines C et E et le bêtacarotène. En revanche, le rôle des vitamines du groupe B est beaucoup moins bien connu.

À LA CUISINE

Tous les cordons-bleus vous diront que le secret pour réussir la cuisson de la volaille est de la faire cuire avec sa peau. En effet, les matières grasses en fusion à la surface de la peau arrosent la chair du volatile, ce qui maintient la viande moelleuse et savoureuse au cours du long processus de cuisson.

«Cuite sans sa peau, la volaille risque d'être affreusement sèche et coriace, commente le Dr Susan Kleiner, nutritionniste. Diverses études ont montré qu'à condition d'éliminer la peau après la cuisson, la teneur de la viande de volaille en matières grasses est à peu près la même que si la peau avait été ôtée avant la cuisson.»

En effet, ces héros méconnus parmi la grande famille des vitamines n'ont pas l'avantage de prévenir directement des troubles majeurs tels que le cancer ou les maladies cardiovasculaires, même s'il est certain qu'ils ont un effet protecteur. Leur rôle consiste essentiellement à effectuer diverses tâches de maintenance: cette action discrète et multiple facilite le bon fonctionnement de notre intellect et de l'organisme tout entier. Sans les vitamines du groupe B, nous en serions réduits à tâtonner à travers la vie, déprimés, dans la plus grande confusion, en proie à l'anémie et aux troubles nerveux – voire pire encore.

Heureusement, la volaille est une excellente source de trois vitamines essentielles du groupe B: la niacine, la vitamine B_6 et la vitamine B_{12}.

En fonction du morceau de viande choisi, le poulet et la dinde fournissent entre 16 et 62% de la Valeur quotidienne, qui est de 20 milligrammes pour la niacine. (Le blanc de poulet figure en tête, et les cuisses de dinde en queue de liste.) Diverses études suggèrent que la viande de volaille pourrait abaisser le cholestérol et diminuer le risque de maladies cardiovasculaires.

La volaille contient en outre 0,3 microgramme de vitamine B_{12}, soit 5% de la Valeur quotidienne. Cette vitamine, présente quasi exclusivement dans les aliments d'origine animale, est essentielle au bon fonctionnement du cerveau. Pour

PRENEZ VOTRE ENVOL
AVEC LES OÏSEAUX SAUVAGES

En avez-vous assez de manger toujours du poulet ? Peut-être le moment est-il venu d'abandonner la volaille domestique pour goûter à des volatiles d'une autre espèce. Malgré leur prix plus élevé, des oiseaux sauvages comme la caille et le faisan offrent la possibilité de varier les menus tout en nous apportant les mêmes avantages diététiques que le poulet ou la dinde.

Voici le profil nutritionnel de deux espèces de volaille moins connues. Dans chaque cas, cette analyse se fonde sur une portion de 85 grammes, et les pourcentages de la Valeur quotidienne (VQ) ou, dans le cas du fer, l'Apport journalier recommandé (AJR), sont également cités.

	Faisan	Caille
Calories	113	123
Matières grasses	3 grammes	4 milligrammes
Apport calorique en provenance de matières grasses	25%	31%
Fer	1 milligramme (10% de l'AJR pour l'homme et 7% pour la femme)	4 milligrammes (40% de l'AJR pour l'homme et 27% pour la femme)
Niacine	6 milligrammes (30% de la VQ)	8 milligrammes (40% de la VQ)
Riboflavine	0,1 milligramme (8% de la VQ)	0,3 milligramme (18% de la VQ)
Thiamine		0,3 milligramme (20% de la VQ)
Vitamine B_6	0,6 milligramme (30% de la VQ)	0,5 milligramme (25% de la VQ)
Vitamine B_{12}	0,7 microgramme (12% de la VQ)	
Vitamine C	5 milligrammes (6% de la VQ)	7 milligrammes (12% de la VQ)
Zinc	0,8 milligramme (5% de la VQ)	3 milligrammes (20% de la VQ)

peu que nous obtenions trop peu de vitamine B$_{12}$, nous risquons de nous sentir épuisé et d'avoir des troubles neurologiques et des trous de mémoire.

Une autre vitamine du groupe B, la vitamine B$_6$, est cruciale pour le maintien d'une bonne immunité. Elle est également nécessaire pour que l'organisme puisse fabriquer des globules rouges et maintenir la bonne santé du système nerveux. La volaille fournit entre 0,2 et 0,5 milligramme de vitamine B$_6$, soit 10 à 15% de la VQ.

L E MÉTAL QUI PROTÈGE

Au Moyen Âge, avant d'aller se battre, les chevaliers endossaient une armure destinée à les protéger. Même si cette époque héroïque est depuis longtemps révolue, nous avons toujours besoin de fer pour affronter les épreuves quotidiennes.

Le fer est l'un des nutriments les plus importants pour maintenir un niveau optimal d'énergie et de vitalité. Pourtant beaucoup d'entre nous, en particulier les femmes, n'obtenons pas les 15 milligrammes dont nous avons besoin chaque jour, souligne le Dr Susan Kleiner, nutritionniste.

Il suffit de manger une portion de viande de volaille pour absorber entre 5 et 16% du fer dont nous avons besoin chaque jour. Une portion de 85 grammes de cuisse de poulet ou de poitrine de dinde fournit 1,2 milligramme de fer, soit 8% de l'Apport journalier recommandé (AJR) pour la femme. La même quantité de cuisse de dinde rôtie en fournit 2 milligrammes, soit 13% de l'AJR pour la femme.

Quoique le fer soit présent en abondance dans les céréales vitaminées, le tofu, les légumineuses et divers autres aliments d'origine végétale, il n'est pas toujours très assimilable. En revanche, le fer de la volaille (appelé fer héminique ou hème ferreux) est absorbé beaucoup plus facilement, selon le Dr Kleiner. Notre corps peut absorber jusqu'à 15% de plus de fer héminique que de fer non héminique, explique cette dernière. De plus, lorsque nous mangeons des aliments qui contiennent du fer héminique, ce dernier aide l'organisme à mieux absorber le fer non héminique d'origine végétale. Ainsi, conclut le Dr Kleiner, nous obtenons le maximum de fer à partir de notre alimentation.

L E ZINC PROTECTEUR

Nous avons besoin, pour nous protéger des menaces extérieures – infections, refroidissements et autres –, d'un système immunitaire vigoureux. Pour le maintien d'une bonne immunité, il est crucial que notre alimentation nous fournisse suffisamment de zinc, puisque nos cellules spécialisées dans la lutte contre l'infection ont besoin de réserves adéquates de ce minéral trace afin de pouvoir faire leur travail.

S'ALIMENTER AVEC INTELLIGENCE
UNE PROTECTION CONTRE L'INFECTION

La volaille contient non seulement des vitamines et des minéraux essentiels, mais elle fourmille également de micro-organismes, en particulier des salmonelles (type de bactérie pouvant entraîner une intoxication alimentaire).

Il est impossible d'éliminer entièrement les bactéries, mais nous pouvons prendre certaines précautions pour nous assurer que la volaille est saine et sans danger. Voici les conseils des spécialistes.

Nettoyez souvent vos surfaces de travail. Chaque fois que vous préparez de la viande de volaille crue, les bactéries passent très facilement du volatile aux ustensiles de cuisine, notamment les planches à découper, ce qui entraîne un risque d'infection.

Afin d'empêcher toute prolifération bactérienne, nettoyez et frottez souvent et très soigneusement vos ustensiles et votre surface de travail à l'aide de savon et d'eau chaude.

Conservez la volaille au frais. Les salmonelles se propageant très rapidement à température ambiante, les experts recommandent de faire décongeler la volaille au réfrigérateur plutôt que dans la cuisine. Il en va de même si vous faites mariner le volatile: faites-le au réfrigérateur et non pas à température ambiante. De plus, la marinade qui a servi pour de la viande de volaille ne doit jamais être réutilisée car elle est facilement contaminée par ce contact prolongé avec le volatile, selon les experts.

Cuisez-la longtemps. Afin d'éliminer toutes les bactéries, il est important de cuire la volaille suffisamment longtemps, aux dires des spécialistes. Lorsque vous découpez la viande, celle-ci doit être complètement blanche (ou brune s'il s'agit d'une cuisse ou de viande sombre) et sans aucune trace de rose. La même règle s'applique au jus. Vérifiez en faisant pression sur la viande que le jus qui s'en écoule est clair et non pas rose. Par sécurité, faites usage durant la cuisson d'un thermomètre à viande afin de vous assurer que la température à l'intérieur du volatile est d'au moins 60 °C.

De plus, diverses études montrent que l'absorption de zinc en quantité suffisante peut contribuer à ralentir l'évolution de la dégénérescence maculaire de la rétine; ce grave trouble des yeux peut provoquer une perte irréversible de la vue, en particulier chez les personnes du troisième âge.

Comme le fer, le zinc est présent dans toutes sortes d'aliments (pas seulement la viande); on en trouve par exemple dans les céréales complètes et le germe de blé. Dans ce cas aussi, cependant, le corps absorbe moins bien le zinc d'origine végétale que celui fourni par la viande, souligne le Dr Kleiner. «Les femmes en particulier risquent de ne pas obtenir suffisamment de zinc», affirme-t-elle.

En mangeant de la volaille, il est possible de maintenir des taux suffisants de zinc, poursuit le Dr Kleiner. La plupart des volatiles fournissent de 6 à 25 % des 15 milligrammes de zinc dont nous avons besoin chaque jour.

Critères de choix, préparation et conservation

Mangez des cuisses. Beaucoup de gens préfèrent éviter les cuisses de volaille parce que cette viande plus sombre contient davantage de matières grasses. Le Dr Kleiner admet que c'est le cas mais, en revanche cette viande contient également beaucoup plus de minéraux et, par conséquent, il vaut la peine d'en manger de temps à autre.

«Si vous avez ôté la peau, vous avez de toute manière éliminé la principale source de matières grasses, souligne-t-elle, et c'est justement dans la viande de couleur sombre que se trouve l'essentiel du zinc et du fer de la volaille.»

LE YAOURT
LES BiENFAiTS DES BACTÉRiES

POUVOIR THÉRAPEUTiQUE

CONTRIBUE À :
Prévenir les infections mycosiques

Stimuler l'immunité

Guérir et prévenir les ulcères

Si l'on vous suggérait d'avaler une cuillerée de micro-organismes vivants, sans doute auriez-vous une réaction quelque peu horrifiée. Pourtant, que diriez-vous si l'on vous affirmait que chaque gorgée serait suivie d'une amélioration spectaculaire de votre état de santé?

Des millions de Français absorbent chaque jour des millions de micro-organismes vivants, simplement en mangeant du yaourt. Ce dernier déborde littéralement de bactéries – ces ferments lactiques extrêmement vivants et actifs qui sont mentionnés sur l'étiquette du produit. Les recherches ont montré que ces bactéries «amicales» peuvent fortifier le système immunitaire et contribuer à la guérison des ulcères. Si vous êtes sujet à des infections mycosiques, ces bactéries pourraient également prévenir une récidive, selon le Dr Eileen Hilton, spécialiste des maladies infectieuses. Et même si l'on ôtait les bactéries du yaourt, ce dernier resterait une extraordinaire source de calcium – meilleure encore à vrai dire qu'une portion de lait écrémé.

LUTTER CONTRE LES INFECTIONS MYCOSIQUES

S'il vous est déjà arrivé d'avoir une infection mycosique, vous savez à quel point ce trouble est pénible et jamais vous ne voudriez avoir une récidive. Selon le Dr Hilton, il serait possible de s'en protéger en mangeant du yaourt.

Ce type d'infection se produit lorsqu'un champignon habituellement présent dans le vagin se met à proliférer, provoquant alors des sensations de brûlure et des démangeaisons ainsi que d'autres symptômes désagréables. Une étude effectuée à Long Island (New York) suggère que le fait de manger du yaourt contenant des bactéries, surtout celles de souche *Lactobacillus acidophilus*, pourrait contribuer à empêcher la prolifération du champignon.

Au cours de cette étude, les chercheurs ont demandé à des femmes qui avaient souvent des infections mycosiques de manger chaque jour pendant six mois 170 grammes de yaourt. À l'issue de cette période, le taux d'infections mycosiques s'était considérablement abaissé. En fait, les participantes étaient si satisfaites que lorsque les chercheurs leur ont demandé de cesser dorénavant de prendre du yaourt, beaucoup d'entre elles ont refusé tout net.

Selon les chercheurs qui conduisaient cette étude, le fait de manger du yaourt contribue à maintenir en équilibre le milieu bactérien naturel du vagin, ce qui compromet les chances de prolifération du champignon responsable des mycoses.

Le Dr Hilton précise que d'autres études restent à faire, mais que dans l'intervalle, toute femme qui souhaite prévenir les infections mycosiques peut déjà prendre l'habitude de manger chaque jour en moyenne un yaourt et demi (ce qui correspond à la quantité utilisée par les participantes à l'étude déjà mentionnée).

RENFORCER L'IMMUNITÉ

Les bactéries présentes dans le yaourt qui préviennent les infections mycosiques peuvent également renforcer le système immunitaire. Au cours d'une étude, par exemple, des chercheurs californiens ont constaté que les personnes qui avaient absorbé 3 yaourts chaque jour durant quatre mois avaient environ quatre fois plus d'interféron gamma, une protéine qui aide les globules blancs du système immunitaire à lutter contre la maladie, que d'autres personnes qui ne mangeaient pas de yaourt. «L'interféron gamma est le meilleur mécanisme dont le corps dispose pour se défendre contre les virus», commente le Dr Georges Halpern, professeur émérite de médecine interne, qui est l'auteur de cette étude.

Certains travaux laissent également entendre que le yaourt pourrait être efficace contre les infections bactériennes. Au cours d'une étude en laboratoire effectuée par des chercheurs néerlandais, des cobayes qui recevaient du yaourt présentaient des taux bien plus faibles de salmonelles (type de bactérie souvent impliqué dans les intoxications alimentaires) que d'autres animaux qui recevaient du lait. Mieux encore, les bactéries qui réussissaient à survivre n'avaient que peu d'impact sur la santé des cobayes qui recevaient du yaourt, tandis que ceux qui buvaient du lait devenaient toujours plus malades.

Les chercheurs n'ont pas encore déterminé précisément pour quelle raison le yaourt contribuait à protéger les cobayes de la maladie. Sans parler de ses effets immunostimulants, sa teneur élevée en calcium pourrait, selon les chercheurs, créer un milieu défavorable à la prolifération des bactéries.

Apaiser les ulcères

La plupart des ulcères étant dus à des bactéries, le traitement habituel consiste à prescrire des doses élevées d'antibiotiques. Pourtant, de nombreux travaux laissent entendre qu'il est possible de maîtriser ces mêmes bactéries en absorbant de grandes quantités de yaourt contenant des ferments lactiques, selon le Dr Patrick Quillin, nutritionniste et spécialiste du cancer.

Lorsque nous mangeons du yaourt, les bactéries bénéfiques s'installent dans le tube digestif, explique le Dr Quillin. Une fois sur place, elles entrent en compétition avec les bactéries nocives qui provoquent des ulcères. Ainsi, la survie de ces dernières est sérieusement compromise.

De plus, le yaourt contient un sucre naturel, le lactose, qui se décompose en acide lactique au cours de la digestion; or, l'acide lactique contribue à rétablir un milieu sain dans l'intestin, poursuit le Dr Quillin.

Même si vous avez déjà un ulcère pour lequel des médicaments vous ont été prescrits, l'efficacité de votre traitement sera renforcée si vous absorbez également du yaourt, selon le Dr Khem Shahani, professeur de sciences alimentaires. «Les micro-organismes de la plupart des yaourts ont tendance à se comporter comme des antibiotiques dans l'estomac», explique-t-il.

Si vous avez un ulcère, le Dr Isadore Rosenfeld, professeur de médecine, recommande d'absorber jusqu'à 6 yaourts par jour. Vérifiez simplement que l'étiquette du produit mentionne bien la présence de ferments lactiques.

Le calcium sans douleur

Le lait écrémé, dont la teneur en calcium est très élevée, est certes l'un des aliments les plus sains; pourtant, beaucoup de gens ont du mal à en boire de grandes quantités. D'autre part, selon beaucoup de médecins, plus de 20% des habitants de l'Europe du nord-ouest n'ont pas assez de lactase (enzyme nécessaire à la digestion du lait) pour pouvoir digérer le lactose (sucre du lait).

En revanche, le yaourt est un aliment très digeste. Même s'il contient du lactose, ses bactéries actives aident l'organisme à le décomposer, si bien qu'il risque moins de causer des désagréments, selon Mme Barbara Dixon, nutritionniste et auteur du livre *Good Health for African Americans*. Le yaourt est d'ailleurs une excellente source de calcium, puisqu'une tasse de yaourts nature en fournit 414 milligrammes, soit plus de 40% de la Valeur quotidienne. Par comparaison, une portion de lait écrémé ne nous fournit que 300 milligrammes de calcium.

Critères de choix, préparation et conservation

Mangez-le froid. Les bactéries du yaourt ne supportant pas une chaleur élevée, il est préférable de manger le yaourt froid. Si vous faites usage de yaourt pour faire la cuisine, par exemple pour préparer certaines sauces, ajoutez-le en fin de cuisson, après avoir ôté la casserole du feu.

Préférez-le frais. Un seul gramme de yaourt frais contient environ 100 millions de bactéries. En revanche, après quelques semaines de conservation, cette teneur élevée s'abaisse considérablement. Afin d'obtenir le plus possible de ces cultures bénéfiques, prenez l'habitude d'acheter du yaourt de moins d'une semaine, et choisissez-les de préférence en magasin diététique.

TROISIÈME PARTIE

COMBATTRE LA MALADIE PAR L'ALIMENTATION

L'ACCIDENT VASCULAIRE CÉRÉBRAL
UNE ALIMENTATION SAINE POUR UN CERVEAU SAIN

L'aspect le plus effrayant de l'accident vasculaire cérébral (AVC) est qu'il se produit de manière soudaine et imprévue. Les personnes qui ont déjà subi un AVC témoignent que rien ne les y avait préparées, aucun avertissement, aucun signe précurseur, à peine une sorte de prémonition, l'espace d'une fraction de seconde, que quelque chose tout à coup allait de travers.

Pourtant, même si l'accident vasculaire cérébral survient de manière très soudaine, les problèmes qui en sont la cause se sont accumulés parfois depuis des années. Un AVC se produit lorsque le sang, avec l'oxygène et les nutriments qu'il contient, cesse de parvenir jusqu'à certaines parties du cerveau. Tout facteur affectant le flux sanguin, comme l'excès de cholestérol ou l'hypertension artérielle, augmente considérablement le risque d'accident vasculaire cérébral.

Toutefois, nous pouvons nous protéger contre ce risque en choisissant judicieusement nos aliments. «Notre alimentation joue un rôle crucial dans la prévention de l'AVC», commente le Dr Thomas A. Pearson, professeur de médecine préventive.

Au cours d'une étude portant sur plus de 87 000 infirmières, par exemple, des chercheurs de Harvard ont constaté que le risque d'accident vasculaire cérébral s'abaissait de 40% chez les femmes qui absorbaient le plus de fruits et de légumes, par rapport à celles qui en mangeaient le moins. Une autre étude a permis aux scientifiques de découvrir que le risque d'AVC s'abaissait également de 40% chez des personnes qui mangeaient chaque jour une seule portion de fruits ou de légumes à teneur élevée en potassium.

Ce que nous mangeons peut avoir tout autant d'importance que nos activités, ajoute le Dr Pearson. Les recherches ont par exemple montré que les individus qui absorbaient le plus de matières grasses alimentaires – surtout les corps gras saturés de la viande et d'autres aliments d'origine animale – étaient beaucoup plus exposés au risque d'accident vasculaire cérébral que ceux qui s'alimentaient de manière plus saine. En effet, une alimentation comportant beaucoup de matières grasses saturées a pour effet d'augmenter le taux de cholestérol. Ce dernier, bien connu pour obstruer les artères qui conduisent au muscle cardiaque, peut également finir par boucher les vaisseaux sanguins du cerveau.

«Si l'on veut faire baisser le taux de cholestérol, la plus efficace de toutes les mesures diététiques est de réduire l'apport de matières grasses saturées», affirme le Dr John R. Crouse, professeur de médecine.

Pour maintenir des taux acceptables de cholestérol, il suffit, pour la majorité des gens, de rationner la viande en n'absorbant que 85 à 115 grammes par jour, d'utiliser moins de beurre (voire d'y renoncer entièrement), d'adopter les produits laitiers écrémés et d'éviter les amuse-gueules gras.

Un autre moyen pour maîtriser le cholestérol consiste à absorber davantage de produits à base de soja. Le tofu, le tempeh et divers autres produits dérivés du soja contiennent deux substances complexes, la daidzéine et la génistéine, qui semblent faire baisser le cholestérol et contribuer à empêcher celui-ci de se déposer sur la paroi de nos artères. Diverses études suggèrent qu'en absorbant chaque jour environ 47 grammes de protéine de soja (soit environ ce que contient une portion de soja ferme pesant 300 grammes), il serait possible d'abaisser le cholestérol total de 9% et de réduire de presque 13% le dangereux cholestérol LDL (lipoprotéines de faible densité).

Lors des achats, il est également important de se ravitailler abondamment en fruits et légumes frais. Dans le cadre de la célèbre étude *Framingham Heart Study*, des chercheurs se sont penchés sur les habitudes alimentaires de plus de 830 hommes; ils ont ainsi pu constater que l'absorption de trois portions quotidiennes de fruits et de légumes suffisait à réduire de 22% le risque d'accident vasculaire cérébral, et que ce risque continuait à s'abaisser d'autant toutes les trois portions.

Si les fruits et les légumes sont à ce point bénéfiques pour prévenir l'AVC, cela s'explique de plusieurs façons. Tout d'abord, ces aliments contiennent beaucoup de fibres, dont nous savons qu'elles abaissent le taux de cholestérol. Selon le Dr Michael Hertog, spécialiste néerlandais, ces aliments contiennent également des antioxydants puissants, qui contribuent à empêcher le dangereux cholestérol LDL de se déposer sur la paroi de nos artères, risquant ainsi d'obstruer le flux sanguin jusqu'au cerveau. Divers aliments sont particulièrement riches en antioxydants, notamment l'oignon, le chou frisé, les haricots verts, les carottes, le brocoli, les endives, le céleri et la canneberge.

Il n'est d'ailleurs pas nécessaire d'absorber de grandes quantités d'aliments contenant beaucoup d'antioxydants pour obtenir une protection adéquate. Au cours de l'étude portant sur la santé des infirmières, les chercheurs de Harvard ont constaté que le risque d'AVC diminuait chez les femmes qui absorbaient chaque jour tout juste 15 milligrammes de bêtacarotène (la quantité contenue dans une grosse carotte).

Si les fruits et les légumes sont à ce point bénéfiques, c'est également parce qu'ils contiennent souvent beaucoup de potassium, un minéral dont il est prouvé

LE POISSON : BÉNÉFiQUE OU NUiSiBLE?

De nombreuses espèces de poisson contiennent des lipides bénéfiques, les acides gras de type oméga 3, dont il est avéré qu'ils augmentent le taux de «bon» cholestérol HDL (lipoprotéines de haute densité), celui qui contribue à maintenir nos artères ouvertes et saines. Il semble donc logique de penser que nous faisons un choix judicieux en mangeant du poisson, si nous souhaitons abaisser non seulement notre taux de cholestérol ou notre hypertension artérielle, mais aussi le risque d'AVC.

Pourtant, certains travaux laissent à entendre qu'il n'en est peut-être rien. Diverses études ont certes permis de constater que les individus qui mangeaient plus souvent du poisson étaient moins exposées à un accident vasculaire cérébral, mais d'autres travaux n'ont trouvé aucun rapport de cause à effet. Plus grave, certaines recherches ont même montré que les personnes qui mangeaient beaucoup de poisson pourraient s'exposer à un risque plus élevé de ce type d'accident.

«Ces résultats contradictoires sont dus, au moins en partie, au fait que certaines études ne tiennent aucun compte de l'influence très différente des huiles de poisson sur les deux types d'AVC», commente le Dr James Kenney, chercheur spécialisé en nutrition.

Afin de mieux comprendre, quelques précisions s'imposent. Les huiles de poisson contribuent à empêcher les plaquettes (éléments constitutifs du sang) de s'agglutiner dans le courant sanguin. Cette action peut certes aider à prévenir les AVC provoqués par des caillots sanguins, mais en revanche, elle pourrait augmenter le risque d'AVC dû à la fuite d'un vaisseau sanguin, explique le Dr Kenney.

En attendant d'en savoir plus, que peut-on en conclure? «N'hésitez pas à prendre chaque semaine un ou deux repas à base de poisson, mais demandez conseil à votre médecin habituel avant d'absorber des gélules d'huile de poisson», conseille le Dr Kenney.

---

qu'il abaisse l'hypertension artérielle (cause majeure d'AVC). De plus, il semblerait que le potassium diminue la tendance du sang à former des caillots, ce qui réduit donc plus encore le risque d'AVC. Plusieurs aliments sont de bonnes sources de potassium, notamment les pommes de terre en robe des champs, les pêches séchées, le melon cantaloup et les épinards.

Quant au thé (noir ou vert), c'est une excellente source de flavonoïdes, de même que beaucoup de fruits et de légumes. Le Dr Hertog, en étudiant plus de 550 hommes âgés de 50 à 69 ans, a constaté que ceux qui obtenaient la plupart de leurs flavonoïdes en buvant du thé voyaient leur risque d'AVC diminuer de 73%, par rapport à ceux qui absorbaient le moins de ces complexes bénéfiques.

Il n'est pas non plus indispensable de boire de grandes quantités de thé pour être ainsi protégé. En effet, le Dr Hertog a observé que les personnes qui buvaient chaque jour au moins 5 tasses de thé pouvaient diminuer de plus de deux tiers leur risque d'AVC, par comparaison à d'autres personnes qui absorbaient moins de 3 tasses de thé par jour.

Quant au lait, il semble lui aussi jouer un rôle en diminuant le risque d'accident vasculaire cérébral. Au cours d'une étude de grande envergure, des chercheurs de Honolulu ont découvert que des hommes qui ne buvaient pas de lait présentaient un risque d'AVC multiplié par deux par rapport à d'autres qui en buvaient au moins 450 millilitres par jour.

En faisant vos courses, vérifiez qu'il s'agit bien de lait écrémé ou demi-écrémé, car la matière grasse saturée du lait entier suffit à en annuler les effets protecteurs.

Certains des meilleurs aliments pour prévenir les accidents vasculaires cérébraux sont ceux qui contiennent des vitamines du groupe B. En effet, de nombreuses études ont montré que le folate et les vitamines B_{12} et B_6 pouvaient faire baisser les taux d'homocystéine, un acide aminé naturellement présent dans l'organisme. Il s'agit là d'une constatation importante, car l'augmentation des taux d'homocystéine fait également grimper le risque d'AVC, souligne le Dr Killian Robinson, cardiologue.

Les différentes vitamines du groupe B sont présentes dans toutes sortes d'aliments. Le folate est fourni en abondance par les légumes à feuilles vert foncé comme les épinards ou la laitue romaine. Les diverses viandes, les produits laitiers écrémés et les œufs contiennent tous de la vitamine B_{12}. Quant à la vitamine B_6, on la trouve dans la banane, le poulet et le germe de blé.

Pour mieux maîtriser le risque d'AVC, les aliments que nous mangeons ont leur importance, ainsi que les quantités absorbées. Le surpoids est peut-être la principale cause d'hypertension artérielle, laquelle multiplie plusieurs fois le risque d'AVC. Les individus hypertendus sont d'ailleurs cinq fois plus exposés au risque d'accident vasculaire cérébral que ceux dont la pression artérielle est normale. De plus, une surcharge pondérale augmente le risque de diabète, qui peut à son tour multiplier le risque d'AVC. «Voilà une raison de plus de perdre les kilos excédentaires», souligne le Dr Pearson – qui ajoute toutefois que la taille mannequin n'est pas forcément un critère de bonne santé. Il suffit bien souvent de perdre entre 4 et 9 kilos environ pour abaisser la pression artérielle et, par conséquent, le risque d'accident vasculaire cérébral.

LES ALLERGIES ALIMENTAIRES
LES DANGERS DE NOS ALIMENTS

Un homme allergique aux fruits de mer vient de commander un hamburger accompagné de frites. Quelques minutes à peine après avoir terminé ce repas, le voilà qui suffoque et cherche désespérément son souffle. Il découvre peu après que le bain de friture avait également servi pour des crevettes.

Une femme allergique à la moutarde commande du poulet. Après l'avoir mangé, elle se trouve soudain au bord de l'évanouissement. Il s'avère ensuite que le volatile avait été badigeonné d'une pâte à frire à base de moutarde.

Dans le domaine des allergies alimentaires, il ne suffit pas toujours de savoir quels aliments peuvent déclencher une crise, puisque les allergènes peuvent se dissimuler là où l'on s'y attend le moins. C'est bien là tout le problème: il s'agit d'être sur ses gardes pratiquement sans relâche.

NOS DÉFENSES EN DÉROUTE

Les allergies alimentaires surviennent lorsque le système immunitaire de l'organisme identifie par erreur comme des ennemis certaines protéines alimentaires fondamentalement inoffensives. Chaque fois que nous absorbons un aliment allergène, le système immunitaire monte à l'attaque. Toutes sortes de symptômes peuvent en résulter: congestion, troubles digestifs, démangeaisons cutanées, enflure de la bouche ou des mains, parfois même troubles respiratoires. Même des aliments le plus souvent bénéfiques, tels que le lait écrémé ou le blé, sont capables de déclencher ce type de réactions.

C'est chez l'enfant que les allergies alimentaires se produisent le plus fréquemment. La plupart du temps, le petit patient finit par guérir spontanément avec les années, mais certaines allergies, surtout lorsqu'elles sont liées aux cacahuètes ou aux fruits de mer, peuvent nous affecter pour le restant de notre existence, selon le Dr Talal M. Nsouli, professeur d'allergologie et d'immunologie et spécialiste de l'asthme. Parmi les aliments qui provoquent souvent des allergies, on peut citer les œufs, le soja, le blé, les cacahuètes et les fruits de mer, mais chez certains sujets particulièrement sensibles, n'importe quel aliment peut provoquer des troubles, selon le Dr Nsouli.

Il existe généralement une prédisposition familiale aux allergies alimentaires, souligne Mme Sheah Rarback, porte-parole de l'Association diététique américaine. En réalité, si l'un de vos deux parents était atteint d'une allergie alimentaire, vous avez entre 20 et 30% de chance d'être vous-même allergique. Si vos deux parents étaient sujets aux allergies alimentaires, vos chances d'être allergique à votre tour augmentent de 40 à 50%.

Les spécialistes ne connaissent pas les causes exactes des allergies alimentaires. Selon une théorie, précise le Dr Nsouli, les nourrissons et les jeunes enfants qui absorbent des aliments potentiellement allergènes avant que leur système immunitaire soit devenu suffisamment robuste pourraient acquérir ainsi des allergies spécifiques à ces types d'aliments pour le restant de leur vie. C'est pour cette raison que beaucoup de médecins conseillent de ne pas administrer d'aliments solides aux nourrissons de moins de six mois et d'éviter le lait de vache avant l'âge de un an. De plus, il est préférable d'éviter les œufs jusqu'à la deuxième année et de ne commencer à donner du poisson et des cacahuètes qu'après l'âge de trois ans. En outre, l'allaitement maternel au cours des premiers mois offre une protection contre les allergies alimentaires chez l'enfant.

TROUBLES GRAVES POUR PEU DE CHOSE

Les personnes légèrement allergiques peuvent parfois absorber de petites quantités d'un aliment auquel elles sont sensibles, pourvu que cela reste occasionnel. Chez certains allergiques, en revanche, la réaction est si grave que même une trace de l'allergène peut provoquer un trouble potentiellement mortel, l'anaphylaxie. Selon le Dr Nsouli, les sujets particulièrement sensibles n'ont pas le choix et les aliments problématiques «doivent être évités comme s'il s'agissait de poison».

Puisqu'il est souvent malaisé de savoir exactement ce que contiennent nos aliments, les médecins recommandent aux allergiques particulièrement sensibles d'avoir toujours sur eux une seringue d'épinéphrine, afin de pouvoir pratiquer une auto-injection si nécessaire. En cas de choc anaphylactique, ce médicament peut stopper presque instantanément la crise, relève le Dr William Ziering, allergologue et professeur de médecine.

S'ALIMENTER SANS DANGER

Il n'existe pas de traitement pouvant guérir les allergies alimentaires, mais les individus sensibles peuvent néanmoins prendre un certain nombre de précautions pour éviter les crises. Tout d'abord, il est indispensable de déchiffrer attentivement les étiquettes de produits alimentaires. Gardez-vous bien de supposer que tel ou tel produit ne contient aucun ingrédient auquel vous êtes sensible, souligne le Dr Nsouli. Si vous êtes allergique aux arachides, il est bien

Les otites seraient-elles d'origine allergique?

Chez les pédiatres, les otites sont l'un des motifs de consultation les plus fréquents et ce trouble est en France la première cause de prescription d'antibiotiques chez l'enfant de moins de 15 ans. Il s'agit d'un trouble difficile à soigner car malgré les antibiotiques, certains enfants sont sujets à des récidives très fréquentes.

Selon le Dr Talal M. Nsouli, professeur d'allergologie et d'immunologie, il se pourrait que les allergies alimentaires jouent un rôle dans l'apparition des otites. En effet, les enfants allergiques à certains aliments présentent également, bien souvent, une congestion. L'accumulation de fluides et de bactéries dans les passages qui relient le nez et l'oreille moyenne favorise grandement l'apparition des otites.

Au cours d'une étude effectuée par le Dr Nsouli et ses collègues, les chercheurs ont constaté que sur 104 jeunes patients sujets à des otites à répétition, 81 présentaient des allergies alimentaires. Lorsque le Dr Nsouli leur eut prescrit une alimentation excluant tous les aliments allergènes, la plupart d'entre eux virent leur état s'améliorer considérablement. Par la suite, ces mêmes enfants furent autorisés à recommencer d'absorber les aliments allergènes, et 94% d'entre eux eurent alors, à nouveau, des otites.

«Tout enfant sujet à des otites à répétition devrait être examiné par un allergologue», conclut le Dr Nsouli.

évident que le beurre de cacahuète vous est strictement interdit. Sachez cependant que de nombreux autres aliments, comme certaines confiseries (même des M&Ms classiques), contiennent également des arachides sous forme de poudre.

Pour ne rien arranger, les fabricants de produits alimentaires ont la mauvaise habitude de modifier périodiquement la composition de leurs produits, relève Mme Rarback. Si tel ou tel produit ne contient aujourd'hui aucun ingrédient auquel vous êtes sensible, cela ne veut pas dire qu'il en ira toujours de même. «Soyez toujours sur vos gardes, poursuit-elle. Lisez systématiquement les étiquettes.»

D'autre part, si toutes les étiquettes faisaient usage de termes simples, en mentionnant par exemple «lait» et «blé» parmi les ingrédients, il serait relativement facile d'éviter certains aliments. Malheureusement, dans le monde si complexe de l'industrie alimentaire, il n'est pas toujours facile de savoir exactement ce que nous mangeons. C'est précisément pour cela que les allergiques feraient bien de s'informer sur le vocabulaire utilisé par les fabricants. Par exemple, si vous êtes allergique aux produits laitiers, vous ne tarderez pas à apprendre que des ingrédients comme la caséine et le petit-lait sont tout aussi dangereux pour vous qu'un verre de lait. Le Dr Nsouli vous conseille de demander à votre médecin une liste des produits et des ingrédients que vous avez intérêt à éviter.

Même lorsque nous savons quels aliments écarter, il y a toujours le problème d'un repas au restaurant, où il est à peu près impossible de vérifier les ingrédients utilisés. Mme Rarback suggère de demander à parler au chef de cuisine afin de le questionner sur tous les aliments auxquels vous êtes sensible, sans oublier l'huile, les épices et autres ingrédients.

Afin d'éviter toute mauvaise surprise, il est utile de bien faire comprendre à votre interlocuteur les répercussions fâcheuses et la gravité de vos allergies alimentaires. Expliquez-lui que non seulement certains ingrédients précis peuvent vous rendre malade, mais que même les objets qui ont pu entrer en contact avec ces aliments, comme les ustensiles de cuisine qui ont servi à leur préparation, pourraient entraîner des conséquences désastreuses pour vous. «Prenez la peine d'avertir ceux qui vous entourent», conseille le Dr Nsouli. Lorsqu'ils connaîtront mieux la gravité de ce trouble, ils seront beaucoup plus attentifs à ce qu'ils mettront dans votre assiette.

Certains aliments sont très faciles à écarter de notre alimentation, car ils peuvent être remplacés par beaucoup d'autres. Par exemple, les personnes allergiques au lait de vache utilisent souvent à la place du lait de riz ou de soja, note le Dr Nsouli. (Ces produits sont fréquemment additionnés de calcium, ce qui permet d'obtenir tous les avantages du lait sans ses inconvénients.) D'autres aliments sont plus difficiles à remplacer. Même s'il n'est pas impossible de faire du pain avec de la farine de riz, par exemple, ni le goût ni la texture ne ressemblent vraiment à ceux du pain fabriqué à base de farine de blé. Rien ne vous empêche toutefois de faire des essais avec de la farine d'orge, de seigle ou de millet. Vous finirez bien par trouver des aliments qui ne vous causent pas de problème.

L'ANÉMIE
EFFACER LA FATIGUE

En grec, le terme d'anémie signifie «absence de sang», mais il s'agit bel et bien d'une exagération. Un anémique ne manque pas de sang; simplement, ses globules blancs ne véhiculent pas assez d'oxygène, source d'énergie.

Il existe diverses formes d'anémie, mais la plus courante est l'anémie ferriprive. Lorsque nous n'obtenons pas assez de fer par notre alimentation ou en cas d'hémorragie importante – par exemple chez la femme lors de ses règles –, l'aptitude du sang à transporter l'oxygène peut diminuer très rapidement. Privé d'oxygène, l'organisme est alors à bout de forces. L'anémie peut nous affaiblir et nous plonger dans l'apathie. Il nous semble que le cerveau ne fonctionne plus. Nous avons toujours froid.

Selon les statistiques, environ 10% des Françaises ont de trop faibles réserves de fer et sont donc exposées au risque d'anémie. Heureusement, il est généralement facile de remédier à ce trouble. Mieux encore, le remède est ce que nous aimons le mieux: l'alimentation.

LE FER EST LE MEILLEUR REMÈDE

Une femme en âge de procréer a besoin de 15 milligrammes de fer par jour pour rester en bonne santé. La femme ménopausée et l'homme doivent en absorber 10 milligrammes chaque jour. Quant à la femme enceinte, il lui en faut beaucoup plus: 30 milligrammes par jour. Il est pratiquement impossible d'obtenir de telles quantités de fer par l'alimentation, et c'est pourquoi beaucoup d'obstétriciens prescrivent aux futures mamans un apport complémentaire de fer.

Pour la majorité d'entre nous, est-il tellement difficile d'obtenir suffisamment de fer par l'alimentation? Cela ne pose pas trop de problèmes si nous mangeons de la viande, du poisson et de la volaille. La teneur en fer de ces aliments est en effet relativement élevée. Par exemple, une portion de moules à la vapeur pesant 100 grammes contient 6 milligrammes de fer. Un steak de 100 grammes de gîte à la noix maigre, grillé, en contient 3 milligrammes, et la même quantité de poitrine de dinde rôtie en fournit 1 milligramme.

Mais si vous ne mangez que rarement de la viande ou si vous êtes végétarien, vous devriez veiller plus attentivement à votre alimentation. Les végétaux, il est vrai, comportent également du fer. Une portion de 100 grammes de petits pois en boîte, par exemple, contient 2 milligrammes de fer, et les haricots rouges et les lentilles en fournissent respectivement 9 milligrammes par portion de 100 grammes. Comme vous pouvez le voir, ce n'est pas la quantité totale de fer qui est problématique, mais bien la biodisponibilité de ce dernier.

AMÉLIORER L'ABSORPTION

La biodisponibilité définit la facilité d'absorption dans l'organisme des nutriments fournis par l'alimentation. Il existe deux formes de fer, dont le degré de biodisponibilité est très différent. Le fer fourni par la viande, le poisson et les fruits de mer, appelé fer héminique (ou hème ferreux), est facilement assimilable. En revanche, le fer non héminique fourni par les aliments d'origine végétale est moins facilement absorbé.

Voici un exemple. Sur les 6 milligrammes de fer que contiennent 100 grammes de moules, à peu près 15% seront absorbés par l'organisme. Par comparaison, sur les 9 milligrammes de fer contenus dans 100 grammes de lentilles, 3% seulement vont être assimilés, explique le Dr Victor Herbert, professeur de médecine et corédacteur de *Total Nutrition*.

En choisissant judicieusement nos aliments, il est toutefois possible d'améliorer la biodisponibilité du fer absorbé. Par exemple, lorsque nous mangeons un aliment qui contient de la vitamine C en même temps qu'un autre aliment contenant du fer, nous multiplions la quantité de fer qui passera dans le courant sanguin. «C'est dans un milieu acide que le fer s'absorbe le plus efficacement, et surtout en présence d'acide ascorbique (vitamine C)», commente le Dr Carol Fleischman, professeur de médecine.

Parallèlement, en absorbant au cours d'un même repas de la viande et des légumes, nous absorbons davantage de fer. Le fer héminique de la viande «bonifie» le fer des légumes, dont il facilite l'absorption.

«Ne vous inquiétez pas trop de la proportion de vitamine C par rapport au fer des aliments, ni de la proportion de fer héminique par rapport au fer non héminique, poursuit le Dr Fleischman. Il est certain que l'absorption du fer se fait mieux si nous prenons la peine de coordonner ces divers éléments, mais lorsqu'une femme manque de fer, son organisme s'empressera d'en absorber le plus possible. Par conséquent, plus son alimentation lui fournit de fer et plus elle en absorbe.»

AUGMENTER NOS RÉSERVES DE FER

Si vous pensez être anémique, il est probable que votre médecin souhaitera procéder à un examen approfondi pour s'assurer que vous ne présentez aucun trouble grave. Lorsque le problème tient seulement au fait que votre alimentation ne vous fournit pas assez de fer, en revanche, il est presque toujours facile d'y remédier.

Les amateurs de palourdes ont bien de la chance. En effet, une portion de 20 petites palourdes cuites à la vapeur contient une dose de fer colossale: 25 milligrammes. Cela représente plus de trois fois la quantité de fer contenue dans une portion de foie de poulet.

Les diverses viandes, les légumes et les légumineuses sont également de bonnes sources de fer. En alliant le fer héminique de la viande au fer non héminique des haricots secs et des légumes, il est possible d'augmenter de 10 à 15% l'absorption du fer non héminique; «il s'agit là d'une augmentation substantielle», fait remarquer le Dr Henry C. Lukaski, chargé de recherches.

Afin d'obtenir le plus possible de fer par l'alimentation, prenez l'habitude d'absorber en même temps un peu de vitamine C. Ce nutriment peut «multiplier par deux l'absorption du fer non héminique», souligne le Dr Janet R. Hunt, nutritionniste chargée de recherches.

Il y a bien des façons d'inclure la vitamine C dans nos repas. Une tomate, par exemple, contient 24 milligrammes de vitamine C, soit 40% de la Valeur quotidienne (VQ). Il est également possible d'absorber de la vitamine C en buvant du jus d'ananas, d'orange ou d'autres agrumes.

Une autre manière d'absorber le fer avec de la vitamine C consiste à manger plus souvent des pommes de terre. Une pomme de terre en robe des champs contient 20 milligrammes de vitamine C (33% de la VQ), ainsi que 0,6 milligramme de fer. En mangeant les pommes de terre avec leur peau, nous multiplions par plus de trois la quantité de fer que nous pouvons assimiler.

En revanche, le calcium est un nutriment qu'il vaut mieux ne pas absorber en même temps que le fer. Il peut se révéler désastreux d'absorber des aliments riches en calcium et un complément alimentaire de fer au cours du même repas. «Ces deux nutriments se font concurrence pour se lier aux mêmes sites récepteurs de nos cellules», explique le Dr Fergus Clydesdale, professeur de science alimentaire. Le calcium et le fer des aliments entrent également en concurrence, mais pas autant que lorsque ces minéraux sont absorbés sous forme de compléments alimentaires.

Le Dr Clydesdale recommande de prendre le calcium à trois heures de distance du fer. Par exemple, arrosez vos céréales de lait au petit déjeuner, mais attendez la fin de la matinée pour prendre votre complément de fer. En réalité, cela n'est pas bien compliqué. Si vous souhaitez absorber le plus possible de fer au cours du prochain repas, attendez le repas suivant pour absorber des aliments riches en calcium, ou pour prendre un complément alimentaire de calcium.

Il en va de même du café et du thé. Ces deux boissons contiennent des tanins; ces substances chimiques exercent un effet légèrement inhibiteur sur les compléments de fer, souligne le Dr Clydesdale. Par conséquent, il est préférable d'éviter de prendre un complément alimentaire de fer avec une tasse de café.

Une astuce toute simple pour augmenter la quantité de fer absorbée consiste à utiliser une cocotte en fonte pour la préparation des aliments, fait remarquer le

Dr Lukaski. «En règle générale, cela permet d'augmenter de 2 à 5% la quantité de fer absorbée», précise-t-il. Quant au petit déjeuner, tant mieux si vos préférences sont plutôt désuètes. Une demi-tasse de crème de blé enrichie en fer fournit 5 milligrammes de ce minéral. Les flocons d'avoine instantanés contiennent également du fer, quoiqu'en quantité moins importante: environ 3,6 milligrammes pour 100 grammes.

LES VÉGÉTARIENS EN DANGER

L'anémie est deux fois plus courante chez les végétariens que chez les mangeurs de viande, relève le Dr Herbert. Dans ce cas, le problème provient non seulement du manque de fer, mais également d'un manque de vitamine B_{12}. Ce nutriment indispensable pour la division et la croissance de nos cellules nous est fourni essentiellement par les aliments d'origine animale, explique ce médecin. Par conséquent, il n'est pas rare que l'alimentation des végétariens stricts leur fournisse trop peu, voire pas du tout de vitamine B_{12}.

Cela peut provoquer un trouble, l'anémie pernicieuse, qui ne devient un problème qu'au bout d'un certain temps, d'autant plus que l'organisme n'utilise que très peu de vitamine B_{12} à la fois. Chez la plupart d'entre nous, les réserves de ce nutriment suffisent pour environ six ans: «Il s'agit là d'une période de grâce», selon le Dr Fleischman. C'est la raison pour laquelle les végétariens stricts ne s'aperçoivent pas forcément très rapidement des symptômes de carence en vitamine B_{12}, qui peuvent se manifester par de la fatigue et des picotements dans les extrémités.

Comme c'est le cas pour l'anémie ferriprive, il est facile de faire régresser la carence en vitamine B_{12}. «Les végétaliens, qui sont des végétariens stricts dont l'alimentation ne comprend ni viande ni produits laitiers, devront probablement prendre de la vitamine B_{12} sous forme de complément ou de la levure de bière, commente le Dr Fleischman. Demandez à votre médecin laquelle de ces deux solutions est préférable dans votre cas.»

L'APPENDICITE
LA FORCE DES FIBRES

Les chercheurs se demandent depuis des années pourquoi l'appendicite est relativement rare dans des endroits comme l'Afrique ou l'Asie, alors qu'en France il s'agit d'un trouble extrêmement courant, affectant environ 7% des occidentaux à un moment ou à un autre de leur vie. Dans l'Hexagone, 300 000 appendicectomies sont pratiquées chaque année.

Il semble évident que nous commettons une erreur; mais laquelle?

«Les spécialistes pensent depuis fort longtemps qu'une alimentation riche en fibres offre une protection contre l'appendicite», commente le Dr David G. Addiss, épidémiologiste spécialiste des parasitoses. Les populations d'Afrique et d'Asie absorbent de très grandes quantités de fruits, de légumes et de céréales complètes, ainsi que d'autres aliments riches en fibres. Dans nos pays, en revanche, la plupart d'entre nous n'absorbons guère plus de 11 à 15 grammes de fibres par jour. Cela représente moins de la moitié de la Valeur quotidienne (VQ) pour les fibres, qui est de 25 à 30 grammes.

FACILITER LA DIGESTION

L'appendicite se produit généralement lorsqu'un amas de selles durcies obstrue l'orifice minuscule – de la taille d'un petit pois – de l'appendice. Cet élément du gros intestin devient alors la proie des bactéries qui en profitent pour y proliférer. Les fibres de nos aliments absorbant l'eau, une alimentation riche en fibres a pour effet de rendre les selles plus volumineuses et plus molles, donc moins susceptibles de se disperser, ce qui diminue donc le risque de particules isolées pouvant obstruer l'appendice.

D'autre part, lorsque nous absorbons davantage de fibres, les selles traversent le tube digestif plus rapidement. «Tout ce qui peut accélérer le transit des produits d'élimination à travers le gros intestin est forcément bénéfique», souligne le Dr Frank G. Moody, professeur de chirurgie. Les médecins ne sont pas encore en mesure d'affirmer s'il est ou non possible de prévenir l'appendicite en absorbant plus de fibres, mais il est d'ores et déjà certain que cela nous offre une protection.

L'un des meilleurs moyens d'absorber davantage de fibres par l'alimentation consiste à commencer la journée avec des céréales. La plupart des céréales destinées au petit déjeuner, chaudes ou froides, sont d'excellentes sources de fibres, selon Mme Pat Harper, nutritionniste. Certaines céréales contiennent d'ailleurs 10 grammes de fibres (voire davantage) par portion. Cela représente près de la moitié de la Valeur quotidienne pour un seul bol de céréales. Par conséquent, la prochaine fois que vous irez faire vos courses, n'oubliez pas d'acheter quelques boîtes de céréales. Prenez toutefois le temps de lire la liste des ingrédients, recommande Mme Harper. Un produit à base de céréales doit comporter au moins 5 grammes de fibres par portion. Dans le cas contraire, il est préférable de choisir une autre marque. Ou alors, si votre marque préférée ne contient que peu de fibres, mélangez-la avec un autre produit plus riche en fibres afin d'obtenir une meilleure protection.

Un autre moyen d'absorber plus de fibres consiste à manger des produits à base de céréales complètes. Divers aliments tels que le pain blanc, le riz blanc, la farine blanche, sont obtenus à partir de céréales transformées et privées d'une bonne partie de leurs fibres protectrices. Il faudrait par exemple manger 20 tranches de pain blanc pour obtenir tout juste 10 grammes de fibres. En revanche, les aliments à base de céréales complètes en contiennent beaucoup plus. Une tranche de pain complet, par exemple, contient 2 grammes de fibres, soit plus de quatre fois la teneur d'une tranche de pain blanc. Une portion de 50 grammes d'orge cuit contient 3 grammes de fibres, et la même quantité de bouillie de flocons d'avoine en contient tout autant. Selon Mme Harper, toutes les céréales complètes sont d'excellentes sources de fibres.

Quant aux légumineuses, elles en contiennent plus encore. Une portion de 100 grammes de petits pois cuisinés, par exemple, contient 6 grammes de fibres (près d'un tiers de l'Apport journalier recommandé). La même quantité de haricots rouges cuisinés contient près de 9 grammes de fibres, et une portion de 100 grammes de pois chiches nous en fournit près de 5 grammes.

Les fruits et les légumes ne peuvent se comparer aux légumineuses sur ce plan, mais ils contiennent néanmoins de bonnes quantités de fibres. Une portion de 150 grammes de brocoli, par exemple, contient 2 grammes de fibres, et une pomme ou une orange en fournissent chacune environ 3 grammes. N'oublions pas non plus les fruits secs. Une demi-tasse de 75 grammes raisins secs contient 4 grammes de fibres, et 10 abricots séchés en fournissent 3 grammes.

Même si la chair juteuse des fruits contient une petite quantité de fibres, c'est dans la peau des fruits que l'on trouve le plus de fibres. Chaque fois que possible, il est donc préférable de manger les fruits (ainsi que les légumes, notamment les pommes de terre) avec leur peau.

Bien entendu, les agrumes font exception à cette règle, puisque leur écorce n'est pas comestible. Heureusement, une bonne partie des fibres contenues dans les oranges, pamplemousses et autres agrumes se trouve dans la peau blanche juste sous l'écorce. Afin d'absorber davantage de fibres, évitez de couper les agrumes en rondelles. Prenez plutôt l'habitude de les peler et d'en manger les quartiers entiers.

L'ARTHRITE
DES ALIMENTS POUR SOULAGER
LA DOULEUR ARTICULAIRE

Un traitement chinois traditionnel pour l'arthrite préconise de faire macérer pendant trois mois 100 serpents morts dans 5 litres de vin rouge additionné de quelques herbes aromatiques, et de boire ensuite cette préparation trois fois par jour durant 6 à 12 semaines.

Sans doute une telle potion vous paraît-elle pour le moins bizarre, mais jusqu'à une date récente, beaucoup de médecins considéraient l'idée de soigner l'arthrite par l'alimentation comme à peine moins farfelue que cette concoction peu appétissante. Il n'existe certes aucun aliment précis capable de soulager l'arthrite chez toutes les personnes affectées sans exception, mais à l'heure actuelle, les médecins admettent que les aliments absorbés (ou, selon les cas, ceux que l'on évite de manger) peuvent contribuer à soulager les douleurs liées à ce trouble, voire même ralentir l'évolution de ce dernier.

DES ARTICULATIONS DOULOUREUSES

L'arthrite, qui est cause de douleurs, de rigidité et d'enflure dans les articulations ainsi qu'à l'intérieur de ces dernières, n'est pas une seule maladie mais bien plusieurs. La forme la plus courante de l'arthrite est l'arthrose, ou ostéoarthrite, due à l'usure courante du cartilage (la substance élastique entre les articulations, dont le rôle est d'absorber les chocs). Lorsque le cartilage s'use, il se produit un frottement des os entre eux, ce qui provoque des douleurs et une raideur dans les doigts, les genoux, les pieds, les hanches et le dos.

La polyarthrite chronique évolutive (également appelée polyarthrite rhumatoïde) est une forme plus grave de ce trouble, qui se produit lorsque le système immunitaire, au lieu de protéger l'organisme, se retourne contre lui pour l'attaquer. Ces offensives provoquent l'enflure de la membrane qui entoure les articulations, et qui finit par grignoter le cartilage protecteur. C'est cette forme d'arthrite qui dépend le plus du régime alimentaire.

LES ALIMENTS DÉCLENCHEURS

Un certain nombre de travaux laissent entendre que la polyarthrite chronique évolutive est déclenchée par une défaillance du système immunitaire. Si ce dernier est affecté par notre alimentation, il semble logique que pour certaines personnes, les aliments absorbés puissent avoir une influence sur leur état de santé.

« L'alimentation joue un rôle crucial dans le traitement de cette forme d'arthrite, déclare le Dr Joel Fuhrman, spécialiste en médecine nutritionnelle. Chez les populations qui ont une alimentation naturelle comportant surtout des fruits, des légumes et des céréales n'ayant subi aucun processus de transformation, les maladies liées à un dérèglement du système immunitaire sont pratiquement inconnues. En Chine rurale, par exemple, on ne recense pratiquement aucun cas de polyarthrite chronique évolutive, car dans cette région, les habitudes alimentaires de la population sont complètement différentes des nôtres. »

L'enjeu ne consiste pas seulement à manger davantage de fruits, de légumes et de céréales. Certaines personnes sont particulièrement sensibles à des aliments spécifiques comme le blé, les produits laitiers, le maïs, les agrumes, les tomates ou les œufs, qui peuvent déclencher une réponse inflammatoire dans l'organisme. La plupart du temps, pourtant, les allergies alimentaires ne jouent aucun rôle dans les flambées arthritiques, selon le Dr David Pisetsky, spécialiste de l'arthrite.

Tant de facteurs risquant d'exacerber les douleurs liées à la polyarthrite chronique évolutive, il est parfois malaisé de savoir quels aliments éviter (s'il y a lieu). Le Dr Pisetsky recommande de prendre l'habitude d'inscrire chaque jour dans un cahier les aliments absorbés, de manière à pouvoir mieux retrouver ce que vous mangiez au moment où une flambée s'est produite. Vous pourriez ainsi découvrir une tendance précise – vous avez par exemple mangé des tomates juste avant une crise – qui vous aidera à déterminer les aliments à éviter. Chaque fois que vous aurez identifié un aliment suspect, cessez d'en manger pendant au moins cinq jours. Réintroduisez ensuite cet aliment dans votre alimentation pour vérifier si les symptômes réapparaissent.

LE SOULAGEMENT PAR L'ALIMENTATION VÉGÉTARIENNE

Il semble logique, les protéines de la viande jouant parfois un rôle dans l'apparition des douleurs de l'arthrite, qu'une alimentation végétarienne puisse contribuer à soulager ces mêmes symptômes douloureux, ainsi que l'ont d'ailleurs confirmé les recherches.

Au cours d'une étude norvégienne, 27 personnes atteintes de polyarthrite chronique évolutive ont adopté une alimentation végétarienne durant une année. (Après trois à cinq mois, elles pouvaient, si elles le souhaitaient, recommencer à absorber des produits laitiers.)

De plus, leur alimentation ne comportait ni gluten (protéine présente dans le blé), ni sucre blanc, ni sel, ni alcool, ni caféine. Après un mois, leurs articulations étaient moins douloureuses et moins enflées, leurs raideurs matinales étaient moins fréquentes et elles avaient plus de force de préhension que d'autres personnes qui avaient conservé leur alimentation habituelle.

LE SOULAGEMENT PAR LE JEÛNE

Beaucoup de médecins ont du mal à croire qu'il suffise de jeûner pour soulager les douleurs liées à la polyarthrite chronique évolutive, mais le Dr Joel Fuhrman, spécialiste en médecine nutritionnelle, est au contraire persuadé que le jeûne joue un rôle capital. «Pour peu qu'un patient atteint de ce trouble se mette à jeûner, il verra presque à coup sûr ses douleurs disparaître, au moins momentanément», affirme-t-il.

Chez un grand nombre d'individus atteints de ce trouble, poursuit le Dr Fuhrman, le système immunitaire trop actif s'attaque à des particules de nourriture partiellement digérées que l'intestin laisse échapper dans le courant sanguin. Le jeûne apporte à tout l'organisme, et notamment au système immunitaire, le temps de repos nécessaire à la guérison, poursuit-il. En outre, si vous recommencez ensuite à vous alimenter de manière très progressive, en réintroduisant un seul aliment à la fois, vous parviendrez à déterminer quels aliments risquent le plus de provoquer une récidive, ajoute-t-il.

Pour tous ceux que n'enchante guère la perspective d'un jeûne total, fût-ce pour quelques jours seulement, il est parfaitement acceptable de boire durant la période de jeûne des jus de fruits et de légumes, ou encore des tisanes. Ce type de jeûne modifié suffit généralement à soulager les douleurs de l'arthrite, tout en fournissant à l'organisme un apport nutritionnel supplémentaire.

Le jeûne ne présente la plupart du temps aucun danger, mais le Dr Fuhrman fait néanmoins remarquer qu'il peut représenter un risque pour les personnes sous traitement médical. Pour plus de précaution, consultez votre médecin avant d'entreprendre un jeûne.

LE RÔLE DES MATIÈRES GRASSES

Avec tout ce que nous savons aujourd'hui, il est difficile de trouver une seule maladie qui ne s'aggrave pas lorsque l'on absorbe une alimentation comportant beaucoup de corps gras saturés. L'arthrite, semble-t-il, n'échappe pas à cette règle.

Au cours d'une étude, des chercheurs ont administré pendant 12 semaines à 23 personnes atteintes de polyarthrite chronique évolutive une alimentation comportant très peu de matières grasses (les corps gras ne fournissant que 10% de l'apport énergétique). En outre, les participants faisaient chaque jour une demi-heure de marche, et ils suivaient un programme destiné à diminuer le stress. Chez les personnes de ce groupe, les chercheurs ont ensuite mesuré une diminution de 20 à 40% des douleurs et de l'enflure articulaires; beaucoup des participants ont pu diminuer leur dose de médicaments pour soulager l'arthrite. Les participants du groupe de contrôle, qui n'observaient pas ce mode d'alimentation, ne présentaient aucune amélioration semblable de leur état.

«Nous pensons que cette diminution de la douleur et de l'enflure articulaire est à mettre essentiellement sur le compte de l'alimentation végétarienne», commente le Dr Edwin H. Krick, professeur de médecine.

Lorsque l'alimentation comporte peu de corps gras saturés, le corps diminue la production de prostaglandines (substances similaires aux hormones et contribuant à l'inflammation), explique le Dr Krick. De plus, une alimentation pauvre en matières grasses peut gêner les signaux émis par le système immunitaire, contribuant ainsi à interrompre la réponse inflammatoire dans l'organisme. «En stoppant la production de ces substances chimiques, il pourrait être possible d'aider les articulations à guérir, commente ce médecin. L'un des moyens pour parvenir à ce but est d'adopter une alimentation pauvre en matières grasses ou essentiellement végétarienne.»

Certains médecins recommandent de limiter la quantité de matières grasses absorbées afin qu'elles ne dépassent pas 25% de l'apport énergétique total, et ils précisent que les corps gras ne devraient pas constituer plus de 7% de l'apport calorique. «Il existe un moyen très simple d'absorber moins de matières grasses saturées: il faut éviter d'en ajouter à nos aliments, explique le Dr Pisetsky. Par exemple, lorsque vous préparez un sandwich, tartinez-le de mayonnaise allégée au lieu d'utiliser du beurre.»

Un autre moyen d'absorber moins de corps gras saturés consiste à remplacer le beurre, la crème fraîche et le fromage par des produits allégés ou maigres. Même si vous n'écartez pas complètement les matières grasses saturées, le simple fait d'en absorber moins peut déjà vous apporter un soulagement.

LE POISSON QUI SOULAGE

Il est certes judicieux d'absorber moins de matières grasses de manière générale, mais une alimentation visant à soulager l'arthrite devrait néanmoins comporter un type de lipide spécifique. Il s'agit des acides gras de type oméga 3, essentiellement fournis par les poissons d'eau froide comme le maquereau, la truite et le saumon. En effet, ces lipides ont la propriété de freiner dans l'organisme la production de prostaglandines et de leucotriènes, deux substances qui contribuent à l'inflammation.

Au cours d'une étude, des chercheurs de New York ont demandé à 37 arthritiques d'absorber des doses importantes d'huile de poisson. Après six mois, les participants disaient avoir moins de douleurs articulaires, moins de raideurs matinales, et une meilleure force de préhension que ceux qui n'absorbaient que peu ou pas du tout d'huile de poisson.

Les études scientifiques ont souvent recours à des compléments alimentaires, mais il est parfaitement possible d'obtenir les mêmes avantages en mangeant du poisson, selon une étude effectuée à Seattle. Des chercheurs ont en effet constaté que des femmes qui mangeaient chaque semaine au moins une portion de poisson grillé ou cuit au four étaient moins exposées à la polyarthrite chronique évolutive que d'autres femmes qui n'en mangeaient pas.

Afin d'obtenir un avantage thérapeutique en mangeant du poisson, il est nécessaire d'en faire deux ou trois repas par semaine, souligne le Dr Joanne Curran-Celentano, professeur de sciences de la nutrition. Parmi les poissons qui contiennent beaucoup d'acides gras oméga 3, on peut citer le saumon, le thon rouge, la truite arc-en-ciel, le flétan et le lieu jaune. Le poisson en boîte, comme le maquereau, le hareng, les sardines et le thon, est également une bonne source d'oméga 3.

Soulager l'usure courante

Pendant des années, les médecins étaient loin de se douter qu'il puisse exister un rapport entre l'alimentation et l'arthrose. Après tout, se disaient-ils, ce trouble est le résultat, naturel et prévisible, de l'usure courante des articulations. Qu'est-ce que l'alimentation pourrait bien y changer?

D'après une étude préliminaire, cependant, notre alimentation semble avoir un impact certain. En effet, des chercheurs de Boston ont étudié les habitudes alimentaires de patients atteints d'arthrose au genou. Ils ont constaté que le risque d'aggravation était trois fois moindre chez les patients qui absorbaient le plus de vitamine C – plus de 200 milligrammes par jour – que chez ceux qui obtenaient le moins de vitamine C (moins de 120 milligrammes par jour).

Jusqu'ici, les chercheurs n'ont pas réussi à comprendre pour quelle raison la vitamine C semblait avoir un tel impact, commente le Dr Timothy McAlindon, professeur de médecine, qui dirigeait ces travaux. La vitamine C étant un anti-oxydant, il est possible qu'elle protège les articulations des effets nuisibles des radicaux libres (molécules instables pouvant provoquer une inflammation articulaire). «Il se pourrait aussi que la vitamine C participe à la genèse du collagène, qui améliore l'aptitude du corps à réparer les lésions du cartilage», ajoute-t-il.

Le Dr McAlindon recommande d'absorber par l'alimentation au moins 120 milligrammes de vitamine C par jour, ce qui représente le double de la Valeur quotidienne. «Il suffit de manger deux oranges pour en obtenir autant», précise-t-il. Divers autres fruits et légumes sont de bonnes sources de vitamine C, notamment le melon cantaloup, le brocoli, les fraises, le poivron et le jus de canneberge.

En outre, l'arthrose est affectée non seulement par les aliments que nous absorbons, mais par notre poids corporel.

«Un certain nombre de travaux semblent indiquer que les personnes corpulentes présentent un risque accru d'arthrose dans les articulations porteuses comme celle du genou», souligne le Dr Pisetsky. Les recherches suggèrent également que ces personnes présentent un risque plus élevé d'arthrose dans les articulations non porteuses, comme celles des mains. «Une perte de poids procure un soulagement des douleurs et une amélioration de la mobilité», conclut-il.

L'ASTHME

Manger pour mieux respirer

Si vous êtes asthmatique, il suffit de peu de chose : une marche rapide, un brusque courant d'air froid ou même un passage de pollen peuvent provoquer un rétrécissement soudain des voies respiratoires, vous donnant l'impression que chaque bouffée d'air inspirée est infiniment précieuse.

Heureusement, il est possible de maîtriser l'asthme. Les aliments absorbés sont un élément crucial de la stratégie à mettre en œuvre. «L'alimentation, voilà le secret», affirme le Dr Richard N. Firshein, ostéopathe, professeur de médecine familiale et auteur du livre *Reversing Asthma*.

Combattre l'inflammation

Une bonne partie de la bataille contre l'asthme est une lutte contre l'inflammation. Lorsque le pollen, divers agents polluants ou d'autres substances irritantes véhiculées par l'air pénètrent dans les poumons, le système immunitaire génère des agents chimiques afin d'éliminer ces intrus. Hélas, ces substances chimiques destinées à nous défendre causent en réalité beaucoup de dégâts, provoquant une congestion et une inflammation des voies respiratoires venant considérablement gêner la respiration. Simultanément, l'organisme libère des nuées de radicaux libres (molécules d'oxygène nuisibles), ce qui aggrave encore l'inflammation. C'est pour cette raison que chez les asthmatiques, l'inflammation des voies respiratoires persiste souvent longtemps après la fin d'une crise d'asthme.

Pour remédier à l'asthme, un moyen consiste à réduire l'inflammation. Certains travaux laissent entendre que l'absorption d'aliments contenant beaucoup de vitamine C et d'autres antioxydants, qui inhibent les effets des radicaux libres, peut aider les voies respiratoires à retrouver leur état normal. «Nous savons qu'une crise d'asthme est un phénomène inflammatoire, et nous savons qu'elle génère des quantités de radicaux libres, commente le Dr Gary E. Hatch, chercheur toxicologue. Par conséquent, les antioxydants devraient avoir un effet bénéfique.»

Les trois antioxydants qui semblent avoir le plus d'efficacité pour lutter contre l'asthme sont le sélénium et les vitamines C et E. En outre, les recherches ont démontré qu'un certain nombre d'aliments, notamment le poisson, réduisaient l'inflammation dans le corps tout entier et plus précisément dans les poumons.

Du jus pour l'asthme

La nature a prévu un certain nombre de stratagèmes pour maîtriser les radicaux libres et c'est ainsi que l'on trouve dans la muqueuse des poumons une grande concentration de vitamine C. Par conséquent, il est judicieux pour les asthmatiques d'adopter une alimentation riche en vitamine C antioxydante.

Deux études américaines de grande envergure ont permis de constater que les personnes qui consommaient le plus de vitamine C étaient nettement moins exposées aux troubles respiratoires, en particulier l'asthme, que celles qui en consommaient le moins. Le Dr Hatch précise qu'il n'est pas nécessaire de prendre de grandes quantités de vitamine C pour être ainsi protégé. Les recherches suggèrent qu'il suffit d'absorber 200 milligrammes de vitamine C par jour – soit plus de trois fois la Valeur quotidienne (VQ) de 60 milligrammes – pour obtenir une protection adéquate des poumons.

La vitamine C est l'un des antioxydants les plus faciles à obtenir en grande quantité. Un verre de 180 millilitres de jus d'orange fraîchement pressé, par exemple, fournit 93 milligrammes de vitamine C (un tiers de plus que la VQ). Les agrumes, les poivrons, le brocoli, les choux de Bruxelles et les fraises en sont aussi d'excellentes sources.

Respirez profondément grâce à la vitamine E

Les recherches suggèrent que la vitamine E peut abaisser le risque d'asthme de manière tout à fait spectaculaire. Au cours d'une étude de grande envergure portant sur 75 000 infirmières, par exemple, des chercheurs de Harvard ont constaté que le risque d'asthme diminuait de 47 % chez celles qui consommaient le plus de vitamine E, par rapport à celles qui en consommaient le moins.

L'avantage de la vitamine E est qu'elle semble viser les radicaux libres générés par la pollution atmosphérique, qui sont l'une des principales causes de l'asthme. De plus, la vitamine E stimule dans l'organisme la libération de substances chimiques qui contribuent à détendre les muscles lisses, notamment ceux des voies respiratoires à l'intérieur des poumons.

Comme dans le cas de la vitamine C, il n'est pas nécessaire d'absorber beaucoup de vitamine E pour obtenir une protection. Au cours de l'étude portant sur des infirmières, par exemple, les femmes qui présentaient un faible risque d'asthme n'en absorbaient pas plus de la Valeur quotidienne, c'est-à-dire 30 unités internationales.

La vitamine E étant essentiellement présente dans les huiles culinaires, en revanche, il n'est pas toujours facile d'en absorber suffisamment. Le meilleur moyen pour consommer davantage de ce nutriment peut être de prendre l'habitude d'ajouter du germe de blé à certains aliments comme les petits pains ou des pains de viande. Une portion de germe de blé contient 5 unités internationales de vitamine E, soit près de 17% de la VQ. Il est possible d'obtenir de plus petites quantités de vitamine E en mangeant des amandes, des graines de tournesol, des céréales complètes, des épinards et du chou frisé.

MANGEZ DES NOIX

Le sélénium est un élément trace, ce qui revient à dire que nous n'avons pas besoin d'en absorber de grandes quantités. Les recherches suggèrent toutefois qu'un modeste apport de sélénium peut se montrer très bénéfique, surtout chez les asthmatiques.

Tout comme les vitamines C et E, le sélénium est un antioxydant qui peut contribuer à protéger les poumons contre les méfaits des radicaux libres. Mieux encore, le corps met à profit le sélénium (en conjonction avec une substance complexe, le glutathion) pour augmenter l'efficacité des vitamines C et E.

Au cours d'une étude portant sur 115 personnes, des chercheurs de Nouvelle-Zélande ont constaté que le risque d'asthme était divisé par cinq chez celles qui absorbaient le plus de sélénium par l'alimentation, par rapport à celles qui en obtenaient le moins.

La Valeur quotidienne pour le sélénium s'élève à 70 microgrammes, et il semble que cette faible dose suffise à diminuer le risque d'asthme. Les diverses viandes, le poulet et les fruits de mer sont tous de bonnes sources de sélénium, mais le champion est sans conteste la noix du Brésil. Une seule de ces noix oblongues contient en effet 120 microgrammes de sélénium, soit 170% de la VQ.

MIEUX RESPIRER

Il est certain qu'à long terme, les antioxydants peuvent contribuer à maîtriser l'asthme (et à le prévenir), mais, en cas de crise, ils n'offrent guère de consolation. Si c'est un soulagement rapide qu'il vous faut, offrez-vous un bon repas de flétan, d'huîtres vapeur, d'épinards et de doliques à œil noir. Chacun de ces aliments contient de grandes quantités de magnésium, un minéral capable de vous aider à mieux respirer.

Le magnésium détend les muscles lisses des voies respiratoires, ce qui permet à un volume d'air plus important d'y pénétrer. De plus, il réduit l'activité des cellules de l'organisme qui sont à l'origine de l'inflammation. Le magnésium peut être utilisé pour traiter l'asthme, car il est à la fois antihistaminique et broncho-dilatateur.

Au cours d'une étude britannique, les chercheurs ont exposé plus de 2 600 sujets asthmatiques à une substance chimique ayant pour effet de rétrécir les voies respiratoires. Ils ont ainsi constaté que le risque de rétrécissement des voies respiratoires doublait chez ceux des participants qui obtenaient le moins de magnésium par leur alimentation, par rapport à ceux qui en absorbaient le plus.

Les huîtres, le flétan et le maquereau sont de bonnes sources de magnésium. Les épinards cuits sont également intéressants, puisqu'une portion de 130 grammes en fournit 75,5 milligrammes (environ 20% de la VQ).

Reprendre son souffle

La poissonnerie la plus proche vous offre une autre possibilité de soulager votre asthme. Diverses études ont montré que les acides gras de type oméga 3 fournis par le poisson peuvent contribuer à diminuer l'inflammation des poumons. Mieux encore, ces huiles semblent atténuer les lésions tissulaires qui se produisent souvent après une crise d'asthme, souligne le Dr Firshein.

Le saumon, le maquereau et divers autres poissons gras, qui contiennent beaucoup d'oméga 3, semblent les plus efficaces pour soulager l'asthme. Au cours d'une étude de grande envergure, des chercheurs australiens ont constaté qu'au sein des familles où l'on absorbait habituellement très peu de poisson gras, près de 16% des enfants étaient asthmatiques. Dans d'autres familles où ces types de poissons figuraient souvent au menu, en revanche, 9% seulement des enfants avaient de l'asthme. Enfin, dans les foyers où l'on ne mangeait jamais de poisson, 23% des enfants étaient asthmatiques.

LES BRÛLURES D'ESTOMAC
ÉTEINDRE LE FEU

S'il vous est jamais arrivé d'avoir des brûlures d'estomac, vous savez à quel point ce terme se justifie. Ce trouble donne l'impression d'avoir dans la poitrine un feu ardent. La douleur est d'ailleurs parfois si vive que certaines personnes se précipitent chez le médecin, se croyant victimes d'une crise cardiaque.

Les brûlures d'estomac se produisent lorsque les sucs digestifs chargés d'acides remontent dans l'œsophage (le passage qui relie la bouche à l'estomac). En temps normal, un petit muscle serré à la base de l'œsophage, le sphincter inférieur de l'œsophage, empêche ces sucs de remonter. Lorsque ce muscle se détend à un moment inopportun, en revanche, il se produit une sorte d'éclaboussement des sucs digestifs vers le haut, et les tissus sensibles de l'œsophage en sont littéralement brûlés. C'est ainsi que se produisent les désagréables brûlures d'estomac.

Il s'avère que dans la plupart des cas, ce trouble est causé par un grand nombre de nos aliments habituels, en fonction du moment où nous les absorbons. De plus, certains aliments ont le pouvoir de soulager rapidement les brûlures d'estomac. Avant de vous précipiter à la pharmacie pour acheter un antiacide en vente libre, commencez donc par aller voir ce que vous avez à la cuisine.

«Les personnes qui ont souvent des brûlures d'estomac feraient bien de modifier d'abord leurs habitudes alimentaires», commente le Dr Suzanne Rose, gastro-entérologue et spécialiste des troubles de l'œsophage et de la déglutition.

GUÉRIR DE L'INTÉRIEUR

L'un des aliments pouvant soulager les brûlures d'estomac est le gingembre, selon le Dr John Hibbs, naturopathe. Ce dernier tonifie le sphincter inférieur de l'œsophage, qui parvient mieux ainsi à contenir les acides. Le goût du gingembre frais est très fort, et il est donc préférable d'en préparer une tisane en versant une tasse d'eau bouillante sur une petite quantité, 1/2 à 1 cuillerée à café de gingembre frais râpé (ou 1/4 à 1/2 cuillerée à café de gingembre en poudre). Laissez infuser dix minutes et filtrez à l'aide d'une passoire avant de boire.

Une autre stratégie pour éviter les brûlures d'estomac consiste à manger des pâtes, du riz, des pommes de terre ou d'autres aliments qui contiennent des glucides complexes, car ces derniers absorbent les acides dans l'estomac, selon le Dr Ara H. DerMarderosian, professeur de pharmacognosie (l'étude des médicaments d'origine naturelle) et de chimie médicinale.

Enfin, le Dr Rose ajoute qu'il vaut mieux éviter de s'allonger après un repas. Lorsque l'estomac est bien rempli, les acides parviennent très facilement à remonter dans l'œsophage, surtout en position couchée, puisque la gravité joue alors contre nous. Il est préférable de rester soit debout, soit assis sur une chaise, ce qui empêche les acides de remonter, précise-t-elle.

CAUSES FRÉQUENTES

Selon les chercheurs, 25 millions d'Américains environ se plaignent chaque jour de brûlures d'estomac. Pire encore, le pourcentage de l'apport énergétique fourni par les matières grasses est considérablement plus élevé chez les Américains que parmi pratiquement n'importe quelle autre population du globe. Simple coïncidence ? Les chercheurs ne le pensent pas.

Diverses études ont montré qu'un certain nombre d'aliments, en particulier ceux qui contiennent beaucoup de matières grasses (comme le beurre et la viande rouge), peuvent momentanément diminuer la tonicité du sphincter inférieur de l'œsophage. Au cours d'une étude, par exemple, des chercheurs de Caroline du Nord ont constaté que des personnes qui absorbaient habituellement des repas très gras subissaient des remontées acides pendant un laps de temps quatre fois plus long que d'autres individus dont l'alimentation était moins grasse.

Le chocolat est un autre aliment souvent incriminé, ajoute le Dr Rose. Non seulement il s'y trouve beaucoup de matières grasses, mais d'autres complexes qu'il contient peuvent avoir pour effet de détendre plus encore le sphincter inférieur de l'œsophage. Au cours d'une autre étude, les mêmes chercheurs ont constaté que lorsque les participants avaient mangé du chocolat, les acides gastriques continuaient ensuite d'éclabousser l'œsophage pendant encore une heure environ.

Les aliments gras ne sont d'ailleurs pas seuls en cause. L'oignon, par exemple, peut provoquer des brûlures chez certaines personnes. Les chercheurs n'ont pas encore déterminé exactement quelle substance de l'oignon déclenche ce trouble, mais pour certaines personnes, il suffit de manger une seule tranche d'oignon pour que cela provoque de vives brûlures d'estomac.

La menthe, souvent utilisée dans les produits de boulangerie, les glaces et les sucreries, est une autre cause fréquente de brûlures d'estomac, ajoute le Dr Rose. Au cours d'une étude, des chercheurs de New York ont découvert que lorsque l'on absorbe de la menthe, il suffit de quelques minutes pour que le muscle de l'œsophage perde une partie de son efficacité.

Enfin, soyez prudent et évitez de manger des aliments épicés aussi longtemps que vos brûlures d'estomac ne seront pas guéries, note le Dr Rose.

Beaucoup de gens n'ont aucune hésitation avant de faire subir aux tissus délicats de l'œsophage un repas fortement épicé et arrosé de piment rouge, ou même un verre de jus d'orange. Ne croyez pas qu'il vous faudra renoncer à tout jamais à vos aliments préférés, ajoute-t-elle. Contentez-vous de les mettre de côté pendant quelques jours, jusqu'à ce que vous vous sentiez mieux.

LES CALCULS BILIAIRES
NETTOYER LES DÉCHETS

Notre corps a certes besoin du cholestérol, mais cette substance épaisse et gluante s'est fait une bien fâcheuse réputation – d'ailleurs amplement justifiée – de semeur de trouble. Lorsque le cholestérol est présent en excès, il contribue non seulement aux maladies cardiovasculaires, à l'hypertension artérielle et aux accidents vasculaires cérébraux, mais il joue également un rôle dans l'apparition des calculs biliaires. Ces concrétions dures et compactes peuvent être à l'origine de douleurs absolument insupportables.

Comme leur nom l'indique, les calculs biliaires se forment dans la vésicule biliaire, qui est une poche où se trouve la réserve de bile utilisée par l'organisme pour digérer les corps gras dans l'intestin grêle. En temps normal, la bile est un liquide qui contient également de petites particules de cholestérol, de protéines et de matières grasses.

Mais lorsque notre alimentation nous apporte trop de corps gras et de cholestérol, ces particules ont tendance à s'agglutiner pour former des calculs biliaires, explique le Dr Henry Pitt, directeur d'un centre spécialisé dans les calculs et les troubles biliaires.

Par conséquent, les personnes sujettes aux calculs ont tout intérêt à manger moins de viande rouge et de produits laitiers entiers, et devraient absorber moins de tous les autres aliments pouvant contenir de grandes quantités de matières grasses et de cholestérol, ajoute le Dr Pitt.

Un autre moyen de prévenir les calculs biliaires consiste tout simplement à manger plus souvent. Ces calculs provenant d'une accumulation de déchets, tout ce qui peut amener la vésicule biliaire à se contracter plus fréquemment contribuera à évacuer ces débris avant qu'ils puissent constituer des calculs, selon le Dr Robert Charm, professeur de médecine et gastro-entérologue. La vésicule biliaire se contracte chaque fois que nous mangeons, et le fait de prendre plusieurs petits repas par jour au lieu de deux ou trois repas plus importants contribuera à stimuler son activité tout en favorisant l'évacuation des débris. En buvant de grandes quantités d'eau, nous contribuons également à empêcher la formation de calculs.

Tout programme visant à éviter les calculs biliaires devrait, semble-t-il, faire une large place au poisson. En effet, le poisson et les fruits de mer contiennent

Du fer pour prévenir les calculs

Les chercheurs ont établi un rapport entre une carence en fer et des troubles très divers, depuis la dépression jusqu'à l'épuisement. Aujourd'hui, certains se demandent même si elle pourrait être à l'origine des calculs biliaires.

Le sang contient une protéine, la transferrine, qui transporte le fer à travers le corps. Les personnes qui présentent un faible taux de fer génèrent davantage de transferrine: le corps s'efforce ainsi de tirer le meilleur parti du peu de fer dont il dispose. «Certaines protéines, et notamment la transferrine, entraînent une formation plus rapide des cristaux de cholestérol», commente le Dr Henry Pitt, directeur d'un centre spécialisé dans les calculs et les troubles biliaires. Ce cholestérol peut à son tour entraîner la formation de calculs biliaires.

Au cours d'études en laboratoire, des animaux carencés en fer qui recevaient une alimentation à forte teneur en cholestérol produisaient davantage de calculs biliaires que d'autres dont les taux de fer étaient normaux, poursuit le Dr Pitt. Si aucune étude comparable n'a été effectuée sur l'être humain, divers travaux suggèrent néanmoins qu'un phénomène similaire se produit. Les femmes enceintes, par exemple, qui ont souvent de faibles taux de fer, présentent un risque très élevé de calculs biliaires, toujours selon le Dr Pitt.

Les résultats de cette étude soulèvent diverses questions, mais à ce stade, il ne s'agit encore que de travaux préliminaires, précise le Dr Pitt. «Il pourrait se révéler possible de prévenir les calculs biliaires grâce à un traitement de la carence en fer, mais cela reste très hypothétique, conclut-il. Ce concept est assez révolutionnaire.»

---

une catégorie de corps gras, les acides gras de type oméga 3, dont il est prouvé qu'ils contribuent à abaisser le taux de cholestérol. Des études préliminaires à la faculté de médecine de l'université Johns Hopkins suggèrent qu'il pourrait être possible de prévenir les calculs biliaires en absorbant davantage de ces huiles bénéfiques. Le saumon est une excellente source d'acides gras oméga 3, puisqu'une portion de 170 grammes en contient environ 2 900 milligrammes, c'est-à-dire à peu près la quantité qui s'est avérée efficace dans cette étude, précise le Dr Pitt.

Les personnes corpulentes sont bien plus sujettes aux calculs biliaires que les sujets sveltes, ajoute le Dr Michael D. Myers, médecin non conventionnel. «Pour chaque kilo de tissus adipeux dans l'organisme, nous fabriquons 20 milligrammes de cholestérol», explique le Dr Myers. Ainsi, il est non seulement judicieux de manger moins d'aliments gras, mais il faut également absorber plus de fruits, de légumes, de céréales complètes et de légumineuses, puisque ces types d'aliments sont à la base d'une alimentation équilibrée si l'on souhaite perdre du poids.

Même si une perte de poids peut contribuer à prévenir les calculs biliaires, un amaigrissement trop rapide et trop important peut avoir l'effet exactement inverse, car il entraîne une augmentation du taux de cholestérol dans la vésicule biliaire, ajoute le Dr Myers. De plus, si l'on réduit considérablement la quantité de nourriture absorbée, l'activité de la vésicule biliaire se ralentira spontanément, favorisant ainsi l'accumulation de déchets susceptibles de former des calculs.

Selon les instituts nationaux américains de la santé, une alimentation comportant moins de 860 calories par jour peut augmenter le risque de calculs biliaires. Si vous comptez les calories, il vaut mieux absorber entre 1 000 et 1 200 calories par jour afin de favoriser une perte de poids sans pour autant s'exposer au risque de calculs, souligne le Dr Dominic Nompleggi, professeur de médecine et de chirurgie.

LES CALCULS RÉNAUX
LA CUISINE OFFRE UN SOULAGEMENT

Il y a d'abord des douleurs. Des douleurs épouvantables. Ensuite, on constate la présence de calculs rénaux.

Ces concrétions, constituées essentiellement de sels minéraux, mériteraient à vrai dire le nom d'oursins rénaux, car il leur arrive d'être hérissées de pointes acérées. Un calcul peu important peut parfois s'expulser à notre insu, mais un calcul plus important, dont la dimension peut aller de la pointe d'un stylo à un objet gros comme une gomme, provoque des douleurs abominables lorsqu'il se déplace à travers l'urètre (le passage par lequel s'écoule l'urine). On a parfois comparé l'expulsion d'un calcul aux douleurs de l'accouchement, et certaines femmes affirment même que c'est bien pire.

Il existe divers types de calculs rénaux, mais les plus courants sont constitués de calcium. Les experts ne savent pas très bien ce qui provoque leur formation. En revanche, une chose est sûre, c'est que l'alimentation peut jouer un rôle essentiel, selon le Dr Lisa Ruml, professeur de médecine. Les aliments absorbés ont une influence sur le type et la quantité des minéraux qui s'accumulent dans notre urine, et chez certaines personnes, ce sont précisément ces minéraux qui provoquent la formation de calculs.

Le plus important est peut-être ceci : si vous avez déjà expulsé un calcul, il est probable que cela se reproduira. Prenez donc bonne note des informations fournies par votre médecin sur le type de calcul que produit votre organisme, puisque ces précisions auront une influence sur le changement souhaitable de vos habitudes alimentaires. Les calculs qui répondent le mieux à une réforme alimentaire sont ceux qui se constituent de calcium ou d'acide urique. Les changements diététiques recommandés dans les quelques pages qui suivent sont suggérés principalement en fonction de ces types de calculs.

DU POTASSIUM POUR ÉLIMINER LES CALCULS

S'il vous est arrivé une fois de ressentir les douleurs provoquées par un calcul rénal, vous ne voudrez certes pas vous exposer à une récidive. Prenez donc l'habitude de manger régulièrement une poignée d'abricots secs ou d'ajouter plus souvent à vos repas une pomme de terre cuite au four. De même que beaucoup de fruits et de légumes, ces aliments sont essentiellement alcalins, et ils contribuent donc à neutraliser dans l'organisme les acides pouvant constituer des calculs.

Voici quelques explications données par le Dr Ruml. Les aliments alcalins augmentent les taux de citrate (un minéral présent dans l'urine). Celui-ci contribue à inhiber la formation des calculs.

Afin d'augmenter vos taux de citrate, ajoute le Dr Ruml, vous devez prendre l'habitude de manger davantage de fruits et de légumes. «De nombreux aliments qui contiennent beaucoup de citrate, comme les agrumes et les légumes, sont également de bonnes sources de potassium», dit-elle.

Un autre moyen d'augmenter les taux de citrate pouvant dissoudre les calculs consiste à boire plus de jus d'orange. Au cours d'une étude effectuée à Dallas, des hommes qui avaient déjà eu plusieurs fois des calculs rénaux ont reçu chaque jour soit trois verres de jus d'orange, soit des compléments de potassium et de citrate. Les chercheurs ont ainsi pu constater que le jus d'orange était presque aussi efficace que les compléments. «Nous recommandons aux personnes qui ont des calculs de boire au moins un litre de jus d'orange par jour, en raison de sa teneur en potassium et en citrate», précise le Dr Ruml.

LE MAGNÉSIUM EST BÉNÉFIQUE

Notre corps contient de nombreux minéraux, dont les taux respectifs sont sans cesse rééquilibrés. Selon le Dr Ruml, lorsque nous mangeons des aliments qui contiennent du magnésium, cela peut contribuer à prévenir les calculs en abaissant les taux d'un autre minéral, l'oxalate. Ce dernier peut être à l'origine de troubles, car c'est l'un des principaux éléments des calculs rénaux.

Le poisson, le riz, les avocats et le brocoli contiennent tous des quantités appréciables de magnésium. Une portion de 85 grammes de filet de flétan grillé ou cuit au four, par exemple, contient 91 milligrammes de magnésium, soit 23% de la Valeur quotidienne (VQ). Une portion de 50 grammes de riz complet long grain, cuit, en fournit plus de 50 milligrammes, et une tête de brocoli cuit en contient 43 milligrammes (11% de la VQ).

Voici un autre moyen très simple d'obtenir davantage de magnésium: buvez du lait écrémé vitaminé. Mais si votre médecin vous a conseillé d'absorber moins de produits laitiers, n'en buvez pas plus de 225 ml par jour, ajoute le Dr Ruml.

Bien entendu, il est également préférable de veiller à absorber moins d'oxalate, poursuit-elle. Si vous êtes sujet aux calculs rénaux, mieux vaut n'absorber qu'une portion par semaine d'aliments qui en contiennent, comme le thé noir, le chocolat, les cacahuètes et diverses autres noix, les épinards et les fraises.

DES FIBRES POUR LUTTER CONTRE LES CALCULS

Afin de mettre toutes les chances de votre côté, il peut s'avérer judicieux d'augmenter la quantité de fibres alimentaires que vous absorbez habituellement. Au cours d'une étude à Halifax, des chercheurs ont administré à 21 personnes une alimentation conçue pour diminuer le risque de calculs (peu de protéines, peu de calcium et peu d'oxalates). Après 90 jours, les mêmes personnes ont continué à recevoir la même alimentation, mais ont en outre absorbé 10 grammes de fibres alimentaires sous forme de biscuits riches en fibres. L'alimentation absorbée au cours du premier trimestre contribuait certes à diminuer le taux de calcium dans l'urine, mais l'addition de fibres le faisait baisser plus encore.

Les médecins n'ont pas encore déterminé jusqu'à quel point les fibres sont vraiment efficaces pour traiter ou prévenir les calculs rénaux, ajoute le Dr Ruml. «Je pense pouvoir affirmer que plus nous absorbons de fibres, plus l'organisme est en mesure de lier le calcium et l'oxalate dans l'intestin, faisant ainsi baisser les taux de ces minéraux dans l'urine», dit-elle.

Encore une précision sur les fibres: il pourrait être utile aux personnes sujettes à des calculs de diminuer le taux de calcium dans l'urine, mais cela risque d'être moins bénéfique pour celles qui souhaitent prévenir l'ostéoporose (trouble provoquant une fragilisation osseuse liée à de faibles taux de calcium). «Certaines personnes sujettes aux calculs rénaux pourraient être exposées à l'ostéoporose», souligne le Dr Ruml. Conclusion pour tous ceux qui ont tendance à faire des calculs: demandez conseil à votre médecin avant d'augmenter de manière substantielle la quantité de fibres que vous absorbez habituellement.

La controverse quant au calcium

Certains médecins conseillent aux personnes sujettes à des calculs rénaux de diminuer la quantité d'aliments riches en calcium absorbés, mais la question reste posée de savoir si le fait de consommer de grandes quantités de calcium augmente véritablement le risque de calculs. En réalité, certaines recherches très récentes suggèrent l'inverse. Une étude de Harvard portant sur près de 46 000 hommes a permis de constater que ceux qui absorbaient le plus de calcium présentaient en fait le plus faible risque de calculs. Au cours d'une autre étude également effectuée à Harvard, le risque de calculs rénaux était divisé par trois chez les femmes qui absorbaient chaque jour au moins 1 100 milligrammes de calcium par leur alimentation, par rapport à celles qui obtenaient moins de 500 milligrammes de calcium par jour.

Certains légumes, comme le brocoli et la verdure des navets, contiennent de faibles quantités de calcium, mais la meilleure façon d'en obtenir des quantités adéquates consiste à boire du lait et à manger divers produits laitiers. Un verre de lait écrémé protéiné et vitaminé, par exemple, contient 351 milligrammes de calcium; 100 grammes de yaourt écrémé en fournissent 150 milligrammes, et 25 grammes de gruyère à 25% de matières grasses en contiennent 150 milligrammes.

LE CANCER
LES ALIMENTS,
NOTRE MEILLEURE PROTECTION

Dans le domaine de la prévention du cancer, les aliments sont un remède très puissant. Quantités d'études montrent qu'une alimentation saine, comprenant moins de matières grasses et davantage de fruits, de légumes, de céréales complètes et de légumineuses, peut considérablement diminuer le risque de cancer. Les recherches indiquent d'ailleurs que si nous absorbions tous davantage de nourritures bénéfiques et moins d'aliments sans valeur diététique, l'incidence de tous les types de cancer diminuerait d'au moins 30%.

«Nos aliments sont loin de n'être qu'une forme rudimentaire de carburant, comme on l'a cru assez longtemps, souligne le Dr Keith Block, directeur médical d'un institut de cancérologie. Notre expérience au cours des deux dernières décennies indique que certaines substances complexes dans les aliments peuvent non seulement prévenir le cancer, mais également aider à lutter contre cette maladie au niveau même de nos cellules.»

UNE PROTECTION VENANT DU JARDIN

Les chercheurs savent depuis belle lurette que les personnes qui absorbent le plus de fruits, de légumes et d'autres aliments d'origine végétale sont moins exposées au cancer que d'autres dont les habitudes alimentaires ne sont pas aussi saines. En revanche, il n'y a pas très longtemps qu'ils en ont découvert la raison. Certaines substances appelées phytonutriments, que l'on trouve exclusivement dans les aliments d'origine végétale (le préfixe *phyto*, d'origine grecque, signifie plante), sont en effet capables de stopper le processus cancéreux.

Les recherches ont par exemple montré que le brocoli contient des phytonutriments appelés isothiocyanates, qui empêchent les cellules de devenir cancéreuses. Au cours d'une étude effectuée à Baltimore, des animaux de laboratoire qui avaient reçu de petites quantités de sulforaphane (une catégorie d'isothiocyanate) étaient à peu près deux fois moins susceptibles d'avoir une tumeur mammaire que d'autres cobayes qui n'avaient pas reçu cette substance.

Les phytonutriments sont également présents en abondance dans les aliments à base de soja comme le tofu, le tempeh et le lait de soja. Une substance complexe spécifique présente dans les aliments à base de soja, la génistéine, inhibe la croissance des tumeurs cancéreuses en empêchant le développement des vaisseaux sanguins voisins. Cela pourrait expliquer pourquoi les femmes japonaises, qui mangent beaucoup d'aliments à base de soja, présentent un plus faible risque de cancer du sein que leurs consœurs américaines. En outre, les recherches préliminaires suggèrent que les aliments à base de soja pourraient contribuer à réduire le risque de cancer de la prostate chez l'homme.

Nous ne saurions être surpris d'apprendre que l'ail, réputé depuis la nuit des temps pour son pouvoir thérapeutique, contient également de nombreux phytonutriments. Il s'avère que certains des plus puissants d'entre eux, les sulfures allyliques, contribuent à détruire les substances cancérigènes dans l'organisme. Au cours d'une étude portant sur près de 42 000 femmes, des chercheurs américains ont constaté que le risque de cancer du côlon était 35 % plus faible chez celles qui absorbaient chaque semaine plus d'une portion d'ail (c'est-à-dire soit une gousse d'ail frais, soit de l'ail en poudre) par rapport aux femmes qui ne mangeaient jamais d'ail.

LE POUVOIR DES ANTIOXYDANTS

Chaque jour, notre organisme doit faire face aux assauts répétés de molécules nuisibles appelées radicaux libres. Ces molécules d'oxygène non appariées, car elles ont perdu un électron, circulent à travers tout le corps à la recherche d'un électron de remplacement. Il s'ensuit un véritable pillage d'électrons qui endommage les cellules saines et pourrait même déclencher le processus cancéreux.

La nature avait pourtant prévu cette menace puisqu'elle a doté les fruits et les légumes, ainsi que divers autres aliments, de substances complexes protectrices appelées antioxydants, dont le rôle est soit d'empêcher l'apparition des radicaux libres, soit de mettre ces derniers hors d'état de nuire.

Beaucoup de complexes présents dans nos aliments jouent le rôle d'antioxydants dans l'organisme; mais, parmi ceux que l'on a le plus souvent étudié et dont on sait qu'il sont les plus puissants, se trouvent le bêtacarotène et les vitamines C et E.

Le bêtacarotène est le pigment qui donne à beaucoup de fruits et de légumes leur belle teinte orange ou rouge – mais n'allez pas croire qu'il ne sert qu'à cela! Les recherches ont en effet montré que cette substance stimule la libération dans l'organisme des cellules tueuses, qui traquent et détruisent les cellules cancéreuses avant que celles-ci ne puissent faire des dégâts.

Des dizaines d'études ont montré que les personnes qui absorbent habituellement beaucoup de bêtacarotène par l'alimentation peuvent diminuer leur risque de certains cancers, notamment le cancer des poumons, celui de l'intestin et ceux de la bouche et des gencives.

Il n'est pas nécessaire d'absorber de grandes quantités de bêtacarotène pour être protégé. Le résultat des recherches suggère qu'il suffit probablement d'en obtenir 15 à 30 milligrammes par jour, c'est-à-dire la quantité fournie par une ou deux grosses carottes. Le melon cantaloup, la patate douce, les épinards et le chou chinois sont tous d'excellentes sources de bêtacarotène.

Un autre antioxydant puissant est la vitamine C, dont il est prouvé qu'elle contribue à empêcher la formation de substances complexes cancérigènes dans le tube digestif. Au cours d'une étude de grande envergure, le Dr Gladys Block, professeur d'épidémiologie, a analysé des dizaines d'études moins conséquentes portant sur le rapport entre la vitamine C et le cancer. Sur les 46 études ainsi examinées, 33 montraient que les personnes qui absorbaient le plus de vitamine C présentaient également le plus faible risque de cancer.

La Valeur quotidienne (VQ) pour la vitamine C est de 60 milligrammes et l'obtention d'une telle quantité à partir de nos aliments ne pose aucun problème. Un poivron vert, par exemple, contient 66 milligrammes de vitamine C, tandis qu'une portion de 50 grammes de brocoli en fournit 35 milligrammes.

De tous les antioxydants, la vitamine E est peut-être le plus polyvalent. Non seulement elle fait obstacle aux radicaux libres, mais elle lutte contre le cancer en stimulant le système immunitaire. De plus, elle empêche efficacement la formation des complexes cancérigènes dans l'organisme.

La vitamine E est particulièrement importante pour les femmes qui présentent des antécédents familiaux de cancer du sein. Des chercheurs universitaires de New York ont constaté que le risque de cancer du sein diminuait de 80% chez les femmes qui absorbaient le plus de vitamine E, par rapport à celles qui en obtenaient le moins. Même chez les femmes sans antécédents familiaux de cancer du sein, le risque d'avoir cette maladie s'abaissait de 40% chez celles qui obtenaient le plus de vitamine E.

Le seul ennui avec la vitamine E, c'est que nos aliments ne nous en fournissent pas en très grande quantité. Certaines huiles culinaires en sont certes d'excellentes sources, mais d'un autre côté, leur teneur en corps gras est extrêmement élevée. Le germe de blé nous offre une manière «allégée» d'obtenir davantage de vitamine E par nos aliments. En absorbant un peu moins de 2 cuillerées à soupe de germe de blé, par exemple, nous obtenons environ 4 unités internationales de vitamine E (13% de la Valeur quotidienne). Céréales complètes, légumineuses, noix et graines, sont également de bonnes sources de ce précieux nutriment.

LA VÉRITÉ SUR LES CORPS GRAS

Il ne fait plus aucun doute qu'une alimentation axée essentiellement sur des chips salées, des pizzas, des burgers au fromage et des beignets – autant dire une alimentation grasse – représente dans le domaine du cancer l'un des principaux facteurs de risque.

«D'innombrables travaux ont établi le rapport entre les corps gras alimentaires et toutes sortes de cancers, en particulier le cancer du sein, du côlon, et le cancer de la prostate chez l'homme», commente le Dr Daniel W. Nixon, directeur adjoint d'un centre de cancérologie et auteur du livre *The Cancer Recovery Eating Plan.*

Une alimentation grasse stimule la production de radicaux libres dans l'organisme, souligne le Dr Keith Block, ce qui a pour effet non seulement d'endommager les cellules saines, mais aussi de multiplier les lésions du matériel génétique de l'organisme.

De plus, une alimentation grasse augmente la production d'acide biliaire; ce fluide servant à la digestion des matières grasses s'écoule ensuite dans l'intestin. L'acide biliaire pouvant se transformer dans l'organisme en substances complexes cancérigènes, l'absorption de trop grandes quantités de matières grasses peut donc augmenter considérablement le risque de cancer du côlon.

Enfin, une alimentation grasse stimule la production d'œstrogène et de testostérone dans l'organisme; or, si ces deux hormones atteignent des taux trop importants, elles peuvent déclencher la croissance de tumeurs dans le sein et dans la prostate.

Une étude portant sur diverses femmes, dans 21 pays différents, a par exemple permis de constater que le risque de cancer du sein était multiplié par plus de cinq chez celles qui absorbaient habituellement une alimentation grasse (c'est-à-dire que 45% de l'apport calorique provenait de matières grasses) par rapport à d'autres femmes ayant une alimentation maigre (dont 15% seulement de l'apport calorique provenait de matières grasses).

En prenant la précaution de diminuer, même légèrement, la quantité des corps gras absorbés, nous pouvons obtenir une protection importante. Au cours d'une étude, les chercheurs ont par exemple découvert que le risque de cancer des ovaires s'abaissait de 20% chez les femmes qui avaient réduit de seulement 10 grammes par jour la quantité de matières grasses absorbées.

Dans le cadre d'un programme de prévention du cancer, l'Institut national américain du cancer recommande de limiter à 30% l'apport calorique en provenance de matières grasses. «Quant à moi, je préconise d'abaisser encore ce rapport pour que les matières grasses ne représentent plus que de 20 à 25% de l'apport énergétique», souligne le Dr Nixon.

La méthode la plus facile pour absorber moins de corps gras sans chambouler notre alimentation de fond en comble consiste peut-être à diminuer la part des viandes, des produits laitiers et des aliments industriels, dont la teneur en matières grasses est généralement élevée. En prenant l'habitude d'absorber moins de ces catégories d'aliments, vous constaterez que vous mangez spontanément beaucoup plus d'aliments maigres, comme des légumes, des céréales complètes et des légumineuses, fait remarquer le Dr Nixon. Si vous adoptez cette stratégie, la part des corps gras dans votre alimentation s'abaissera d'elle-même.

Le pouvoir des fibres

Pendant bien longtemps, personne n'a pris les fibres alimentaires très au sérieux. Après tout, ce ne sont pas des nutriments, l'organisme est incapable de les absorber. Tout bien considéré, pensait-on, elles ne semblent jouer aucun rôle utile.

Aujourd'hui, nous savons au contraire que les fibres accomplissent bien plus qu'aucun spécialiste ne l'eût jamais imaginé. «Il est absolument indispensable d'absorber de grandes quantités de fibres si nous voulons diminuer le risque de certains cancers, en particulier celui du côlon», affirme le Dr Nixon.

Ce dernier nous explique que l'action des fibres contre le cancer se manifeste de différentes manières. Grâce à leur grand pouvoir absorbant, elles s'imprègnent d'eau en traversant le tube digestif. Les selles deviennent donc plus volumineuses, ce qui est un avantage supplémentaire, car l'intestin parvient à les expulser plus vite. L'évacuation du bol fécal s'effectuant plus rapidement, les substances nocives qu'il peut contenir ont ainsi moins de temps pour nuire aux cellules des muqueuses intestinales.

De plus, les fibres contribuent à piéger les substances cancérigènes dans le côlon. Les fibres elles-mêmes ne pouvant être absorbées dans l'organisme, elles sont ensuite évacuées avec les selles, entraînant du même coup les substances nuisibles.

Selon les médecins de l'Institut national américain du cancer, nous avons besoin de 20 à 35 grammes de fibres par jour afin de maintenir un faible risque de cancer. Une telle quantité peut sembler considérable, et ce serait certes beaucoup s'il fallait absorber cela d'un coup. En revanche, de nombreux aliments contenant au moins un peu de fibres, il est relativement facile d'en obtenir suffisamment en mangeant avec discernement.

Dans ce but, prenez l'habitude d'absorber plus souvent des fruits et des légumes. Mangez-les crus dans toute la mesure du possible, avec la peau. En procédant ainsi, vous ne tarderez pas à constater que vos besoins en fibres sont largement couverts, affirme le Dr Keith Block.

Les haricots secs, les légumes et les céréales complètes comptent parmi les meilleures sources de fibres à notre disposition. Il suffit de manger chaque jour plusieurs portions d'une de ces catégories d'aliments pour absorber une quantité acceptable de fibres. Une portion de 100 grammes de haricots rouges contient par exemple 9 grammes de fibres, tandis que la même quantité de pois chiches en fournit 5 grammes. Quant aux légumes verts, une portion de 100 grammes d'épinards cuits contient 3 grammes de fibres, et la même quantité de choux de Bruxelles en fournit tout autant.

Les céréales complètes sont également une excellente source de fibres; au petit déjeuner, choisissez par exemple du pain complet grillé (2 grammes de fibres par tranche) ou un bol de kasha (sarrasin concassé et prégrillé) dont un verre peut contenir environ 3 grammes de fibres. Dans la mesure du possible, efforcez-vous d'absorber chaque jour entre 6 et 11 portions de céréales complètes. Notons au passage qu'un sandwich compte pour deux portions et une tranche de pain en compte une.

LES CATARACTES
DES ANTIOXYDANTS PLEIN LA VUE

N'avez-vous pas l'impression que d'année en année, vous êtes contraint d'éloigner un peu plus votre journal pour en lire les titres? La lecture des panneaux de circulation devient problématique, et s'il s'agit de déchiffrer le menu dans un restaurant à l'éclairage discrètement romantique, autant y renoncer tout de suite.

Il est normal à la longue que les yeux se modifient légèrement. En revanche, chez les personnes atteintes de cataracte (accumulation de protéines dans le cristallin de l'œil), la perte d'acuité visuelle peut être dramatique. En évitant de fumer et en protégeant les yeux par des lunettes de soleil, il est possible de diminuer le risque de cataracte, mais, selon le Dr Allen Taylor, directeur d'un laboratoire de recherches sur la nutrition et la vision, une bien meilleure stratégie consiste à manger davantage de fruits et de légumes. Ces derniers contiennent toutes sortes de substances complexes protectrices capables d'empêcher les lésions oculaires avant même que les cataractes n'aient eu le temps d'apparaître.

Nos yeux subissent constamment les assauts des radicaux libres (molécules d'oxygène nuisibles auxquelles il manque un électron, et qui passent leur temps à chercher un électron de remplacement). Ces derniers s'emparent d'un électron partout où ils y parviennent, endommageant ainsi les cellules saines. Un moyen de se protéger contre de tels dégâts consiste à absorber beaucoup d'antioxydants comme le bêtacarotène et les vitamines C et E. Chacune de ces substances complexes, souligne le Dr Taylor, fait barrière contre les méfaits des radicaux libres.

LA VISION DES COULEURS

Le célèbre Popeye mange des épinards pour se doter de muscles impressionnants, mais ces légumes verts feuillus sont tout aussi efficaces pour fortifier nos yeux. Diverses études ont d'ailleurs montré que les épinards pourraient être l'une des meilleures stratégies défensives contre les cataractes.

Au cours d'une étude sur 12 ans portant sur plus de 50 000 infirmières, des chercheurs de Harvard ont découvert que le risque de cataracte grave s'abaissait de 39% chez celles dont l'alimentation leur fournissait le plus de caroténoïdes (pigments végétaux naturels, dont notamment le bêtacarotène), par rapport à d'autres femmes qui en absorbaient le moins. Lorsque les chercheurs ont examiné certains aliments spécifiques contenant des caroténoïdes, ils ont constaté que les épinards semblaient offrir la meilleure protection.

En effet, les épinards (ainsi que le chou frisé, le brocoli et divers autres légumes à feuilles vert foncé) contiennent bien plus que du bêtacarotène. On y trouve également deux autres caroténoïdes, la lutéine et la zéaxanthine, qui sont également présents en grande concentration dans les fluides des yeux. Autant dire que nous obtenons ainsi une protection optimale précisément là où nous en avons le plus besoin.

S'il en était besoin, voici une raison supplémentaire de manger davantage de fruits et de légumes. En effet, ces derniers contiennent souvent de grandes quantités de vitamine C, un nutriment qui semble jouer un rôle clé pour conserver une bonne acuité visuelle. Un certain nombre d'études de grande envergure ont permis de constater que les personnes dont l'alimentation leur apportait le plus de vitamine C étaient beaucoup moins sujettes aux cataractes que celles qui en absorbaient le moins.

Même si la Valeur quotidienne pour la vitamine C n'est que de 60 milligrammes, le Dr Taylor recommande d'augmenter cette dose jusqu'à 250 milligrammes pour une protection optimale de nos yeux. Il est facile d'obtenir cette quantité plus élevée par notre alimentation, ajoute-t-il. Une portion de 50 grammes de brocolis contient par exemple environ 35 milligrammes de vitamine C, et un grand verre de jus d'orange fraîchement pressé en fournit environ 90 milligrammes. D'autres aliments comme les agrumes, les choux de Bruxelles, les poivrons verts et rouges, les tomates et les melons sont également de bonnes sources de vitamine C.

DE L'HUILE POUR NOS YEUX

La vitamine E est un autre antioxydant que l'on retrouve en concentration élevée dans le cristallin des yeux. Au cours d'une étude portant sur plus de 15 000 médecins (tous des hommes), des chercheurs de Harvard ont découvert que ceux dont les yeux présentaient la plus forte concentration de vitamine E étaient moins susceptibles que les autres d'avoir une cataracte.

L'inconvénient de la vitamine E, c'est qu'il n'est pas facile d'en obtenir suffisamment sans avoir recours à des compléments alimentaires. En effet, la vitamine E est présente surtout dans des aliments gras, comme l'huile de maïs, l'huile de coton ou celle d'arachide. En revanche, il est possible d'obtenir la vitamine E sans la matière grasse en mangeant davantage de germe de blé. Une portion de 50 grammes de germe de blé contient plus de 10 milligrammes de vitamine E (environ 50% de la VQ). Les amandes, les mangues et les céréales complètes en sont également de bonnes sources.

Les bienfaits du lait

Le lait, de même que la viande de poulet et le yaourt, apportent à nos yeux une protection particulièrement efficace.

Tous ces aliments contiennent en effet de grandes quantités de riboflavine, une vitamine du groupe B qui semble contribuer à prévenir les cataractes. Au cours d'une étude portant sur plus de 1 000 personnes, des chercheurs de New York ont constaté que le risque de cataracte était bien moins élevé chez ceux des participants qui absorbaient le plus de riboflavine, par rapport à ceux qui n'en obtenaient qu'une faible quantité.

Une fois de plus, cet effet protecteur semble lié aux antioxydants. L'organisme a besoin de riboflavine pour fabriquer du glutathion, une substance complexe très efficace pour lutter contre les radicaux libres. Lorsque nous n'absorbons pas assez de riboflavine, les taux de glutathion s'abaissent et les radicaux libres ont alors plus de temps pour nuire à nos yeux.

LE CHOLESTÉROL
COMMENT NETTOYER NOS ARTÈRES

Vu la popularité du haggis, cette spécialité écossaise à base d'abats d'origine diverse et confits dans la graisse animale, et sachant que beaucoup d'Écossais ne mangent jamais de légumes, il est facile de comprendre pourquoi la population de l'Écosse présente l'un des taux de mortalité par maladies cardiovasculaires les plus élevés au monde. Quant aux Américains, s'ils mangent plus volontiers des hamburgers que du haggis, dans le domaine de la santé cardiovasculaire, ils ne sont pas tellement en avance par rapport aux Écossais. Nous autres Français sommes l'exception qui confirme la règle, puisque malgré des taux de cholestérol plus élevés que ceux des Américains, la mortalité coronarienne est en France près de 3 fois inférieure à celle qui sévit aux États-Unis.

Ce triste état de choses est essentiellement dû à l'excès de cholestérol. Des taux de cholestérol trop élevés sont en effet l'un des principaux facteurs de risque de crise cardiaque, d'accident vasculaire cérébral et d'autres maladies vasculaires. Plus de la moitié des adultes américains ont un taux de cholestérol supérieur à 200. En France, on estime que 10% de la population souffre d'hyper-cholestérolémie familiale et présente un taux de cholestérol supérieur à 240 (ou 2,4, comme on le voit le souvent sur les résultats d'analyses).

Pourtant, ces statistiques alarmantes recèlent aussi une bonne nouvelle : certes, un taux de cholestérol trop élevé augmente le risque de maladie cardio-vasculaire, mais il est possible de gérer ce risque au jour le jour. Une alimentation maigre est un moyen efficace de diminuer le taux de cholestérol sanguin et cette réduction, même très modeste, peut améliorer grandement notre état de santé. Chaque fois que notre taux de cholestérol total s'abaisse de 1%, notre risque de crise cardiaque diminue en effet de 2%.

COMPRENDRE LE CHOLESTÉROL

En soi, le cholestérol n'est pas cette boue toxique que nous avons générale-ment tendance à imaginer. Le corps tire parti du cholestérol, généré dans le foie, pour fabriquer des membranes cellulaires, des hormones sexuelles, des acides biliaires et de la vitamine D. Sans cholestérol, nous ne pourrions pas vivre.

422

En revanche, si cette substance indispensable, présente dans les aliments d'origine animale comme la viande, le lait, les œufs et le beurre, atteint dans le corps des taux trop élevés, elle ne tarde pas à devenir dangereuse. Cela est tout particulièrement vrai de la forme de cholestérol appelée LDL (lipoprotéines de faible densité) ou «mauvais» cholestérol.

Lorsqu'il circule dans le courant sanguin, le cholestérol LDL subit un processus d'oxydation, ce qui signifie essentiellement qu'il s'altère et devient rance. Notre système immunitaire ne tarde pas à le repérer et réagit envers lui comme il le ferait devant n'importe quel autre envahisseur: les cellules immunitaires engloutissent les molécules de cholestérol. Une fois saturées, elles adhèrent aux parois de nos artères pour y former une couche épaisse et grasse, la plaque athéromateuse. Pour peu que la couche de plaque soit devenue assez épaisse, le sang n'a plus suffisamment d'espace pour pouvoir circuler. En fin de compte, le courant sanguin peut ainsi se ralentir ou même s'interrompre. Lorsque cela se produit dans les artères qui conduisent vers le cœur, il en résulte une crise cardiaque, et, si cela survient dans les artères qui alimentent le cerveau, cela provoque un accident vasculaire cérébral.

Pourtant, notre organisme comporte un mécanisme destiné à conjurer cette menace. Une deuxième forme de cholestérol, appelée cholestérol HDL (lipoprotéines de haute densité), se charge de véhiculer le cholestérol dangereux afin de l'évacuer du sang et de l'amener jusqu'au foie, où il sera éliminé. Dans des circonstances normales, tout cela se déroule comme prévu. En revanche, lorsque les taux de cholestérol deviennent excessifs, le «bon» cholestérol HDL ne parvient plus à maîtriser la situation et les taux de LDL finissent peu à peu par atteindre la cote d'alerte.

Nous devrions si possible avoir des taux élevés de cholestérol HDL et de faibles taux de cholestérol LDL. Le Programme national américain du cholestérol recommande de maintenir le taux de cholestérol total à moins de 200 milligrammes par décilitre de sang. Plus spécifiquement, le LDL ne devrait pas dépasser 130, et le HDL devrait se situer au-dessus de 65.

Un moyen de maintenir le cholestérol sanguin dans des limites saines est de veiller à ne pas absorber plus de 300 milligrammes par jour de cholestérol par le biais de nos aliments. (Cette quantité représente un peu plus que la teneur d'un jaune d'œuf et demi.) En revanche, ainsi que nous l'avons déjà mentionné, le corps génère spontanément du cholestérol. Pour cette raison, il ne suffit pas de restreindre la quantité de cholestérol dans notre alimentation.

L'UTILITÉ DE L'ALIMENTATION

Lorsque le Dr John A. McDougall, cardiologue, était interne, vers la fin des années 1970, il travaillait avec un médecin chinois qui lui affirma qu'à Hong Kong, «les crises cardiaques étaient si rares que lorsqu'il s'en produisait une, des foules de médecins se précipitaient de tous les coins de la ville jusqu'au laboratoire d'autopsie pour voir de leurs propres yeux cette curiosité médicale».

Peut-on imaginer des médecins français s'étonnant d'assister à une crise cardiaque? Chaque année, en effet, 80 000 personnes sont hospitalisées pour cette raison et 50 000 en meurent, dont 28 000 hommes. Chacun sait d'ailleurs que les maladies cardiovasculaires sont la première cause de mortalité.

Comment expliquer l'incroyable différence entre ces deux pays? Dans une large mesure, cela est dû au cholestérol. Plus spécifiquement, c'est lié à certaines habitudes alimentaires qui font fluctuer les taux de cholestérol. Parmi les Chinois qui absorbent une alimentation traditionnelle, par exemple, les taux de cholestérol se situent en moyenne aux alentours de 127, un chiffre sain. Chez les Américains, qui tout comme nous mangent généralement beaucoup de viande rouge et d'aliments industriels gras, la moyenne se situe plutôt entre 200 et 240, soit 100 points plus haut.

Selon le Dr McDougall, l'alimentation asiatique traditionnelle, comportant beaucoup de légumes, de fruits et de céréales, et peu de viande rouge et de produits laitiers, est presque idéale pour abaisser le cholestérol.

Ce type d'alimentation peut s'avérer tout aussi bénéfique dans nos pays. Aux États-Unis, le *Lifestyle Heart Trial* (essai portant sur la santé du cœur en fonction du style de vie) a permis de constater que lorsque les individus adoptaient une alimentation végétarienne maigre (très semblable à l'alimentation asiatique typique), leur taux de cholestérol total s'abaissait de 24%. Mieux encore, le taux de cholestérol LDL dangereux s'abaissait en moyenne de 37% en une année seulement.

AU DÉPART, LES CORPS GRAS

Même s'il est important de diminuer la quantité de cholestérol absorbée par l'alimentation, le vrai coupable est ailleurs. «De tous les éléments contenus dans nos aliments, c'est la matière grasse saturée qui a l'impact le plus important sur les taux de cholestérol dans le sang», souligne le Dr Mark Kantor, professeur de nutrition et de sciences alimentaires. Les corps gras saturés, présents surtout dans les aliments d'origine animale comme les viandes rouges, le lait entier ou demi-écrémé, le jaune d'œuf, le beurre et le fromage, peuvent augmenter les taux de cholestérol LDL dans le courant sanguin, de même que la quantité totale de cholestérol.

Chaque année, nous consommons en moyenne 29 kilos de matières grasses par personne. Cette quantité représente deux fois celle absorbée en moyenne par un Japonais. Voilà un exemple où il est bien évidemment préférable d'avoir le résultat le plus faible.

Si vous n'avez pas déjà commencé à réduire la part des corps gras saturés dans votre alimentation, les faits suivants sont particulièrement éloquents.

Au cours d'une étude réalisée conjointement par des chercheurs du Maryland et de Washington D.C., des hommes ayant un taux de cholestérol normal ou marginalement élevé ont reçu alternativement d'abord une alimentation grasse (où les corps gras représentaient 41 % de l'apport calorique), ensuite une alimentation maigre (19 % de l'apport calorique était fourni par les matières grasses), et enfin leur alimentation habituelle. Lorsque ces hommes passèrent de l'alimentation grasse au régime maigre, chez près de 80 % d'entre eux le taux de cholestérol s'abaissa de 20 points après six semaines.

Quoique la Valeur quotidienne (VQ) pour les corps gras s'élève à 30 % de l'apport calorique total, le Dr Kantor et un certain nombre d'autres spécialistes soulignent qu'il est plus bénéfique encore d'abaisser ces chiffres, les matières grasses ne représentant alors que 25 % de l'apport calorique total, dont la part des corps gras saturés ne devrait pas dépasser 7 %.

Dans notre alimentation, le fromage, le lait, les produits industriels et la viande rouge sont les principales sources de matières grasses. Selon le Dr Kantor, il n'est cependant pas nécessaire de modifier radicalement vos habitudes, puisque même une diminution modeste des corps gras saturés peut entraîner une baisse significative des taux de cholestérol. Le simple fait de remplacer deux fois par semaine la viande par la même quantité de poisson pourrait vous épargner à longue échéance l'absorption de presque 2 kilos de matières grasses par an. En renonçant chaque semaine à manger deux tranches de gruyère, vous pourriez en économiser chaque année 450 grammes.

Les corps gras saturés fournis par les aliments d'origine animale sont certes les plus problématiques, mais les lipides contenus dans les huiles culinaires peuvent également faire grimper les taux de cholestérol. L'Association américaine du cœur recommande de limiter la quantité d'huile absorbée chaque jour, qui devrait se situer entre 5 et 8 cuillerées à café.

L'un des meilleurs moyens pour absorber moins d'huile comestible consiste tout simplement à éviter les fritures. Préparez plutôt vos aliments à la vapeur ou au micro-ondes. Ces modes de cuisson faisant appel à la chaleur humide, ils nécessitent très peu de matières grasses (voire pas du tout), mais permettent d'obtenir cependant des aliments juteux et tendres.

Un autre moyen pour réduire la quantité des corps gras dans notre alimentation consiste à diminuer la part des produits laitiers. Le lait a la réputation d'être un aliment sain, mais s'il s'agit de lait entier, il risque de déposer beaucoup de matières grasses dans l'organisme. Rien ne vous empêche de boire du lait, pourvu qu'il soit écrémé. Achetez de préférence du lait écrémé ou contenant moins de 1 % de matières grasses, ainsi que des yaourts écrémés.

L'un des moyens les plus simples d'absorber moins de corps gras consiste tout simplement à manger davantage de fruits et de légumes. Non seulement ces aliments contiennent beaucoup de vitamines et de minéraux, mais ils contribuent à créer une impression de satiété et la tentation est donc moins grande de manger

L'avantage des corps gras monoinsaturés

Même s'il est judicieux de réduire la part des matières grasses dans l'alimentation, il existe un type de corps gras que nous pouvons absorber sans nous culpabiliser. Les recherches suggèrent que la prise de petites quantités de matières grasses monoinsaturées (le type de corps gras présent dans les avocats et l'huile d'olive) peut faire baisser le taux du dangereux cholestérol LDL (lipoprotéines de faible densité) sans affecter le «bon» cholestérol HDL (lipoprotéines de haute densité).

Les chercheurs savent depuis longtemps que l'incidence de maladies cardiovasculaires est l'une des plus faibles au monde chez les habitants de Grèce, d'Espagne et de divers autres pays méditerranéens où l'huile d'olive est employée chaque jour. Même lorsque le taux de cholestérol est relativement élevé parmi ces populations, leur risque de décès par maladie cardiovasculaire reste de deux à trois fois plus bas que dans le cas d'un Américain qui présenterait le même taux de cholestérol. Les recherches suggèrent que l'huile d'olive pourrait en quelque sorte améliorer l'aptitude du foie à expulser le cholestérol LDL du courant sanguin.

Pourtant, l'huile d'olive n'est pas seule responsable de la meilleure santé des peuplades méditerranéennes. En effet, les habitants de ces pays mangent également de grandes quantités de fruits et de légumes frais; de plus, l'exercice physique quotidien comme la marche joue un rôle important.

Si vous choisissez d'avoir plus souvent recours à l'huile d'olive dans votre alimentation, faites-le avec modération, ajoute le Dr Mark Kantor, professeur de nutrition et de sciences alimentaires. Même si elle est préférable à d'autres huiles, il n'en reste pas moins qu'elle contient 100% de matières grasses. «Nous devrions réduire la quantité de tous les types de corps gras, souligne le Dr Kantor, et absorber l'huile d'olive avec modération. Évitons d'augmenter la quantité totale d'huile absorbée par l'alimentation.»

en quantité d'autres aliments contenant plus de matières grasses. En prenant une portion supplémentaire de brocoli au moment du dîner, par exemple, vous mangerez probablement un peu moins de viande, ce qui aura donc une influence positive sur votre taux de cholestérol.

Les fibres sont bénéfiques

Sans doute n'ignorez-vous pas qu'en mangeant des céréales complètes, des légumineuses et des fruits frais, vous contribuez à maintenir votre système digestif en excellente forme, mais il se pourrait aussi que vous optiez délibérément pour ces types d'aliments dans le but précis de faire baisser votre taux de cholestérol. En effet, ce sont tous d'excellentes sources de fibres solubles; ces substances, qui constituent dans le système digestif une gelée gluante, ont un impact bénéfique sur les taux de cholestérol.

Une étude effectuée par des chercheurs américains et portant sur des habitants de la Chine a permis de constater que les taux de cholestérol chez les hommes qui absorbaient chaque jour environ 85 grammes d'avoine étaient environ 11% plus bas que chez d'autres hommes qui ne mangeaient que rarement de l'avoine. De plus, la pression artérielle des premiers était de 8% inférieure à celle des autres.

«Cette étude suggère qu'une alimentation riche en fibres peut avoir un effet bénéfique sur le cholestérol sanguin et la pression artérielle, souligne le Dr Jiang He, épidémiologiste américain. De plus, elle semble indiquer qu'une alimentation riche en fibres pourrait faire baisser l'incidence de décès par maladie cardiovasculaire aux États-Unis.»

Au cours d'une autre étude, des chercheurs américains ont examiné deux groupes de personnes qui absorbaient une alimentation maigre. Les participants du premier groupe mangeaient chaque jour 15 grammes de fibres, tandis que ceux du deuxième groupe en recevaient 35 grammes de plus. Après une année, le taux de cholestérol de ceux qui absorbaient le plus de fibres s'était abaissé de 13%.

La Valeur quotidienne pour les fibres est de 25 grammes. Dans la pratique, cela correspond chaque jour à 2 à 4 portions de fruits, 3 à 5 portions de légumes et 6 à 11 portions de pain, céréales et graines, note le Dr Joanne Curran-Celentano, professeur de sciences alimentaires. «En mangeant plusieurs fois par semaine des flocons d'avoine ou une préparation contenant du son d'avoine, vous ajouterez encore davantage de fibres solubles à votre alimentation», ajoute-t-elle. Parmi diverses autres sources intéressantes de fibres solubles, on peut citer les haricots Pinto, les haricots rouges, les choux de Bruxelles et la patate douce.

LE SECRET DES ASIATIQUES

Dans nos pays, les graines de soja servent à nourrir les poulets. Chez les Asiatiques, au contraire, le soja et ses dérivés tels que le tofu sont utilisés presque chaque jour pour l'alimentation humaine. Ces aliments contiennent des substances complexes qui contribuent à faire baisser le cholestérol, ce qui pourrait expliquer, au moins jusqu'à un certain point, pourquoi, dans un pays comme le Japon, les taux de cholestérol sont tellement plus bas que dans les pays occidentaux.

Diverses études ont montré qu'en remplaçant chaque jour les protéines d'origine animale par environ 45 grammes de protéine de soja, il est possible d'abaisser de 9% le taux de cholestérol. Cette mesure diététique très simple permet de diminuer plus encore le «dangereux» cholestérol LDL, dont le taux s'abaisse de 13%.

Le Dr James W. Anderson, professeur de médecine et de nutrition clinique, fait remarquer que le tofu et d'autres aliments à base de soja contiennent des phyto-œstrogènes. Les chercheurs pensent que ces substances complexes contribuent à transporter le cholestérol LDL du courant sanguin jusqu'au foie, où il se décompose avant d'être excrété. Elles pourraient également empêcher l'oxydation du cholestérol LDL, qui se dépose alors moins facilement sur les parois des artères coronaires.

Il convient d'absorber chaque jour deux ou trois portions d'aliments à base de soja pour obtenir un effet bénéfique sur le taux de cholestérol, précise le Dr Anderson.

DES GOUSSES PROTECTRICES

Un véritable amateur d'ail n'est jamais rassasié de ce bulbe au goût piquant, et cet enthousiasme semble largement justifié. Les dernières recherches suggèrent en effet que l'ail peut abaisser les taux cholestérol de manière tout à fait significative.

L'ail contient de l'allicine, une substance complexe qui influe sur l'utilisation du cholestérol dans l'organisme, selon le Dr Stephen Warshafsky, professeur de médecine. Lorsque ce médecin s'est penché sur les données de cinq des études scientifiques les plus fiables concernant le rapport entre l'ail et le cholestérol, il a constaté qu'il suffisait d'absorber chaque jour la moitié d'une gousse d'ail pour abaisser le taux de cholestérol de 9% en moyenne.

Lorsque l'on utilise de l'ail frais, il est toujours préférable de le hacher ou de l'écraser, car il libère ainsi davantage d'allicine. En revanche, même si vous mangez habituellement de grandes quantités d'ail, ne comptez pas sur celui-ci pour gommer comme par magie les méfaits du cholestérol. «Lorsque l'on absorbe quotidiennement beaucoup de matières grasses saturées et de cholestérol, le fait de manger également de l'ail est peu susceptible d'améliorer les choses», commente le Dr Kantor.

LES BIENFAITS DU POISSON

Il nous est utile non seulement de connaître nos taux de cholestérol, mais aussi celui de triglycérides (lipides dans le sang). En effet, les personnes qui présentent un taux élevé de triglycérides sont davantage susceptibles d'avoir un faible taux de «bon» cholestérol HDL. Parallèlement il est possible, en abaissant notre taux de triglycérides, de contribuer à faire baisser les risques cardio-vasculaires.

Le saumon, le thon, et divers autres poissons contiennent un type de matières grasses, les acides gras oméga 3, dont il est prouvé qu'ils abaissent le taux de triglycérides. Au cours d'une étude en Australie, deux groupes d'hommes ont absorbé un régime maigre. Ceux du premier groupe mangeaient toutes sortes d'aliments riches en protéines, tandis que les autres absorbaient chaque jour de 85 à 140 grammes de poisson. Après trois mois, les chercheurs ont pu constater une baisse des taux de cholestérol chez les hommes des deux groupes. Il s'était également produit une diminution de 23% des triglycérides chez ceux qui mangeaient chaque jour du poisson.

Les acides de type oméga 3 pourraient non seulement abaisser les triglycérides, mais les recherches suggèrent qu'ils pourraient également augmenter les taux de cholestérol HDL bénéfique. Les chercheurs ont en effet constaté, chez ceux des participants à l'étude australienne déjà mentionnée qui mangeaient du poisson, une augmentation de 15% des taux de cholestérol HDL. Il semblerait que lorsque l'on mange du poisson tout en ayant par ailleurs une alimentation maigre, les triglycérides s'abaissent et les taux de HDL s'élèvent.

Enfin, le poisson comporte également peu de calories et de matières grasses saturées, ce qui en fait un aliment idéal dans le cadre d'une alimentation visant à faire baisser le cholestérol. Afin de bénéficier le plus possible des oméga 3, le Dr Curran-Celentano recommande de manger deux fois par semaine de 85 à 115 grammes de poisson.

Mentionnons au passage que si vous aimez le thon en boîte, vous avez de la chance… Il contient également, en effet, des acides de type oméga 3, mais il est préférable d'acheter du thon au naturel. Une portion de 85 grammes contient 111 calories et moins d'un gramme de matières grasses, tandis que la même quantité de thon à l'huile contient 168 calories et près de 7 grammes de matières grasses.

La cicatrisation
Les dégâts réparés

Les aléas de l'existence font qu'il est inévitable d'avoir de temps à autre une petite blessure plus ou moins superficielle. On estime à 100 000 le nombre de Français qui se blessent chaque année avec un objet tranchant.

Si vous venez de vous blesser, songez à la chance que nous avons d'être dotés d'un épiderme généralement capable de se régénérer aussi rapidement. En revanche, nous devons nous alimenter intelligemment afin de faciliter la cicatrisation. Pour pouvoir construire une couche de peau toute neuve, l'organisme a besoin de nutriments, notamment de protéines, de vitamine C et de zinc. Si notre alimentation ne nous en fournit pas suffisamment, souligne le Dr Judith Petry, spécialiste de la cicatrisation, les blessures seront plus longues à guérir.

Une base solide

Bien qu'indispensables pour la cicatrisation des coupures et des blessures, les protéines ne sont pas toujours disponibles au bon endroit. La peau ne contient que 10% environ des protéines de l'organisme, le reste étant utilisé ailleurs dans le corps.

«Les protéines servent en priorité à générer de l'énergie, et seulement ensuite à la cicatrisation», note le Dr Michele Gottschlich, nutritionniste.

Lorsqu'un processus de cicatrisation se met en route, nos besoins en protéines peuvent doubler. Imaginez par exemple que vous absorbez habituellement 50 grammes de protéines par jour. Après une brûlure, souligne le Dr Gottschlich, il pourrait être nécessaire d'augmenter cette dose quotidienne jusqu'à 100 grammes afin de favoriser la cicatrisation. Cela revient à dire qu'il faut augmenter votre consommation journalière d'aliments riches en protéines à 8 ou 10 portions, au lieu des 4 à 6 portions quotidiennes habituellement préconisées par les nutritionnistes pour maintenir un bon état général. La quantité de protéines nécessaire à la bonne guérison d'une plaie dépend essentiellement de la gravité de la blessure.

La viande est l'une des meilleures sources de protéines. Une portion de steak (flanchet de bœuf), par exemple, contient 23 grammes de protéines, soit environ

46% de la Valeur quotidienne (VQ). Si vous préférez ne pas manger de viande, vous pourrez absorber des protéines en mangeant du poisson, des légumineuses, des noix et des graines.

«Le tofu est également une remarquable source de protéines», ajoute le Dr Gottschlich. Une portion de 115 grammes de tofu en contient plus de 9 grammes, à peu près la même quantité que 40 grammes de hachis de bœuf.

VIVE LA VITAMINE C

Le jus d'orange est un remède bien connu pour le rhume, car la vitamine C qu'il contient contribue à renforcer l'immunité. Ce remède efficace pour soigner les refroidissements est tout aussi utile en cas de blessure. En effet, le risque d'infection augmente très rapidement si notre alimentation de nous fournit pas assez de vitamine C.

De plus, ce nutriment est indispensable pour renforcer le collagène (substance intercellulaire, assurant la cohésion des cellules de la peau). Lorsque nos aliments ne nous fournissent pas assez de vitamine C, le collagène s'affaiblit et les blessures guérissent plus lentement. «L'intégrité des tissus, la robustesse de la peau, dépendent de la vitamine C», commente le Dr Vincent Falanga, professeur de médecine et de dermatologie.

Au cours d'une étude dans un centre des brûlés de Chicago, les chercheurs ont constaté que les animaux de laboratoire qui absorbaient davantage de vitamine C par leur alimentation avaient une meilleure circulation du sang que les autres et que leurs lésions avaient moins tendance à enfler.

Que vous ayez subi une coupure, une brûlure ou n'importe quelle autre blessure, il est judicieux d'absorber au moins 500 milligrammes de vitamine C par jour (soit environ huit fois la Valeur quotidienne de 60 milligrammes), recommande le Dr Falanga. Il serait même bénéfique d'en obtenir davantage, jusqu'à 1 000 milligrammes par jour, ajoute-t-il. Cela est particulièrement valable pour les personnes du troisième âge et pour les fumeurs, puisque leurs taux de vitamine C sont souvent peu élevés.

Il est facile d'obtenir beaucoup de vitamine C par nos aliments. Une portion de 70 grammes de poivron rouge, par exemple, en contient 95 milligrammes (158% de la VQ), tandis qu'une orange nous en fournit près de 70 milligrammes (116% de la VQ). Pour obtenir facilement une grande quantité de vitamine C, pensez à la goyave. Un seul de ces fruits en contient en effet 165 milligrammes (275% de la VQ).

N'OUBLIEZ PAS LE ZINC

La plupart des gens n'absorbent pas suffisamment de zinc, un minéral qui favorise la croissance et la réparation des tissus. Lorsqu'une plaie met longtemps à cicatriser, c'est souvent un signe que nous n'absorbons pas assez de ce minéral si important.

La VQ pour le zinc est de 15 milligrammes. Ce chiffre peut sembler bien modeste, mais il n'est pas si facile d'obtenir suffisamment de zinc, car la proportion de ce minéral fourni par nos aliments qui est effectivement absorbée au cours de la digestion ne dépasse pas 20%, souligne le Dr Ananda Prasad, professeur de médecine. En revanche, lorsque nous absorbons des protéines d'origine animale en même temps que des aliments contenant du zinc, l'absorption du zinc en est facilitée, précise-t-il.

Les huîtres sont une excellente source de zinc, puisqu'une portion de 400 grammes de ces mollusques en fournit 8 milligrammes (54% de la VQ). Le germe de blé en est également une source intéressante, car une petite quantité de ce dernier (un peu moins de 2 cuillerées à soupe) nous apporte environ 2 milligrammes de zinc, soit 13% de la VQ.

LA CONSTIPATION
LE miRACLE DES FiBRES

Aujourd'hui, nous n'avons plus guère de sujets tabous. Il suffit d'aller prendre un café à la cafétéria pour entendre très rapidement parler de sexe, de divorce ou de l'opération de la prostate récemment subie par un collègue du bureau.

Pourtant, il est une chose dont peu de gens sont disposés à discuter, même avec leur médecin: la constipation. Si l'on en parlait plus ouvertement, il est probable que ce trouble cesserait d'être le plus courant de tous les ennuis digestifs, car chacun s'apercevrait qu'il est facile d'y remédier. Pour la plupart des gens, il suffit en effet d'absorber plus de fibres et de boire davantage pour cesser définitivement d'être constipé.

UNE SUBSTANCE PASSAGÈRE

Contrairement aux vitamines et aux minéraux, les fibres ne sont pas absorbées dans le système digestif, mais elles passent un temps relativement long dans l'intestin, où elles absorbent de grandes quantités de fluide. C'est précisément là que se cache le secret des fibres pour lutter contre la constipation.

À mesure que les fibres se gonflent d'eau, le bol fécal augmente de volume pour devenir à la fois plus substantiel et plus humide. Contrairement aux selles dures et de faible volume, qui peuvent s'accumuler durant des jours avant d'être excrétées, les selles volumineuses sont expulsées bien plus rapidement de l'intestin, commente le Dr Marie Borum, professeur de médecine. En outre, les selles substantielles étant bien plus molles que les crottes dures, l'effort requis pour les expulser est moins intense, ajoute-t-elle.

Tous les fruits, légumes et légumineuses, ainsi que les aliments à base de céréales complètes, contiennent de saines quantités de fibres. Les médecins ont longtemps pensé que les fibres insolubles, comme celles que l'on trouve surtout dans le blé complet, étaient le seul type de fibre capable de remédier à la constipation. Il s'avère au contraire que toutes les fibres, insolubles ou solubles (comme celles que l'on trouve surtout dans les légumineuses, l'avoine, et de nombreux fruits), peuvent avoir une influence bénéfique sur la régularité des mouvements

Du café au petit déjeuner

Les buveurs de café savent depuis toujours qu'en prenant chaque matin leur breuvage favori, ils obtiennent davantage qu'une stimulation agréable. Il semblerait en effet que le café réveille également le système digestif.

Rien là d'imaginaire. La caféine stimule le gros intestin dont elle favorise les contractions, explique Mme Pat Harper, nutritionniste. «En buvant chaque matin une ou deux tasses de café, il est possible d'éviter la constipation», précise-t-elle. Certains médecins recommandent d'ailleurs aux personnes constipées de boire une tasse de café plutôt que d'avoir recours à un quelconque laxatif en vente libre.

L'ennui avec le café, bien entendu, c'est que si l'on en boit de grandes quantités, il a un effet diurétique, c'est-à-dire qu'il évacue davantage de fluide qu'il ne nous en fournit. Selon Mme Harper, il n'y a aucun inconvénient à boire un café au réveil pour stimuler les intestins. Mais mieux vaut éviter d'en boire plus de cinq tasses par jour.

péristaltiques. «Les deux types de fibres augmentent le volume des selles, humidifient le bol fécal et accélèrent le transit», commente le Dr Borum.

Si la constipation est un trouble aussi courant, c'est que la majorité des Américains, tout comme les Français, n'absorbent pas assez de fibres. En moyenne, nous n'en obtenons que 11 à 15 grammes par jour environ, c'est-à-dire considérablement moins que la Valeur quotidienne (VQ) de 25 à 30 grammes, relève Mme Pat Harper, nutritionniste. Puisque pratiquement tous les aliments d'origine végétale contiennent de saines quantités de fibres, il n'est pas très difficile d'en obtenir suffisamment. Cent grammes de Cheerios contiennent 3 grammes de fibres, soit 12% de la Valeur quotidienne, et la même portion de Country Store en fournit 8 grammes (32% de la VQ). Une portion de 30 grammes de haricots rouges cuits contient 3 grammes de fibres (12% de la VQ), et une pomme nous en apporte la même quantité.

Lorsque l'on augmente la quantité de fibres dans l'alimentation, cela peut entraîner certains inconvénients. En effet, si le corps n'en a pas l'habitude, les fibres peuvent provoquer des crampes et des ballonnements, nous avertit le Dr Borum. Afin de bénéficier des avantages incontestables des fibres sans souffrir de ce genre d'inconfort, cette dernière recommande d'augmenter très progressivement, sur plusieurs mois, la quantité de fibres absorbée. «Il est impossible de remédier en une semaine à des années entières durant lesquelles nous n'avons pas absorbé suffisamment de fibres», souligne-t-elle. Mais en augmentant peu à peu la quantité de fibres absorbée chaque jour, poursuit-elle, il est probable que vous n'éprouverez aucune gêne digestive.

De l'eau, de l'eau

Pour beaucoup d'entre nous, l'eau est une sorte d'auxiliaire utile dans le cadre d'une alimentation saine, plutôt qu'un ingrédient à part entière. Le Dr Borum fait pourtant remarquer qu'une cause très courante de constipation tient tout simplement au fait que l'on ne boit pas assez d'eau. Après tout, les selles peuvent absorber de grandes quantités d'eau. Lorsque trop peu d'eau est disponible dans l'organisme, les selles deviennent dures, irrégulières, et plus difficiles à expulser. Cela se vérifie tout particulièrement lorsque l'on absorbe davantage de fibres, car ces dernières doivent s'accompagner de beaucoup de liquide afin de pouvoir favoriser la régularité du transit.

Nous aurions tort de croire qu'il suffit d'attendre que la soif vienne nous rappeler la nécessité de boire, souligne le Dr Borum.

D'abord, le mécanisme de la soif est assez rudimentaire, puisqu'il lui arrive de se taire même lorsque le corps aurait vraiment besoin de fluides en plus grande quantité. De plus, le réflexe de boire s'affaiblit avec l'âge, et c'est d'ailleurs l'une des raisons pour lesquelles la constipation est plus courante chez les personnes du troisième âge.

Afin d'éviter la déshydratation, le Dr Borum recommande de boire au moins six à huit grands verres d'eau par jour. Si vous n'aimez pas l'eau au point d'en boire de telles quantités, prenez l'habitude de boire également des potages ou des jus.

Les boissons contenant de l'alcool ou de la caféine, en revanche, n'entrent pas en ligne de compte, car elles ont un effet diurétique (privant le corps de plus grandes quantités de fluides qu'elles ne lui en fournissent), signale le Dr Borum.

Les pruneaux salvateurs

Sans doute les pruneaux sont-ils le plus vieux remède familial pour soulager la constipation, et des chercheurs ont d'ailleurs confirmé que c'est aussi l'un des plus efficaces.

Les pruneaux contiennent trois ingrédients qui contribuent à une bonne digestion. Tout d'abord, ils sont une excellente source de fibres, puisque trois pruneaux contiennent 3 grammes de fibres (soit environ 12% de la VQ). En outre, ils contiennent une substance complexe qui stimule les contractions intestinales nécessaires pour des mouvements péristaltiques réguliers. Enfin, les pruneaux contiennent un sucre naturel, le sorbitol, qui absorbe d'énormes quantités d'eau dans le tube digestif et contribue à stimuler l'ensemble du système digestif.

Même si vous n'aimez pas spécialement les pruneaux, vous obtiendrez un certain nombre de ces mêmes avantages en mangeant des raisins secs.

Au cours d'une étude, par exemple, les participants ont reçu chaque jour 130 grammes de raisins secs. A l'issue de la période d'étude, les chercheurs ont constaté qu'en moyenne, le laps de temps nécessaire à l'expulsion des selles était à présent divisé par deux, passant de deux jours à un seul.

Comme les pruneaux, les raisins secs contiennent beaucoup de fibres, puisqu'une petite portion en contient environ 2 grammes (8% de la VQ). De plus, poursuit le Dr Borum, ils contiennent une substance complexe, l'acide tartrique, qui joue le rôle de laxatif naturel.

Les crampes musculaires
Les minéraux en cause

Quelle que soit notre occupation du moment – course à pied, la rédaction d'une lettre ou même le fait de rester alité –, nos muscles ne cessent à aucun moment de passer par des phases alternatives de contraction, puis de détente. Ils ont besoin par conséquent d'être abondamment nourris. Lorsque l'alimentation ne suffit pas à satisfaire ce besoin, il peut arriver que les muscles se contractent en spasmes douloureux parfois désignés sous le terme de crampes musculaires. Une crampe correspond à un message de détresse lancé par l'un de nos muscles, pour nous dire qu'il est épuisé et affamé et qu'il a grand besoin de repos.

Bien sûr, les crampes musculaires sont douloureuses, mais d'un autre côté, elles remplissent aussi un rôle protecteur, relève Mme Leslie Bonci, diététicienne. En effet, elles obligent le muscle concerné à rester au repos jusqu'à ce qu'il ait recouvré des forces, ce qui prend généralement quelques minutes.

Il n'existe aucune mesure préventive infaillible pour ne pas avoir de crampes, mais nous pouvons choisir judicieusement nos aliments de manière à les éviter. Voici comment procéder.

Les électrolytes sont bénéfiques

Aussi longtemps qu'un signal n'a pas été émis par le cerveau, nos muscles ne bougent pas. Avant tout mouvement, qu'il s'agisse de se lever, de cligner de l'œil ou de tourner les pages de cet ouvrage, notre cerveau envoie des messages électriques vers les muscles concernés, afin de leur dire à quel moment (et jusqu'à quel point) se contracter ou se détendre. Selon le Dr Joel Press, directeur médical d'un centre de rééducation, des minéraux comme le calcium, le potassium, le sodium et le magnésium, également appelés électrolytes, ont un rôle à jouer dans la transmission de ces signaux.

Pour peu que nous n'absorbions habituellement pas assez de ces minéraux, ou que nous en ayons éliminé de grandes quantités en pratiquant un sport vigoureux, il peut arriver qu'un muscle ne reçoive pas le message de détente attendu, ce qui peut l'amener alors à se contracter en une crampe douloureuse.

De tous les électrolytes, le magnésium est l'un des plus importants, car il aide les autres électrolytes à remplir leur rôle, souligne le Dr Robert McLean, professeur de médecine. Si nous n'absorbons pas assez d'aliments contenant du magnésium, d'autres minéraux comme le calcium et le potassium ne parviennent pas à pénétrer dans les cellules de nos fibres musculaires. Ainsi, même si nous recevons en abondance toute la palette des autres électrolytes, ils pourraient rester inactifs et quasiment inaccessibles à nos cellules en l'absence du magnésium. «Les sujets qui présentent une carence magnésienne ont aussi la plupart du temps une grande irritabilité musculaire et nerveuse, commente le Dr McLean, et cette irritabilité pourrait être à l'origine des crampes musculaires.»

Beaucoup d'aliments contiennent de grandes quantités de magnésium, poursuit le Dr McLean. Une portion de tofu, par exemple, en contient 128 milligrammes, soit 32% de la Valeur quotidienne (VQ). Une portion d'épinards en fournit environ 44 milligrammes (11% de la VQ), et une portion de maquereau 82 milligrammes (20% de la VQ).

Nous avons également besoin de calcium en abondance, car ce minéral facilite la contraction musculaire. Les produits laitiers en sont la meilleure source. Un verre de lait écrémé, par exemple, contient près de 300 milligrammes de calcium (30% de la VQ), tandis qu'un demi-yaourt écrémé en fournit 77 milligrammes (7% de la VQ).

Selon le Dr Press, il pourrait également être utile pour prévenir les crampes d'absorber suffisamment de potassium. La banane est une bonne source de ce minéral, puisqu'un seul de ces fruits en fournit 451 milligrammes (13% de la VQ). Les pommes de terre en contiennent également des quantités appréciables : un morceau de 30 grammes en fournit 114 milligrammes (3% de la VQ).

Pour la majorité des gens, la difficulté n'est pas d'obtenir suffisamment de sodium mais, bien au contraire, d'éviter d'en absorber de trop grandes quantités, car beaucoup d'aliments – surtout les produits comestibles industriels – contiennent ce minéral en abondance. Chez les individus particulièrement sensibles, le sodium peut d'ailleurs provoquer des troubles comme la rétention d'eau ou l'hypertension artérielle. Par conséquent, même si vous avez des crampes, il est préférable d'éviter le sodium, car il est pratiquement certain que vous en absorbez déjà suffisamment.

En revanche, il est quasi impossible d'absorber trop de liquides. Chaque fois que nous transpirons, les cellules de nos muscles perdent des fluides, souligne Mme Bonci, ce qui peut provoquer des crampes. Pour maintenir l'équilibre des électrolytes, il est judicieux de boire fréquemment de l'eau par petites gorgées tout au long de la journée. Lorsqu'une activité sportive est au programme, pensez à boire au moins 450 millilitres d'eau ou de jus afin d'apporter à l'organisme les minéraux nécessaires. Elle ajoute que l'on devrait également boire 225 millilitres d'eau toutes les 15 à 20 minutes durant l'exercice physique.

L'eau nous fournit un grand nombre des électrolytes dont le corps a besoin habituellement, mais au cours de l'exercice physique intense, les muscles ont parfois besoin d'un supplément. Des boissons conçues pour les sportifs, comme par exemple Gatorade, qui contiennent non seulement des électrolytes mais également des glucides, peuvent contribuer à éviter les crampes musculaires. «Ces types de boissons ont l'avantage d'amener les électrolytes très rapidement dans le courant sanguin, puis dans les muscles, commente Mme Bonci, ce qui est particulièrement important lorsque l'exercice physique se prolonge une heure ou plus.»

Les muscles n'ont pas seulement besoin d'eau et d'électrolytes, mais également de glycogène, un sucre issu des glucides. Lorsque les tissus musculaires sont à court de glycogène, souligne le Dr Paul Saltman, professeur de biologie, ils se fatiguent plus vite et sont davantage sujets aux crampes. Une alimentation comportant de généreuses quantités de glucides contribue au bon fonctionnement de nos muscles. Les pommes de terre, le riz, la banane et le pain en sont de bonnes sources.

LES DENTS
UNE DENTITION SAINE POUR LONGTEMPS

Malgré leur apparence dure, semblable à l'os, nos dents sont foncièrement vivantes. Au même titre que la peau, les muscles, ou toute autre partie du corps, elles ont besoin d'une bonne nutrition pour rester saines. «Le choix d'aliments nutritifs a d'ailleurs probablement autant d'importance que le fait d'éviter les aliments cariogènes», affirme le Dr Dominick DePaola, chirurgien dentiste.

Bien entendu, rien ne saurait remplacer un brossage régulier complété par l'emploi du fil dentaire, mais un choix alimentaire judicieux, portant surtout sur de bonnes sources de calcium et de vitamines A et C, contribuera à préserver la robustesse des dents et des gencives. Parallèlement, il est important d'éviter d'encrasser trop souvent nos dents à grands renforts de sucreries et autres caramels plus ou moins collants qui favorisent la prolifération bactérienne et, à plus long terme, l'apparition des caries, souligne Mme Donna Oberg, nutritionniste.

MANGER POUR RENFORCER LA DENTITION

De même que le calcium est nécessaire pour une ossature robuste, nos dents ont elles aussi besoin de ce minéral essentiel, surtout au cours des premières années de la vie. «Les aliments qui nous fournissent beaucoup de calcium ont une extrême importance, souligne le Dr William Kuttler, chirurgien dentiste. Sans calcium, les dents ne peuvent se constituer», explique-t-il. Chez l'adulte, le calcium fortifie l'ossature sous-jacente de la mâchoire où sont implantées les dents, qui risqueront moins de se déchausser à la longue.

C'est sans doute en consommant davantage de produits laitiers que nous procurons à nos dents la meilleure protection possible. Deux yaourts ou le tiers d'un litre de lait écrémé, par exemple, contiennent environ 300 milligrammes de calcium, soit à peu près 30% de la Valeur quotidienne (VQ). Le fromage maigre et certains légumes à feuilles vertes, comme la verdure des navets, le chou chinois et la chicorée frisée, en contiennent également, quoique en moindre quantité.

Nous n'avons pas seulement besoin de calcium pour maintenir la santé de notre dentition. Il nous faut également toutes sortes de vitamines, notamment les vitamines C et A. Le corps utilise la vitamine C pour fabriquer le collagène, une protéine fibreuse et dure qui maintient la robustesse des gencives. La vitamine A sert à constituer la dentine, une couche de matériau semblable à de l'os immédiatement sous la surface des dents.

Il est facile d'obtenir suffisamment de ces nutriments par l'alimentation. Une portion de 100 grammes de brocoli cuit, par exemple, contient 60 milligrammes de vitamine C, soit 100% de la VQ. Une portion de 300 grammes de melon cantaloup en contient 34 milligrammes (57% de la VQ), et une orange navel de taille moyenne en fournit 80 milligrammes (133% de la VQ).

La meilleure manière d'obtenir de la vitamine A consiste à absorber des aliments contenant du bêtacarotène, le précurseur naturel de ce nutriment, que l'organisme transforme ensuite en vitamine A. La patate douce en est une excellente source, puisqu'une portion de 100 grammes de ce tubercule fournit près de 4 000 microgrammes d'équivalent bêtacarotène. D'autres bonnes sources de bêtacarotène sont le chou frisé, les carottes, ainsi que la plupart des courges d'hiver de chair jaune ou orangée. (Malgré sa couleur, le potiron n'en contient que peu, puisqu'une portion de 100 grammes ne fournit que 500 microgrammes d'équivalent bêtacarotène.)

PROBLÈMES COLLANTS

Ainsi que nous venons de le voir, certains aliments contribuent à entretenir la santé de notre dentition depuis l'intérieur, pour ainsi dire, mais d'autres peuvent nuire à la surface externe des dents. Les sucreries, par exemple, créent un milieu favorable à la prolifération des bactéries dans la cavité buccale. Avec le temps, ces bactéries et les acides qu'elles génèrent se comportent à peu près comme autant de minuscules fraises dentaires, grignotant la surface de nos dents et favorisant l'apparition des caries, note le Dr Kuttler.

Même les jus de fruits, que beaucoup de gens préfèrent aux boissons gazeuses réputées moins saines, peuvent créer des problèmes. «Les jus de fruits contiennent de grandes concentrations de sucre», explique le Dr Kuttler. Des chercheurs suisses ont même découvert que les jus de pomme et de pamplemousse étaient légèrement plus nocifs pour les dents que le Coca-Cola.

Pire encore que les aliments sucrés, ceux qui collent aux dents font des ravages, poursuit le Dr Kuttler. En effet, ces aliments adhèrent à la surface des dents, facilitant un séjour prolongé des bactéries dans la cavité buccale.

Ne vous privez pas de temps à autre d'une douceur qui vous fait envie, mais certaines précautions s'imposent. Il est indispensable de se brosser les dents après avoir absorbé un gâteau ou une boisson sucrée. Même si vous n'avez pas votre brosse à dents sous la main, le simple fait de vous rincer la bouche à grande eau contribuera à éliminer le sucre avant que les bactéries n'aient eu le temps de faire trop de dégâts.

Pour conserver une dentition robuste, non seulement les aliments absorbés mais aussi notre manière de manger jouent un rôle. Chaque fois que nous mastiquons, notre bouche génère de la salive; par conséquent, plus nous mâchons longtemps (par exemple lors des repas, ou en prenant une gomme à mâcher) et plus nous aurons de salive pour nettoyer les dents du sucre qui s'y est déposé, souligne le Dr Kuttler. Mieux encore, la salive contient du calcium et du phosphore; ces minéraux contribuent à neutraliser les acides, si dangereux pour les dents, qui apparaissent dans la bouche après toute prise alimentaire.

Pensez à manger un peu de fromage avant de quitter la table. Il semblerait en effet que le fromage protège les dents contre l'apparition des caries, même si les chercheurs ne s'expliquent pas encore pour quelle raison. Peut-être contient-il certaines substances complexes qui neutralisent les acides dans la bouche avant qu'ils aient pu faire des dégâts, conclut le Dr Kuttler.

LA DÉPRESSION
Des aliments contre le cafard

Lorsque nous avons le cafard, nous sommes nombreux à chercher une consolation en mangeant, et ce sont souvent des aliments «réconfortants» comme des sucreries, des pâtisseries, ou un bon petit plat de macaronis au fromage. Pour certaines personnes, en revanche, ces types d'aliments «consolateurs» ont précisément l'effet contraire. Ces mêmes aliments qu'elles recherchent dans l'espoir d'obtenir un soulagement pourraient en réalité aggraver leur état et les rendre agitées, sujettes aux sautes d'humeur, écrasées de fatigue.

Depuis des dizaines d'années que les chercheurs étudient le rapport entre les aliments et notre humeur, ils n'ont pas encore réussi à mettre en évidence un lien de cause à effet vraiment concluant. Diverses études ont toutefois montré que chez certains sujets, l'alimentation peut déclencher la dépression, selon le Dr Larry Christensen, spécialiste des effets du sucre et de la caféine sur l'humeur. Nos aliments peuvent améliorer notre humeur ou au contraire, si nous les choisissons mal, l'aggraver. De plus, les aliments que nous écartons délibérément peuvent avoir autant d'importance que ceux que nous mangeons.

L'alimentation et l'humeur

Tous nos actes, depuis la réflexion ou les émotions jusqu'à la promenade quotidienne, sont influencés par les neurones (cellules nerveuses dans le cerveau). En réalité, nous avons des milliards de neurones – 100 milliards, pour être précis. Pour communiquer, les neurones dépendent des neurotransmetteurs; ces substances chimiques dans le cerveau ont des noms compliqués tels que sérotonine, dopamine et norépinéphrine.

Le rôle de ces agents chimiques ne se limite pas aux communications, ils peuvent également avoir un effet puissant sur notre humeur. Lorsque nous n'avons pas assez de sérotonine, par exemple, cela peut avoir un certain nombre de conséquences fâcheuses telles que la dépression, l'insomnie ou des envies alimentaires compulsives. Inversement, des taux élevés de sérotonine peuvent nous remplir de calme et de bien-être, souligne Mme Elizabeth Somer, auteur des livres *Food and Mood et Nutrition for Women*. Les fluctuations des taux de dopamine et de norépinéphrine dans le cerveau peuvent avoir des résultats similaires.

Ainsi que l'ont montré les recherches, un certain nombre de nutriments, notamment les vitamines du groupe B et la vitamine C, ainsi qu'un minéral, le sélénium, convertissent les acides aminés fournis par l'alimentation en neurotransmetteurs euphorisants. «Il est parfaitement évident que même des carences alimentaires marginales peuvent conduire à la dépression», souligne le Dr Melvyn Werbach, professeur de psychiatrie et auteur des livres *Healing through Nutrition* et *Nutritional Influences on Illness*.

Selon les recherches, la vitamine B_6, présente dans les légumes verts feuillus, le poisson, la volaille et les céréales complètes, contribue à augmenter les taux de sérotonine qui exercent alors une influence bénéfique sur notre humeur. Il est vrai que la plupart des gens absorbent suffisamment de vitamine B_6 par l'alimentation, mais la pilule anticonceptionnelle ou les traitements à base d'hormones de substitution peuvent entraîner une baisse des taux de ce nutriment.

Le Dr Werbach ajoute que de faibles taux de folate peuvent également entraîner une chute vertigineuse des niveaux de sérotonine. En France, le risque de carence en folate est assez faible et ne concerne qu'une petite proportion de femmes et d'adolescents. Néanmoins, les conséquences peuvent être graves. Chez les personnes cliniquement déprimées, les taux de folate dans le courant sanguin sont fréquemment très faibles, ainsi que diverses études l'ont mis en évidence.

Au cours d'une étude britannique, des chercheurs ont administré à un certain nombre d'individus cliniquement déprimés soit 200 microgrammes d'acide folique (la quantité contenue dans 125 grammes d'épinards cuits), soit un placebo. Après une année, ceux qui recevaient l'acide folique ont constaté une grande amélioration de leurs symptômes dépressifs – dans certains cas jusqu'à 40%, selon les tests habituellement utilisés pour mesurer la dépression.

Les haricots secs et les légumes verts sont particulièrement riches en folate (le précurseur naturel de l'acide folique) ainsi qu'en vitamine B_6. Ainsi, 50 grammes de pois chiches en boîte, par exemple, apportent 0,6 milligramme de vitamine B_6, soit 30% de la Valeur quotidienne (VQ) et 140 grammes d'épinards cuits fournissent 131 microgrammes de folate (33% de la VQ).

En absorbant davantage de sélénium, nous pouvons également améliorer notre humeur lorsque rien ne va plus. Dans le cadre d'une étude effectuée au pays de Galles, où le sol contient peu de sélénium et dont la population présente généralement de faibles taux de ce minéral, les participants ont reçu chaque jour pendant cinq semaines soit 100 microgrammes de sélénium, soit un placebo. Chez ceux qui recevaient le sélénium, les chercheurs ont constaté une amélioration notoire de leur humeur. Mieux encore, plus leur taux de sélénium était faible au départ, plus leur humeur s'était améliorée lorsque la période d'étude a pris fin.

Pour absorber suffisamment de sélénium, il suffit de manger davantage de poisson. Un simple sandwich au thon en contient 138 microgrammes (près de deux fois la VQ). Le pain et les céréales complètes sont également de bonnes sources de ce minéral.

Un tranquillisant naturel: les glucides

La vie serait-elle insipide à vos yeux sans vos croissants du matin? Éprouvez-vous une passion démesurée pour les pâtes? Surtout, ne vous en privez pas, votre humeur vous en saura gré.

Selon des recherches de pointe effectuées par un couple de chercheurs du Massachusetts, Richard et Judith Wurtman, il est dorénavant prouvé qu'une alimentation riche en glucides augmente dans le cerveau les concentrations de tryptophane. L'organisme transforme ensuite cet acide aminé en sérotonine euphorisante.

Cela pourrait expliquer pourquoi, chez beaucoup de gens, des aliments réconfortants riches en glucides peuvent contribuer à disperser les sentiments de dépression et d'anxiété et soulager la fatigue. D'autres personnes peuvent se sentir déprimées et de mauvaise humeur lorsqu'elles n'ont pas de glucides à se mettre sous la dent.

«Certains individus, en particulier les femmes, peuvent éprouver une envie compulsive de glucides pour bénéficier de leur effet antidépresseur, relève le Dr Werbach. Il semblerait que ce phénomène existe bel et bien, même si nous ne réagissons pas tous de la même manière.»

Bien entendu, certaines personnes peuvent manger des quantités de pâtes, de pain et de pommes de terre sans remarquer d'amélioration particulière. Pour d'autres, en revanche – que les scientifiques ont baptisés les «boulimiques de glucides» –, les effets peuvent être très marqués. Peut-être l'envie compulsive d'absorber des hydrates de carbone correspond-elle à un effort de l'organisme pour compenser de faibles taux de sérotonine.

«Beaucoup de gens éprouvent une certaine somnolence après avoir mangé au repas de midi des spaghettis accompagnés de sauce tomate et de pain, car ce type de repas riche en glucides fait grimper les taux de sérotonine, commente Mme Somer. En revanche, un boulimique de glucides se sentira débordant d'énergie après un tel repas.»

La fin des sautes d'humeur

Chacun sait que certaines personnes sont épisodiquement sujettes à des sautes d'humeur – par exemple durant les jours sombres de l'hiver, ou, pour certaines femmes, juste avant leurs règles. Il semblerait aussi qu'il leur soit parfois possible d'améliorer leur humeur durant ces périodes difficiles, simplement en absorbant davantage de glucides.

Au cours d'une étude, des chercheurs américains ont demandé à un groupe de femmes qui étaient sujettes à des sautes d'humeur liées au syndrome prémenstruel de boire une fois par mois, juste avant leurs règles, environ 225 millilitres d'une boisson spécialement étudiée et particulièrement riche en glucides.

Quelques heures seulement après la prise de cette boisson, les chercheurs constataient qu'elles éprouvaient une amélioration sensible de leurs symptômes habituels, tels que dépression, colère et confusion.

La boisson absorbée par les participantes à cette étude avait été spécialement étudiée dans ce but, mais vous pouvez obtenir une quantité comparable de glucides en mangeant une petite portion d'un aliment riche en glucides, comme un ou deux yaourts demi-écrémés, une pomme de terre en robe des champs ou une demi-tasse de raisins secs.

PARFOIS LES ALIMENTS NOUS DÉPRIMENT

Sans doute avez-vous déjà pu constater qu'après avoir bu une grande tasse de cappuccino ou absorbé trop de nos biscuits préférés, nous pouvons soudain nous sentir las et démoralisé. L'imagination n'y est pour rien. «Il ne fait aucun doute que chez les personnes particulièrement sensibles, les sentiments dépressifs peuvent s'aggraver lorsqu'elles ont absorbé trop de sucre ou de caféine», commente le Dr Christensen.

Les experts ne savent pas exactement pour quelle raison le sucre rend certains individus dépressifs, mais peut-être est-ce fonction des quantités absorbées, poursuit ce médecin. Nous pouvons éprouver une euphorie momentanée, liée au sucre, après avoir dégusté une confiserie ou un beignet sucré, mais il semblerait en revanche que l'absorption continuelle de sucre soit une cause possible de la dépression.

Au cours d'une étude conduite par le Dr Christensen et l'un de ses collègues, les chercheurs ont demandé à 20 personnes atteintes de dépression grave d'écarter strictement de leur alimentation le sucre et la caféine. Après trois semaines, ces personnes étaient nettement moins déprimées.

Des recherches approfondies restent à faire concernant les effets de la caféine sur l'humeur, mais divers travaux semblent indiquer qu'il est bénéfique pour notre humeur d'absorber moins de café (ou d'autres boissons contenant beaucoup de caféine), surtout si nous avons l'habitude d'en boire de grandes quantités.

LE DIABÈTE
UNE STRATÉGIE NOUVELLE

Cela peut sembler bizarre, mais les diabétiques ont bien de la chance de vivre à notre époque. Autrefois, les médecins avaient coutume de leur remettre systématiquement une longue liste ronéotypée des aliments permis et défendus. Les travaux les plus récents ont considérablement modifié la stratégie diététique, valable pour tous, jadis appliquée pour traiter ce trouble.

Par exemple, même s'il est préférable de n'absorber le sucre qu'avec modération (c'est d'ailleurs valable pour tous et pas seulement pour les diabétiques), le sucre n'est plus interdit dans la plupart des cas de diabète. Il peut arriver que le médecin recommande à un patient diabétique d'absorber moins de matières grasses et davantage de glucides, tandis qu'à d'autres il conseillera précisément le contraire. Il n'est d'ailleurs pas inhabituel à l'heure actuelle que deux sujets diabétiques, même lorsqu'ils ont le même âge, le même poids et le même état général, reçoivent des régimes alimentaires totalement différents pour maîtriser leur maladie.

Pourtant, l'un des aspects du diabète n'a pas changé. L'alimentation – ce que nous mangeons, et, dans certains cas, ce que nous ne mangeons pas – représente la base de tout traitement à long terme. Pour un diabétique, il est indispensable de maintenir des taux stables de lipides et de glycémie (sucre dans le sang); dans ce but, il convient non seulement de veiller à garder un poids corporel raisonnable et de faire régulièrement de l'exercice, mais aussi de choisir judicieusement ses aliments.

AFFAMÉ AU ROYAUME DE L'ABONDANCE

Avant d'examiner comment faire bon usage des aliments pour traiter ou prévenir le diabète, voici quelques explications succinctes sur la nature de ce trouble. Le sucre est le carburant dont notre corps a besoin pour fonctionner (les médecins parlent de glucose). Peu après un repas, le glucose se déverse dans le courant sanguin pour être transporté jusqu'aux cellules individuelles dans l'ensemble de l'organisme. Avant de pouvoir y pénétrer, cependant, il a besoin d'une hormone, l'insuline. Et c'est précisément là que se situe le problème.

Chez un diabétique, soit l'organisme ne produit pas assez d'insuline, soit l'insuline générée n'est pas très efficace. Quoi qu'il en soit, la totalité du glucose présent dans le courant sanguin ne parvient pas à pénétrer dans les cellules et demeure dans le sang, où les concentrations de sucre ne cessent donc d'augmenter. Non seulement les cellules du corps restent sur leur faim, ce qui peut provoquer de la fatigue, des étourdissements, et bien d'autres symptômes encore, mais à la longue, tout ce sucre très concentré devient toxique et finit par endommager les yeux, les reins, les nerfs, le système immunitaire, le cœur et les vaisseaux sanguins.

La forme la plus grave du diabète (fort heureusement, c'est aussi la moins courante) est le diabète de type I ou diabète insulinodépendant. Il se produit lorsque le corps ne génère que peu, voire pas du tout d'insuline. Les personnes atteintes de ce type de diabète doivent prendre de l'insuline afin de remplacer celle que leur organisme n'est pas en mesure de leur fournir.

Le diabète de type II (non-insulinodépendant) est beaucoup plus courant. Les personnes atteintes de ce trouble, qui apparaît généralement après la quarantaine, produisent de l'insuline en petite quantité, quoique généralement pas assez. Elles prennent parfois des médicaments mais n'ont le plus souvent pas besoin de piqûres d'insuline, du moins pas aux premiers stades d'évolution de la maladie.

LE POUVOIR THÉRAPEUTIQUE DES ALIMENTS

Les experts admettent depuis longtemps que les aliments absorbés peuvent jouer un rôle crucial, tant pour prévenir que pour maîtriser le diabète de type II. Le meilleur moyen pour comprendre les effets de l'alimentation sur le diabète consiste peut-être à examiner deux groupes de gens très similaires, mais qui ne s'alimentent pas de la même façon.

Prenons tout d'abord les Indiens Pima. Ainsi que l'ont relevé des chercheurs, ces Indiens du Mexique, qui se nourrissent principalement de maïs, de haricots secs et de fruits, sont rarement corpulents et ne connaissent pratiquement pas le diabète. En revanche, les Indiens Pima établis en Arizona, qui ont adopté une alimentation de type occidental comportant beaucoup de sucre et de matières grasses, ont fréquemment du diabète vers la cinquantaine.

De même qu'une alimentation déséquilibrée peut contribuer à l'apparition du diabète, une alimentation saine et variée peut nous aider à maîtriser ce trouble, voire en empêcher l'apparition. Telle fut d'ailleurs la stratégie appliquée par le Dr Terry Shintani, directeur d'un centre polynésien de médecine préventive, lorsqu'il prescrivit à certains de ses patients diabétiques une alimentation caractéristique de Hawaï. Il s'agissait pour ces patients de manger surtout des aliments riches en fibres et en glucides, comme le taro et le poi[1], des légumes verts et des

---

[1] Taro : tubercule féculent comestible cultivé en Polynésie.
Poi : plat hawaïen composé de purée épaisse faite avec les tubercules du taro.

fruits, ainsi que beaucoup de poisson. Selon le Dr Shintani, ce régime un peu particulier s'avéra extrêmement efficace, au point que certains des participants purent même se passer d'insuline.

FAITES LE PLEIN DE GLUCIDES

Les glucides, présents dans la plupart des aliments à l'exception de la viande, du poisson et de la volaille, sont pour l'organisme la principale source d'énergie. Il en existe deux types: les glucides complexes, ou féculents, comprenant des aliments comme le riz, les haricots secs, les pommes de terre et les pâtes, et, d'autre part, les glucides simples, ou sucres, avec les sucres naturels contenus dans le lait, les fruits et les légumes, ainsi que dans le sucre blanc raffiné et le miel. L'organisme transforme les deux types de glucides en glucose, et ce dernier est immédiatement converti en énergie ou, dans le cas contraire, mis en réserve jusqu'à ce que le corps en ait besoin.

Contrairement à ce que l'on pensait autrefois, la plupart des diabétiques devraient adopter une alimentation particulièrement riche en glucides, surtout ceux de la première catégorie (glucides complexes). Votre besoin individuel en glucides pourra être déterminé soit par votre médecin traitant, soit par un diététicien ou un nutritionniste. Mais on peut dire, selon le Dr Stanley Mirsky, professeur clinicien en troubles du métabolisme et auteur du livre *Controlling Diabetes the Easy Way*, que dans la plupart des cas, les glucides devraient fournir à peu près 50% de l'apport calorique total.

UN PEU PLUS DE MATIÈRES GRASSES

Dans la plupart des cas, on recommande aux diabétiques d'absorber moins de matières grasses et davantage de glucides, explique Mme Hill, mais pour certains, c'est exactement l'inverse.

«Nous avons souvent entendu dire qu'une alimentation maigre est l'idéal pour tous, alors qu'en réalité, ce n'est peut-être pas le cas», poursuit-elle. En effet, les glucides font monter les taux glycémiques plus rapidement que les protéines ou les corps gras, ce qui fait à son tour grimper les taux de triglycérides, un type de lipide lié chez les diabétiques à une augmentation du risque de maladie cardiovasculaire.

En revanche, les taux de triglycérides, de même que ceux du dangereux cholestérol LDL (lipoprotéines de faible densité), s'abaissent lorsque l'on absorbe moins de glucides et davantage de matières grasses monoinsaturées. L'huile d'olive, les avocats et diverses espèces de noix sont de bonnes sources de ce type de corps gras bénéfique.

Bien évidemment, aucun spécialiste ne vous conseillerait d'arroser vos pâtes de généreuses quantités d'huile d'olive, ni de vous gaver d'avocats. L'absorption en

Comment calculer l'apport quotidien

Beaucoup de médecins recommandent à leurs patients diabétiques d'absorber moins de matières grasses, et ils soulignent que les glucides complexes devraient leur fournir de 50 à 60% de l'apport calorique total. Une femme devrait donc absorber entre 240 et 300 grammes de glucides complexes par jour, tandis que pour un homme, ces chiffres passent à 278/333 grammes par jour. Voici quelques-unes des meilleures sources de glucides.

Aliment (portion de 100 grammes, sauf indication contraire)	Lipides g	Glucides g
Céréales et produits à base de céréales		
Bagel (1 petit)	1,4	31
Orge perlé, cuit	1,1	78
Cheerios	4,9	79
Kellog's Honey Nut	3,5	82
Pâtes cuites	0,2	25
Flocons d'avoine	6,6	68
Riz complet	1,1	77
Spaghettis sauce tomate	0,4	13
Pétales de riz complet	1	75
Pain complet (1 tranche)	0,7	13,8
Légumes		
Brocoli à l'eau	0,3	6
Choux de Bruxelles	0,7	8
Maïs cuit	1,4	21
Concombre (1/2)	0,2	4,4
Haricots rouges bouillis	1,5	60
Tomate (1)	0,4	5,7
Fruits		
Avocat (1/2)	15,4	7,4
Melon cantaloup en dés	0,3	7,5
Pamplemousse (1/2)	0,1	9,5
Kiwi (1)	0,3	11,3
Orange (1)	0,2	15,4

Aliment (portion de 100 grammes, sauf indication contraire)	Lipides g	Glucides g
Lait et yaourt		
Babeurre avec cultures lactiques	0,1 - 0,5	5
Lait écrémé	0,1	4,8
Yaourt nature entier	3,5	4,7
Yaourt maigre nature	0,3	60

Afin de planifier vos repas, il est utile de calculer la quantité de glucides dont vous avez besoin. Lorsque vous connaissez le chiffre total, en grammes, des glucides qu'il vous est permis d'absorber, c'est à vous qu'il appartient de décider comment «dépenser» ce total. Par exemple, rien ne vous empêche de vous régaler occasionnellement en dégustant une pâtisserie ou une part de tarte, pourvu que cela soit inclus dans votre «allocation» quotidienne de glucides, au même titre qu'une portion de pâtes ou de riz, fait remarquer Mme Joan V. C. Hill, directrice pédagogique d'un centre du diabète.

quantité excessive de n'importe quel type de corps gras, même lorsqu'il s'agit de lipides monoinsaturés, pourtant relativement sains, est susceptible d'entraîner une surcharge pondérale et les diabétiques ne peuvent se permettre un tel risque.

LES FIBRES QUI GUÉRISSENT

Les recherches ont montré qu'une alimentation riche en fibres pouvait soulager d'innombrables troubles, depuis la constipation jusqu'aux maladies cardiovasculaires. Elles suggèrent également que ce type d'alimentation peut exercer une influence bénéfique très nette sur les taux de glycémie, souligne le Dr James W. Anderson, professeur de médecine et de nutrition clinique.

Les fibres se départagent en deux catégories : fibres solubles et insolubles. Ces dernières, qui ne peuvent se dissoudre dans l'eau, accélèrent le transit du bol fécal à travers les intestins, prévenant ainsi la constipation. Selon le Dr Anderson, les fibres solubles, en revanche, permettent de stabiliser la glycémie. En formant dans les intestins une gelée collante, ces dernières empêchent l'absorption trop rapide du glucose dans le courant sanguin, ce qui permet de maintenir des taux de glycémie plus stables en évitant des fluctuations trop importantes.

De plus, il semblerait que les fibres solubles augmentent la sensibilité des cellules envers l'insuline, ajoute la diététicienne Belinda Smith, ce qui libère davantage de sucre qui passe ainsi plus facilement du courant sanguin dans les cellules.

Au cours d'études dirigées par le Dr Anderson, les chercheurs ont constaté, en moyenne, une amélioration de 95% chez des personnes atteintes de diabète de type II qui absorbaient une alimentation riche en fibres (ainsi qu'en glucides), car ce type d'alimentation leur permettait d'améliorer et de stabiliser efficacement leur glycémie. Chez des patients atteints de diabète de type I qui recevaient le même type d'alimentation, l'amélioration était de 30%.

Il n'est pas difficile d'absorber davantage de fibres solubles. Le simple fait de manger plus de fruits et de légumineuses suffira à vous en fournir beaucoup plus. Vous pouvez également absorber du son d'avoine ou de la bouillie d'avoine. Il vous est possible par exemple d'ajouter une cuillerée à soupe de son d'avoine ou de germe de blé à vos crudités, aux céréales, au yaourt ou au cottage cheese, et de manger les fruits avec leur peau plutôt que de les peler.

LES VITAMINES SONT BÉNÉFIQUES

Si vous êtes diabétique, les fruits et les légumes qui contiennent beaucoup de vitamines C et E pourraient protéger la santé de vos yeux, de vos nerfs et de vos vaisseaux sanguins. Ces vitamines appartenant à la catégorie des antioxydants contribuent à protéger les cellules du corps contre les radicaux libres, molécules dégénérées qui apparaissent spontanément dans l'organisme, nuisant aux molécules saines du corps. Ces dégâts moléculaires pourraient se révéler particulièrement dangereux chez les diabétiques.

Mieux encore, la vitamine C pourrait offrir des avantages plus directs encore. Au cours d'une étude italienne, des chercheurs ont administré à 40 diabétiques 1 gramme de vitamine C par jour. Après quatre mois, la gestion de l'insuline chez les participants s'était considérablement améliorée, peut-être parce que la vitamine C aide l'insuline à pénétrer dans les cellules.

La Valeur quotidienne (VQ) pour la vitamine C est de 60 milligrammes. Les oranges et les pamplemousses en sont d'excellentes sources, mais il en existe beaucoup d'autres. Une portion de 100 grammes de brocoli cuit, par exemple, en contient près de 70 milligrammes, soit plus de la VQ. Une moitié de melon cantaloup fournit environ 113 milligrammes de vitamine C, tandis qu'un poivron rouge en contient 140 milligrammes.

La vitamine E, qui est bénéfique pour le cœur, pourrait avoir une importance particulière dans le cas des diabétiques, puisqu'ils sont deux à trois fois plus exposés aux maladies cardiovasculaires que les personnes en bonne santé. Les recherches suggèrent en outre que, comme la vitamine C, ce nutriment pourrait augmenter l'efficacité de l'insuline. Des scientifiques finlandais ont constaté, après avoir soumis 944 hommes à une série de tests, que ceux des participants qui avaient les plus faibles taux sanguins de vitamine E présentaient un risque de diabète quatre fois plus élevé que ceux dont les taux sanguins de ce nutriment étaient les plus concentrés. Selon les chercheurs, il est possible que la vitamine E aide l'insuline à transporter le sucre depuis le sang jusqu'aux cellules des muscles et des tissus.

En outre, la vitamine E contribue à empêcher les plaquettes sanguines (éléments du sang jouant un rôle dans la coagulation) de devenir trop collantes. Ceci est particulièrement important chez les diabétiques, dont les plaquettes ont tendance à s'agglutiner plus facilement, faisant ainsi le lit des maladies cardio-vasculaires.

Le germe de blé est une excellente source de vitamine E, puisqu'une portion de 50 grammes en contient 10 milligrammes (50% de la VQ). Parmi d'autres sources intéressantes de cette vitamine, on peut citer la patate douce, l'avocat et les pois chiches.

Le chrome protecteur

Les vitamines ne sont pas le seul moyen de maîtriser le diabète. Il est démontré que le chrome, un oligo-élément que l'on trouve dans le brocoli, le pamplemousse et les céréales vitaminées destinées au petit déjeuner, améliore l'aptitude du corps à réguler la glycémie, souligne le Dr Richard A. Anderson, biochimiste.

Les analyses montrent que les diabétiques ont de plus faibles taux de chrome en circulation dans le courant sanguin que d'autres personnes en bonne santé. Au cours d'une étude, huit individus qui avaient du mal à réguler leur glycémie ont reçu chaque jour 20 microgrammes de chrome. Après cinq semaines, leur taux de glycémie avait considérablement baissé, parfois jusqu'à 50%. Les chercheurs n'ont rien pu constater de tel chez les participants du groupe de contrôle, qui n'avaient pas de troubles glycémiques, quoiqu'ils aient également reçu du chrome.

Pour absorber davantage de chrome, mangez plus souvent des aliments qui en contiennent. Une portion de 200 grammes de brocoli en fournit 2 microgrammes (1,8% de la VQ), et une portion de «jambon» de dinde de 85 grammes en contient 10 microgrammes (8% de la VQ).

Du magnésium pour maîtriser le glucose

Les experts estiment que 25% des diabétiques présentent une carence magnésienne. La situation est plus grave encore chez ceux qui ont une maladie coronarienne liée au diabète, ou qui sont atteints de rétinopathie (type de lésion des yeux). Puisque l'on sait que de faibles taux de magnésium peuvent entraîner des lésions de la rétine, il est vraisemblable que l'on puisse protéger les yeux en absorbant davantage de ce minéral.

Parmi de bonnes sources de magnésium, on peut citer le flétan qui en contient 91 milligrammes (23% de la VQ) par portion de 85 grammes. Les huîtres cuites à la vapeur en fournissent également des quantités appréciables, puisqu'une portion de 85 grammes en contient 81 milligrammes (20% de la VQ). Une portion de 100 grammes de riz complet long grain en fournit 42 milligrammes (11% de la VQ).

QUE RETENIR DE TOUT CELA ?

Il ne suffit pas d'absorber quelques aliments bénéfiques pour traiter et prévenir le diabète. En vérité, il s'agit plutôt de réformer entièrement nos habitudes alimentaires en mettant au point un programme intégré, tenant compte de tous les éléments indispensables (fibres, vitamines, minéraux, etc.). Vous pourriez envisager de faire appel à un diététicien qui vous aidera à créer un programme alimentaire visant à maîtriser la glycémie, en tenant compte de critères individuels comme les médicaments que vous prenez, vos préférences alimentaires et votre mode de vie.

Pour commencer, absorbez le plus possible d'aliments riches en fibres. Le Dr James Anderson recommande aux diabétiques d'absorber chaque jour de 10 à 12 grammes de fibres solubles, ou 35 grammes de fibres alimentaires au total. Les fibres solubles sont présentes en grande quantité dans les fruits, l'avoine, l'orge et les légumineuses, tandis que les fibres insolubles se trouvent essentiellement dans le son de blé, les céréales et les légumes.

Inutile de comptabiliser trop consciencieusement les grammes de fibres absorbés. Vous pouvez très facilement obtenir suffisamment de fibres en absorbant chaque jour de 3 à 5 portions de légumes, de 2 à 4 portions de fruits et de 6 à 11 portions de pain, céréales, pâtes et riz, souligne Mme Smith.

Deux excellentes sources de fibres sont les choux de Bruxelles et les haricots secs. Une portion de 130 grammes des premiers contient 4 grammes de fibres, dont 2 grammes de fibres solubles, ce qui représente plus de fibres que n'en contient une portion de pâtes. Une portion de 85 grammes de haricots rouges contient près de 7 grammes de fibres, dont près de 3 grammes de fibres solubles.

La vitamine C est indispensable aux diabétiques, mais ce nutriment a l'inconvénient d'être facilement détruit lors de la cuisson. Le brocoli cuit à l'eau, par exemple, ne contient guère plus de 45% de sa teneur initiale en vitamine C. La cuisson à la vapeur, qui permet de conserver jusqu'à 70% de la vitamine C des aliments, est préférable. La meilleure méthode de cuisson est encore le four micro-ondes, qui permet de conserver jusqu'à 85% de la teneur des aliments en vitamine C.

Un autre moyen d'augmenter la quantité de vitamine C absorbée consiste à choisir les fruits les plus mûrs. Les tomates bien rouges, les framboises grenat et les kiwis d'un vert profond ont une densité nutritive bien plus élevée que des fruits à peine mûrs.

Pour absorber le plus possible de vitamine E, nous devons de temps à autre avoir recours à des huiles polyinsaturées comme celle de soja, l'huile de maïs, ou encore celle de tournesol. Bien entendu, ces huiles n'offrent pas les mêmes avantages que les matières grasses monoinsaturées comme l'huile d'olive. Employées avec modération, elles contribuent néanmoins à maintenir des taux bénéfiques de vitamine E dans l'organisme.

Si vous souhaitez absorber davantage de chrome, l'orge est un choix judicieux. Au cours d'une étude britannique portant sur des animaux de laboratoire, les chercheurs ont constaté que l'orge pouvait contribuer à maîtriser les taux glycémiques. Cette céréale permet de préparer de délicieux potages, elle se prête bien à la panification et enrichit agréablement les ragoûts.

Afin d'aider l'organisme à conserver le plus possible du chrome ainsi absorbé, il est utile de manger beaucoup de glucides complexes, comme des pâtes ou du pain, fait remarquer le Dr Richard Anderson. Lorsque nous mangeons beaucoup d'aliments sucrés, en revanche, le chrome est éliminé par l'organisme. Par conséquent, souligne ce médecin, même si vous pouvez de temps à autre prendre plaisir à déguster votre sucrerie préférée, il convient en règle générale d'absorber surtout des aliments complets, beaucoup plus sains.

LA DIARRHÉE
LE SOULAGEMENT GRÂCE AUX ALIMENTS

Certains spots publicitaires télévisés montrent volontiers un pauvre type atteint de diarrhée se précipitant à plusieurs reprises vers les toilettes les plus proches. Mais si c'est à vous qu'arrive ce genre de mésaventure, sans doute n'aurez-vous guère envie de rire, surtout si ces symptômes s'accompagnent de crampes douloureuses et de ballonnements, comme c'est souvent le cas.

La diarrhée se produit généralement lorsque des bactéries ou des virus provoquent une inflammation dans l'intestin. De plus, certains aliments comme le miel, les édulcorants artificiels et les produits laitiers ne sont pas entièrement digérés et provoquent des fermentations dans l'intestin. Le corps réagit en attirant de l'eau dans l'intestin, ce qui provoque la diarrhée.

Fort heureusement, la diarrhée ne dure le plus souvent qu'un ou deux jours avant de disparaître. Si elle se prolonge davantage, toutefois, elle risque d'éliminer de grandes quantités de fluide en privant le corps de minéraux essentiels dont le rôle est de réguler la pression sanguine, le rythme cardiaque et les mouvements musculaires. C'est la raison pour laquelle de nombreux médecins recommandent de boire du jus de fruit, du Coca-Cola éventé ou une boisson destinée aux sportifs comme le Gatorade (préalablement dilué) chaque fois que l'on a la diarrhée. Ces types de boissons remplacent rapidement les sucres et les minéraux éliminés par ce trouble.

Tant qu'une diarrhée n'a pas disparu, il est judicieux de n'absorber que des aliments particulièrement neutres et fades, comme des vermicelles, du pain blanc, des bananes et de la compote de pomme, car ces types d'aliments ne risquent pas trop d'irriter un côlon capricieux, souligne le Dr Marvin M. Schuster, directeur d'un centre spécialisé dans les troubles de la digestion. Ces aliments offrent encore un autre avantage, puisqu'ils contiennent des fibres qui jouent le rôle d'éponge absorbante dans l'intestin, contribuant ainsi à assécher quelque peu le bol fécal. «La peau des pommes, par exemple, contient de la pectine; cette fibre est l'un des ingrédients du Kaopectate, médicament prescrit aux États-Unis sous forme de pilule», relève le Dr Schuster. En France, on en trouve dans les sachets de Pectipar.

Il serait difficile d'éviter tout contact avec les virus ou les bactéries qui sont à l'origine de la diarrhée. En revanche, si vous comptez parmi les millions d'individus qui sont particulièrement sensibles à certains aliments, il vous suffira généralement de faire un peu attention à ce que vous mangez pour éviter ce trouble.

456

Le lactose,
source de problèmes

Pour beaucoup de gens, il suffit de manger du fromage ou de boire un verre de lait ou un milkshake pour avoir la diarrhée. En effet, la plupart des adultes n'ont pas assez de lactase (une enzyme) pour bien digérer le sucre (lactose) présent dans les produits laitiers. On peut même dire sans exagération que la moitié de la population du monde est concernée par ce problème, au moins jusqu'à un certain point.

«L'intolérance au lactose est une cause courante de diarrhée, souligne le Dr Schuster. Il s'agit d'un problème majeur, car des quantités de produits alimentaires contiennent des ingrédients laitiers, et beaucoup de gens ne s'en rendent pas compte.»

Si vous avez fréquemment la diarrhée et pensez que cela pourrait être dû aux produits laitiers, faites l'expérience suivante. Pendant une semaine, écartez de votre alimentation tous les produits laitiers pour donner à votre organisme le temps de s'adapter. Après cette semaine, poursuit le Dr Schuster, buvez un verre de lait. Si vous ne supportez pas le lactose, votre système digestif vous le fera savoir dans les heures qui suivront.

Même si vous présentez une intolérance au lactose, ne croyez pas que vous allez devoir renoncer entièrement aux produits laitiers.

Tchin-tchin!

Longtemps avant l'invention des pansements gastriques, les Grecs de l'Antiquité sirotaient un verre de vin pour faciliter la digestion. Aujourd'hui, les scientifiques s'aperçoivent que ce remède très ancien pourrait bien être utile pour soulager la diarrhée des touristes.

Au cours d'études en laboratoire, des chercheurs de Honolulu ont arrosé des bactéries provoquant la diarrhée à l'aide soit de vin rouge, soit de vin blanc, soit de salicylate de bismuth, molécule que l'on retrouve dans certains médicaments utilisés contre la diarrhée. Ils ont ainsi pu constater que les deux types de vin détruisaient les bactéries tout aussi efficacement que le remède pharmaceutique. D'ailleurs, même dilué, le vin se montrait plus efficace que ce dernier.

Quoique ces recherches soient prometteuses, il est encore trop tôt pour affirmer avec certitude que le vin de table peut soulager la diarrhée. (En outre, il ne saurait en aucun cas se substituer aux antibiotiques, essentiels pour traiter certains types d'infections.) En revanche, si vous choisissez de tenter le coup, un seul verre de vin suffira probablement. Les chercheurs de Honolulu pensent en effet que 180 millilitres de vin suffisent pour soulager la diarrhée.

Des chercheurs américains ont en effet découvert que la majorité des gens pouvaient, sans aucun problème, boire jusqu'à 225 millilitres de lait par jour. De petites quantités de fromage ou d'autres produits laitiers pourraient également

Voyages autour du globe

Lorsque l'on vient de consacrer des mois à l'organisation de vacances lointaines, il est vraiment vexant de devoir ensuite passer presque tout son temps dans les toilettes. Hélas, c'est pourtant précisément à ce triste sort que beaucoup de touristes sont réduits. Les études montrent que 30 à 40% de ceux qui choisissent des destinations exotiques, où les conditions sanitaires laissent souvent à désirer, finissent par avoir la diarrhée des touristes.

Dans les pays en voie de développement, il est préférable d'éviter de boire l'eau qui pullule souvent de bactéries. Voici quelques autres conseils pour vous aider à rester sur pied.

Pas de lasagnes. La diarrhée des touristes est souvent déclenchée par les aliments absorbés au restaurant, préparés en début de journée pour être réchauffés juste avant d'être servis. Des préparations comme les lasagnes, la quiche ou les ragoûts sont plus susceptibles d'être contaminées par des bactéries que des aliments passant directement du four sur votre assiette. Soyez sur vos gardes, et commandez des aliments fraîchement préparés et servis bien chauds.

Prudence au jardin. Les crudités sont une cause fréquente de la diarrhée du touriste, car les salades et autre végétaux risquent d'avoir été rincés à l'aide d'eau contaminée. Il en va de même des fruits. Pour diminuer le risque de diarrhée, évitez les légumes crus et prenez l'habitude durant votre voyage de peler tous les fruits, même les pommes, avant de les manger.

Pas de produits laitiers. Lors des voyages lointains, mieux vaut éviter les produits laitiers. Le lait, le fromage et les autres produits laitiers de production locale ne sont pas forcément pasteurisés et peuvent contenir de grandes quantités de bactéries.

être sans danger, surtout s'ils sont absorbés dans le cadre d'un repas plutôt que séparément.

De plus, les personnes qui présentent une intolérance au lactose peuvent sans inconvénient manger du yaourt, car celui-ci contient moins de lactose que d'autres produits laitiers.

Parfois, le miel est responsable

Rien de tel qu'une bonne tasse de tisane bien chaude et sucrée au miel pour se réchauffer par une froide journée d'hiver. En revanche, trop de miel peut déclencher la diarrhée. En effet, le miel et les jus de fruits contiennent un sucre naturel, le fructose. Lorsque nous absorbons beaucoup de fructose, une partie de ce sucre peut passer dans le gros intestin sans avoir été digérée, et, à la longue, il se produit alors une fermentation pouvant provoquer des gaz ainsi que la diarrhée.

Même en petites quantités, le fructose peut provoquer des troubles. Au cours d'une étude, certains des participants eurent la diarrhée après avoir avalé seulement 3 cuillerées à soupe de miel (la meilleure source de fructose). D'autres eurent des ennuis gastriques après n'avoir absorbé que la moitié de cette quantité. Il en va de même des jus de fruits: certaines personnes peuvent boire plusieurs verres de jus par jour sans avoir de problème, mais d'autres savent qu'en buvant autant de jus, ou même moins, elles risquent d'avoir la diarrhée, souligne le Dr William Ruderman, gastro-entérologue.

Si vous avez souvent la diarrhée, le Dr Ruderman vous conseille de diminuer la quantité de miel et de jus de fruits absorbée ou d'y renoncer complètement. Ensuite, recommencez très progressivement à les inclure dans votre alimentation. Vous finirez par déterminer ainsi la quantité que vous pouvez absorber sans danger.

Troubles artificiels

Il arrive que la diarrhée provienne non pas des aliments absorbés, mais de ce que nous avons mâché. Les chewing-gums et bonbons «sans sucre» contiennent parfois du sorbitol, un édulcorant problématique pour le système digestif, relève le Dr Ruderman. Comme le fructose, le sorbitol a tendance à fermenter dans l'intestin, ce qui provoque la diarrhée.

Cinq grammes de sorbitol (à peu près la quantité absorbée en mâchant un peu plus de deux gommes à mâcher sans sucre) suffisent parfois pour provoquer des diarrhées. Si vous pensez que les chewing-gums sans sucre sont à l'origine de vos troubles digestifs, il pourrait être préférable d'en choisir plutôt d'autres, ordinaires, ou, si vous préférez, le Dr Ruderman vous suggère d'en prendre tout simplement de plus petites quantités à la fois.

L'ÉPUISEMENT
LA FORME PAR L'ALIMENTATION

Chaque jour, c'est la même chose. Le réveil sonne, on s'accorde quelques minutes de grâce, il sonne à nouveau et ainsi de suite jusqu'à ce qu'enfin, on trouve le courage de sortir du lit – tant pis pour le petit déjeuner. La matinée traîne en longueur, on en vient à bout à l'aide de grands pichets de café corsé. Il faut ensuite se traîner pour aller déjeuner, avant de regagner le bureau à contrecœur pour recommencer la même performance jusqu'à la fin de l'après-midi. Ensuite, il reste à se traîner jusque chez soi, où l'on n'a plus envie de grand-chose sinon d'un repas-minute pris chez le traiteur, un peu de télé, la couette chérie... et enfin l'adorable dodo.

N'est-ce pas épuisant rien que d'y penser?

Aux États-Unis, l'épuisement est un trouble généralisé, de proportions carrément épidémiques. Pratiquement la moitié de tous les adultes qui vont consulter un médecin se plaignent d'une grande fatigue. En France, on estime que 8 personnes sur 10, en particulier des femmes, souffrent d'une telle fatigue. Pourtant, cela n'a rien d'une fatalité. Les experts nous affirment en effet qu'il suffit de faire quelques changements diététiques, même modestes, pour obtenir une amélioration considérable de notre niveau d'énergie.

NOURRIR LE CERVEAU

Certains aliments nous rendent las et somnolent, tandis que d'autres nous fournissent de l'énergie en guise de carburant. Pourtant, il n'y a pas bien longtemps que les scientifiques ont commencé à en comprendre la raison. Comme c'est si souvent le cas, c'est dans le cerveau que l'on trouve un début de réponse.

Nos sentiments, notre humeur du moment, comme notre niveau d'énergie, sont dans une large mesure régis par les neurones. Ces cellules nerveuses du cerveau communiquent grâce à des médiateurs chimiques que l'on appelle des neurotransmetteurs. Diverses études ont montré que les fluctuations des taux de certains neurotransmetteurs, comme la dopamine et la norépinéphrine, pouvaient avoir une influence considérable sur les niveaux d'énergie; et c'est pour cette raison qu'ils sont parfois qualifiés de médiateurs chimiques «réveille-matin». Des travaux scientifiques ont montré que l'être humain a tendance à réfléchir plus rapidement et qu'il se sent plus énergique et davantage motivé lorsque son cerveau génère de grandes quantités de ces substances chimiques.

L'alimentation nous fournit la matière première nécessaire à la production de ces neurotransmetteurs. Nos aliments habituels (de même que ceux que nous évitons d'absorber) peuvent jouer un rôle important dans notre état général. «Il s'agit ici d'une véritable symphonie de médiateurs chimiques dans le cerveau dont les taux fluctuent tout au long de la journée», commente Mme Elizabeth Somer, auteur des livres *Food and Mood* et *Nutrition for Women*.

L'élément de base servant à construire la dopamine et la norépinéphrine, par exemple, est un acide aminé: la tyrosine. Les taux de tyrosine augmentent lorsque nous absorbons des aliments contenant beaucoup de protéines, comme le poisson, le poulet, ou le yaourt maigre.

Pourtant, il ne sert à rien de se gaver de protéines pour obtenir plus d'énergie, puisqu'il suffit d'absorber 85 à 115 grammes d'un aliment contenant une abondance de protéines, comme du blanc de poulet grillé ou un œuf dur, pour fournir à notre cerveau la tyrosine nécessaire à des taux élevés de dopamine et de norépinéphrine.

Même si les aliments riches en protéines peuvent stimuler notre énergie, les matières grasses qui les accompagnent souvent risquent d'avoir l'effet inverse. La digestion des matières grasses nécessite un apport sanguin supplémentaire; le cerveau est donc privé du sang dont il a besoin et nous éprouvons alors une grande lassitude. Par conséquent, mieux vaut éviter d'agrémenter un sandwich de couches épaisses de mayonnaise et de fromage à la crème. Tartinez-le plutôt de moutarde, en y ajoutant une garniture de laitue et de tomates en tranches, recommande Mme Somer.

RETOUR À L'ESSENTIEL

De nombreux travaux de recherches ont étudié la chimie particulièrement complexe du cerveau, mais si l'on souhaite obtenir plus d'énergie par l'alimentation, il suffit bien souvent de manger davantage de fruits et de légumes et de veiller à obtenir plus de minéraux essentiels, comme le fer. Une étude portant sur 411 dentistes et leurs épouses a permis de constater que ceux des participants qui absorbaient au moins 400 milligrammes de vitamine C par jour disaient éprouver moins de fatigue que ceux qui en obtenaient moins de 100 milligrammes. Dans les deux cas, bien entendu, la quantité de vitamine C absorbée dépassait largement la Valeur quotidienne (VQ), qui est de 60 milligrammes.

Il est facile d'absorber davantage de vitamine C par l'alimentation. Un verre de 225 millilitres de jus d'orange, par exemple, contient 82 milligrammes de vitamine C (environ 132% de la VQ). Une portion de 100 grammes de fraises en fournit 42 milligrammes (70% de la VQ), et une portion de 100 grammes de brocoli cuit en contient 70 milligrammes (soit plus de la VQ).

S'ALIMENTER AVEC INTELLIGENCE

On nous le répète depuis la maternelle : il faut commencer la journée par un petit déjeuner copieux. Pourtant, si ce repas semble effectivement stimuler les performances chez l'enfant, il n'est pas certain qu'il ait la même importance pour un adulte.

Un certain nombre d'études ont certes suggéré que l'on risque d'avoir les idées embrouillées et d'éprouver de la fatigue lorsqu'on saute le petit déjeuner, mais certains experts affirment que ces travaux ne sont guère convaincants. « Dans l'optique de l'évolution humaine, l'idée de repas à heure fixe est très nouvelle », fait remarquer le Dr Arthur Frank, directeur d'un service hospitalier consacré à l'obésité. Au contraire, certaines études consacrées aux performances chez l'être humain semblent indiquer que les personnes qui sautent fréquemment le petit déjeuner pourraient éprouver une baisse d'énergie lorsqu'il leur arrive au contraire de prendre ce repas.

Le Dr Frank n'a rien contre le petit déjeuner, mais « ne vous croyez pas obligé de prendre ce repas, souligne-t-il. Suivez les messages de votre corps. »

Bien sûr, si vous ressentez souvent de la lassitude en cours de journée, le fait de sauter le petit déjeuner pourrait aggraver le problème, note Mme Wahida Karmally, nutritionniste. Cette dernière recommande d'entamer la journée avec un petit déjeuner riche en glucides complexes et en protéines, comme par exemple une céréale complète accompagnée de lait écrémé ou demi-écrémé et de fruits frais, ou du pain complet grillé tartiné de fromage maigre.

Le fer est également indispensable pour avoir de l'énergie, en particulier chez la femme, qui peut en perdre de grandes quantités lors de ses règles. En France, 23 % des femmes en âge de procréer ont des réserves en fer insuffisantes et plus de 4 % d'entre elles ont une déficience suffisante pour entraîner une anémie ferriprive. De plus, même une carence marginale en fer peut nous plonger dans l'apathie.

Heureusement, il est très facile d'obtenir du fer par nos aliments. Une quantité de 100 grammes de farine de blé complet, par exemple, fournit 3,5 milligrammes de fer (6 % de l'Apport journalier recommandé, ou AJR, pour la femme, et 50 % de l'AJR pour l'homme). La viande rouge est une autre bonne source de fer. Il n'est pas nécessaire d'en absorber de grandes quantités, précise le Dr Melvyn Werbach, professeur de psychiatrie et auteur des livres *Healing through Nutrition* et *Nutritional Influences on Illness*. Un steak grillé (flanchet) pesant 85 grammes, par exemple, contient 2 milligrammes de fer (13 % de l'AJR pour la femme et 20 % de celui pour l'homme).

Les aléas des glucides

S'il est vrai que les aliments riches en protéines ont souvent pour effet d'augmenter notre énergie, les féculents comme les pâtes ou les pommes de terre, surtout lors du repas de midi, peuvent au contraire nous rendre somnolent. Une fois de plus, la chimie du cerveau nous en donne l'explication.

Lorsque nous absorbons des aliments riches en glucides comme des pommes de terre ou du riz, un acide aminé appelé tryptophane est libéré pour être envoyé jusqu'au cerveau. Cela déclenche un processus générant de la sérotonine, un agent chimique doté d'un effet calmant, et qui harmonise notre humeur. Notre organisme est extrêmement sensible : il suffit de manger 30 grammes de riz, par exemple, pour déclencher un flux de sérotonine.

Au cours d'un étude, des chercheurs britanniques ont administré aux participants, en milieu de journée, des types de repas très divers afin de déterminer l'influence de l'alimentation sur le niveau d'énergie. L'un de ces déjeuners était constitué d'aliments maigres et riches en glucides, un autre avait une teneur moyenne en matières grasses et en glucides, et le troisième se composait d'aliments gras, avec très peu de glucides. Comme on pouvait s'y attendre, les participants qui absorbaient un repas riche en glucides (comme d'ailleurs ceux qui prenaient un repas particulièrement gras) disaient éprouver davantage de lassitude et de confusion que ceux dont le déjeuner présentait une teneur moyenne en glucides.

«Il s'agit d'équilibrer protéines et glucides de telle manière que l'essentiel de notre alimentation se constitue de glucides complexes, accompagnés d'une petite quantité de protéines, explique Mme Somer. C'est ainsi que la majorité des gens pourront augmenter leur niveau d'énergie.»

Paradoxalement, l'inverse se produit chez une catégorie de personnes appelées «boulimiques de glucides». Les experts ne savent pas encore pour quelle raison ces individus semblent obtenir un surcroît d'énergie après un repas ou une collation riche en glucides. Selon des chercheurs américains, ce besoin compulsif de glucides pourrait être une tentative de l'organisme pour faire augmenter de trop faibles taux de sérotonine.

Si vous appartenez à cette dernière catégorie, surtout ne faites rien pour combattre cette tendance, recommande Mme Somer. Au contraire, prenez plaisir à déguster au repas de midi une pomme de terre en robe des champs, du pain, des pâtes, ou n'importe quel féculent. Pendant que vous y êtes, offrez-vous en milieu de matinée une collation riche en glucides comme des biscuits complets salés ou une banane, ce qui vous évitera le «coup de pompe» au moment de midi.

Précisons au passage qu'il est généralement préférable de fractionner les prises alimentaires tout au long de la journée, plutôt que de faire deux ou trois repas substantiels. En prenant des repas moins consistants, vous maintiendrez des taux glycémiques plus stables, ce qui contribue à prévenir la fatigue, souligne la nutritionniste Wahida Karmally.

DES ALIMENTS SOPORIFIQUES

Il n'est que 15 heures et déjà, vous n'en pouvez plus.

Le café n'y changera rien. Les recherches ont bien montré qu'une ou deux tasses de café par jour pouvaient stimuler la vigilance et les fonctions mentales, mais l'absorption quotidienne de grandes quantités de ce breuvage aurait plutôt l'effet inverse. Il en va de même des aliments sucrés «consolateurs» comme les beignets, qui peuvent entraîner momentanément un sursaut d'énergie, hélas très vite suivi chez la majorité d'entre nous par un «coup de pompe» tout aussi rapide et beaucoup plus prolongé.

«Le sucre peut aggraver l'impression de fatigue, surtout chez les sujets particulièrement sensibles», souligne le Dr Larry Christensen, spécialiste des effets du sucre et de la caféine sur l'humeur.

Contrairement aux féculents, qui libèrent leur énergie très progressivement dans le courant sanguin, le sucre (aussi appelé glucose) s'y déverse d'un seul coup, provoquant des pics de glycémie. En réaction, le corps génère de l'insuline, qui prélève rapidement le sucre dans le sang pour le transporter jusqu'aux différentes cellules du corps. Le résultat, bien entendu, est une chute brutale du taux glycémique (taux de sucre dans le sang). Plus ce taux s'abaisse, plus nous nous sentons épuisé.

Le sucre peut également être à l'origine de la fatigue, car il stimule indirectement la production de sérotonine. Cet agent chimique du cerveau, ainsi que nous l'avons déjà vu, joue un rôle sédatif; or, c'est justement ce qu'il vaut mieux éviter lorsqu'on lutte contre la fatigue.

Les experts ignorent pour quelle raison la caféine a tendance à faire baisser notre niveau d'énergie, relève le Dr Christensen. En revanche, ils savent que l'euphorie passagère due à l'absorption de nombreuses tasses de café (ou de toute boisson contenant de la caféine, Coca-Cola, thé ou autre) est souvent suivie par le «coup de pompe» dû à la caféine.

Pour retrouver plus d'énergie, beaucoup de gens se contentent de boire davantage de café. Comme le fait remarquer le Dr Werbach, c'est le départ d'un cercle vicieux qui peut nous rendre alternativement excessivement nerveux, puis somnolent.

Au cours d'une étude, des chercheurs ont administré pendant deux semaines à des personnes chroniquement sujettes à la fatigue, à la dépression et aux sautes d'humeur, une alimentation sans sucre et sans caféine. Comme on pouvait s'y attendre, beaucoup d'entre elles n'ont pas tardé à éprouver un soulagement considérable grâce à ce régime. Ce qui se passa par la suite est plus intéressant encore. Lorsque les mêmes personnes ont recommencé à manger normalement, absorbant donc à nouveau de la caféine et du sucre, 44% d'entre elles éprouvèrent à nouveau un épuisement profond.

L'ESTOMAC
LA FiN DES ENNUiS GASTRiQUES

N'est-il pas paradoxal qu'un grand nombre de nos aliments préférés, comme ces délicieux éclairs au chocolat ou ce succulent gigot d'agneau accompagné de sauce que nous aimons tant, soient ceux-là même que notre estomac redoute le plus, du moins si nous faisons des excès? Chaque année, les occasions sont nombreuses de nous retrouver à table avec la famille, des amis ou des collègues, autant de prétextes pour commettre ce genre d'excès. C'est bien pour cette raison que tant de nos festivités s'achèvent non pas en buvant un verre de vin, mais avec un pansement gastrique.

Lorsque nous absorbons d'un seul coup de trop grandes quantités de nourriture, nous risquons d'avoir des ennuis gastriques, car le corps ne parvient plus à gérer cette brusque augmentation de volume, commente le Dr William Ruderman, gastro-entérologue. L'absorption de matières grasses en trop grande quantité peut également causer des problèmes, car cela peut déclencher dans le cerveau le mécanisme de la nausée, qui provoque à son tour de désagréables haut-le-cœur au fond de l'estomac.

Les aliments gras ont un autre inconvénient: ils affaiblissent momentanément un petit muscle situé à la base de l'œsophage (le passage qui relie la bouche à l'estomac). Ainsi les sucs digestifs, qui restent normalement confinés dans l'estomac, remontent vers la bouche en provoquant brûlures d'estomac ou nausées, relève le Dr Marie Borum, professeur de médecine. L'impression d'avoir trop mangé, aggravée par de pénibles brûlures d'estomac, suffit à gâcher même la meilleure soirée.

Le Dr Borum recommande deux méthodes très efficaces pour éviter les troubles gastriques: manger un peu moins aux repas, et absorber moins d'aliments gras, surtout s'il s'agit de viande frite. En revanche, si vous avez déjà des problèmes gastriques, vous avez besoin d'un remède de choc pour soulager les nausées. Heureusement les aliments, surtout ceux de goût fade et neutre, peuvent également vous y aider.

«Je recommande de boire d'abord de l'eau, puis d'absorber un peu de pain grillé, de bouillon, de potage léger, voire un ou deux œufs durs, suggère le Dr Borum. Bien évidemment, il est exclu de manger des aliments peu digestes comme de la glace ou du poulet frit.»

Comment soulager la gueule de bois?

Qui n'apprécie pas de temps à autre un festin bien arrosé, en bonne compagnie? Pourtant, l'abus d'alcool peut malmener notre estomac au point de nous faire regretter les festivités.

Il n'existe pas vraiment de remède pour soulager la gueule de bois, mais certains aliments peuvent soulager l'inconfort qu'elle entraîne. Voici quelques suggestions.

Mangez des aliments simples. Pour neutraliser quelque peu les sucs gastriques qui peuvent provoquer des nausées, le Dr Marie Borum, professeur de médecine, vous propose de manger une tranche de pain, sans rien dessus: ni beurre, ni confiture, ni autre pâte à tartiner. De plus, les aliments neutres comme le pain ou les pâtes sont très digestes, et peuvent donc contribuer à calmer un estomac malmené.

Buvez beaucoup d'eau. L'absorption de grandes quantités d'eau peut soulager la nausée et la déshydratation souvent dues aux excès d'alcool. Si vous avez bu de l'alcool, c'est d'ailleurs une excellente idée que de boire beaucoup d'eau avant d'aller vous coucher, afin d'éviter quelque peu les désagréments de la gueule de bois au réveil.

Lorsque vous ne parvenez même pas à avaler des aliments fades, surtout ne forcez pas, poursuit-elle. Nous pouvons très bien nous passer de nourriture pendant 4 à 6 heures. Beaucoup de gens préfèrent éviter de sauter un repas, mais un jeûne peu prolongé peut être très bénéfique. C'est peut-être justement ce dont votre pauvre estomac a besoin pour se remettre.

L'un des remèdes les plus prisés pour soulager les troubles gastriques est également l'un des plus anciens. Diverses études montrent que pour soulager les nausées, le gingembre peut être plus efficace dans certains cas que les médicaments en vente libre. «Le gingembre est le seul remède d'origine végétale dont l'efficacité est reconnue à peu près par tous», commente le Dr Marvin Schuster, directeur d'un centre spécialisé dans les troubles de la digestion.

Le gingembre frais est certes efficace dans ce domaine, mais son goût plutôt fort ne permet pas d'en absorber suffisamment pour obtenir un soulagement. Une stratégie plus commode, selon le Dr Schuster, consiste à préparer une tasse d'infusion au gingembre. Pour cela, râpez deux cuillerées à café de gingembre frais que vous recouvrirez d'eau bouillante, puis laissez infuser pendant 10 minutes. Passez cette infusion et buvez-en jusqu'à ce que vous éprouviez un soulagement. Pour beaucoup de gens, une seule tasse suffit pour atteindre ce but.

Le Coca-Cola peut aussi se révéler utile pour soulager les troubles gastriques. Les ingrédients de ce breuvage demeurent, aujourd'hui encore, un véritable secret d'état et personne ne sait par conséquent ce qui amène tant de gens à absorber du «vrai» Coca-Cola lorsqu'ils éprouvent des nausées. Selon le Dr Borum, cette boisson semble effectivement apporter un soulagement. «De plus, le Coca-Cola contient beaucoup de sucre, ce qui est important si l'on a besoin de se réhydrater après avoir eu des vomissements», ajoute-t-elle.

En cas de troubles gastriques, il est souvent difficile de boire ne serait-ce que de l'eau sans se sentir plus nauséeux encore. Afin d'éviter de se déshydrater, le Dr Borum suggère de sucer un petit glaçon, ce qui permettra d'apporter au corps un peu plus d'eau sans risquer de perturber davantage l'estomac.

LA GOUTTE
SE PROTÉGER DES PURINES

Si vous commencez à lire ce chapitre, soit vous avez la goutte, soit vous pensez que c'est une possibilité, soit vous connaissez quelqu'un d'autre qui en est atteint. En effet, ce trouble est très courant, même si personne ne voudrait en être victime.

La goutte est une forme d'arthrite au cours de laquelle les articulations sont affectées par des cristaux d'acide urique, dont les pointes acérés provoquent des douleurs cuisantes. Chez certains, le seul poids d'une couverture sur un orteil enflammé provoque des douleurs insupportables. Ce trouble s'accompagne parfois de fièvre et de frissons lorsque le système immunitaire s'efforce de réagir.

Les médecins relèvent que ce trouble est de plus en plus fréquent, conséquence du vieillissement de la population. La plupart des goutteux sont des hommes corpulents de plus de quarante ans, mais les femmes peuvent également être atteintes.

EXCÈS DE SUBSTANCE NUISIBLE

L'acide urique qui est à l'origine de la goutte est un élément normal de notre métabolisme. Notre corps en produit lors de la décomposition des purines, un sous-produit des protéines.

Habituellement, l'acide urique se dissout dans le sang, puis est filtré par les reins et éliminé ensuite par le biais de l'urine. Il n'en va pas de même chez les goutteux, dont l'organisme – vraisemblablement par quelque caprice de leur métabolisme – soit génère trop d'acide urique, soit ne parvient pas à l'éliminer. À la longue, le surplus d'acide forme de minuscules cristaux acérés qui s'installent dans les articulations et les tissus conjonctifs qui entourent ces dernières, ce qui provoque une inflammation douloureuse, comme l'explique le Dr Doyt Conn, de la Fondation américaine de l'arthrite. Le gros orteil est la cible préférée des crises de goutte, mais il arrive aussi que les chevilles, les genoux, les mains et les épaules soient affectés.

La goutte est trompeuse, car une crise peut être suivie d'une longue période d'accalmie durant laquelle aucun symptôme ne se manifeste. Lorsqu'une crise survient, cela se produit généralement la nuit; en l'absence de médicaments, la douleur peut se prolonger durant des jours, voire des semaines. Si vous avez déjà eu une crise de goutte, vous pouvez vous attendre à subir tôt ou tard une récidive. La moitié des patients qui viennent d'avoir leur première crise auront une rechute durant l'année en cours, les trois quarts subiront une nouvelle crise dans les cinq ans à venir.

La douleur n'est pas la seule raison d'inquiétude. Non traitée, la goutte tend à provoquer des crises de plus en plus graves et fréquentes. Après une dizaine d'années, des grumeaux d'acide urique, ou tophacées (concrétions), peuvent commencer à s'accumuler autour d'une articulation et dans le cartilage, à n'importe quel autre endroit du corps. Les tophacées sont parfois visibles sous la peau, surtout lorsqu'elles se produisent dans l'oreille externe. Sans traitement, ces dépôts finissent par croître et risquent d'immobiliser l'articulation concernée de manière irréversible. De plus, les goutteux sont davantage exposés que les sujets sains aux calculs rénaux constitués d'acide urique.

Il n'existe aucun traitement pour guérir la goutte. Les médicaments permettent de maîtriser son évolution, mais les goutteux ont aussi à leur disposition d'autres stratégies. Perdre du poids, bien choisir les aliments, absorber moins d'alcool, boire beaucoup d'eau, sont autant de mesures qui contribuent à faire baisser les taux d'acide urique et à réduire le risque de crise, souligne le Dr Conn.

PRÉROGATIVE MASCULINE?

La goutte fut longtemps considérée comme un trouble exclusivement masculin, mais aujourd'hui, de plus en plus de femmes en sont atteintes.

Aux États-Unis, près de 20% des goutteux sont des femmes, et la grande majorité d'entre elles sont ménopausées. Comment expliquer cela?

Les médecins pensent que les œstrogènes contribuent à empêcher une accumulation d'acide urique dans le sang, explique le Dr Doyt Conn, de la Fondation américaine de l'arthrite. En revanche, cette protection disparaît à la ménopause, lorsque les taux d'œstrogène s'abaissent. Aujourd'hui, avec le vieillissement de la majorité des femmes de la génération du baby boom, il ne fait aucun doute que l'incidence de la goutte va augmenter.

«Les femmes qui subissent une crise de goutte sont généralement corpulentes, ajoute le Dr Conn; elles sont souvent atteintes d'hypertension artérielle et prennent des diurétiques.»

SOUPESER LES RISQUES

Le maintien d'un poids corporel raisonnable est particulièrement important pour les goutteux, car les travaux scientifiques ont mis en évidence un lien de causalité entre l'obésité et des taux élevés d'acide urique dans le sang. En revanche, ni

LE POUVOIR THÉRAPEUTIQUE DES FRUITS

L'utilisation des cerises dans le traitement de la goutte est mentionnée pour la première fois vers les années 1950 et semble venir d'un habitant du Texas, le Dr Ludwig W. Blau, qu'un gros orteil atteint de goutte avait condamné à rester dans un fauteuil roulant. Le Dr Blau signalait dans un journal médical publié au Texas que le simple fait de manger six cerises par jour n'avait pas tardé à le remettre sur pied. En outre, il relevait que son médecin traitant avait prescrit le même remède à 12 de ses patients, avec des résultats tout aussi concluants.

Les cerises sont-elles vraiment efficaces? Il n'en existe aucune preuve scientifique, mais certains goutteux en sont persuadés. Lors d'un sondage effectué par le magazine *Prevention*, quelque 700 participants ont répondu qu'ils avaient mangé des cerises dans l'espoir de soulager la goutte, et environ 67% d'entre eux disaient avoir éprouvé une amélioration.

Il semblerait que le jus de cerises noires ait le même effet, fait remarquer Steve Schumacher, kinésiologue. «Je dois dire que de tous les remèdes auxquels j'ai pu faire appel pour traiter des patients atteints de toutes sortes de troubles, c'est celui qui plaît le mieux à tout le monde», dit-il.

Dans son ouvrage *Natural Prescriptions*, le Dr Robert M. Giller relève que les cerises (ainsi que les autres baies de couleur bleue ou rouge foncé) contiennent en abondance des substances complexes qui empêchent la destruction du collagène. L'organisme emploie ce dernier pour constituer le tissu conjonctif, celui-là même qui est endommagé par la goutte.

Pour certaines personnes, écrit-il, le simple fait de manger chaque jour, une semaine durant, une demi-livre de cerises peut contribuer à soulager les symptômes.

les régimes draconiens ni le jeûne n'offrent une bonne solution, car ils risquent au contraire de faire monter ces taux. Une perte de poids lente et régulière est non seulement meilleure d'une manière générale, mais permet également de mieux maîtriser la goutte, commente le Dr Conn.

Au cours d'une étude, des chercheurs américains ont suivi sur plus de 30 ans 1 200 étudiants en médecine. Ils ont ainsi constaté que ceux qui avaient pris le plus de poids au début de l'âge adulte (à un moment où la plupart des gens grossissent quelque peu) étaient le plus exposés au risque de goutte par la suite. Il est démontré que même une faible augmentation de poids (de 3 à 5 kilos) entre 25 et 35 ans a pour effet de pratiquement doubler le risque de goutte.

Nous le savons, il est bien plus facile d'éviter de prendre du poids que de s'en débarrasser par la suite. En maîtrisant votre poids aujourd'hui, vous ferez beaucoup pour prévenir la goutte à l'avenir.

LE SOULAGEMENT PAR L'ALIMENTATION

Autrefois, le seul moyen de soulager la goutte consistait à écarter les purines dans l'alimentation. Peu efficace, cette thérapie avait en outre l'inconvénient de reposer sur des repas plutôt ternes, commente Mme Donna Weihofen, diététicienne.

«Contentez-vous d'écarter les aliments qui contiennent le plus de purines, conseille Mme Weihofen. Cette mesure très simple augmentera les effets des médicaments et pourra même parfois prévenir certains des symptômes les plus graves.» Les aliments les plus riches en purines sont les abats (foie, rognons, ris de veau ou d'agneau) ainsi que les sardines, les anchois, le maquereau, les asperges, les champignons et les légumineuses.

Tout en absorbant moins d'aliments contenant des purines, si vous buvez de l'alcool, il est en outre judicieux de le faire avec modération. La bière, le vin et diverses autres boissons alcoolisées augmentent le risque de crise de deux manières différentes. Ces breuvages stimulent en effet la production dans l'organisme de l'acide urique, tout en gênant l'aptitude des reins à éliminer ce dernier. Il est également préférable d'éviter les vins rouges liquoreux tels que le porto et le madère, qui contiennent le plus de purines.

En buvant davantage d'eau, au contraire, il est possible de diluer l'acide urique dans le courant sanguin et d'empêcher ainsi la formation de cristaux, souligne Mme Weihofen. Les boissons gazeuses et les jus de fruits peuvent également être bénéfiques, mais l'eau plate leur est préférable, car elle s'élimine rapidement sans déposer au passage aucun sucre superflu. Cette diététicienne recommande de boire au moins de 10 à 12 verres d'eau par jour.

LES HÉMORROÏDES
GUÉRIR LES VEINES DILATÉES

Nous avons parfois l'impression que l'appel de la nature est tout, sauf naturel. Nous ressentons le besoin d'aller à la selle, mais les efforts requis paraissent disproportionnés. Alors nous poussons... encore et encore... soumettant ainsi à une pression considérable les minuscules veines de l'anus et du rectum, qui peuvent alors gonfler et s'étirer démesurément. C'est ainsi qu'apparaissent les hémorroïdes, un trouble souvent douloureux et très courant. La plupart du temps, les hémorroïdes surviennent par suite de nos efforts pour expulser des selles dures; le meilleur moyen de prévenir ce trouble consiste donc à prendre diverses mesures pour rendre les selles plus molles, souligne le Dr Marvin Schuster, directeur d'un centre spécialisé dans les troubles de la digestion. Bien choisir nos aliments est souvent une bonne façon d'y parvenir.

LES FIBRES À LA RESCOUSSE

La raison pour laquelle tant de Français ont des hémorroïdes tient au fait que la consommation moyenne de fibres en France n'est que de 12 à 15 grammes par jour, c'est-à-dire considérablement moins que la Valeur quotidienne (25 à 30 grammes), fait remarquer le Dr Schuster. Les fibres jouent un rôle important, puisqu'elles donnent du volume et du poids au bol fécal, ce qui permet une élimination plus facile des selles. Diverses études ont d'ailleurs montré que les individus qui absorbent beaucoup d'aliments riches en fibres sont considérablement moins sujets aux hémorroïdes que ceux qui mangent moins de fibres.

Le Dr Schuster ajoute qu'il n'est pas difficile d'augmenter la quantité de fibres absorbée. En mangeant chaque jour au moins cinq portions de fruits et de légumes et six portions de pain complet, de céréales entières ou de légumineuses, nous obtenons suffisamment de fibres pour favoriser une bonne élimination.

DAVANTAGE DE FLUIDES

Essayez un peu d'avaler une poignée de biscuits salés sans prendre en même temps un peu d'eau. Pas facile, n'est-ce pas? Eh bien le problème est exactement le même lorsque le système digestif s'efforce de transformer nos aliments sans disposer de fluides en quantité suffisante, fait remarquer le Dr Marie Borum, pro-

fesseur de médecine. Les selles durcies s'expulsent avec difficulté, ce
qui, comme nous venons de le voir,
est précisément la cause des hémorroïdes.

L'eau ne fait pas que faciliter
la digestion. Étant absorbée dans
le bol fécal, elle rend les selles plus
lourdes et, par conséquent, plus
faciles à expulser, surtout si nous
absorbons aussi davantage de fibres,
car ces dernières absorbent l'eau à
la manière d'une éponge, poursuit
le Dr Borum.

Elle recommande de boire de
six à huit verres d'eau par jour. Cela
peut sembler beaucoup, et nous
aurions du mal à y parvenir s'il
s'agissait d'en avaler de telles quantités d'un seul coup. Mais en ayant
toujours à proximité un peu d'eau
pour en boire régulièrement par
petites gorgées à longueur de journée
– en gardant par exemple un verre
d'eau sur la table de nuit ou une
bouteille sur notre bureau –, il n'est
pas difficile d'en absorber suffisamment.

LES BAIES QUI SOULAGENT

Même lorsque l'on mange
beaucoup d'aliments riches en fibres
et que l'on boit de grandes quantités
d'eau, il peut arriver que l'on soit
constipé, et même que des hémorroïdes fassent leur apparition. C'est
précisément la raison pour laquelle
certains médecins sont persuadés
qu'il est important de faire le
maximum pour renforcer les veines
de l'anus, à titre de précaution.

COMMENT SOULAGER LES DOULEURS

En gonflant, les hémorroïdes peuvent
faire douloureusement pression sur
certains nerfs. De plus, un certain nombre
d'aliments risquent d'aggraver ces
douleurs. La prochaine fois que vos
hémorroïdes se manifesteront, voici
quelques aliments qu'il sera préférable
d'éviter.

Pas de café. Le café a pour effet de
contracter les intestins, ce qui peut irriter
davantage une hémorroïde déjà
douloureuse, fait remarquer le Dr Marvin
Schuster, directeur d'un centre spécialisé
dans les troubles de la digestion. De plus,
le café est diurétique, c'est-à-dire qu'il
entraîne l'élimination de fluides dont
le corps aurait pourtant bien besoin;
or, si nous avons des hémorroïdes, nous
avons besoin d'autant plus d'eau.

Plus d'alcool. Comme le café, l'alcool
est diurétique et peut entraîner
la constipation. En cas d'hémorroïdes,
il est préférable d'éviter l'alcool jusqu'à
guérison complète.

Préférez les aliments fades.
Les mêmes agents chimiques qui
confèrent aux aliments épicés leur goût
incendiaire peuvent douloureusement
brûler nos parties intimes au moment
d'aller à la selle. Lorsque nos hémorroïdes
nous font souffrir, mieux vaut éviter le
poivre et le piment, et manger surtout des
aliments moins relevés.

Les cerises, les mûres et les myrtilles contiennent des substances complexes, les proanthocyanidines, qui contribuent à renforcer les parois des capillaires et des veines de l'anus. Ainsi protégées, ces dernières risquent moins de se dilater sous la pression, note le Dr Andrew Weil, professeur en faculté de médecine. Ce dernier précise qu'en absorbant davantage de ces baies bénéfiques, nous pouvons contribuer à prévenir l'apparition des hémorroïdes.

Rien ne nous empêche de manger les fruits entiers pour bénéficier de cette protection, mais leurs jus, plus concentrés, sont plus efficaces pour renforcer le système veineux. Les médecins spécialisés en nutrithérapie recommandent de boire chaque jour 120 millilitres de jus de baies, dilué dans la même quantité de jus de pomme.

L'HERPÈS
LE POUVOIR DES PROTÉINES

Il n'y a guère plus traître que le virus *herpes simplex*, qui passe le plus clair de son existence pour ainsi dire en veilleuse, bien caché à l'intérieur des nerfs, en attendant que faiblisse la vigilance du système immunitaire. Dès que l'occasion s'en présente, il se précipite vers l'épiderme pour y provoquer de vilaines ulcérations (ou boutons de fièvre) qui peuvent subsister une semaine, ou même plus longtemps encore. Ensuite le virus se retire à nouveau dans les nerfs, où il peut rester des semaines, des mois, voire des années avant de réapparaître.

Aucun traitement ne peut guérir l'herpès, qui peut être à l'origine de boutons n'importe où sur la surface de la peau, et, par conséquent, il est préférable d'éviter l'infection. En revanche si vous êtes déjà atteint, certains travaux laissent entendre qu'en absorbant davantage de certains aliments et moins de certains autres, il est possible d'affaiblir le virus qui risque moins alors de passer à l'offensive.

COMMENT AFFAIBLIR LE VIRUS

Il semble difficile de croire qu'un œuf ou un bol de haricots blancs en sauce tomate puissent être très efficaces contre le virus de l'herpès. Pourtant ces aliments, ainsi que la viande, le lait et le fromage, contiennent de grandes quantités de lysine, un acide aminé capable de contribuer à empêcher la prolifération du virus.

«Le virus de l'herpès emploie certains acides aminés pour construire la gaine de protéine qui l'entoure, explique le Dr Mark McCune, dermatologue. En inhibant la croissance de cette gaine, la lysine empêche donc le virus de se développer.»

Les médecins n'ont pas encore déterminé la quantité de lysine nécessaire pour maîtriser ce trouble, mais le Dr McCune recommande d'en absorber entre 1 000 et 2 000 milligrammes par jour. Au cours d'une étude, des chercheurs ont constaté que les sujets qui obtenaient de 500 à 1 000 milligrammes supplémentaires de lysine par jour (par rapport à ce qu'ils absorbaient habituellement) étaient rarement sujets à des crises. Même lorsque cela se produisait, les boutons étaient plus petits que par le passé et, dans certains cas, ils ne persistaient que la moitié du temps habituel.

Il est facile d'augmenter la quantité de lysine absorbée. Une portion de fromage Provolone (fromage de Campanie italienne) pesant 45 grammes, par exemple, en contient 1 110 milligrammes. Deux œufs en fournissent 900 milligrammes, une tasse de lingots blancs en sauce tomate 960 milligrammes, et une portion de 100 grammes de lingots blancs à la tomate 1,87 gramme. Le porc est particulièrement riche en lysine, puisqu'une côtelette de 100 grammes en fournit plus de 2 grammes.

Comment lui couper les vivres

De même que les aliments riches en lysine peuvent empêcher le virus de construire sa gaine protectrice, ceux qui contiennent de l'arginine pourraient au contraire lui donner des forces. «L'arginine est un acide aminé dont l'herpès a besoin pour construire son revêtement de protéine, commente le Dr McCune. Si notre alimentation nous fournit beaucoup d'arginine, cela pourrait contribuer à une prolifération virale particulièrement agressive.»

Parmi les aliments qui contiennent beaucoup d'arginine, on peut mentionner le chocolat, les petits pois, les noix et la bière. Le Dr McCune précise qu'il n'est pas nécessaire de renoncer entièrement à ces aliments si l'on est atteint d'herpès. En revanche, il s'agit d'équilibrer les prises alimentaires en absorbant d'autres aliments contenant beaucoup de lysine.

«Ce principe du rapport entre la lysine et l'arginine n'est pas valable pour tout le monde, poursuit le Dr McCune, mais j'ai eu l'occasion de voir de nombreux résultats positifs grâce à cette approche. De plus, il n'y a pas d'effets secondaires indésirables comme avec des médicaments.»

Une vitamine pour l'immunité

La vitamine C est bien connue pour son efficacité lorsqu'il s'agit de renforcer le système immunitaire et de lutter contre les virus. S'il n'existe aucune étude scientifique prouvant qu'elle est efficace contre l'herpès, certains travaux laissent néanmoins entendre qu'en conjonction avec les bioflavonoïdes, des substances complexes de la même famille, la vitamine C pourrait contribuer à inhiber ce virus, selon le dentiste Craig Zunka.

Pour obtenir plus de vitamine C et de bioflavonoïdes par l'alimentation, il suffit d'absorber chaque jour plusieurs portions de fruits et de légumes. Une goyave, par exemple, contient 165 milligrammes de vitamine C, soit près de trois fois la Valeur quotidienne (VQ). Le jus d'orange en est également une bonne source, puisqu'un verre de 180 millilitres en fournit 93 milligrammes (plus de 150% de la VQ), et une portion de 100 grammes de brocoli 70 milligrammes (un peu plus de la VQ).

La magie du lait

Lorsqu'un bouton a fait son apparition, il peut ensuite s'éterniser avant de s'atténuer. Pourtant, votre réfrigérateur contient probablement en ce moment-même un remède capable d'en hâter la disparition. Les médecins ignorent pour quelle raison cela se produit, mais il semble possible d'accélérer la guérison d'un bouton de fièvre en appliquant dessus une compresse de lait.

Il suffit de tremper une compresse ou un mouchoir propre dans du lait, et de l'appliquer sur le bouton durant 5 secondes, puis de la retirer pendant le même laps de temps. Remettez la compresse en place durant 5 minutes, cette fois, et recommencez ce processus toutes les 3 ou 4 heures, en rinçant la peau entre deux applications.

L'IMMUNITÉ
MANGER POUR AUGMENTER SA RÉSISTANCE

Un collègue éternue et une nuée de virus se disperse dans l'air ambiant. Il suffit de toucher un stylo ou des chaussettes pour être exposé à des milliers, voire des millions de bactéries. Le plaisir de marcher pieds nus sur la pelouse nous vaut de ramasser des champignons microscopiques, des parasites et quantité de bactéries.

La vie est-elle donc dangereuse? Sans doute le serait-elle si notre système immunitaire n'existait pas pour nous protéger.

«Notre corps est constamment bombardé par des bactéries, des virus et d'autres micro-organismes qui s'efforcent d'y pénétrer, souligne le Dr Thomas Petro, professeur de microbiologie et d'immunologie. Le système immunitaire est notre seule défense contre ces tentatives d'invasion.»

Il s'agit vraiment d'un combat pour la survie. Même fraîchement lavés, deux centimètres carrés de peau peuvent encore abriter plus de 1 million de bactéries. Si notre système immunitaire n'était pas à la hauteur, les microbes à l'intérieur de l'organisme et à la surface de la peau ne tarderaient pas à se multiplier pour atteindre des proportions inimaginables. Pourtant, à chaque instant, notre système immunitaire intervient pour réprimer et contenir ces intrus microscopiques.

Dans une large mesure, notre aptitude à maintenir notre système immunitaire en bonne santé dépend de nos aliments, souligne le Dr Petro. Les recherches ont notamment montré que dans les régions du monde où l'on manque d'aliments sains et nutritifs, les habitants ont souvent une faible immunité et sont bien plus exposés aux infections. De même, chez les personnes atteintes d'une maladie grave comme le cancer et qui ont souvent peu d'appétit, le statut immunitaire risque de s'abaisser.

Pour peu que nous ayons de faibles taux d'un seul nutriment, notre système immunitaire pourrait en payer le prix. Au cours d'une étude de petite envergure, par exemple, des chercheurs américains ont administré à huit personnes un régime contenant très peu de vitamine B_6. Après seulement trois semaines, leur taux de globules blancs (dont le rôle est de combattre la maladie) descendait en chute libre. Par la suite, lorsque ces mêmes personnes ont recommencé à manger des aliments riches en vitamine B_6, leur système immunitaire ne tarda pas à reprendre des forces.

«Les aliments sont de puissants remèdes», commente le Dr Keith Block, directeur d'un institut de cancérologie. En réalité, lorsque nous absorbons davantage de certains aliments en écartant certains autres, nous pouvons augmenter sensiblement l'aptitude du corps à lutter contre la plupart des maladies, depuis les refroidissements jusqu'au cancer.

Un système remarquable

La majorité des gens pense que le système immunitaire est pour ainsi dire tout d'une pièce, alors qu'il est composé en réalité de deux parties très distinctes. L'un de ses aspects n'est pas spécifique, c'est-à-dire qu'il s'attaque, ou simplement résiste, à tout ce qui peut entrer en contact avec lui. Notre peau, par exemple, constitue une barrière contre les bactéries, les virus et divers autres envahisseurs potentiels. Elle sécrète également de la sueur et de l'huile, dont l'acidité contribue à empêcher les bactéries nuisibles de proliférer. Notre estomac sécrète des sucs acides et des enzymes capables de tuer les microbes. Notre salive et nos larmes contiennent une enzyme dont le but est de détruire les bactéries. Les poils à l'intérieur de notre nez empêchent les microbes de pénétrer dans l'organisme.

Si d'aventure un microbe ou un intrus quelconque réussit à déjouer cet aspect non-spécifique du système immunitaire, il doit alors affronter le deuxième niveau de défense: le système spécifique. Cette partie du système immunitaire est extrêmement sélective. En fonction du type d'envahisseur qu'elle rencontre, elle émet des anticorps; ces protéines sont comme des armes sur mesure conçues pour tuer un envahisseur précis, à l'exclusion de tous les autres.

Le système immunitaire est capable de générer plus de 10 milliards d'anticorps différents et, par conséquent, il est en mesure de reconnaître et d'attaquer à peu près toute substance avec laquelle il entre en contact. De plus, il est doué d'une mémoire d'éléphant. Si nous avons été exposé une seule fois à un microbe donné, notre système immunitaire s'en souviendra; et si ce même microbe réapparaissait des mois, des années ou même des décennies plus tard, les anticorps appropriés seraient aussitôt générés pour faire face au danger.

Des aliments défensifs

La plus puissante protection que nous puissions donner à notre système immunitaire consiste à absorber une alimentation variée et équilibrée, comportant toutes sortes de fruits, légumes, céréales complètes, graines et noix, ainsi que divers produits de la mer, selon le Dr Michelle S. Santos, chargée de recherches. Ces aliments contiennent une abondance de nutriments capables de maintenir notre système immunitaire en bonne santé. De plus, certains de ces nutriments sont des antioxydants, ce qui pourrait fournir au système immunitaire un surcroît de ressources.

Pourquoi les antioxydants sont-ils si importants? Les cellules immunitaires de l'organisme sont constamment prises d'assaut par des quantités de substances nuisibles, appelées radicaux libres. Ces molécules d'oxygène nuisibles sont générées chaque jour en quantités inimaginables. Les radicaux libres, ayant perdu l'un de leurs électrons, se précipitent à travers tout l'organisme afin de dérober dès que possible cet électron manquant. Chaque fois qu'ils y réussissent, une autre cellule se retrouve à son tour amputée d'un électron.

Les antioxydants de nos aliments, en revanche, s'interposent entre les cellules saines du système immunitaire et les radicaux libres, auxquels ils offrent leurs propres électrons. Les radicaux libres sont donc neutralisés et empêchés de provoquer davantage de dégâts. Grâce à ce processus, les cellules immunitaires de l'organisme demeurent vigoureuses et bien protégées.

Au cours d'une étude, des chercheurs canadiens ont constaté que les personnes qui absorbaient par l'alimentation une plus grande variété de nutriments, notamment des antioxydants tels que le bêtacarotène et les vitamines C et E, généraient bien plus de cellules à activité naturelle tueuse que celles qui en obtenaient moins. Ces cellules immunitaires spécialisées ont pour rôle de rechercher et de détruire les bactéries et divers autres envahisseurs. Une autre étude a permis de constater que les personnes qui absorbaient habituellement en grande quantité toutes sortes d'antioxydants n'étaient malades, en moyenne, que 23 jours par an, tandis que d'autres qui n'en obtenaient que de plus petites quantités tombaient malades plus de deux fois plus souvent, environ 48 jours par an.

Certains des aliments les plus efficaces pour stimuler l'immunité sont ceux qui contiennent du bêtacarotène, un pigment végétal présent dans des aliments comme les épinards et les courges d'hiver. Les recherches ont montré que l'absorption de 15 à 30 milligrammes de bêtacarotène par jour (la quantité fournie par une ou deux grosses carottes) suffisait pour augmenter l'immunité de manière significative. Au cours d'une étude, par exemple, des chercheurs américains ont constaté que les individus qui absorbaient au moins 30 milligrammes de bêtacarotène par jour généraient davantage de cellules à activité naturelle tueuse et de lymphocytes (dont le rôle est de tuer les virus) que d'autres sujets qui en obtenaient de plus faibles quantités.

Les carottes, la patate douce et les épinards sont d'excellentes sources de bêtacarotène. Il suffit d'ailleurs de manger chaque jour une seule patate douce et une grosse carotte pour obtenir près de 30 milligrammes de ce nutriment – la dose idéale, semble-t-il, pour avoir la meilleure immunité possible. Les légumes à feuilles vert foncé comme le chou frisé et le brocoli contiennent également de grandes quantités de bêtacarotène.

La vitamine C est certes un antioxydant puissant, mais elle aide également notre système immunitaire d'une autre manière. Le corps a besoin de vitamine C pour fabriquer de l'interféron, une protéine qui contribue à détruire les virus dans l'organisme. De plus, la vitamine C pourrait augmenter les taux de glutathion, une substance complexe dont il est prouvé qu'elle contribue à maintenir la vigueur du système immunitaire.

Au cours d'une étude de grande envergure, des chercheurs finlandais ont passé en revue 21 études moins importantes portant sur l'efficacité de la vitamine C pour combattre le rhume. Ils ont constaté que la durée du rhume et la sévérité des symptômes diminuaient de 23% chez les personnes qui absorbaient chaque jour 1 000 milligrammes de vitamine C.

La Valeur quotidienne (VQ) pour la vitamine C n'est que de 60 milligrammes, mais de nombreux chercheurs affirment qu'il nous en faudrait au moins 200 milligrammes par jour pour maintenir une immunité optimale. Le Dr Block précise qu'il est facile d'obtenir cette quantité de vitamine C par nos aliments. La moitié d'un melon cantaloup, par exemple, contient 113 milligrammes de vitamine C (près de deux fois la VQ), tandis qu'une portion de 100 grammes de choux de Bruxelles en fournit en moyenne 48 milligrammes (80% de la VQ). Bien entendu, divers autres aliments comme les agrumes, le brocoli, les rutabagas, les radis, la tisane de cynorhodon et bien d'autres sont également d'excellentes sources de vitamine C.

La vitamine E a également fait l'objet de nombreux travaux qui ont permis de confirmer son importance pour l'immunité. Le corps utilise la vitamine E pour générer une protéine immunitaire très puissante, l'interleukine 2, dont il est prouvé qu'elle s'attaque à toutes sortes d'intrus, depuis les bactéries et les virus jusqu'aux cellules cancéreuses. Au cours d'une étude, des chercheurs américains ont constaté que le taux d'interleukine 2 augmentait de 69% chez les personnes qui absorbaient chaque jour de grandes quantités de vitamine E (800 unités internationales).

La VQ pour la vitamine E étant de 30 unités internationales, il n'existe tout simplement aucun moyen d'en obtenir des quantités aussi importantes par nos seuls aliments, ce qui explique que certains médecins recommandent de prendre un complément alimentaire de ce nutriment. Pourtant, même lorsque toute la vitamine E que nous obtenons provient de nos aliments, le Dr Block fait remarquer qu'elle semble bel et bien nous offrir une protection, au moins jusqu'à un certain point.

MOINS DE CORPS GRAS POUR PLUS D'IMMUNITÉ

De même que l'absorption d'aliments judicieusement choisis peut contribuer à maintenir la vigueur du système immunitaire, celle d'aliments peu recommandables, surtout s'ils sont gras, lui est préjudiciable. «Nous ne comprenons pas pourquoi cela se produit, mais une alimentation grasse accélère le vieillissement du système immunitaire, commente le Dr Petro. En revanche, nous savons avec certitude que ce type d'alimentation génère de plus grandes quantités de radicaux libres capables d'endommager nos cellules.»

Diverses études ont montré que les individus qui réduisent la part des matières grasses absorbées ne tardent pas à voir grimper leur taux de cellules à activité naturelle tueuse, signe d'un système immunitaire vigoureux. Au cours d'une étude, des chercheurs américains ont administré à un groupe d'hommes une alimentation maigre durant trois mois. Pour chaque 1 % de matières grasses que ces hommes parvenaient à exclure de leur alimentation, l'activité de leurs cellules tueuses augmentait de pratiquement 1 %.

Le Dr Petro s'empresse d'ajouter qu'il n'est pas nécessaire d'adopter une alimentation extrêmement maigre pour stimuler notre immunité. Pour la plupart des gens, il s'agit d'adopter une alimentation où les matières grasses ne fournissent pas plus de 30 % de l'apport calorique, voire même moins; de 20 à 25 % semble l'idéal.

Les spécialistes ont consacré beaucoup d'énergie à élaborer différentes stratégies pour absorber moins de matières grasses. En réalité, cela n'a rien de compliqué. Mangez moins souvent des aliments industriels, comme ceux qui sont présentés en conserve, en boîtes et autres paquets. Excepté les fruits en boîte, les légumineuses et les légumes, beaucoup d'aliments industriels contiennent de grandes quantités de matières grasses. Mangez davantage de fruits et de légumes frais, de haricots secs, de pain complet et de céréales entières. De plus, l'adoption du lait écrémé à la place du lait entier, ainsi que de yaourt et de fromage maigres, et le fait de manger moins de viande rouge, sont autant de mesures simples qui permettent de réduire la part des matières grasses et de protéger ainsi notre immunité.

LES INFECTIONS
DES ALIMENTS BACTÉRICIDES

S'il est impossible d'éviter complètement les microbes, nos aliments peuvent en revanche nous aider à maintenir un meilleur état de santé. «Par un choix alimentaire judicieux, non seulement nous minimisons le risque d'infections, mais nous pouvons également mieux lutter contre ces dernières», commente Mme Frances Tyus, spécialiste des blessures.

Divers aliments végétaux, comme les pommes, le thé, les oignons et le chou frisé, contiennent des flavonoïdes; ces substances peuvent empêcher les microbes de s'implanter, précise le Dr Joseph V. Formica, professeur de microbiologie. Dans le cas du thé, ce sont peut-être les flavonoïdes qu'il contient qui en font un remède efficace en cas de rhume et de grippe.

L'un des flavonoïdes les plus puissants est la quercétine. Cette substance complexe, présente en abondance dans les oignons et le chou frisé, a pour effet d'endommager le matériel génétique à l'intérieur des virus, empêchant ainsi leur prolifération.

La quercétine semble efficace pour inhiber le virus de l'herpès ainsi que l'un des virus qui provoque la grippe. Les recherches en sont encore au stade préliminaire, et les médecins ne savent donc pas combien de quercétine (ou d'autres flavonoïdes) il faudrait absorber pour enrayer une infection. Dans l'immédiat, le Dr Formica précise que l'absorption quotidienne de plusieurs portions d'aliments contenant beaucoup de flavonoïdes contribuera à écarter les intrus en aidant le système immunitaire à mieux lutter contre eux.

UN THÉRAPEUTE ODORANT

La prochaine fois que vous aurez une infection, mangez de l'ail. Les recherches montrent en effet que ses gousses contiennent des substances complexes capables d'enrayer les processus infectieux.

Des chercheurs américains ont découvert que le liquide extrait de l'ail pouvait inhiber un champignon microscopique qui peut provoquer une forme de méningite (infection cérébrale grave). Au cours d'études en laboratoire, l'ail permettait de détruire *Candida albicans*, le champignon qui provoque les infections mycosiques.

«L'ail exerce incontestablement une action antivirale, antifongique et antibactérienne, commente le Dr John Hibbs, naturopathe et professeur de médecine clinique. Nous recommandons aux personnes qui ont une infection (et qui apprécient l'ail) de mâcher le plus possible d'ail frais. L'ail lyophilisé ou absorbé sous d'autres formes pourrait également être bénéfique.»

Il faut probablement absorber environ une gousse d'ail par jour pour obtenir un effet thérapeutique optimal, relève le Dr Elson Haas, directeur d'un centre de médecine préventive et auteur du livre *Staying Healthy with Nutrition*. Mais il est possible que la seule idée de manger autant d'ail cru vous donne des frissons. Si c'est le cas, vous pourriez le faire cuire au préalable. Les gousses d'ail cuites au four jusqu'à ce que la chair devienne tendre sont bien plus agréables à manger, tout en conservant leur pouvoir thérapeutique.

Une alimentation immunostimulante

Si l'on imagine le système immunitaire comme une armée luttant contre les infections, on peut dire que deux vitamines lui tiennent lieu de généraux: la vitamine A contribue à renforcer les défenses de l'organisme, tandis que la vitamine C aide le système immunitaire à lancer l'offensive. Cette double stratégie offre une protection puissante contre les envahisseurs extérieurs.

Pour maintenir les muqueuses molles et humides, le corps a besoin de vitamine A, que nous absorbons sous forme de bêtacarotène en mangeant des aliments comme les carottes, les épinards, la moutarde germée, le chou frisé et les courges à chair jaune ou orange. L'importance de ce nutriment tient au fait que les muqueuses, qui tapissent l'intérieur du nez, de la bouche et de la gorge et de diverses autres parties du corps, sont la première ligne défensive contre l'infection. Aussi longtemps que les muqueuses restent humides, elles parviennent à piéger les virus et autres intrus avant qu'ils ne puissent pénétrer dans le corps.

Afin de renforcer cette protection, l'organisme utilise également la vitamine A pour fabriquer des enzymes spéciales chargées de débusquer et de détruire les bactéries qui ont réussi à entrer malgré tout. «La vitamine A joue un rôle essentiel dans la prévention des infections», commente Mme Tyus.

Alors que le rôle de la vitamine A est surtout défensif, la vitamine C aide l'organisme à conduire l'offensive. En mangeant des oranges, du brocoli et d'autres aliments qui contiennent beaucoup de vitamine C, nous renforçons l'appétit vorace des cellules chargées d'éliminer les intrus. Au cours d'une étude portant sur des sujets atteints d'infections respiratoires, par exemple, des chercheurs britanniques ont découvert que ceux qui absorbaient 200 milligrammes de vitamine C par jour – c'est-à-dire à peu près la teneur de trois oranges – guérissaient nettement plus vite que d'autres personnes qui n'en obtenaient que des quantités plus faibles.

LA SANTÉ PAR LES MINÉRAUX

De tous les minéraux, le zinc est probablement le plus important pour maintenir une bonne immunité. De trop faibles taux de zinc peuvent entraîner une baisse des taux de globules blancs (chargés de lutter contre l'infection), augmentant par conséquent le risque de maladie.

Au cours d'une étude, par exemple, des chercheurs américains ont constaté que des enfants qui avaient absorbé chaque jour pendant deux mois 10 milligrammes de zinc étaient beaucoup moins exposés aux infections respiratoires que d'autres enfants qui en absorbaient moins. Le risque de fièvre, pour les enfants du premier groupe, s'abaissait d'ailleurs de 70 %, et celui de toux de 48 % ; en outre, l'accumulation de mucus baissait de 28 %.

Malgré l'efficacité largement démontrée du zinc, beaucoup de gens n'en absorbent pas suffisamment. C'est d'autant plus regrettable que le zinc est très facile à obtenir par l'alimentation. Il suffit par exemple de manger une seule patte de crabe royal de l'Alaska pour obtenir 10 milligrammes de zinc (67 % de la VQ). Un steak maigre de 85 grammes (haut de surlonge) en contient 6 milligrammes (40 % de la VQ), et une portion de 100 grammes de lentilles sèches 3 milligrammes (20 % de la VQ).

LES INFECTIONS MYCOSIQUES
LES BIENFAITS DES FERMENTS LACTIQUES

Les femmes connaissent depuis longtemps l'efficacité du yaourt pour soulager les infections mycosiques. Même si certains médecins demeurent sceptiques, cela risque de changer.

Au cours d'une étude de petite envergure, des chercheurs américains ont administré pendant six mois une portion de yaourt par jour à des femmes souvent en proie aux infections mycosiques. Six mois plus tard, les chercheurs ont constaté que l'incidence d'infections mycosiques avait baissé de 75%.

Le yaourt utilisé pour cette étude contenait des cultures lactiques de bactéries vivantes appelés *Lactobacillus acidophilus*. Ces bactéries bénéfiques contribuent à maîtriser la prolifération de champignons microscopiques dans l'intestin et le vagin, explique le Dr Paul Reilly, naturopathe et enseignant en université. L'absorption de yaourt contribue à reconstituer le milieu vaginal naturel, rendant improbable un récidive d'infection mycosique, précise-t-il.

Pour la majorité des femmes, la quantité de yaourt utilisée dans le cadre de cette étude est largement suffisante, poursuit le Dr Reilly. La seule difficulté pourrait être de trouver du yaourt contenant vraiment des bactéries *L. acidophilus*, puisque la majorité des yaourts que l'on trouve dans le commerce contiennent d'autres bactéries lactiques. Seuls ont droit à l'appellation yaourt les produits contenant ces bactéries ; les autres portent la mention «Lait fermenté». Même si vous trouvez un yaourt vendu en supermarché et contenant vraiment du *L. acidophilus*, la concentration en sera souvent trop faible pour être vraiment bénéfique. La meilleure stratégie consiste à acheter des yaourts dans des magasins diététiques, où le choix est généralement assez large.

UNE FORME NATURELLE DE PÉNICILLINE

Depuis la nuit des temps, l'ail est utilisé pour la désinfection des plaies, pour soigner la dysenterie et même pour traiter la tuberculose. Mais ce n'est pas tout : les recherches semblent indiquer que l'ail est capable de guérir les infections mycosiques et d'en prévenir les récidives.

L'ail contient des dizaines de substances chimiques complexes, notamment de l'ajoène, de l'allicine-alliine et du sulfure de diallyle, dont l'efficacité contre les infections mycosiques est démontrée. Au cours d'une étude en laboratoire, des chercheurs américains ont administré à des cobayes atteints d'infection mycosique soit un placebo (solution saline dénuée d'activité), soit une solution à base d'extrait d'ail ayant subi un processus de maturation. Deux jours plus tard, l'état des cobayes qui n'avaient reçu qu'un placebo restait stationnaire, tandis que ceux qui avaient reçu l'extrait d'ail étaient guéris.

Il est démontré que l'ail détruit par simple contact les champignons microscopiques responsables des infections mycosiques. De plus, ce bulbe semble stimuler l'activité des neutrophiles et des macrophages, les cellules immunitaires chargées de lutter contre l'infection.

Comme le fait remarquer le Dr Reilly, même si les cobayes faisant l'objet de cette étude avaient reçu un extrait d'ail spécialement étudié, l'ail frais est tout aussi efficace. Pour traiter et prévenir les infections mycosiques, ce médecin recommande d'absorber chaque jour plusieurs gousses d'ail, voire une tête entière. Il n'est pas nécessaire de manger l'ail cru pour bénéficier de cette protection, ajoute-t-il, puisque il conserve une partie de son pouvoir même une fois cuit au four, au micro-ondes ou à la poêle. En revanche, les gousses doivent être écrasées ou hachées pour être vraiment efficaces, car cela permet de libérer davantage des substances complexes qu'elles contiennent.

RENFORCER NOS DÉFENSES

Les recherches n'en sont encore qu'à leur stade préliminaire, mais divers travaux semblent néanmoins suggérer qu'en absorbant plus d'aliments contenant du bêtacarotène et des vitamines C et E, il est possible de prévenir les infections mycosiques.

Des chercheurs américains ont constaté que le taux de bêtacarotène dans les cellules vaginales de femmes présentant une infection mycosique était considérablement plus bas que chez d'autres femmes en bonne santé. Selon les chercheurs, les femmes ayant des taux plus élevés de bêtacarotène pourraient être plus résistantes envers ce champignon.

Le Dr Reilly fait remarquer que les aliments qui contiennent beaucoup de vitamines C et E pourraient également jouer un rôle protecteur. «Ces vitamines stimulent le système immunitaire qui fait alors intervenir des cellules spécialisées, notre première ligne de défense contre des infections comme les mycoses», commente-t-il.

Afin d'obtenir de grandes quantités de bêtacarotène et de vitamine C, il suffit d'absorber toutes sortes de fruits et de légumes. La vitamine E est, quant à elle, surtout présente dans les huiles végétales. Pour obtenir davantage de vitamine E par les aliments sans absorber trop de matières grasses, le Dr Reilly recommande de manger chaque jour plusieurs portions de graines et de noix, qui sont d'excellentes sources de vitamine E; notons aussi que le germe de blé en est une meilleure source encore.

Problème de sucre

Pour les femmes sujettes à de fréquentes infections mycosiques, le sucre peut être un vrai problème. En effet, le champignon qui est à l'origine de ce trouble est aussi friand de sucre que nous, fait remarquer le Dr Reilly.

Les recherches ont montré que les femmes qui absorbent beaucoup de miel, de sucre ou de mélasse sont plus sujettes que d'autres aux infections mycosiques. Cela se comprend aisément, puisque l'absorption de sucre fait augmenter le taux glycémique (sucre dans le courant sanguin), ce qui procure au champignon responsable des mycoses le milieu idéal à sa prolifération. Pour certaines femmes, même les sucres naturels contenus dans les fruits et le lait peuvent poser des problèmes, fait remarquer le Dr Carolyn DeMarco, auteur du livre *Take Charge of Your Body: Woman's Health Advisor*.

«Je conseille aux femmes qui ont souvent des infections mycosiques de manger moins souvent des fruits et d'écarter complètement les jus de fruit», précise le Dr DeMarco.

LES INFECTIONS URINAIRES
NETTOYER À GRANDE EAU

P endant longtemps, beaucoup de médecins considéraient le concept même d'un régime alimentaire capable de soigner les infections urinaires comme autant de recettes de bonne femme. Pourtant, des travaux de plus en plus nombreux tendent à indiquer que les liquides absorbés peuvent jouer un rôle dans la prévention, voire dans le traitement de ces troubles si douloureux.

Une infection urinaire se produit lorsque des bactéries s'installent dans la vessie ou dans l'urètre (le passage par lequel s'écoule l'urine). Ce trouble se manifeste alors par un besoin fréquent d'uriner et des mictions souvent douloureuses. Affectant la femme plus souvent que l'homme, les infections urinaires sont généralement traitées par antibiotiques car, dans la plupart des cas, ces remèdes apportent un soulagement en quelques jours seulement.

En revanche, les recherches suggèrent qu'en buvant du jus de canneberge, il est possible non seulement de prévenir ce trouble, mais aussi d'en accélérer la guérison lorsqu'une infection est déjà présente. Au cours d'une étude, des chercheurs américains ont administré pendant six mois à 153 femmes soit 300 millilitres de jus de canneberge, soit 300 millilitres d'un autre breuvage d'apparence similaire (un placebo). Ils ont ainsi pu constater que le risque d'infection urinaire était de 58% plus faible chez les femmes qui obtenaient l'authentique jus de canneberge, par rapport à celles qui ne buvaient qu'un placebo.

Les chercheurs pensent que l'urètre, chez les femmes qui ont souvent des infections urinaires, pourrait être constitué de cellules plus «collantes», facilitant l'adhérence des bactéries. Il semble que les canneberges contiennent une substance non encore identifiée qui joue dans ces cellules le rôle de revêtement antiadhésif, empêchant les bactéries d'y adhérer.

Le jus de canneberge n'est d'ailleurs pas le seul remède efficace contre les infections urinaires. En effet, les spécialistes pensent que le jus de myrtille pourrait avoir les mêmes effets.

Il est bien sûr possible d'obtenir une certaine protection en absorbant les baies entières, mais les jus nous offrent une manière plus pratique d'absorber ces substances complexes protectrices sous une forme plus concentrée. C'est pourquoi les médecins recommandent aux femmes sujettes à des infections urinaires

LE TEST D'ACIDITÉ

Lorsque les scientifiques ont commencé à faire des recherches pour examiner le jus de canneberge en tant que traitement des infections urinaires, ils pensaient que l'acidité élevée de ce jus était probablement à l'origine de son efficacité. Selon leur raisonnement, une urine plus acide devrait présenter aux bactéries un milieu moins accueillant.

Se fondant sur ce même raisonnement, beaucoup de gens essayèrent alors de soulager les infections urinaires à l'aide d'autres substances très acides comme la vitamine C, ou encore en absorbant de grandes quantités d'oranges ou de tomates.

En réalité, il semblerait que l'acide n'ait rien à y voir. Certains médecins pensent même qu'en constituant un milieu très acide, on risque d'irriter une vessie déjà enflammée.

Les spécialistes ne savent pas encore s'il est préférable que les femmes fréquemment sujettes à des infections urinaires absorbent les aliments particulièrement acides, s'il vaut mieux au contraire les éviter, ou si elles peuvent cesser entièrement de s'en préoccuper. En revanche, les médecins vous recommandent d'être attentive aux messages de votre corps. Si vous avez une infection urinaire et constatez que certains aliments comme les agrumes, les tomates, le fromage affiné, les aliments épicés et le café ont pour effet de rendre les mictions plus douloureuses, mieux vaut alors écarter ces aliments jusqu'à disparition de ce trouble.

récidivantes de boire chaque jour 300 millilitres de jus de canneberge ou, si vous pouvez en trouver, de jus de myrtille.

RINCER L'INFECTION À GRANDE EAU

Même si vous n'avez pas de jus au réfrigérateur, voici une autre stratégie liquide en cas d'infection urinaire. Le simple fait de boire chaque jour 225 millilitres d'eau aidera l'organisme à évacuer les bactéries avant qu'elles n'aient eu le temps de provoquer une infection.

Il est particulièrement important de boire de l'eau au moment de votre examen gynécologique annuel. Il semblerait en effet que chez beaucoup de femmes, cet examen ait pour effet de déclencher une infection urinaire. Peut-être le spéculum (l'instrument utilisé par le gynécologue) irrite-t-il le vagin, ou peut-être déplace-t-il les bactéries en les rapprochant de l'urètre, où elles risquent davantage de provoquer une infection. En buvant deux grands verres d'eau, l'un avant cet examen, l'autre après, et en urinant ensuite dès que possible, vous pourrez éviter ce risque.

L'INSOMNIE
MANGER POUR SE DÉTENDRE

Lorsque la vie devient trop chaotique, chacun d'entre nous peut en venir à souhaiter que la journée comporte davantage d'heures. Parfois, hélas, notre souhait se réalise – aux dépens d'un sommeil réparateur.

Bien peu de choses sont pires que de rester allongé sans dormir, frustré et contrarié, alors que l'on est justement épuisé, tandis que tout notre entourage est plongé dans un profond sommeil. La plupart du temps, bien entendu, l'insomnie est un trouble passager dû soit à l'absorption de trop de café, soit aux soucis du moment. Pourtant, il peut arriver que l'insomnie devienne chronique et s'installe non pas durant des jours, mais bien des semaines, des mois, voire des années. Après quelques nuits blanches passées à contempler fixement le plafond, peut-être vous demanderez-vous si vous pourrez jamais retrouver un véritable repos.

Cela vous rappelle quelque chose? Alors sortez du lit, chaussez vos pantoufles et dirigez-vous tout droit vers la cuisine. Des travaux de plus en plus nombreux semblent en effet indiquer que les aliments absorbés avant d'aller se coucher peuvent jouer un rôle décisif pour combattre l'insomnie.

MANGER POUR DORMIR

Avez-vous déjà vu quelqu'un s'endormir devant son assiette, juste après le repas du soir? Cela n'a rien de surprenant, puisque la physiologie veut que l'on mange d'abord et que l'on dorme ensuite.

« Il semble logique que l'on puisse mieux dormir après s'être restauré tard le soir, souligne le Dr David Levitsky, professeur de nutrition et de psychologie. L'absorption de nourriture attire le sang dans le tube digestif en le détournant du cerveau; et lorsque le sang se retire du cerveau, on devient somnolent. »

Cela ne veut pas dire qu'il faut s'empiffrer avant d'aller se coucher si l'on veut s'endormir plus vite, s'empresse-t-il d'ajouter. Au contraire, un repas copieux trop tardif risque de nous laisser en proie aux gaz et aux ballonnements, avec plus de risque de rester éveillé que de trouver facilement le sommeil. En revanche, l'absorption d'une collation légère juste avant d'aller se coucher servira de message à l'organisme pour lui signaler que c'est l'heure de Morphée.

Dodu dindon

Vous êtes-vous déjà demandé pourquoi vous avez tellement tendance à piquer du nez devant la télé après un repas de fête comme celui du réveillon de Noël ? Cela n'a rien à voir avec vos proches, mais les aliments traditionnellement servis à ces occasions, tels que la dinde et le poulet, contiennent de grandes quantités de tryptophane. Les recherches ont montré que cet acide aminé avait un effet sur la partie du cerveau qui gouverne le sommeil, selon le Dr Levitsky. Les produits laitiers contiennent également beaucoup de tryptophane, précise-t-il.

Le corps transforme cet acide aminé en sérotonine, qui est ensuite transformée en mélatonine. La sérotonine et la mélatonine ont toutes deux pour effet de nous détendre en nous rendant somnolent. Le tryptophane semble d'ailleurs particulièrement efficace, au point que, pendant longtemps, les médecins l'ont prescrit à leurs patients insomniaques sous forme de complément alimentaire. Malgré l'interdiction relativement récente de ces pilules (suite à une livraison contaminée d'origine japonaise), les médecins demeurent persuadés que l'acide aminé présent dans certains aliments est dénué de toxicité et qu'il favorise efficacement le sommeil.

En revanche, pour que le tryptophane soit pleinement efficace, il est important de l'absorber en même temps que des féculents, selon le Dr Judith Wurtman, chercheur nutritionniste et auteur du livre *The Serotonin Solution*. Lorsque nous absorbons des féculents, un petit pain, par exemple, le corps produit de l'insuline qui envoie dans les cellules musculaires tous les acides aminés, à l'exception du tryptophane. Ce dernier demeure donc seul dans le courant sanguin et parvient ainsi au cerveau le plus rapidement possible.

Bien évidemment, il n'est pas question de s'empiffrer de viande de dinde avant d'aller se coucher. En revanche, le simple fait de boire un verre de lait ou de manger un peu de fromage à l'heure du coucher fera monter vos taux de tryptophane, facilitant d'autant l'endormissement.

La nature nous aide à dormir

Jusqu'à une date récente, les scientifiques pensaient que la mélatonine n'était produite que dans l'organisme. Les dernières recherches en date ont en revanche révélé que cette hormone du sommeil était également présente dans divers aliments, notamment l'avoine, le maïs, le riz, le gingembre, la banane et l'orge, selon le Dr Russell Reiter, professeur de neuro-endocrinologie et auteur du livre *Melatonin: Your Body's Natural Wonder Drug*.

Beaucoup de médecins recommandent à leurs patients insomniaques de prendre de la mélatonine sous forme de complément alimentaire. Les recherches en sont encore au stade préliminaire, et il n'est donc pas encore possible d'indiquer avec certitude la quantité d'aliments contenant de la mélatonine qu'il faudrait absorber pour obtenir les mêmes avantages. Pourtant, lorsque le marchand de sable tarde à passer, l'absorption d'une banane ou d'un bol de flocons d'avoine fera légèrement augmenter vos taux de mélatonine en préparant votre corps pour le sommeil.

Un sommeil sain dans un corps sain

Les chercheurs ont certes identifié certaines substances clés capables d'améliorer le sommeil, mais rien néanmoins ne saurait remplacer une alimentation saine et équilibrée, souligne le Dr James G. Penland, psychologue chargé de recherches. «Notre sommeil peut pâtir d'une simple carence en minéraux ou en vitamines, relève-t-il. Par conséquent, la qualité de notre sommeil est étroitement liée à celle de notre alimentation.»

Diverses études ont par exemple montré que lorsque notre alimentation ne nous fournit pas suffisamment de fer ou de cuivre, le temps nécessaire à l'endormissement peut s'allonger, et la qualité du sommeil n'est pas la même.

La meilleure façon d'absorber davantage de ces minéraux consiste à manger des fruits de mer. Il suffit par exemple d'absorber 20 petites palourdes cuites à la vapeur pour obtenir un peu plus de 25 milligrammes de fer (139 % de la Valeur quotidienne, ou VQ) et 0,62 milligramme de cuivre (31 % de la VQ). Les lentilles, les noix et les préparations à base de céréales complètes contiennent également ment des quantités appréciables de cuivre et de fer.

Le magnésium est un autre minéral indispensable pour bien dormir. «Divers travaux ont démontré que de faibles taux de magnésium stimulent les neurotransmetteurs, si bien que l'activité cérébrale se trouve à son tour stimulée à l'excès», commente le Dr Penland. La carence en magnésium est particulièrement courante chez les personnes du troisième âge, précise-t-il, à plus forte raison si ces dernières prennent des médicaments ayant un effet inhibiteur sur l'absorption du magnésium. «L'individu chez qui ces deux éléments sont réunis présente un risque élevé de troubles du sommeil», souligne ce médecin.

Divers aliments sont de bonnes sources de magnésium, comme les haricots secs (haricots Pinto, lingots blancs) et les légumes à feuilles vert foncé tels que les épinards ou les côtes de bettes. D'autres sources de ce minéral sont les graines de soja, celles de courge, le germe de blé et les amandes.

Enfin, n'oubliez pas les vitamines du groupe B si vous souffrez d'insomnie. L'organisme a besoin de ces nutriments pour réguler de nombreux acides aminés, notamment le tryptophane. La niacine joue un rôle important dans ce domaine, car elle semble augmenter l'efficacité du tryptophane. La viande maigre est une excellente source de toutes les vitamines du groupe B, et en particulier de niacine. Le thon en boîte est également une bonne source de cette dernière, puisque 85 grammes de ce poisson en fournissent 11 milligrammes (55 % de la VQ).

LES VOLEURS DE SOMMEIL

Nul n'ignore que le café peut empêcher de dormir, mais saviez-vous que le chocolat pouvait avoir le même effet? Une portion de ce dernier n'a certes pas la même teneur en caféine qu'une tasse de café ou qu'un Coca-Cola, fait remarquer le Dr Michael Bonnet, spécialiste du sommeil, mais elle peut affecter notre sommeil de la même façon.

Ne croyez pas que la caféine absorbée tard dans la soirée soit seule responsable de votre insomnie, ajoute le Dr Bonnet. L'organisme ayant besoin de 6 à 8 heures pour éliminer la caféine; ainsi, même le café absorbé après le repas de midi (ou la barre au chocolat du goûter) peuvent vous empêcher de dormir.

Le Dr Bonnet ajoute que l'alcool est l'un des principaux perturbateurs du sommeil. Il est vrai qu'un verre de vin ou une boisson alcoolisée avant d'aller se coucher peut avoir un effet soporifique, mais même ces faibles quantités d'alcool risquent de nous procurer un sommeil agité et perturbé. Aussi longtemps que vous avez des difficultés d'endormissement, il est préférable d'éviter tout alcool le soir; mais rien ne vous empêche de le remplacer éventuellement par un peu de lait.

L'INTOLÉRANCE AU LACTOSE
TROUVER DES SUBSTITUTS AU LAIT

Lorsque nous prenons de l'âge, nous avons de plus en plus de mal à digérer le lait; cela tient au fait que notre organisme génère progressivement moins de lactase. Cette enzyme est nécessaire à la digestion du lactose (sucre présent dans le lait et les produits laitiers). Il en résulte une accumulation de lactose non digéré qui stagne dans l'intestin, provoquant fréquemment des gaz, des crampes et des diarrhées. Les médecins parlent alors d'intolérance au lactose.

Ce trouble est généralement sans gravité, pour la simple et bonne raison que nous pouvons très facilement nous passer de lait et de produits laitiers, fait remarquer le Dr Talal M. Nsouli, professeur d'allergologie et d'immunologie et spécialiste de l'asthme. En revanche, en renonçant aux produits laitiers, nous risquons de perdre leur principal avantage diététique: le calcium, qui nous est absolument indispensable.

Il existe cependant divers moyens de recueillir les avantages des produits laitiers sans leurs inconvénients. Le jus ou le lait de soja, par exemple, est riche en protéines, mais sans lactose. Il est également possible de trouver du fromage à teneur réduite en lactose.

Le yaourt est un autre aliment particulièrement intéressant pour ceux qui présentent une intolérance au lactose. Même si le yaourt à bactéries lactiques sélectionnées comporte lui aussi du lactose, les bactéries bénéfiques qu'il contient contribuent à décomposer celui-ci en acide lactique, plus digeste. Le yaourt maigre est également une bonne source de calcium, puisqu'il nous en fournit 414 milligrammes par portion.

De plus, le lactose est plus facile à digérer s'il est absorbé avec d'autres aliments. «Beaucoup de gens n'ont aucun problème lorsqu'ils boivent du lait ou mangent du fromage au moment d'un repas», commente Mme Sheah Rarback, diététicienne.

Même si la digestion des produits laitiers vous a déjà donné du fil à retordre, il est toujours utile de voir de temps à autre où l'on en est, ajoute-t-elle. Pour certaines personnes chez qui l'intolérance au lactose ne se manifeste qu'à long terme, il est même possible d'augmenter la quantité de produits laitiers qui peut être absorbée sans inconvénient.

Un autre moyen d'atténuer les inconvénients des produits laitiers consiste à prendre un complément de lactase. Ces préparations vendues en pharmacie et dans certaines grandes surfaces peuvent être diluées dans du lait, ou absorbées sous forme de pilule ou de capsule en même temps que le lait et les produits laitiers.

Si vous constatez que vous ne supportez vraiment pas le lait et ses dérivés, il est important de trouver un autre moyen d'obtenir suffisamment de calcium. Mme Rarback recommande d'acheter des aliments enrichis par addition de calcium, comme certains jus et produits céréaliers. «La teneur en calcium d'un verre de jus d'orange additionné de calcium correspond à celle d'un verre de lait», conclut-elle.

LE MAL DE TÊTE
BIEN NOURRIR NOTRE CRÂNE

On pourrait presque dire que les maux de tête sont l'une des conséquences inévitables de notre mode de vie moderne. Rien de tel pour provoquer ces douloureuses pulsations dans notre crâne que les soirées tardives, les embouteillages ou les machinations politiques au bureau.

Cependant, le stress et le bruit ne sont pas les seules causes des maux de tête. Un grand nombre de nos aliments, depuis les hot dogs ou le fromage jusqu'aux biscuits au chocolat, peuvent provoquer des céphalées. Les aliments que nous n'absorbons pas peuvent également être en cause. Tout cela permet peut-être de mieux comprendre pourquoi les Américains dépensent tant d'argent pour des médicaments antalgiques délivrés avec ou sans ordonnance. En France, la part des analgésiques représente 12,6 % des médicaments vendus pour soigner le système nerveux. Voilà qui représente une quantité colossale d'aspirine, de paracétamol et d'ibuprofène.

Nous ne saurions éviter totalement les maux de têtes simplement en modifiant notre alimentation, mais au moins, de meilleures habitudes diététiques pourront en atténuer l'intensité et en réduire la fréquence. N'est-il pas rassurant de savoir que le soulagement peut provenir de notre propre réfrigérateur plutôt que d'un comprimé médicamenteux ?

DEUX TYPES DE DOULEUR

Avant d'examiner certains aliments spécifiques, il est utile de comprendre les principales catégories de maux de tête. La plus courante, appelée céphalée en casque (ou céphalée par tension nerveuse), provient fréquemment de tensions dans les muscles de la nuque et de l'occiput.

Le deuxième type, qui comprend la migraine, est qualifié de céphalée vasculaire. Dans ce cas, les maux de tête sont dus à l'expansion et à la contraction successives des vaisseaux sanguins du visage, de la tête et du cou. Les maux de tête vasculaires peuvent être extrêmement douloureux et même nous mettre totalement hors d'action, comme peut en témoigner toute personne sujette aux migraines.

Ces deux types de maux de tête peuvent avoir des causes très diverses, du stress aux fluctuations hormonales en passant par les variations météorologiques. Dans bien des cas, cependant, les céphalées sont causées par certains éléments contenus dans nos aliments, non seulement diverses substances complexes naturelles, mais également des agents chimiques ajoutés au cours des processus de transformation, souligne le Dr Melvyn Werbach, professeur de psychiatrie et auteur des livres *Healing through Nutrition* et *Nutritional, Influences on Illness*.

QUELQUES DÉCLENCHEURS COURANTS

Les experts ne savent pas exactement ce qui provoque les migraines, mais ils ont identifié un certain nombre d'aliments et d'additifs alimentaires pouvant déclencher ce processus.

La tyramine est l'une des principales causes de migraines. Cet acide aminé, présent dans le chocolat, le vin rouge et le fromage affiné, stimule dans l'organisme la production d'hormones ayant pour effet de rétrécir les vaisseaux sanguins. Ces derniers finissent par réagir en se dilatant, provoquant les douleurs lancinantes bien connues des migraineux.

Les nitrites sont une autre cause fréquente de céphalées. Ces agents chimiques, souvent utilisés pour conserver des aliments comme les saucisses, hot dogs et viandes en boîte, ont souvent pour effet de dilater douloureusement les vaisseaux sanguins de la tête et du corps.

Le monoglutamate de sodium peut également causer des problèmes. Cet agent de sapidité entre dans la composition de divers aliments, depuis la viande de porc en conserve ou le potage en boîte ou en sachet jusqu'aux repas surgelés; il est également employé très souvent dans la cuisine chinoise. Les médecins parlent même de «syndrome du restaurant chinois» pour décrire les céphalées dues au monoglutamate de sodium.

Il n'existe aucune méthode simple pour écarter en bloc toutes ces substances, ni pour déterminer laquelle est à l'origine du problème; de plus, le trouble peut provenir de plusieurs d'entre elles. Peut-être la seule chose à faire est-elle de tenir un registre de vos céphalées, selon le Dr Alan M. Rapoport, professeur de neurologie et spécialiste des maux de tête. Chaque fois que vous prenez conscience des signes annonciateurs caractéristiques, faites la liste de tous les aliments absorbés au cours des dernières 24 heures. Vous finirez ainsi par avoir une bien meilleure idée des aliments déclencheurs qu'il serait préférable d'écarter à l'avenir.

LE RÔLE DES GLUCIDES

Au cœur du rapport entre l'alimentation et les maux de tête se trouve un agent chimique du cerveau, la sérotonine, qui transmet les messages d'une cellule nerveuse à l'autre. Le Dr Rapoport fait remarquer que la baisse des taux de sérotonine dans le cerveau est souvent liée aux maux de tête. En augmentant les taux de sérotonine, il est possible de soulager ces derniers ou même de les prévenir efficacement.

Pour augmenter les taux de sérotonine dans le cerveau, nous pouvons absorber davantage de glucides. «Nous ignorons encore pour quelle raison cela se produit, mais il ne fait aucun doute qu'une alimentation comportant beaucoup de glucides complexes et peu de matières grasses peut être très bénéfique pour les individus sujets à la migraine», commente le Dr Rapoport.

Si vous avez souvent des maux de tête, il pourrait être judicieux d'absorber davantage d'aliments contenant beaucoup de fibres et de glucides complexes: légumes frais, céréales complètes et diverses légumineuses, suggère le Dr Werbach.

Mais si ce type d'alimentation se montre souvent bénéfique, il peut aussi aggraver les choses chez certaines personnes. Si vous êtes par exemple atteint d'hypoglycémie (trop peu de sucre dans le sang), il pourrait être préférable d'absorber moins de glucides. «De trop faibles taux de sucre dans le cerveau peuvent déclencher des maux de tête, souligne le Dr Werbach. Ce type de patient pourrait obtenir un soulagement grâce à un régime dit hypoglycémique, comportant généralement peu de glucides.»

Peut-être avez-vous pris conscience que vos maux de tête se produisaient souvent lorsque vous aviez mangé de grandes quantités de glucides, poursuit le Dr Werbach; si tel est le cas, augmentez la quantité de protéines absorbées sous forme de tofu, d'œufs, de viande ou de fromage maigres.

LES AVANTAGES DE LA VITAMINE B6

Divers travaux ont montré que la vitamine B_6 maintient le système nerveux en bonne santé, qu'elle soulage les troubles prémenstruels et qu'elle fortifie le système immunitaire. En outre, certaines études suggèrent qu'elle pourrait également jouer un rôle dans le soulagement des migraines. Le cerveau a besoin de ce nutriment pour augmenter les taux de sérotonine, explique le Dr Rapoport, «et il est donc concevable qu'un apport suffisant de vitamine B_6 puisse contribuer à soulager la migraine, même lorsqu'il n'y a pas de carence.»

La Valeur quotidienne (VQ) pour la vitamine B_6 est de 2 milligrammes. Une pomme de terre moyenne ou une banane contiennent chacune 0,7 milligramme de vitamine B_6 (35% de la VQ). Une portion d'espadon grillé ou cuit au four et pesant 85 grammes en fournit 0,3 milligramme (15% de la VQ).

Il est certes judicieux d'augmenter la quantité de vitamine B_6 absorbée par l'alimentation si vous êtes sujet à des maux de tête, mais il se peut également que votre médecin traitant vous en prescrive des doses plus importantes (jusqu'à 150 milligrammes) sous forme de complément alimentaire plurivitaminé. Mais mieux vaut éviter de prendre un complément de vitamine B_6 en l'absence de prescription médicale, tout excès pouvant causer des lésions du système nerveux.

Un soulagement minéral

Les chercheurs en ignorent encore l'explication, mais certains minéraux, notamment le magnésium, le calcium et le fer, semblent jouer un rôle tant dans la prévention des maux de tête que pour soulager ces derniers, qu'il s'agisse de migraines ou de céphalées en casque.

Il est fréquent de constater, dans les cellules cérébrales des migraineux, des taux de magnésium particulièrement faibles. Diverses études suggèrent qu'en corrigeant une carence magnésienne, il est possible de soulager la migraine, souligne le Dr Rapoport.

Les produits à base de céréales destinés au petit déjeuner sont de bonnes sources de magnésium, puisque certaines marques en contiennent plus de 100 milligrammes (25% de la VQ) par portion de 30 grammes. Les noix, les graines et les légumes verts feuillus en contiennent également de généreuses quantités. Mais les noix recèlent également beaucoup de matières grasses, et il est donc préférable d'en manger avec modération et d'avoir recours à d'autres aliments pour obtenir suffisamment de magnésium.

Un autre minéral qui semble soulager les maux de tête est le calcium. Une étude a permis de constater que des femmes qui absorbaient chaque jour 200 milligrammes de calcium (20% de la VQ) avaient moins souvent des maux de tête que d'autres femmes qui en obtenaient moins.

Les produits laitiers sont les meilleures sources de calcium, avec le lait en tête de liste, puisque 1 bol de lait écrémé en contient 302 milligrammes (30% de la VQ). Parmi d'autres sources intéressantes, on peut citer la glace au lait, avec 176 milligrammes pour 140 grammes (18% de la VQ), et le yaourt écrémé aux fruits, avec 312 milligrammes pour 230 grammes (31% de la VQ). De nombreux autres aliments, sans rapport avec le lait, contiennent également du calcium, notamment le brocoli (76 milligrammes pour 100 grammes) et les côtes de bettes (80 milligrammes pour 100 grammes).

En dernier lieu, parmi les minéraux qui pourraient soulager les maux de tête, il convient de citer le fer. Comme nous l'avons déjà vu, une carence alimentaire en fer peut provoquer de l'anémie, un trouble lié au fait que l'organisme n'obtient pas suffisamment d'oxygène. Afin de corriger ce déficit, les vaisseaux sanguins se dilatent pour laisser passer davantage de sang, explique le Dr Rapoport. «Cette dilatation a pour effet de faire pression sur les nerfs dans la paroi des vaisseaux sanguins, ce qui provoque des maux de tête, précise-t-il. En absorbant davantage de fer par l'alimentation, il se peut que l'on puisse soulager indirectement les maux de tête en remédiant à l'anémie.»

Le plus souvent, il est facile d'obtenir la Valeur quotidienne pour le fer, qui s'élève à 18 milligrammes. Une grosse pomme de terre en robe des champs, par exemple, en contient 7 milligrammes, tandis que 1 portion de 100 grammes de côtes de bettes en fournit près de 2,3 milligrammes. La viande en est une meilleure source encore, puisque le type de fer qu'elle contient (fer héminique ou hème ferreux) est plus facilement absorbé par l'organisme que le fer non héminique des végétaux. Une portion de 85 grammes de steak grillé (gîte à la noix) contient 8 milligrammes de fer, et le même poids de viande blanche de dinde rôtie en fournit 1 milligramme.

UN SOULAGEMENT ÉPICÉ

Si vous souhaitez trouver un remède non médicamenteux pour soulager vos maux de tête, pensez au gingembre. Selon une hypothèse formulée par des chercheurs danois, cette épice pourrait inhiber l'action des prostaglandines, les substances qui provoquent la douleur et l'inflammation dans les vaisseaux sanguins. Le gingembre pourrait contribuer à empêcher l'apparition des migraines, sans s'accompagner des effets indésirables de certains médicaments prescrits dans ce but.

Les recherches n'en sont qu'au stade préliminaire et les experts hésitent encore à préciser la dose exacte de gingembre qu'il faudrait absorber pour combattre la migraine. Dès l'apparition des signes précurseurs, toutefois, vous pourriez absorber le tiers d'une cuillerée à café de cette épice en poudre; cette quantité correspond en effet à la dose suggérée par les chercheurs danois.

Lorsque l'on prend du gingembre, il est préférable de l'utiliser frais plutôt que sous forme de poudre, car son activité est bien plus grande, souligne le Dr Charles Lo, praticien de médecine chinoise. Ce dernier recommande de râper le gingembre ou de l'écraser dans un presse-ail, car ces deux méthodes ont l'avantage de libérer davantage de jus puissamment thérapeutique que lorsqu'il est haché ou coupé en tranches. Pour obtenir une infusion de gingembre, versez de l'eau bouillante sur une cuillerée de cette racine râpée et laissez reposer au moins cinq minutes, précise le Dr Lo.

LE CAFÉ EST PARFOIS BÉNÉFIQUE

Pour certains, une tasse de café sirotée par petites gorgées peut se révéler tout aussi efficace qu'un antalgique en vente libre. En effet, la caféine peut soulager les maux de tête en contractant momentanément les vaisseaux sanguins dilatés qui pourraient être à l'origine des douleurs, explique le Dr Fred Sheftell, spécialiste des maux de tête. «La caféine entre d'ailleurs dans la composition de certains antalgiques», fait-il encore remarquer.

En revanche, mieux vaut éviter les excès, car en buvant trop de café nous obtiendrons l'effet inverse, puisque les vaisseaux sanguins finiront par se dilater douloureusement à nouveau. Le Dr Sheftell recommande aux personnes sujettes à ce trouble d'éviter de boire plus de deux tasses (150 millilitres) de café par jour, ce qui représente environ 200 milligrammes de caféine selon que vous préférez ou non votre café très corsé.

LE MAL DES TRANSPORTS
APAISER LES TEMPÊTES GASTRIQUES

Lorsque nous éprouvons des nausées, l'alimentation est bien la dernière chose qui nous viendrait à l'esprit. Pourtant si vous faites partie des 21% de Français qui sont périodiquement affectés par ce trouble, il pourrait être judicieux d'accorder une place prioritaire à la nourriture, avant même de monter à bord d'un bateau ou d'une voiture. Les recherches montrent en effet que les aliments absorbés (ou ceux que nous évitons) peuvent avoir un impact considérable sur notre état.

Certains aliments stimulent le corps qui produit alors plus de gaz et d'acides, ce qui risque d'aggraver les symptômes du mal des transports. D'autres, en revanche, contribuent à maintenir le calme sur le plan gastrique, soit en inhibant les effets des toxines naturelles, soit en empêchant les signaux nauséeux de parvenir jusqu'au cerveau.

L'une des meilleures méthodes préventives consiste à manger un peu de gingembre. Ce dernier joue le rôle d'une éponge, absorbant une grande quantité des acides générés par l'estomac en réaction naturelle au mouvement. De plus, cette épice contribue à stopper les signaux de nausée qui peuvent remonter depuis l'estomac jusqu'au cerveau, selon le Dr Daniel B. Mowrey, directeur d'un laboratoire de recherches phytothérapiques. Le Dr Mowrey a étudié les effets calmants du gingembre sur des milliers de personnes souffrant du mal des transports. Mieux encore, il connaît par sa propre expérience toute l'efficacité de ce remède, qu'il administre à ses propres enfants. «Lorsque nous montons en voiture pour une excursion, s'ils ont oublié leur gingembre, ils n'y coupent pas, commente le Dr Mowrey. Pourvu qu'ils en prennent avant de partir, tout se passe bien.»

Si vos symptômes sont légers, il suffit de boire du ginger ale (boisson gazeuse au gingembre), de grignoter quelques biscuits au gingembre ou d'en prendre une tisane avant le début du déplacement et durant ce dernier pour obtenir un soulagement, selon le Dr Mowrey. Pour ceux qui ont besoin de remèdes plus vigoureux, ce dernier recommande de prendre, une vingtaine de minutes avant le départ, deux gélules de racine de gingembre de 940 milligrammes chacune (ou l'équivalent en plusieurs gélules plus petites), et la même dose toutes les demi-heures au cours du déplacement. Si vous avez généralement des symptômes très pénibles, le Dr Mowrey recommande d'augmenter cette dose jusqu'à six gélules avant le départ, et de six à huit toutes les demi-heures durant le voyage. «Vous

Mesures désespérées

Depuis qu'il existe des bateaux, certaines personnes connaissent le mal de mer. Le roulement des vagues peut rendre certains si nauséeux qu'ils n'hésiteraient pas à essayer (ou à avaler) presque n'importe quoi pour obtenir un soulagement.

Dans son livre *Heave Ho! My Little Green Book of Seasickness*, le Dr Charles Mazel, ingénieur et biologiste marin, a recensé certaines des stratégies les plus curieuses utilisées au cours des âges pour soulager le mal de mer.

- Faites cuire un poisson découvert dans le ventre d'un autre poisson, poivrez, et mangez-le au moment de monter à bord.
- Enfoncez le doigt dans une miche de pain et remplissez le trou de sauce Worcestershire (sauce épicée) et de sauce au piment. Régalez-vous.
- Mangez du riz arrosé de sauce au raifort, accompagné de hareng et de sardines.
- Mangez des tomates cuites froides avec des biscuits salés.
- Prenez chaque matin au petit déjeuner une poignée de cacahuètes salées.
- Écrasez une poignée de blé, versez dessus un peu d'eau et exprimez-en le jus. Buvez toutes les 10 minutes une cuillerée de ce jus.
- Recueillez une pierre dans l'estomac d'un cabillaud, mettez-la au fond d'un verre d'eau et buvez cette eau.

saurez que la dose absorbée est suffisante pour être efficace lorsque vous percevrez un arrière-goût, précise le Dr Mowrey. Aussi longtemps que vous n'avez pas eu cet arrière-goût, vous pouvez continuer d'en prendre.»

Les sucs gastriques pouvant jouer un rôle dans le mal des transports, il est préférable de manger quelque chose avant le départ. Les aliments riches en glucides, comme le pain et les biscuits salés, sont particulièrement bénéfiques, car ils absorbent de grandes quantités de sucs gastriques, explique le Dr William Ruderman, gastro-entérologue. Au cours d'une étude portant sur 57 pilotes d'avion, des chercheurs américains ont pu constater que ceux qui absorbaient avant un vol des aliments contenant beaucoup de glucides, comme du pain ou des céréales, étaient moins sujets au mal des transports que d'autres pilotes qui préféraient manger des aliments contenant beaucoup de protéines ou de sodium, ou encore très caloriques.

Bien entendu, si l'on mange peu avant de prendre l'avion des légumineuses, du piment ou d'autres aliments susceptibles de provoquer des ballonnements, il ne faut pas s'étonner ensuite d'éprouver un grand inconfort, fait remarquer le Dr Ruderman. «Les aliments qui génèrent beaucoup de gaz peuvent dilater le tractus gastro-intestinal et ils ne feront qu'aggraver vos autres symptômes», ajoute-t-il.

Le soulagement du mal des transports peut être obtenu non seulement par certains aliments, mais également par nos boissons. Il est toujours judicieux de boire beaucoup d'eau avant un voyage et durant celui-ci, souligne le Dr Ruderman. Au cours d'un vol en avion, il est particulièrement important d'absorber davantage de liquides, car l'air dans la cabine pressurisée est extrêmement sec.

Le café, les boissons gazeuses et l'alcool ne sauraient en aucun cas remplacer l'eau, précise-t-il. La caféine et l'alcool sont des diurétiques, c'est-à-dire qu'ils privent le corps de plus grandes quantités de fluides qu'ils ne lui en fournissent.

LA MALADIE CŒLIAQUE
APPRENDRE À SE PASSER DE PAIN

L'arôme et le goût délicieux du pain fraîchement sorti du four sont presque irrésistibles. Pourtant, si l'on est atteint de maladie cœliaque, mieux vaut résister à cette tentation ; sinon, gare aux tourments gastriques !

La maladie cœliaque est due à une sensibilité au gluten, une protéine présente dans le blé, l'orge, l'avoine et le seigle. Il suffit qu'une personne atteinte de ce trouble absorbe ne fût-ce qu'une petite quantité de gluten pour que cela provoque des lésions affectant des millions de villosités. Ces saillies filiformes, recouvrant la paroi de l'intestin grêle, contiennent de nombreuses enzymes digestives et leur rôle est d'absorber les nutriments et les fluides. Si ces villosités sont endommagées, elles parviennent moins bien à absorber les nutriments fournis par les aliments. Pour cette raison, les médecins disent que les personnes atteintes de maladie cœliaque «meurent de faim entourées d'abondance».

Il faut passer par deux étapes pour maîtriser ce trouble. La première consiste bien sûr à éviter les aliments qui en sont la cause. «Une amélioration se manifeste dès que le gluten a été écarté de l'alimentation», déclare le Dr Frederick F. Paustian, gastro-entérologue.

La deuxième étape consiste à obtenir la coopération de votre médecin afin de corriger vos éventuelles carences alimentaires. Étant donné, par exemple, que les personnes atteintes de maladie cœliaque ont du mal à absorber les matières grasses, elles pourraient présenter une carence en vitamines liposolubles comme les vitamines A, D, E et K. En outre, ajoute le Dr Paustian, elles pourraient avoir de faibles taux de fer et de calcium.

En l'absence de traitement, la maladie cœliaque peut être extrêmement grave. En revanche, à partir du moment où le diagnostic en a été posé, son traitement ne pose pas de problème. «Les personnes atteintes de maladie cœliaque peuvent choisir de rester en bonne santé ; il leur suffit pour cela de sélectionner leurs aliments avec discernement», commente le Dr Leon Rottmann, directeur de l'association Sprue de la maladie cœliaque.

Il existe par exemple de nombreuses variétés de céréales et de farines complètes sans gluten. Parmi ces dernières, on peut mentionner la farine de maïs, de pomme de terre, de riz, de soja, de tapioca, d'arrow-root et de millet (selon la

Dangers cachés

Si l'on est atteint de ce trouble, la solution la plus logique consiste à éviter de manger du pain et tout aliment à base de gluten. Pourtant, beaucoup de produits alimentaires en contiennent sans que cela saute aux yeux.

Par exemple, certaines glaces comportent un agent épaississant à base de blé, contenant du gluten, fait remarquer le Dr Frederick F. Paustian, gastro-entérologue.

Beaucoup d'autres aliments industriels contiennent également du gluten, notamment certains yaourts aux fruits, le ketchup, la viande de porc en conserve, le fromage à tartiner, les sauces pour crudités et les potages en boîte. Sur certaines étiquettes, le gluten figure parmi les ingrédients, mais il arrive qu'un autre terme soit employé pour désigner celui-ci. Voici quelques ingrédients à éviter:

- Vinaigre blanc distillé
- Protéines végétales hydrolysées
- Malt ou arôme malté
- Amidon modifié
- Monoglycérides et diglycérides
- Tout produit dont l'étiquette mentionne des arômes «naturels» ou «artificiels»
- Colorants alimentaires rouges ou jaunes
- Gomme végétale ou protéine végétale

tolérance individuelle). Dans des magasins de produits naturels, il est même possible de trouver d'autres farines sans gluten, comme celles de petit pois, de haricots secs ou de lentilles. Des aliments cuits au four, comme le pain ou les gâteaux, ne sont pas faciles à réussir en utilisant de la farine sans gluten, car celle-ci ne se comporte pas comme les farines habituelles. Faites des essais jusqu'à ce que vous trouviez la bonne méthode pour utiliser chaque type de farine. Voici quelques conseils pratiques.

- La farine de maïs peut être mélangée à d'autres farines sans gluten; elle sert aussi de base au pain de maïs.
- La farine de pomme de terre sert généralement à épaissir les potages ou les ragoûts; la fécule de pomme de terre, quant à elle, permet d'obtenir un délicieux gâteau de Savoie.
- La farine de riz, de goût relativement fade, se mélange bien avec d'autres types de farine sans gluten et en particulier la fécule de pomme de terre.

- Les farines de petit pois, de haricots secs et de lentilles peuvent être substituées à la farine de blé, pourvu qu'on y ajoute du blanc d'œuf et du cottage cheese (type de fromage blanc) pour obtenir une texture plus lisse. Ces farines sont également pratiques pour épaissir les sauces et les potages.

Les personnes atteintes de maladie cœliaque sont souvent dans l'impossibilité de boire du lait ou de manger du fromage, car il leur manque une enzyme (la lactase) nécessaire à la digestion du lactose (sucre du lait, également présent dans les produits laitiers). Mais le yaourt offre une solution intéressante. « Le yaourt contient un type de bactéries capables de décomposer le lactose, explique le Dr Paustian ; les sujets atteints de maladie cœliaque peuvent ainsi absorber les protéines du lait de même que le calcium contenu dans le yaourt. »

Il est intéressant de relever qu'après avoir absorbé une alimentation sans gluten pendant un certain temps, les personnes atteintes de maladie cœliaque constatent parfois qu'elles peuvent à nouveau digérer les produits laitiers sans difficulté, car les villosités dans l'intestin grêle se sont reconstituées.

Ceux qui présentent ce trouble ont souvent une carence en calcium et en magnésium, ajoute le Dr Paustian. Par conséquent, il est important d'absorber beaucoup d'aliments contenant du magnésium, comme la pomme de terre, l'avocat et les haricots secs, ainsi que des aliments comme du yaourt qui sont de bonnes sources de calcium.

LA MALADIE D'ALZHEIMER
S'ALIMENTER POUR GARDER L'ESPRIT VIF

Il n'y a pas si longtemps, on parlait encore de sénilité et cela paraissait normal, comme si le vieillissement comportait inévitablement ce déclin progressif des facultés mentales. Aujourd'hui, les médecins savent que ce terme de sénilité recouvre en réalité la maladie d'Alzheimer, et plus personne ne trouve cela normal.

Les spécialistes ne connaissent pas la cause de ce trouble. En revanche, on sait que chez les personnes qui en sont atteintes, il se produit dans le cerveau une baisse de certaines substances chimiques ayant pour rôle de transmettre les messages. En outre, des dépôts de protéines s'accumulent dans le cerveau, ce qui pourrait entraîner la destruction des cellules cérébrales.

Aucun médicament ne s'est révélé vraiment efficace, et certains chercheurs se penchent à présent sur la nutrition. «Je pense qu'il est justifié de considérer l'alimentation comme un facteur potentiel dans la maladie d'Alzheimer», commente le Dr James G. Penland, psychologue chargé de recherches sur la nutrition.

LES ANTIOXYDANTS À LA RESCOUSSE

Les recherches en sont encore au stade préliminaire, mais certains travaux semblent déjà indiquer que les radicaux libres (molécules d'oxygène nuisibles qui provoquent des lésions dans tous les tissus de l'organisme) pourraient jouer un rôle dans l'apparition de la maladie d'Alzheimer.

Certes, l'organisme génère des substances protectrices appelées antioxydants qui contribuent à maîtriser les radicaux libres, mais il n'y en a pas toujours suffisamment pour éviter les dégâts. En revanche, il suffit d'absorber des aliments qui sont de bonnes sources d'antioxydants, comme la vitamine E, pour faire monter nos taux de ces agents protecteurs.

Diverses études en laboratoire ont montré que la vitamine E, surtout présente dans le germe de blé, les huiles comestibles, ainsi que dans les noix et les graines, pouvait contribuer à empêcher le dépôt dans le cerveau de protéines gluantes. Des chercheurs de New York ont même découvert que des doses importantes de vitamine E (2 000 unités internationales par jour) étaient aussi efficaces que la substance appelée sélégiline (Déprényl), souvent prescrite pour ralentir l'évolution de la maladie.

508

Vitamines du groupe B pour le cerveau

Les chercheurs étudient également les vitamines du groupe B comme remède possible pour la maladie d'Alzheimer. L'organisme a besoin de ces nutriments pour maintenir la gaine protectrice des nerfs, et pour fabriquer certains agents chimiques dont les nerfs ont besoin afin de communiquer avec le cerveau. Lorsque les taux de vitamines du groupe B s'abaissent, le Dr Penland souligne que les performances intellectuelles risquent d'en pâtir.

Ainsi qu'une étude canadienne l'a montré, les taux de vitamine B_{12} dans le fluide rachidien, chez les personnes atteintes de maladie d'Alzheimer, sont plus faibles que chez les individus en bonne santé. En outre, les chercheurs ont découvert qu'en administrant aux personnes atteintes de maladie d'Alzheimer de grandes quantités de thiamine (une autre vitamine du groupe B), il était possible d'améliorer légèrement leurs performances intellectuelles.

Parmi les aliments qui contiennent de la thiamine, on peut citer la viande de porc, le germe de blé et les pâtes fraîches. Quant à la vitamine B_{12}, on en trouve dans diverses viande comme la dinde ou le poulet, ainsi que dans le foie; les fruits de mer comme les palourdes cuites à la vapeur, les moules et le maquereau en sont également de bonnes sources.

Un nutriment peu connu

Certains chercheurs spécialisés dans ce domaine s'intéressent de très près à une substance naturelle, la L-carnitine, qui ressemble aux acides aminés présents dans les produits laitiers, les haricots rouges, les œufs et la viande rouge. Les recherches suggèrent que la carnitine, qui aide à véhiculer les lipides jusqu'aux cellules cérébrales, pourrait contribuer à ralentir l'évolution de la maladie.

Au cours d'une étude américaine, des chercheurs ont constaté, chez des personnes atteintes de maladie d'Alzheimer et qui avaient reçu de la carnitine durant 12 mois, que la détérioration du cerveau semblait s'être ralentie. Jusqu'ici, les scientifiques n'ont pas encore employé les aliments contenant de la carnitine pour tenter de maîtriser la maladie d'Alzheimer, mais en absorbant davantage d'aliments contenant de la carnitine, il pourrait être possible de freiner son évolution, au moins de manière modeste.

Un métal suspect

Depuis que des chercheurs ont découvert de faibles dépôts d'aluminium dans le cerveau de certaines personnes atteintes de maladie d'Alzheimer, la question se pose de savoir dans quelle mesure une exposition excessive à ce métal joue un rôle dans l'apparition de ce trouble. Il n'existe à ce jour aucune preuve concluante que l'aluminium joue le moindre rôle dans cette maladie, mais les chercheurs admettent qu'ils ne sont sûrs de rien dans ce domaine. Par prudence, il pourrait être judicieux d'éviter tout contact excessif avec l'aluminium – ce qui peut d'ailleurs être difficile, car ce métal est omniprésent autour de nous.

En buvant une boisson gazeuse à même la canette, par exemple, nous pouvons absorber jusqu'à 4 milligrammes d'aluminium, ce qui dépasse le seuil de toxicité fixé à 3 milligrammes par jour. De plus, les aliments préparés ou conservés dans des ustensiles de cuisson en aluminium, ou encore dans une feuille d'aluminium ménager, peuvent absorber de faibles quantités de ce métal et nous les transmettre.

Les chercheurs ne savent pas encore quelle proportion de l'aluminium ainsi absorbé se retrouve ensuite dans le cerveau, ni même si un tel processus a vraiment lieu. Mais puisque vous connaissez à présent la possibilité d'un risque, cela vous permettra d'en être davantage conscient, en achetant plutôt par exemple des boissons gazeuses en bouteille ou en n'utilisant les feuilles d'aluminium que lorsque c'est indispensable.

Les maladies cardiovasculaires
Entretenir le muscle cardiaque

Il n'y a pas très longtemps que les médecins savent ce qui convient le mieux à notre cœur. L'importance de l'alimentation n'a commencé à être reconnue que relativement récemment, et il y a encore quelques décennies à peine, personne ne trouvait rien à redire au tabagisme.

Comme tout cela a changé!

Après une quarantaine d'années de recherches pour découvrir ce qui fait des maladies cardiovasculaires l'ennemi public par excellence, du moins sur le plan de la santé, les chercheurs ont découvert quelques faits finalement très simples. La pratique régulière de l'exercice physique, bien entendu, est importante, et mieux vaut renoncer à fumer. Mais le plus important de tout est une alimentation saine et variée. Le choix judicieux de nos aliments est le meilleur moyen d'abaisser le cholestérol et l'hypertension artérielle, deux des principaux facteurs de risque pour notre cœur.

Trop souvent, en revanche, nous nous laissons tenter par des aliments qui nous font du mal. Examinons un moment les meilleurs (et les pires) aliments si l'on souhaite prévenir les maladies cardiovasculaires, à commencer par les corps gras. Certains de ces derniers sont à éviter, d'autres ne sont pas si mauvais, et certains d'entre eux pourraient même être bénéfiques.

Les corps gras nuisibles

Nous savons tous que la matière grasse saturée, celle que l'on trouve surtout dans la viande rouge, le beurre et divers autres aliments d'origine animale, est incroyablement nocive pour le cœur. D'innombrables études ont montré que plus notre alimentation comporte de matières grasses saturées, plus le risque de maladie cardiovasculaire augmente.

Le Dr Michael Gaziano, directeur d'un service hospitalier d'épidémiologie cardiovasculaire, fait remarquer que les aliments contenant beaucoup de matières grasses saturées font monter les taux de cholestérol LDL (lipoprotéines de faible densité), le «mauvais» cholestérol qui finit par obstruer nos artères. De plus, les aliments contenant de la graisse saturée comportent souvent eux aussi beaucoup de cholestérol.

Le danger est tel que l'Association américaine du cœur recommande d'adopter un mode d'alimentation où la part des corps gras saturés ne représente que 10% de l'apport calorique, ou si possible moins encore. Supposons par exemple que vous obteniez habituellement 2 000 calories par jour. Cela signifie que votre limite quotidienne pour la matière grasse saturée se situe autour de 22 grammes. Par conséquent, dans le cadre d'une alimentation comportant des fruits, des légumes et d'autres aliments maigres, vous pourriez également manger 85 grammes de bœuf extra-maigre (5 grammes de graisse saturée), une portion de macaronis au fromage (6 grammes) et un oignon frit (10 grammes).

Pourtant, même cette faible quantité de graisse saturée reste problématique. «La meilleure stratégie pour réduire le risque de maladie cardiovasculaire consiste à réduire dans l'alimentation la part des corps gras saturés, qui ne devraient pas fournir plus de 10% de l'apport calorique», déclare le Dr Gaziano.

Les recherches ont en outre prouvé qu'un autre type de graisse nocive, les acides gras «trans», augmentait de manière spectaculaire la quantité de cholestérol dans le courant sanguin, poursuit ce médecin.

Il est ironique de penser que ces acides gras «trans», que l'on trouve surtout dans la margarine, visaient au départ à offrir une solution de rechange plus saine par rapport aux corps gras saturés contenus dans le beurre. Certaines études montrent toutefois qu'ils pourraient être bien pires. En réalité, selon le Dr Christopher Gardner, chargé de recherches en université, les acides gras trans pourraient être aussi nocifs que les corps gras saturés du beurre. Il est donc préférable d'en absorber le moins possible. La margarine n'est d'ailleurs pas seule en cause, puisque beaucoup de biscuits, gâteaux et autres amuse-gueules contiennent des huiles partiellement hydrogénées, de teneur élevée en acides gras trans.

Quelques corps gras moins nocifs

Contrairement aux corps gras saturés ou aux acides gras trans, certains types de matières grasses sont relativement sains. Voici une astuce pour les reconnaître facilement : cherchez le préfixe «in» comme dans les mots polyinsaturé et mono-insaturé. Quoique ces corps gras soient passablement caloriques, ils peuvent jouer en petite quantité un certain nombre de rôles bénéfiques.

Il est prouvé que les corps gras monoinsaturés (comme ceux contenus dans l'huile d'olive ou de colza, et dans la plupart des noix) et les matières grasses polyinsaturées (huiles de maïs, de carthame et de tournesol) abaissent les taux de cholestérol LDL «dangereux» sans affecter ceux du cholestérol HDL «bénéfique» (celui des lipoprotéines de haute densité). C'est là un avantage important, car nous avons besoin de cholestérol HDL pour éliminer le mauvais cholestérol de l'organisme.

Toutefois, les corps gras monoinsaturés et polyinsaturés ne sont pas absolument identiques. Les premiers ne sont pas altérés par l'oxydation et risquent donc moins de provoquer une accumulation de cholestérol dans nos artères. Quant aux corps gras polyinsaturés, ils contribuent à maintenir une bonne circulation du sang et empêchent celui-ci de coaguler trop facilement. «Il est à coup sûr préférable de choisir l'un ou l'autre de ces corps gras plutôt que des matières grasses saturées ou des acides gras trans», commente le Dr Gardner.

Les noix sont une excellente source de ces corps gras bénéfiques. Au cours d'une étude portant sur des Adventistes du septième jour, les chercheurs ont constaté que le risque de crise cardiaque mortelle était divisé par deux chez ceux qui absorbaient des noix au moins quatre fois par semaine par rapport à ceux qui n'en mangeaient que rarement. «Je conseille d'obtenir environ 20 à 25% du total de l'apport calorique à partir des corps gras, l'essentiel de cet apport consistant en matières grasses monoinsaturées et polysaturées», renchérit le Dr Gaziano.

Il existe un autre type de matières grasses bénéfiques: les acides gras de type oméga 3. Présents dans la plupart des poissons et dans les graines de lin, les oméga 3 peuvent contribuer à empêcher la formation de caillots dans le courant sanguin. De plus, ils aident à faire baisser les triglycérides, un type de lipide sanguin pouvant augmenter le risque de maladie cardiovasculaire lorsque les taux en sont trop élevés.

Diverses études ont montré que l'absorption de poisson une ou deux fois par semaine (le saumon est un choix judicieux, en raison de sa teneur élevée en oméga 3) peut contribuer à maintenir nos artères bien ouvertes et notre cœur en bon état.

UN FESTIN DE FOLATE

Il y a près de 30 ans, un pathologiste de Harvard suggérait qu'une carence alimentaire pourrait être une cause majeure de maladies cardiovasculaires. Sa théorie semblait si fumeuse que personne n'y prêta attention. Aujourd'hui, en revanche, les scientifiques ont cessé d'en rire, car divers travaux suggèrent que le folate, une vitamine du groupe B présente dans les haricots secs et les légumes à feuilles vert foncé, pourrait jouer un rôle majeur dans la prévention des crises cardiaques.

Le folate a pour effet de faire baisser les taux d'un acide aminé, l'homocystéine. L'organisme a certes besoin d'homocystéine pour fabriquer des tissus osseux et musculaires, mais lorsque les taux deviennent trop élevés, cet acide aminé peut endommager les vaisseaux sanguins et provoquer un durcissement des artères.

«Des taux élevés d'homocystéine sont un facteur important de maladie cardiovasculaire, commente le Dr Gardner. En outre, il semblerait possible d'abaisser sans difficulté les taux de cet acide aminé en ajoutant simplement à notre alimentation une modeste quantité de folate.»

Il n'est pas nécessaire d'absorber beaucoup de folate pour obtenir une protection. Selon le Dr Gardner, la Valeur quotidienne (VQ) de 400 microgrammes pourrait être suffisante. Les épinards sont une bonne source de ce nutriment, puisque 1 portion de 100 grammes en contient 140 microgrammes (près de 30% de la VQ). Les lentilles valent mieux encore, car 100 grammes fournissent 200 microgrammes de folate (50% de la VQ). Un verre de 180 millilitres de jus d'orange en contient 34 microgrammes (8% de la VQ).

L'IMPORTANCE DES ANTIOXYDANTS

Les médecins savent depuis des années que l'excès de cholestérol LDL dans l'organisme est nocif, mais jusqu'à une date récente ils en ignoraient la raison.

Chaque jour, notre corps génère des molécules d'oxygène nuisibles appelées radicaux libres, qui endommagent le cholestérol au cours d'un processus d'oxydation. C'est ce processus qui amène finalement le cholestérol à se déposer sur la paroi de nos artères.

Les fruits et les légumes, ainsi que d'autres aliments contenant des antioxydants comme le bêtacarotène et les vitamines C et E, sont notre meilleure protection contre l'oxydation et les maladies cardiovasculaires. Selon les chercheurs, c'est d'ailleurs grâce à une catégorie d'antioxydants, les flavonoïdes, que les Français et les Néerlandais ont une si bonne santé cardiaque, malgré un certain nombre d'habitudes alimentaires vraiment peu recommandables.

Une étude néerlandaise a par exemple permis de constater que le risque de maladie cardiovasculaire était divisé par deux chez ceux des participants (tous des hommes) qui absorbaient le plus d'aliments contenant des flavonoïdes, notamment des pommes, du thé et des oignons, par rapport à ceux qui en absorbaient le moins. Les flavonoïdes pourraient également expliquer pourquoi les Français, dont l'alimentation comporte davantage de matières grasses et de cholestérol que celle des Américains, présentent un bien plus faible risque de décès par maladie cardiovasculaire (2 fois 1/2 moins élevé que celui de la population américaine).

Les médecins n'ont pas encore cerné les aliments spécifiques ou les substances complexes de certains aliments qui sont les plus efficaces sur ce plan. L'Institut national américain du cancer recommande d'absorber chaque jour de cinq à neuf portions de toutes sortes de fruits et de légumes.

«Vous avez tout à gagner en mangeant une abondance de fruits et de légumes, commente le Dr Gardner. Quantités d'études montrent que les personnes qui absorbent le plus de ces aliments bénéfiques présentent le plus faible risque de maladie cardiovasculaire.»

DES FIBRES POUR FORTIFIER LE CŒUR

Du temps de nos grands-parents, on parlait de substances de lest. Aujourd'hui, il serait plutôt question de fibres. Quel que soit le terme employé, il s'agit d'un élément important dans tout programme de protection du cœur.

Les fibres, en particulier les fibres solubles que l'on trouve dans les haricots secs, les fruits et les céréales, se lient au cholestérol dans l'organisme et en facilitent l'expulsion avec le bol fécal, explique Mme Diane Grabowski-Nepa, diététicienne.

L'efficacité des fibres est extraordinaire, puisqu'une équipe de chercheurs de Harvard a pu constater que le risque de crise cardiaque diminuait de près de 30% chez des hommes qui ajoutaient tout juste 10 grammes de fibres à leur alimentation quotidienne.

La VQ pour les fibres se situe entre 25 et 30 grammes. Les aliments suivants en sont d'excellentes sources : céréales complètes, haricots secs tels que pois chiches, haricots rouges et haricots de Lima, et des fruits secs tels que la figue, la pomme et la pêche.

DU JUS À VOTRE BONNE SANTÉ

Dans beaucoup de pays, il est courant de lever son verre pour porter un toast à la bonne santé de l'entourage. Les recherches révèlent que le contenu du verre a le pouvoir de réaliser ce vœu.

Diverses études ont montré que l'absorption de quantités modérées d'alcool faisait augmenter les taux de cholestérol HDL bénéfique. De plus, l'alcool joue dans l'organisme le rôle d'une huile pour moteur, rendant les plaquettes du sang (minuscules disques jouant un rôle dans la coagulation) légèrement plus glissantes, si bien qu'elles risquent moins de s'agglutiner pour constituer alors dans le courant sanguin des caillots susceptibles d'endommager le muscle cardiaque.

Tous les types d'alcool peuvent exercer une influence favorable sur les taux de cholestérol HDL et diminuer la tendance du sang à former des caillots, mais le vin rouge est particulièrement sain en raison de sa teneur en flavonoïdes bénéfiques pour le cœur.

Afin de bénéficier de l'effet protecteur de l'alcool sans ses inconvénients, les médecins recommandent d'user de modération. Pour l'homme, cela revient à limiter la quantité absorbée quotidiennement à deux verres. Quant à la femme, qui supporte généralement moins bien les effets de l'alcool, elle devrait se limiter à une seule boisson par jour. (On définit une boisson comme 340 millilitres de bière, 150 millilitres de vin ou 45 millilitres d'alcool fort.)

LA MÉMOIRE
L'ALIMENTATION ENTRETIENT LE SOUVENIR

Parfois, le remède aux troubles de mémoire les plus déroutants se trouve au fond d'un paquet de céréales. Voyons ce qu'en pense le Dr William Regelson, professeur de médecine.

«Ce qui nous apparaît parfois comme le début de la "sénilité" pourrait être causé par des carences alimentaires marginales, fait-il remarquer. Lorsque des patients d'un certain âge viennent me dire que leurs fonctions intellectuelles se détériorent, l'une des premières choses que je leur suggère est d'adopter une marque de céréales qui contient, en quantités variables, toutes les vitamines et tous les minéraux dont ils ont besoin. Vous seriez étonné du nombre de gens qui vont parfaitement bien aussitôt que leurs besoins nutritionnels sont couverts.»

Beaucoup de chercheurs font la même constatation. Lorsqu'un individu présente un trop faible taux de certains nutriments, ses performances intellectuelles s'en ressentent. Selon le Dr Susan A. Nitzke, professeur de sciences alimentaires, même le fait de boire trop peu d'eau risque de nous embrouiller les idées. «Le mécanisme de la soif se ralentit à mesure que nous prenons de l'âge, et nous ne nous apercevons pas forcément assez vite que nous avons besoin d'eau, souligne-t-elle. L'un des symptômes de la déshydratation grave est justement la confusion mentale.»

De plus, le corps finit à la longue par ne plus absorber aussi efficacement certains nutriments. Par conséquent, même si nos besoins caloriques ne changent pas, il pourrait être nécessaire d'absorber davantage de nutriments pour favoriser les processus mentaux, souligne le Dr Regelson.

L'alimentation n'est certes pas la seule et unique cause des troubles de la mémoire, mais si rien d'autre ne paraît anormal, il se pourrait que les aliments absorbés (ou écartés) soient à l'origine du problème.

LE GROUPE B EST BÉNÉFIQUE POUR LE CERVEAU

De tous les nutriments, les vitamines du groupe B sont peut-être les plus cruciales pour maintenir nos facultés mentales au niveau optimal. Notre corps a besoin de ces nutriments non seulement pour transformer les aliments en énergie intellectuelle, mais aussi pour fabriquer et réparer les tissus cérébraux. «N'importe

L'ALCOOL EST L'ENNEMI DU CERVEAU

Il ne nous viendrait pas à l'idée de tuer les cellules cérébrales pour obtenir une meilleure mémoire. Pourtant c'est précisément ce que font chaque jour beaucoup de gens, fait remarquer le Dr Vernon Mark, auteur du livre *Reversing Memory Loss*.

« L'alcool est un poison pour le cerveau, commente le Dr Mark. Même si toutes vos autres habitudes ne laissent rien à redire, les excès d'alcool risquent de provoquer une diminution marquée de la fonction mémoire. » En réalité, même de faibles quantités d'alcool peuvent endommager les cellules de la partie du cerveau qui commande la mémoire.

Beaucoup de médecins recommandent de s'abstenir entièrement d'alcool afin de maintenir les meilleures facultés intellectuelles possibles. Si vous tenez à votre petit verre quotidien, limitez-vous à une ou deux boissons par jour, ce qui représente 340 millilitres de bière, 150 millilitres de vin ou 45 millilitres d'alcool fort.

quelle carence en vitamines du groupe B, que ce soit en thiamine, en niacine, ou en vitamines B_6 ou B_{12}, peut être à l'origine d'un dysfonctionnement cérébral, fait remarquer le Dr Vernon Mark, auteur du livre *Reversing Memory Loss*. N'oublions pas que la pellagre (carence en niacine) est restée longtemps l'une des principales causes d'admission en hôpital psychiatrique », poursuit-il.

Ainsi que diverses recherches l'ont montré, des enfants qui avaient reçu chaque jour 5 milligrammes de thiamine, au lieu de la Valeur quotidienne (VQ) qui n'est que de 1,5 milligramme, obtenaient des résultats considérablement plus élevés lorsqu'ils étaient soumis à des tests des fonctions intellectuelles, ajoute le Dr Mark.

Aujourd'hui, de nombreux produits de boulangerie, céréales et pâtes, sont enrichis par l'addition de thiamine et de niacine, si bien que la majorité des gens obtiennent ces nutriments en suffisance. Les carences en niacine sont devenues extrêmement rares, surtout aux États-Unis. Pourtant chez les personnes plus âgées ou celles qui boivent fréquemment de l'alcool, les taux de thiamine peuvent s'abaisser au point de provoquer des troubles de la mémoire, toujours selon le Dr Mark.

Le meilleur moyen de veiller à absorber suffisamment de vitamines du groupe B bénéfiques pour le cerveau est de manger des aliments à base de céréales vitaminées. Une portion de 100 grammes de spaghettis à la sauce tomate, par exemple, contient 0,07 milligramme de thiamine et 0,6 milligramme de niacine. La viande est également une bonne source de ces nutriments. Une portion de filet de porc pesant 85 grammes, par exemple, fournit 0,8 milligramme de thiamine (53 % de la VQ). Quant à la niacine, la même quantité de blanc de poulet en apporte 12 milligrammes (60 % de la VQ).

Il n'est pas aussi facile d'obtenir un supplément de vitamines B_6 et B_{12}, car à mesure que nous prenons de l'âge, le corps a plus de mal à absorber ces nutriments. «Après 55 ans, il est assez courant d'avoir de faibles taux de ces vitamines, car la muqueuse de l'estomac se modifie», commente le Dr Regelson.

Au fur et à mesure que nous vieillissons, il est judicieux de veiller à absorber davantage que la VQ pour ces deux nutriments. La vitamine B_6 est présente en abondance dans les pommes de terre au four, les bananes, les pois chiches et la dinde. Une seule pomme de terre cuite au four en fournit 0,4 milligramme (20% de la VQ), tandis qu'une banane en apporte 0,7 milligramme (35% de la VQ). Quant à la vitamine B_{12}, la viande et les fruits de mer en sont de bonnes sources. Une portion de bœuf haché maigre pesant 85 grammes fournit 2 microgrammes de vitamine B_{12} (environ le tiers de la VQ). Les palourdes en contiennent une incroyable quantité, puisque 20 de ces mollusques cuits à la vapeur en fournissent 89 microgrammes (1 483% de la VQ).

STIMULER LE COURANT SANGUIN

Un moyen de soulager les troubles de mémoire consiste à augmenter l'apport de sang jusqu'au cerveau, signale le Dr Regelson. En l'absence d'un flux sanguin suffisant, les performances du cerveau et de la mémoire commencent à décliner.

La diminution de l'apport sanguin vers le cerveau a souvent la même cause que les maladies cardiovasculaires: une accumulation de cholestérol et de graisse dans les artères. «Non seulement ce trouble peut être prévenu par une alimentation saine, poursuit le Dr Regelson, mais de plus, cela permet d'y remédier au moins partiellement.»

Une cause essentielle des maladies cardiovasculaires – l'obstruction des artères du cœur et du cerveau – est l'excès dans l'alimentation de matières grasses, et en particulier de corps gras saturés, souligne le Dr Nitzke. «Veillez à maintenir un apport peu élevé de corps gras saturés, en utilisant pour la cuisson de petites quantités d'huile liquide (plutôt que de beurre ou de margarine) et en réduisant la quantité d'aliments gras comme la mayonnaise, les desserts à la crème et les viandes grasses», précise-t-elle.

Il est tout aussi important d'absorber davantage de fruits et de légumes, ajoute-t-elle encore. En effet, ces aliments sont bourrés d'antioxydants; ces substances complexes inhibent les effets des radicaux libres (molécules d'oxygène nuisibles). C'est important, car lorsque le «mauvais» cholestérol LDL (lipoprotéines de faible densité) est endommagé par les radicaux libres, il devient plus collant et risque donc davantage de se déposer sur la paroi de nos artères.

Grâce à ces deux mesures, absorber moins de matières grasses et manger plus de fruits et de légumes, nous parviendrons mieux à conserver des artères saines. Mieux encore, cela pourrait même stimuler le flux sanguin dans les artères qui ont déjà commencé à se boucher, fait remarquer le Dr Regelson.

LE CAFÉ : AMI OU ENNEMI ?

Ce n'est pas pour rien que près de 60% des Français ont l'habitude de réveiller leur cerveau chaque matin à grand renfort de tasses de café fumant. Il est en effet prouvé que la caféine du café améliore les fonctions mentales, notamment la mémoire.

Au cours d'une étude, des chercheurs néerlandais ont administré à 16 personnes en bonne santé un agent chimique ayant pour but d'inhiber la mémoire à court terme. Ils ont ainsi pu constater que, lorsque les participants absorbaient ensuite 250 milligrammes de caféine (à peu près la teneur de trois tasses de café), ils ne tardaient pas à retrouver la mémoire.

Bien entendu, les excès de café sont à éviter, d'autant plus que l'effet stimulant de ce breuvage disparaît dans les 6 à 8 heures qui suivent. Pour certaines personnes, l'absorption de café est d'ailleurs suivie d'un «coup de pompe» qui peut leur embrouiller les idées.

«Chacun réagit différemment à la caféine», commente le Dr Suzette Evans, professeur en université. Pour quelqu'un qui ne boit que rarement du café, l'absorption d'une ou deux tasses de ce breuvage risque fort d'avoir une influence négative sur les performances intellectuelles et la mémoire, précise-t-elle. En revanche, si vous buvez du café à longueur de journée, vous ne tarderez pas à acquérir une tolérance, et l'effet stimulant ne sera plus aussi marqué. De plus, l'excès de caféine peut nous rendre nerveux et diminuer la concentration.

LA MÉNOPAUSE
LA TRANSiTiON FACiLiTÉE

Pour beaucoup de femmes, la ménopause (ou le climatère) est une période exaltante. Il est compréhensible qu'une femme, libérée de la contrainte des règles chaque mois comme du souci de se retrouver enceinte ou des obstacles à vaincre lorsque l'on débute dans le monde du travail, éprouve brusquement une liberté extraordinaire, comme si, dorénavant, le reste de sa vie lui appartenait vraiment.

«Il n'est pas force créatrice plus grande que celle d'une femme ménopausée et dynamique», a déclaré l'anthropologue Margaret Mead, qui avait elle-même largement dépassé la cinquantaine lorsqu'elle a mené à bien une bonne part de son travail le plus enthousiasmant.

Il n'en reste pas moins que le corps subit au moment de la ménopause un certain nombre de modifications physiques qui peuvent nous gâcher même nos meilleurs moments. Bouffées de chaleur, sautes d'humeur et insomnie ne sont que quelques symptômes parmi tous ceux qui affectent beaucoup de femmes durant cette période. Pendant des années, les femmes pensaient avec leur gynécologue que les désagréments du climatère faisaient inévitablement partie de ce processus. Pourtant, on sait aujourd'hui qu'un choix judicieux de nos aliments permet de maîtriser, voire de supprimer complètement un grand nombre de troubles liés à la ménopause, fait remarquer le Dr Isaac Schiff, obstétricien et gynécologue, auteur du livre *Menopause*.

FLUCTUATIONS HORMONALES

Lorsqu'une femme parvient à l'approche de la ménopause, ses ovaires commencent à générer de moindres quantités des hormones féminines, l'œstrogène et la progestérone. Il vient un moment où la production de ces hormones diminue au point que les règles cessent, et c'est alors que commencent les troubles physiques comme les bouffées de chaleur et les sautes d'humeur.

L'abaissement des taux d'hormones entraîne aussi à long terme des modifications plus graves dans l'organisme. Les œstrogènes servent par exemple à réguler les taux de cholestérol. Lorsque le taux d'œstrogène s'abaisse, celui de cholestérol augmente et c'est pour cette raison que la femme ménopausée est exposée à un risque plus élevé de maladie cardiovasculaire.

L'œstrogène joue également un rôle en maintenant le calcium dans l'ossature. Lorsque le taux d'œstrogène s'abaisse, les os ne tardent pas à perdre leur calcium. Une femme qui ne prendrait pas la précaution d'absorber davantage de calcium par son alimentation s'exposerait au risque d'ostéoporose (trouble provoquant une fragilisation osseuse).

UNE PROTECTION POUR LE CŒUR

Étant donné que beaucoup des problèmes liés à la ménopause proviennent de faibles taux d'œstrogène, il est logique qu'en remplaçant une partie de ce même œstrogène, une femme puisse jouir d'une meilleure santé. Les scientifiques ont découvert qu'un certain nombre d'aliments, principalement à base de soja comme le tofu et le tempeh, contiennent de grandes quantités de phyto-œstrogènes (substances complexes végétales qui jouent à peu près le même rôle que les hormones générées par le corps).

Cela est tout particulièrement important pour protéger le cœur, puisque le risque de maladie cardiovasculaire augmente chez la femme ménopausée. Les recherches ont néanmoins montré qu'en absorbant davantage d'aliments à base de soja, il était possible d'abaisser le taux de cholestérol ainsi que le risque de maladie cardiovasculaire. Au cours d'une étude, des chercheurs américains ont vérifié que le taux de cholestérol total diminuait de plus de 9% chez des personnes qui absorbaient un peu moins de 60 grammes de tofu par jour, et que celui du «mauvais» cholestérol LDL (lipoprotéines de faible densité) s'abaissait de près de 13%.

Bien sûr, si l'on mange plus d'aliments à base de soja, on absorbe moins de corps gras saturés, ce qui peut également contribuer à maintenir de faibles taux de cholestérol. «Les femmes en préménopause ou ménopausées devraient adopter la meilleure alimentation possible pour le cœur, ajoute le Dr Wulf H. Utian, obstétricien et gynécologue. C'est là en effet le principal défi auquel elles sont confrontées lors de la ménopause.»

UNE CHALEUR PEU APPRÉCIÉE

De toutes les manifestations de la ménopause, le phénomène des bouffées de chaleur sont peut-être le mieux connu. Elles peuvent survenir sans crier gare, générant des rougeurs désagréables et un grand inconfort. Dans ce cas aussi, les phyto-œstrogènes du soja peuvent être bénéfiques.

Il faut signaler ici que dans les pays asiatiques, où les femmes absorbent habituellement beaucoup d'aliments à base de soja, environ 16% d'entre elles seulement ont des troubles liés à la ménopause. La langue japonaise ne possède d'ailleurs aucun terme pour désigner les bouffées de chaleur. Dans nos pays, en revanche, où les aliments à base de soja sont bien moins courants, 75% des femmes périménopausées se plaignent de bouffées de chaleur ou d'autres symptômes désagréables.

Les graines de soja ne sont d'ailleurs pas seules à pouvoir soulager les bouffées de chaleur. Les doliques (qui servent de base à de délicieux potages ou s'harmonisent agréablement avec les crudités) contiennent à peu près la même quantité de phyto-œstrogènes que les graines de soja. Les graines de lin moulues, que l'on peut intégrer à la pâte à pain ou à gâteau, en sont également une source intéressante.

Mieux encore, il n'est pas nécessaire de manger de grandes quantités d'aliments contenant des phyto-œstrogènes pour obtenir une protection, puisqu'il suffit d'absorber chaque jour 60 grammes de tofu ou de tempeh (préparation compacte à base de graines de soja fermentées) pour empêcher la réapparition des bouffées de chaleur. Si vous préférez, buvez un bol de potage au miso (condiment salé obtenu à partir de graines de soja).

PROTÉGEZ VOTRE OSSATURE

L'un des principaux défis auxquels la femme ménopausée se trouve confrontée est de maintenir la robustesse de son ossature. «Si une femme veut éviter des fractures dont les conséquences pourraient être désastreuses, il faut absolument qu'elle absorbe suffisamment de calcium avant, durant et après la ménopause», souligne le Dr Utian.

Dans ce domaine également, les aliments à base de soja peuvent se révéler très bénéfiques, car un certain nombre de travaux laissent à entendre que les phyto-œstrogènes du soja jouent un rôle actif en aidant les os à maintenir leur teneur en calcium. Une étude en laboratoire, par exemple, a permis de constater que les cobayes qui recevaient de petites quantités de génistéine (phyto-œstrogène présent dans le soja) continuaient à avoir une ossature saine et richement dotée de calcium même lorsqu'ils ne produisaient plus d'œstrogène.

Il est d'autant plus important pour une femme de conserver le calcium que beaucoup d'entre elles n'obtiennent de loin pas suffisamment de ce minéral essentiel. En moyenne, les femmes entre 20 et 50 ans absorbent environ 600 milligrammes de calcium par jour, et les femmes ménopausées n'en obtiennent que quelque 500 milligrammes par jour.

Les scientifiques des instituts nationaux américains de la santé recommandent aux femmes en âge de procréer d'absorber au moins 1 000 milligrammes de calcium par jour. Quant aux femmes ménopausées, elles devraient en obtenir 1 500 milligrammes par jour. En France, cette valeur est de 1 200.

Pour la plupart des femmes, il n'est pas difficile d'obtenir de grandes quantités de calcium par l'alimentation. Par exemple, un bol de lait écrémé en contient 302 milligrammes (30% de la VQ). Une portion de 225 millilitres de yaourt en fournit 415 milligrammes (41% de la VQ) et 85 grammes de saumon 181 milligrammes (18% de la VQ).

L'OSTÉOPOROSE

LES PRODUITS LAITIERS, AMIS DE NOTRE OSSATURE

Depuis des années, nous cherchons à absorber moins de corps gras afin de maîtriser notre poids et d'abaisser le risque de cholestérolémie et de maladies cardiovasculaires. Mais dans cet acharnement à sauver notre cœur, il se pourrait que nous fassions pâtir notre ossature.

La teneur en matières grasses du lait, du fromage et des autres produits laitiers est certes généralement élevée, mais ces aliments sont aussi nos meilleures sources de calcium, le nutriment indispensable pour maintenir la robustesse des os, souligne le Dr Daniel Baran, professeur de médecine, orthopédie et biologie cellulaire. En revanche, si nous écartons ces aliments par peur des corps gras, nous nous exposons au risque d'ostéoporose (trouble provoquant une fragilisation progressive de l'ossature).

Les causes de l'ostéoporose dans notre pays sont assez bien connues. On estime que 50% des Françaises ont un apport quotidien de calcium inférieur à 600 milligrammes – beaucoup moins que les quelque 1 000 à 1 500 milligrammes dont elles auraient besoin pour prévenir ce trouble, fait remarquer le Dr Susan Broy, directrice d'un centre de l'ostéoporose. Ironiquement, les femmes (qui ont pourtant besoin du calcium plus encore que les hommes) ont davantage tendance à écarter les aliments qui en contiennent parce qu'elles s'inquiètent davantage de leur tour de taille que de leur ossature, poursuit-elle.

Il est particulièrement important pour une femme d'absorber suffisamment de calcium à l'approche de la ménopause, lorsque les taux d'œstrogène diminuent. Cette hormone aide l'ossature à absorber et à conserver le calcium. Lorsque les taux d'œstrogène déclinent, les os deviennent dans beaucoup de cas plus fragiles. En réalité, c'est au cours des cinq à sept ans après la ménopause que la perte osseuse se produit le plus rapidement.

Le Dr Broy ajoute que le plus triste dans ce domaine, c'est que l'ostéoporose n'est pas une fatalité et qu'il est souvent facile de la prévenir en absorbant suffisamment de calcium. Au cours d'une étude, par exemple, des chercheurs néerlandais ont constaté que les femmes qui obtenaient au moins 1 000 milligrammes de calcium par jour, soit à peu près la teneur de trois verres de lait, parvenaient à réduire leur perte osseuse de quelque 43%. Une autre étude, effectuée cette fois par des chercheurs britanniques, a permis de constater que la densité

Du soja pour renforcer notre ossature

Afin de lutter contre le vieillissement, beaucoup de médecins recommandent à leurs patientes ménopausées de suivre une œstrogénothérapie substitutive afin de conserver une ossature robuste. Cependant, il pourrait se révéler possible de remplacer l'œstrogène sans prendre de médicaments, simplement en absorbant un peu plus de soja.

Les recherches ont montré que le tofu, le tempeh et divers autres aliments à base de soja contiennent des isoflavones; ces substances complexes ressemblent beaucoup (quoique en plus faible) aux œstrogènes générées par le corps d'une femme, selon le Dr Jeri W. Nieves, épidémiologiste nutritionniste et directeur d'un laboratoire de mesure des minéraux osseux. Certains travaux laissent entendre que l'absorption abondante d'isoflavones par nos aliments pourrait jouer un rôle puissant dans le maintien d'une ossature robuste.

Au cours d'une étude américaine, des femmes ont reçu soit 55 milligrammes, soit 90 milligrammes d'isoflavones par jour. (Une portion de tofu en contient 35 milligrammes.) Après six mois, les chercheurs purent constater que la densité osseuse chez les femmes qui recevaient la dose la plus élevée avait augmenté de 2%.

Ces recherches en sont au stade préliminaire, poursuit le Dr Nieves, et les scientifiques n'ont pas encore déterminé la quantité d'isoflavones nécessaire pour maintenir une ossature robuste. Nous pouvons cependant en retenir que la dose de 90 milligrammes utilisée au cours de cette étude est un bon point de départ. Il est facile d'en absorber autant par l'alimentation, puisqu'un verre de lait de soja en contient par exemple 30 milligrammes, et un verre de graines de soja rôties 60 milligrammes.

Tous les produits dérivés du soja, en revanche, ne contiennent pas ces substances complexes bénéfiques. Malgré leur nom, des produits comme la sauce soja, l'huile de soja et les saucisses à base de soja, par exemple, n'offrent aucun avantage sur ce plan.

osseuse était environ de 5% plus élevée chez les femmes qui buvaient le plus de lait, par rapport à celles qui n'en buvaient pas.

Grâce aux produits laitiers écrémés, il est devenu très facile d'obtenir davantage de calcium sans crainte de grossir, ajoute le Dr Baran. Un verre de lait entier, par exemple, contient plus de 8 grammes de matières grasses, tandis qu'un verre de lait demi-écrémé (1%) en contient 3 grammes, presque trois fois moins. Un verre de lait écrémé est encore plus intéressant, avec seulement 0,5 gramme par portion.

Le Dr Broy ajoute que les produits laitiers maigres n'en sont pas moins de bonnes sources de calcium, puisque leur teneur correspond à celle des produits entiers. En réalité, le lait écrémé contient même davantage de calcium, puisque les fabricants remplacent une partie de la matière grasse éliminée par la partie riche en calcium du lait entier. Par conséquent, pour un verre de lait entier qui contient environ 290 milligrammes de calcium, le même verre de lait écrémé vitaminé en offre près de 352.

Même si vous ne buvez pas de lait, vous pouvez néanmoins obtenir beaucoup de calcium en ajoutant du lait écrémé en poudre aux céréales et aux produits de panification, comme les gâteaux et petits pains, fait remarquer Mme Edith Hogan, diététicienne. Un grand verre de lait écrémé en poudre contient près de 420 milligrammes de calcium, poursuit-elle, et n'affecte pratiquement pas la texture et le goût des aliments.

Bien entendu, il est toujours possible d'ajouter du lait écrémé à des aliments contenant déjà du lait. Lorsque Mme Hogan prépare son gruau d'avoine pour le petit déjeuner, par exemple, elle remplace l'eau de cuisson par un verre de lait demi-écrémé puis, au moment de servir, elle mélange à la bouillie un demi-verre de lait en poudre. Cette méthode lui permet d'absorber d'un seul coup 720 milligrammes de calcium, deux fois plus que beaucoup d'Américains n'en obtiennent dans un journée entière.

Un autre moyen d'obtenir plus de calcium consiste à manger plus

DES COMPLÉMENTS POUR RENFORCER NOTRE OSSATURE

Aujourd'hui où la vie moderne nous oblige à courir et à manger bien souvent sur le pouce, il n'est pas toujours facile d'obtenir tout le calcium dont nos os ont besoin. Lorsque notre alimentation n'en comporte pas assez, la prise d'un complément de calcium nous offre une solution acceptable, selon le Dr Daniel Baran, professeur de médecine, d'orthopédie et de biologie cellulaire.

Juste après la ménopause, au moment où la perte osseuse se produit le plus rapidement, une femme a besoin de 1 500 milligrammes de calcium par jour. (Les femmes ménopausées qui suivent une œstrogénothérapie substitutive n'ont besoin que de 1 000 milligrammes de calcium par jour environ.) Tous les compléments de calcium sont efficaces, qu'ils soient à base de farine d'os, de coquilles d'huîtres ou de citrate de calcium, poursuit le Dr Baran. En revanche, les meilleurs (et les moins onéreux) sont ceux qui contiennent du carbonate de calcium, un ingrédient également présent dans de nombreux antiacides, souligne-t-il en conclusion.

souvent du fromage, ajoute Mme Hogan. Une portion de 50 grammes de gruyère contient plus de 500 milligrammes de calcium, ce qui dépasse la teneur d'un verre de 225 millilitres de lait demi-écrémé.

Il est très facile d'augmenter la quantité de fromage absorbée, poursuit-elle. La ricotta, par exemple, se marie bien à diverses préparations comme des ragoûts, lasagnes, enchiladas et autres recettes nécessitant un peu de fromage. Vous pouvez aussi saupoudrer un peu de parmesan maigre sur les pâtes et les crudités : une cuillerée à soupe apporte près de 70 milligrammes de calcium et pratiquement pas de matières grasses.

Même si les légumes verts feuillus ne contiennent pas autant de calcium que les produits laitiers, ils peuvent néanmoins vous aider à obtenir suffisamment de calcium. Une portion de 200 grammes de chou frisé, par exemple, nous fournit près de 47 milligrammes de calcium, tandis que la même quantité de brocoli en contient 36 milligrammes. Il n'est pas non plus indispensable de manger des crudités pour obtenir une protection, ajoute Mme Hogan. En ajoutant à un potage une portion de chou frisé haché, par exemple, vous en améliorerez le goût tout en l'enrichissant de 94 milligrammes de calcium.

Les produits laitiers sont certes nos meilleures sources de calcium, mais beaucoup de produits industriels, comme le jus d'orange, sont vitaminés par addition de calcium, fait remarquer le Dr John Bilezikian, professeur de médecine. Un verre de jus d'orange vitaminé contient autant de calcium que la même quantité de lait. Par conséquent, déchiffrez les étiquettes des produits industriels comme le pain, les jus et les céréales destinées au petit déjeuner afin de vérifier qu'ils contiennent suffisamment de calcium.

QUELQUES SUBTILITÉS

Le calcium est indiscutablement le minéral indispensable pour avoir une ossature robuste, mais il n'est pas capable de parvenir tout seul jusqu'à l'intérieur de nos os sans l'aide d'autres nutriments, surtout la vitamine D. «En l'absence de vitamine D, souligne le Dr Baran, nous absorbons très peu de calcium par notre alimentation. »

Nous pouvons obtenir de faibles quantités de vitamine D en mangeant du saumon et d'autres poissons gras, mais des aliments vitaminés comme le lait et les céréales pour le petit déjeuner en sont souvent les meilleures sources, poursuit ce médecin. La Valeur quotidienne pour la vitamine D est de 400 unités internationales, c'est-à-dire à peu près la teneur de quatre verres de lait enrichi de vitamine D.

Pour peu que nous passions un peu de temps en plein air, en réalité, nous n'avons pas à nous inquiéter de la vitamine D, car notre organisme en génère chaque fois que la lumière du soleil entre en contact avec notre épiderme. Même si notre alimentation ne nous fournissait absolument pas de vitamine D, il suffirait de passer environ 15 minutes par jour en plein soleil, sans exposer davantage que notre visage et nos mains, pour obtenir suffisamment de vitamine D, explique le Dr Baran.

Outre la vitamine D, l'absorption du calcium nécessite également divers autres minéraux comme le zinc, le cuivre et le manganèse, selon le Dr Saltman, professeur de biologie.

Aucun de ces minéraux n'est difficile à trouver dans nos aliments, poursuit-il. Les fruits de mer et la viande maigre, par exemple, sont d'excellentes sources de zinc, puisque 85 grammes d'huîtres nous en apportent plus de 28 milligrammes (environ 188% de la VQ). Un steak (flanchet) de 85 grammes en contient un peu moins de 4 milligrammes (environ 26% de la VQ).

Halte au pillage de nos os

Lorsque l'on cherche à prévenir l'ostéoporose, les aliments absorbés ont généralement plus d'importance que ceux que l'on écarte. En revanche, certaines catégories d'aliments et de boissons peuvent nuire à l'absorption du calcium et il est donc judicieux de choisir avec discernement et d'éviter les erreurs.

Le café et le Coca-Cola, par exemple, contiennent de la caféine, laquelle peut considérablement réduire la quantité de calcium absorbée. Pour maintenir une ossature robuste, beaucoup de médecins nous conseillent de limiter à une ou deux portions par jour le café ou les boissons gazeuses absorbées, souligne le Dr Elaine Feldman, professeur émérite de médecine, physiologie et endocrinologie.

Lorsque vous prenez un café, il est préférable d'y ajouter un peu de lait, renchérit le Dr Jeri W. Nieves, épidémiologiste nutritionniste et directeur d'un laboratoire de mesure des minéraux osseux. Le lait inhibe l'effet de la caféine en l'empêchant de soutirer du calcium à notre ossature.

Une alimentation trop salée peut également nuire à nos os. Non seulement elle réduit la quantité de calcium que le corps est en mesure d'absorber, mais elle augmente le volume de calcium excrété. Mme Hogan précise qu'il n'est pas nécessaire de renoncer entièrement au sel, mais que la pratique de la modération dans ce domaine contribue à une bonne santé osseuse.

LA PRESSION ARTÉRIELLE
APPRENDRE À RÉDUIRE LES CHIFFRES

On ne meurt pas d'hypertension artérielle, même si certains qualifient ce trouble de «tueur silencieux». Accident vasculaire cérébral, crise cardiaque et défaillance cardiaque, voilà les maladies qui tuent – mais chacune d'entre elle peut être causée, au moins en partie, par l'hypertension artérielle.

Cette dernière a cela d'effrayant qu'il est possible d'en être atteint des années durant sans le moindre symptôme. Cela ne se perçoit pas, ne se voit pas. Le seul moyen de détection est le sphygmomanomètre, terme barbare désignant tout simplement un brassard pour mesurer la tension artérielle.

En revanche, si l'hypertension artérielle agit en silence, elle est souvent mortelle. «Ce trouble n'est que le reflet d'un système cardiovasculaire sur le point d'éclater, fait remarquer le Dr John A. McDougall, directeur médical d'un programme spécialisé et auteur du livre *The McDougall Program for a Healthy Heart*. Mais en préférant aux aliments trop riches une alimentation saine, axée sur une abondance de fruits, de légumes et de glucides, il est possible de changer tout cela», affirme-t-il.

COMMENT SE PRODUIT L'HYPERTENSION

Comment se fait-il que l'hypertension produise une telle confusion? Elle propulse le sang avec tant de force à travers les artères que celles-ci peuvent en être endommagées. Elle affaiblit les artères, surmène le cœur, génère des caillots sanguins qu'elle lance un peu partout dans le corps. Les experts n'ont pas déterminé encore la cause exacte de ce trouble, mais les facteurs qui y contribuent sont connus: excès de cholestérol, durcissement des artères, maladie rénale et, pour les personnes sensibles au sodium, une alimentation trop salée.

Très courante, l'hypertension artérielle affecte 10 à 15% de la population adulte, soit près de 8 millions de Français. Dans la plupart des cas, il s'agit d'hypertension primaire (ou essentielle) limite (ou légère). Lorsque l'on mesure la tension artérielle, si les chiffres se situent par exemple entre 14/9 et 16/9,5, cela signifie qu'il y a hypertension limite. (Le chiffre supérieur mesure la pression systolique, c'est-à-dire l'intensité avec laquelle le cœur propulse le sang dans les artères; quant au chiffre inférieur, ou diastolique, il mesure la pression du sang contre les parois des artères entre deux pulsations.) Une tension artérielle normale est inférieure à 14/9 cmHg (centimètres de mercure).

L'hypertension limite répond bien à toutes sortes de thérapies non médicamenteuses. En adoptant une alimentation saine et en faisant régulièrement de l'exercice, vous pourriez éviter de devoir prendre des médicaments contre l'hypertension (avec leurs effets indésirables souvent désagréables) et calmer votre courant sanguin. En revanche, ce trouble peut être dangereux. «La plupart des crises cardiaques et des accidents vasculaires cérébraux se produisent chez des personnes présentant une hypertension artérielle légère», fait remarquer le Dr Norman Kaplan, professeur de médecine interne et chef d'un service universitaire d'hypertension.

Des chercheurs canadiens ont analysé 166 études qui s'étaient intéressées à toutes sortes de traitements (médicamenteux ou non) pour soigner l'hypertension, afin d'en comparer l'efficacité. Ils ont ainsi constaté qu'une perte de poids (étayée par un programme d'exercice) était aussi efficace que les médicaments pour faire baisser la tension artérielle. D'autres mesures efficaces consistaient à réduire la quantité de sodium et d'alcool absorbée, et à augmenter dans l'alimentation la part du potassium. Des scientifiques américains ont également commencé à étudier le potentiel des fibres et de deux autres minéraux, le magnésium et le calcium, pour faire baisser la tension artérielle. Voici un résumé de leurs constatations à ce jour.

DU REPOS POUR LE CŒUR

Tous les experts affirment d'une seule voix qu'une perte de poids est absolument nécessaire pour faire baisser la tension, d'autant plus que les individus dont le poids corporel dépasse de 30% leur poids idéal sont précisément ceux qui risquent le plus d'avoir de l'hypertension artérielle. En revanche, il suffit de perdre 2 à 5 kilos environ pour obtenir un effet bénéfique sur la tension.

Comment expliquer cela? Plus la masse de tissus corporels est importante, plus le cœur doit fournir un effort important afin d'en assurer l'irrigation. Ce surcroît d'effort soumet à son tour la paroi des artères à une pression plus élevée.

Nous savons tous combien il peut être ardu de perdre du poids. L'exercice physique peut cependant nous faciliter la tâche, cela d'autant plus que le régime idéal pour perdre du poids est également celui qui permet le mieux de maîtriser la tension: une alimentation maigre, comportant une grande abondance de fruits et de légumes.

«Nous ne saurions trop insister sur l'importance d'une alimentation maigre comportant beaucoup de fruits et de légumes. Elle fera baisser la tension presque à coup sûr, en réduisant l'apport de sodium tout en augmentant la part de tous ces éléments bénéfiques dont nous pensons qu'ils font baisser la tension: fibres, calcium et potassium. De plus, elle entraîne une perte de poids», souligne le

LES MINES DE SEL

Si vous êtes attentif à votre tension et connaissez les inconvénients du sel, sans doute avez-vous déjà l'habitude de refuser des aliments tels que les chips et les cornichons. En revanche, le sodium peut se cacher là où l'on s'y attend le moins. Le bicarbonate de soude et la levure chimique, par exemple, sont l'un et l'autre à base de sodium. Les fruits séchés contiennent du sulfite de sodium, et certaines crèmes glacées comportent du caséinate ou de l'alginate de sodium.

Même un consommateur averti peut s'y tromper. Voici quelques aliments à surveiller de près.

Entremets instantané en poudre. Une portion de 150 grammes contient 470 milligrammes de sodium (davantage que deux tranches de lard).

Ketchup. Une cuillerée à soupe contient 156 milligrammes de sodium.

Pâtisseries. Une tranche de 100 grammes de cake aux fruits contient 215 milligrammes de sodium, tandis qu'une part de 100 grammes de gâteau au fromage blanc en fournit 115 milligrammes. Quant aux madeleines et aux biscuits à base de levure chimique, leur teneur en sodium est également élevée dans la plupart des cas.

Fromage. La majorité des fromages contiennent beaucoup de sodium, même le fromage frais au herbes qui en fournit 540 milligrammes pour 100 grammes.

Dr Pao-Hwa Lin, nutritioniste et coauteur du livre *Eating Well, Living Well with Hypertension.*

Une alimentation maigre ne comportera que peu de viande rouge (à teneur élevée en corps gras saturés). Elle écartera en outre de nombreux aliments industriels, ces derniers ayant l'inconvénient non seulement d'être trop gras, mais de contenir de grandes quantités de sel et très peu de potassium. Ainsi, cette seule modification de nos habitudes diététiques nous permet d'éliminer d'un seul coup trois ennemis de notre santé.

LE RÔLE DU SEL

Selon de nombreux experts, la moitié environ des individus sujets à l'hypertension présentent une sensibilité au sodium, c'est-à-dire que leurs taux de tension artérielle sont fonction de la quantité de sel absorbée. «Mais cette hypothèse fait l'objet d'une controverse, fait remarquer le Dr Lawrence Appel, professeur de médecine et d'épidémiologie. Je pense quant à moi que la plupart des gens présentent cette sensibilité particulière vis-à-vis du sodium, mais que chez certains, la réponse est plus marquée que chez d'autres, ajoute-t-il. En outre, les personnes plus âgées sont généralement plus sensibles au sel, de même que les personnes d'origine africaine.»

Voilà ce qui se passe. Lorsque l'on absorbe chaque jour la ration typique de sodium fournie par notre alimentation classique, c'est-à-dire jusqu'à 8 grammes par jour, voire davantage, au lieu des quelque 2 grammes à ne pas dépasser, la pression artérielle augmente. En cas de sensibilité au sel, le sodium contenu dans celui-ci fait que le corps absorbe l'eau à la manière d'une éponge. Lorsque ce dernier absorbe de telles quantités d'eau, les vaisseaux sanguins se dilatent et la pression artérielle augmente. Le sodium pourrait en outre endommager les parois des vaisseaux sanguins, provoquant des lésions cicatricielles et obstruant les artères davantage encore.

« Si vous avez de l'hypertension, il s'agit de diviser par deux la quantité de sodium absorbée, souligne le Dr Kaplan. N'ayez pas de sel sur la table, n'en ajoutez pas aux aliments que vous préparez. En outre, écartez la majorité des aliments industriels, où l'on retrouve 80 % du sodium de l'alimentation typique. Après tout cela, si votre tension ne descend pas, c'est que le sodium n'a rien à y voir. »

LE PSORIASIS
DES ALIMENTS CONTRE LES SQUAMES

On pourrait croire que notre épiderme est aujourd'hui le même que la veille ou l'avant-veille. Pourtant chaque jour, des millions de cellules cutanées meurent, s'éliminent et sont remplacées par des cellules neuves.

Chez les personnes atteintes de psoriasis, en revanche, le corps fabrique considérablement trop de cellules cutanées, puisqu'il les génère environ cinq fois plus rapidement que chez la plupart d'entre nous, si bien que la peau épaissit et se recouvre de squames. Les médecins ne connaissent pas la cause de ce trouble, mais il semblerait qu'un dérèglement du système immunitaire provoque des lésions du matériel génétique ayant pour rôle de réguler la duplication des cellules.

Un certain nombre de travaux laissent entendre qu'en absorbant davantage de fruits et de légumes frais, il serait possible de maîtriser le psoriasis. Au cours d'une étude portant sur plus de 680 personnes, des chercheurs italiens ont constaté que ceux qui mangeaient le plus de carottes, tomates, fruits frais et légumes verts étaient beaucoup moins exposés au risque de psoriasis que ceux qui en absorbaient moins. D'ailleurs, il suffit de manger au moins trois portions de carottes par semaine pour faire baisser de 40% le risque de psoriasis. Ce même risque diminuait de 60% chez ceux des participants qui absorbaient chaque semaine au moins sept portions de tomates, et il s'abaissait de 50% chez ceux qui mangeaient chaque jour deux portions de fruits frais.

Puisque les carottes, les tomates et les fruits sont tous des sources importantes de bêtacarotène et de vitamines C et E, les chercheurs se demandent si le facteur décisif est lié à la teneur de ces aliments en antioxydants, ainsi qu'à leur effet immunostimulant.

DES HUILES QUI GUÉRISSENT

Les chercheurs pensent depuis longtemps que l'absorption de certaines espèces de poissons pourrait soulager le psoriasis. Une étude britannique, par exemple, a permis de constater une amélioration de 15% des symptômes en six semaines seulement chez des personnes atteintes de ce trouble qui absorbaient chaque jour 170 grammes de poisson comme du saumon, du maquereau et du hareng.

Ces derniers, ainsi que divers autres poissons des mers froides, contiennent une catégorie de corps gras appelés acides gras de type oméga 3, qui semblent diminuer dans l'organisme la production de prostaglandines et de leucotriènes (deux substances complexes pouvant provoquer des inflammations cutanées). Il est certain que l'absorption de poisson ne saurait guérir le psoriasis, mais elle pourrait offrir un soulagement lorsque d'autres traitements ont déjà été prescrits pour le psoriasis. Le saumon est un choix particulièrement judicieux en raison de sa teneur élevée en oméga 3.

LE RHUME DES FOINS
QUEL RAPPORT AVEC LA CUISINE ?

Le conseil donné par beaucoup de médecins aux personnes souffrant du rhume des foins est de rester bien à l'abri derrière les fenêtres fermées et de prendre des antihistaminiques. Pourtant, un certain nombre de travaux suggèrent que même si nous faisons le maximum pour nous protéger des pollens extérieurs, les aliments absorbés pourraient bien aggraver le problème. Par conséquent, avant de vous barricader à l'intérieur, regardez attentivement ce que vous avez à la cuisine. Il se pourrait que vous y trouviez certains aliments peu recommandables.

Les spécialistes en ignorent la raison, mais chez beaucoup de personnes souffrant de rhume des foins, le système immunitaire réagit non seulement aux pollens mais également à certains fruits et légumes, en particulier les melons et les bananes, selon le Dr John Anderson, allergologue et immunologiste clinicien.

Si vous êtes allergique aux ambroisies, par exemple, vous pourriez éprouver des démangeaisons et une congestion buccales après avoir mangé une tranche de pastèque ou de melon cantaloup, ou encore une banane, ou vous pourriez constater une aggravation de vos difficultés respiratoires, selon le Dr Anderson. Si vous êtes allergique aux pollens d'arbres et de graminées, il pourrait suffire de manger une pomme, quelques cerises, une pêche, des carottes ou des pommes de terre pour aggraver vos symptômes.

Il se pourrait que les personnes qui présentent de telles allergies multiples (les médecins parlent de réactivité croisée) soient allergiques à de tels aliments à longueur d'année. Dans la plupart des cas, cependant, elles sont davantage affectées au printemps, lorsque les taux de pollens dans l'air extérieur sont déjà élevés, de même que les taux d'histamine dans le corps. Il n'existe aucune solution satisfaisante, excepté celle qui saute aux yeux: peut-être vous faudra-t-il renoncer aux fruits et légumes qui sont à l'origine de vos troubles. En revanche, il est possible qu'en faisant cuire ces mêmes aliments, vous puissiez en éliminer le potentiel allergique.

Certaines personnes sujettes au rhume des foins sont allergiques au pollen contenu dans le miel. «Il est possible que vous ayez une réaction lorsque vous absorbez tel ou tel type de miel, parce qu'il contient un pollen spécifique auquel vous êtes sensible», souligne le Dr Anderson.

Ce dernier ajoute que vous ne serez probablement pas contraint de renoncer entièrement au miel. En effet, divers types de miels contiennent des types de pollens tout aussi divers. Faites l'essai avec toutes sortes de miels différents jusqu'à ce que vous en trouviez un qui n'aggrave pas vos symptômes.

Enfin, des chercheurs autrichiens ont découvert que pour certains individus atteints de rhume des foins, l'absorption d'un verre de vin pouvait provoquer des troubles. Une étude de petite envergure a révélé que le vin rouge contient souvent de l'histamine, ce même agent chimique qui est à l'origine des tourments subis par ceux qui souffrent du rhume des foins. L'apport d'un surcroît d'histamine sous forme de vin alors que l'organisme est déjà saturé de cet agent chimique pourrait provoquer le rétrécissement des bronches, provoquant des difficultés respiratoires.

Le rhume et la grippe
L'infection maîtrisée par l'alimentation

Le seul moyen d'éviter entièrement le rhume et la grippe serait de se retirer dans la solitude, à la manière d'un ermite, loin des éternuements de nos collègues, des nez morveux de nos marmots et des quintes de toux d'inconnus dans la rue.

Mais puisqu'il faut pourtant bien payer les factures (ce qui nous serait impossible si nous vivions sur une île déserte), l'une des meilleures stratégies consiste à absorber tous les aliments immunostimulants possibles et imaginables. Heureusement, ce n'est pas le choix qui manque, et les recherches ont révélé qu'un certain nombre des aliments que nous absorbons chaque jour contiennent des substances complexes très efficaces pour empêcher les virus de s'installer. Même si vous êtes déjà grippé, un choix judicieux de vos aliments vous apportera un soulagement et pourra même vous remettre plus rapidement sur pied.

Une alimentation immunostimulante

Il suffit qu'une poignée de virus réussissent à pénétrer dans l'organisme pour déclencher le rhume ou la grippe. Aussitôt entrés, ils se mettent à l'œuvre pour générer davantage de virus. Pour peu que notre système immunitaire n'y fasse pas obstacle dès le début, ils se multiplient jusqu'à atteindre des chiffres vertigineux, et c'est alors que nous commençons à nous sentir malade.

Pour stopper ce type d'invasion, une bonne stratégie consiste à absorber davantage de fruits et de légumes. Ces aliments contiennent toutes sortes de substances capables de fortifier le système immunitaire, ce qui le rend plus apte à détruire les virus avant qu'ils n'aient le temps de nous rendre malade. Les recherches ont par exemple montré que de nombreux fruits et légumes contiennent du glutathion ; cette substance complexe stimule l'ensemble du système immunitaire, l'amenant à générer de grandes quantités de macrophages (cellules spécialisées ayant pour rôle de capter les virus en les marquant pour la destruction.) L'avocat, la pastèque, les asperges, les courges d'hiver et le pamplemousse sont autant de bonnes sources de glutathion. Parmi divers autres aliments qui en contiennent, on peut également mentionner les suivants: gombo, orange, tomate, pomme de terre, chou-fleur, brocoli, melon cantaloup, fraise et pêche.

Beaucoup de fruits et de légumes contiennent également une autre substance complexe très puissante : la vitamine C. La controverse se poursuit depuis des années parmi les médecins pour savoir si ce nutriment contribue vraiment à prévenir le rhume. Lorsque nous sommes déjà victime d'un refroidissement, en revanche, il est prouvé que l'absorption de vitamine C en plus grande quantité par le biais de nos aliments soulage les symptômes du rhume et favorise une guérison plus rapide.

La vitamine C abaisse les taux d'histamine, un agent chimique défensif généré par le système immunitaire et qui est à l'origine du nez bouché et de divers autres symptômes dus aux refroidissements. D'autre part, il semblerait que la vitamine C fortifie les globules blancs, qui jouent un rôle essentiel dans la lutte contre l'infection.

Après avoir passé en revue 21 études scientifiques publiées depuis 1971, des chercheurs finlandais en ont conclu que l'absorption de 1 000 milligrammes de vitamine C par jour pouvait atténuer les symptômes du rhume et raccourcir de 23 % la durée d'un refroidissement.

Il va sans dire qu'il faudrait absorber une très grande quantité d'oranges, de brocolis et d'autres aliments contenant de la vitamine C pour obtenir une dose aussi élevée de ce nutriment crucial. Une stratégie plus efficace consiste à boire beaucoup de jus, selon le Dr Won Song, professeur de nutrition humaine. Le jus d'orange, dont un verre de 180 millilitres contient 61 milligrammes de vitamine C, vient probablement en tête de liste, mais d'autres jus, comme ceux de canneberge ou de pamplemousse, contiennent également beaucoup de vitamine C.

DES BULBES QUI GUÉRISSENT

L'ail est employé depuis la nuit des temps pour traiter pratiquement tous les types d'infections. Aujourd'hui, des travaux toujours plus nombreux indiquent qu'il peut également nous fournir une protection supplémentaire contre le rhume et la grippe.

Des chercheurs ont recensé dans l'ail des dizaines de substances complexes chimiquement actives. Ils ont même prouvé que deux d'entre elles, l'allicine et l'alliine, tuaient certains microbes par contact. De plus, l'ail semble stimuler le système immunitaire qui génère alors des cellules à activité naturelle tueuse, lesquelles détruisent encore plus d'envahisseurs.

Pour que l'ail nous offre une protection efficace, en revanche, il faut en manger beaucoup, jusqu'à une tête entière par jour si l'on veut combattre le rhume et la grippe, selon le Dr Elson Haas, directeur d'un centre de médecine préventive et auteur du livre *Staying Healthy with Nutrition*.

Si vous n'avez pas l'habitude de manger beaucoup d'ail, peut-être aurez-vous du mal à absorber de telles quantités d'ail cru. Mais rien ne vous empêche de faire cuire les gousses d'ail au four ou au micro-ondes jusqu'à ce que la chair soit tendre, ce qui en adoucira le goût, fait remarquer le Dr Irwin Ziment, professeur de médecine. «Même sous cette forme, l'ail semble conserver une bonne partie de son efficacité», ajoute ce médecin.

Un remède fumant

Les recherches ont montré que deux traitements ancestraux pour le rhume et la grippe – une tasse de thé bien chaud et un bol de bouillon de poulet fumant – comptent parmi les remèdes maison les plus efficaces qui soient. Ces deux aliments, ainsi que le piment et divers autres aliments épicés, contiennent des substances complexes capables de soulager la congestion et de conserver toute sa robustesse au système immunitaire.

Le thé, par exemple, contient de la théophylline; cette substance complexe contribue à soulager la congestion, selon le Dr Steven R. Mostow, président d'un comité médical. En outre, le thé contient de la quercétine, une substance complexe qui pourrait contribuer à inhiber la réplication virale.

Le bouillon de poulet est un autre remède traditionnel dont l'efficacité est aujourd'hui prouvée. En réalité, l'un des meilleurs moyens de soulager le nez bouché et divers autres symptômes du rhume et de la grippe consiste à boire un bol de ce fameux bouillon. Au cours d'études en laboratoire, par exemple, des chercheurs américains ont découvert que ce remède empêchait les globules blancs de provoquer inflammation et congestion dans les voies respiratoires.

En revanche, le Dr Mostow précise bien qu'il est important de boire du bouillon de poulet fait maison. Les médecins ne savent pas pour quelle raison, mais il s'avère que le potage de poulet en boîte n'est pas aussi efficace que le breuvage maison, pas plus d'ailleurs que le bouillon de poulet en cube.

Si vous avez un gros rhume qui vous empêche de respirer, prenez votre courage à deux mains et croquez dans un piment. De même que le piment rouge en poudre, les diverses variétés de piment frais contiennent de la capsaïcine. Le Dr Ziment fait remarquer que cette substance complexe, dont la composition chimique rappelle celle du principe actif d'un médicament pharmaceutique contre les refroidissements, a pour effet de nous aider à mieux respirer.

Le Dr Haas ajoute qu'il n'est pas indispensable d'avoir sous la main du piment frais pour obtenir un soulagement. Il peut être tout aussi efficace de mélanger dans un verre d'eau le quart d'une cuillerée à café de piment rouge moulu, et de boire ce mélange incendiaire. «Ne craignez rien. Cela réchauffe mais sans irriter», conclut le Dr Haas.

LE STRESS

L'importance des vitamines du groupe B

Encore en retard pour aller au travail! Tant pis, on prendra en passant un ou deux croissants chez le boulanger. L'échéance approche pour terminer un rapport... Allons, encore un café. Les gamins nous cassent la tête avec leurs hurlements? Vite, des glaces...

Partout le stress nous environne et, bien souvent, nos aliments servent à nous procurer un soulagement bienvenu, quoique passager. Malheureusement, les aliments absorbés dans ces moments de stress, comme le café ou les sucreries, ont souvent pour effet d'entraîner plus tard un coup de pompe qui ne fera qu'aggraver les choses.

Ce processus n'a pourtant rien d'une fatalité. Les recherches ont montré qu'en privilégiant la part de certains aliments et en réduisant celle de certains autres, il est possible de faire baisser dans l'organisme les taux de l'hormone du stress. Quelques petits changements dans nos habitudes alimentaires produiront dans le cerveau des modifications physiques grâce auxquelles nous parviendrons mieux à gérer les difficultés rencontrées.

Le rôle calmant des glucides

Purée de pommes de terre. Pain croustillant, sortant du four. Une grande assiette de pâtes fumantes. Dans nos périodes de stress, nous sommes nombreux à opter pour ce type d'aliment réconfortant. Les recherches révèlent aujourd'hui que notre instinct ne nous trompe pas, car les chercheurs ont pu constater que les glucides génèrent dans le cerveau des changements qui nous rendent le stress plus supportable.

Dans les périodes particulièrement difficiles, le cerveau a vite fait d'épuiser ses réserves de sérotonine, une substance chimique qui génère un sentiment de bien-être. Lorsque les taux de sérotonine s'abaissent, les sentiments négatifs ont tendance à prendre le dessus, souligne le Dr Joe Tecce, neuropsychologue et professeur de psychologie.

L'absorption d'aliments contenant beaucoup de glucides, comme des pâtes, du pain ou des pommes de terre, peut très rapidement faire augmenter les taux de sérotonine, atténuant le sentiment d'être stressé et favorisant la détente, commente le Dr Tecce. En outre, les glucides ont un autre avantage : à mesure que les taux de sérotonine augmentent, l'appétit a tendance à diminuer et nous sommes donc moins portés à grignoter pour soulager le stress.

LES LEÇONS DU ZOO

La prochaine fois que vous irez voir les singes du zoo, prenez le temps d'admirer nos cousins si agiles. Voyez comme ils bondissent, se balancent aux branches des arbres et s'amusent fabuleusement, du moins c'est l'impression qu'ils nous donnent. Bien sûr, contrairement à nous, ils n'ont pas à se soucier de problèmes automobiles ou de payer des factures, ce qui pourrait expliquer chez eux l'absence de stress. D'un autre côté, peut-être cela tient-il à leur prédilection pour les bananes.

Les recherches suggèrent que les aliments tels que les bananes, les pommes de terre et les pruneaux, qui contiennent beaucoup de vitamine B_6, peuvent atténuer l'irritabilité et le stress, et par conséquent procurer un modeste soulagement non seulement aux êtres humains, mais peut-être aussi aux singes. Au cours d'une étude de petite envergure, le Dr Tecce et ses collègues ont fait baisser les taux de vitamine B_6 chez un groupe de volontaires. Les participants n'ont pas tardé à devenir de plus en plus tendus et irritables.

Même si les recherches n'en sont encore qu'au stade préliminaire, il se pourrait que la vitamine B_6 améliore l'humeur en augmentant les taux de dopamine, un agent chimique du cerveau qui joue un rôle euphorisant. Lorsque notre alimentation ne nous fournit pas suffisamment de vitamine B_6, les taux de dopamine s'abaissent et le cafard peut faire son apparition. De plus, les personnes qui n'obtiennent pas assez de vitamine B_6 génèrent parfois trop peu de sérotonine, ce qui ne fait qu'aggraver les choses.

Le Dr Tecce ajoute que les spécialistes n'ont pas encore déterminé la quantité de vitamine B_6 nécessaire pour réduire le niveau de stress. Il semble toutefois probable que la Valeur quotidienne (VQ) de 2 milligrammes soit suffisante. L'obtention de la VQ par nos aliments ne pose aucun problème, puisque une banane, par exemple, fournit 0,7 milligramme de vitamine B_6 (35 % de la VQ) ; une portion de 50g de pois chiches en contient 0,6 milligramme (30 % de la VQ), et une pomme de terre cuite au four en apporte 0,4 milligramme (20 % de la VQ).

LES INCONVÉNIENTS DE LA CAFÉINE

Un peu partout dans le monde, là où l'on travaille dur, sans doute boit-on aussi du café. Plus les gens se sentent stressés et plus ils ont tendance à en boire. Au cours d'une étude portant sur près de 300 personnes, par exemple, des chercheurs américains ont constaté que la moitié des participants buvaient surtout du café, ou des boissons contenant de la caféine, durant les périodes de stress.

La caféine génère très vite une euphorie pouvant momentanément augmenter la détente et la confiance en soi. Assez rapidement, en revanche, elle stimule la production de cortisol, une hormone du stress qui fait grimper le rythme cardiaque et la pression artérielle. Selon le Dr William Lovallo, professeur de psychiatrie et de sciences du comportement, cela peut nous rendre encore plus stressé.

Ce médecin poursuit en soulignant que même de faibles quantités de café peuvent avoir un effet négatif sur le stress. Au cours d'un étude portant sur 48 hommes, le Dr Lovallo et ses collègues ont constaté une augmentation marquée de la pression artérielle chez ceux qui avaient bu ne fût-ce que 2 à 3 tasses de café.

Cela ne veut pas dire qu'il vous faudra nécessairement renoncer à votre breuvage préféré, ajoute le Dr Lovallo. Mais dans les périodes particulièrement stressées, l'absorption de boissons sans caféine vous aidera à rester plus calme et à mieux maîtriser la situation.

De plus, il est préférable d'absorber moins de sucre. Quelques minutes à peine après une prise de sucre, les taux de ce dernier dans le sang commencent déjà à s'abaisser. «Lorsque les taux de glycémie (sucre dans le sang) fluctuent, les sautes d'humeur et l'irritabilité deviennent plus fréquentes», commente le Dr Peter Miller, directeur d'un institut de santé.

LA SURCHARGE PONDÉRALE
Maigrir intelligemment

« Sans régime, sans privation, perdez une livre par jour!»

«Brûlez la graisse en dormant.»

Bon, ça suffit. En matière de régimes, la majorité d'entre nous sommes déjà passés par là, d'une manière ou d'une autre. Le seul miracle, lorsqu'il s'agit de tels remèdes miracles, c'est bien que nous soyons toujours prêts à en essayer un de plus.

Aucun miracle n'est nécessaire pour perdre du poids sans jamais le reprendre. Il suffit de se souvenir d'un seul principe de base: «L'énergie absorbée est égale à l'énergie dépensée, souligne le Dr Simone French, professeur d'épidémiologie. Si vous absorbez davantage d'énergie que vous n'en dépensez, vous prenez du poids. Si vous absorbez moins d'énergie que vous n'en utilisez, vous perdez du poids.»

Autant dire que les calories ont leur importance. Le nombre de calories absorbées doit être inférieur au nombre de calories brûlées. L'exercice a donc aussi son importance, puisqu'il nous aide à brûler davantage de calories.

De plus, les chercheurs s'aperçoivent que les types d'aliments absorbés ont autant d'importance que les quantités. Par exemple, notre corps n'utilise pas de la même manière les calories fournies par un biscuit au chocolat, à teneur élevée en matières grasses, et celles contenues dans une pomme de terre ou une assiettée de pâtes riches en glucides. De plus, certaines études montrent que si divers aliments stimulent notre appétit, d'autres semblent au contraire le mettre en veilleuse.

Ainsi, le vrai miracle semblerait être que certains aliments puissent véritablement nous aider à perdre du poids, plutôt que de nous faire grossir.

LA SOLUTION MAIGRE

La plupart de ceux qui souhaitent perdre du poids pourraient probablement compter les calories même en dormant. Pourtant, les calories, malgré leur importance, ne sont qu'un des facteurs qui favorisent (ou non) la perte de poids. Pour retrouver une taille plus fine, nous devons absorber moins de matières grasses.

S'il est tellement important de réduire la part des matières grasses lorsque l'on souhaite perdre du poids, cela s'explique par plusieurs raisons. Tout d'abord, les corps gras ont une incroyable densité calorique. Un gramme de lipides fournit 9 calories, tandis qu'un gramme de glucides ou de protéines n'en fournit que 4. C'est pour cela qu'une carotte crue ne fournit que 31 calories, tandis qu'une portion comparable de gâteau aux carottes nous en fournit dix fois plus (314 calories).

Par comparaison aux protéines et aux glucides, les corps gras ont naturellement tendance à s'installer dans l'organisme. Lorsque ce dernier emmagasine de la matière grasse, il ne brûle que 3% des calories fournies par cette dernière. Dans le cas des glucides, en revanche, le corps brûle 23% des calories qu'ils contiennent avant d'emmagasiner ce qui reste.

Au cours d'une étude américaine, des chercheurs ont examiné l'alimentation de 78 personnes et vérifié, comme on pouvait s'y attendre, que celles qui étaient corpulentes absorbaient davantage de corps gras que d'autres de moindre poids corporel. A la surprise des chercheurs, il s'avéra cependant que les individus corpulents absorbaient moins de calories que les autres. Conclusion? Les corps gras que nous absorbons ont tendance à se transformer en graisse corporelle.

Si nous voulons rester en bonne santé, la plupart des experts nous recommandent de limiter la part des matières grasses, qui ne devraient pas fournir plus de 25% de l'apport calorique. Si vous souhaitez perdre du poids, en revanche, il convient de l'abaisser plus encore, afin qu'elle ne représente plus que 20% de l'apport calorique.

LE DANGER D'UNE ALIMENTATION MAIGRE

Cependant, une alimentation maigre n'est pas sans danger, surtout dans le domaine des amuse-gueules allégés. «Beaucoup de gens s'imaginent qu'ils peuvent se gaver d'aliments maigres, mais l'apport calorique de ces types d'aliments peut être considérable, commente le Dr French. Lorsque les calories absorbées dépassent trop largement nos besoins, même s'il s'agit de calories sans matière grasse, nous prenons du poids.»

Cela ne veut pas dire qu'il vous faudra renoncer à vos amuse-gueules maigres préférés. Usez simplement de discernement quant à l'heure et à la manière de les absorber. Puisque «maigre» ne veut pas dire «sans calories», il ne saurait être question de grignoter régulièrement des aliments maigres ou sans matière grasse. Mais rien ne vous empêche d'en tirer le meilleur parti possible en les absorbant avec modération entre les repas. Après avoir ainsi grignoté avant le déjeuner ou le dîner, peut-être aurez-vous moins envie de faire des excès au cours du repas, selon le Dr Joanne Curran-Celentano, professeur de sciences alimentaires.

Les amuse-gueules maigres (ou même ceux qui contiennent pas mal de matières grasses) n'ont guère d'inconvénient lorsqu'on n'en absorbe pas trop souvent, mais ne comptez pas sur eux pour vous aider à satisfaire votre appétit tout en gardant la ligne. Chaque fois que possible, choisissez des amuse-gueules naturellement maigres, comme les fruits, les légumes et les céréales complètes, suggère le Dr Curran-Celentano.

INDISPENSABLES GLUCIDES

Il n'y a pas si longtemps, les personnes qui souhaitaient perdre du poids évitaient le pain, les pommes de terre et les pâtes, car on pensait que ces types de féculents se déposaient tout droit sur nos hanches. Les plus récentes recherches montrent au contraire que les individus qui perdent du poids sans le reprendre absorbent habituellement davantage de ces aliments.

Des aliments comme le riz, les haricots secs, les légumes farineux et les pâtes, qui sont de bonnes sources de glucides complexes, nous procurent un sentiment de satiété en raison de leur densité énergétique plus faible ; cela veut dire qu'ils pèsent plus que des aliments gras, tout en contenant moins de calories, explique le Dr Barbara Rolls, professeur de nutrition. « Plus la densité énergétique d'un aliment est faible et plus il va nous procurer cette impression de satiété », poursuit-elle.

Afin de mieux comprendre l'importance de la densité énergétique, considérons une journée typique au cours de laquelle nous absorbons 1 600 calories. Pour obtenir ce nombre de calories en absorbant des aliments riches en glucides, il nous faudrait manger soit 17 crêpes au blé complet, soit 11 pommes de terre cuites au four, soit 8 portions de spaghettis, soit 8 petits pains grillés aux raisins et à la cannelle. Imaginons à présent que nous options plutôt pour des aliments gras afin d'obtenir la même quantité de calories, et voilà à quoi ressemblerait alors le menu du jour : à peine trois sandwiches au poisson, fromage et sauce tartare (achetés tout prêts).

Ces explications vous aident-elles à mieux comprendre ? En absorbant des aliments riches en glucides, nous pouvons rester rassasié plus longtemps sans pour autant dépasser un seuil calorique considéré comme sain, souligne le Dr French.

De plus, les recherches suggèrent que les personnes qui cherchent à perdre du poids préfèrent une alimentation maigre et riche en glucides. Au cours d'une étude américaine, des femmes qui observaient un régime maigre furent encouragées à manger à volonté divers aliments maigres, mais riches en glucides complexes, comme des fruits, des légumes, des céréales et des haricots secs. Par contraste, les femmes du groupe de contrôle observaient un régime hypocalorique mais contenant davantage de matières grasses, puisque la part des corps gras représentait jusqu'à 30 % de l'apport calorique total.

Après six mois, les femmes des deux groupes avaient perdu à peu près le même poids : 4,5 kilos chez celles qui avaient un régime maigre, contre 4 kilos environ chez les autres. En revanche, celles du premier groupe associaient cette expérience avec une amélioration de la qualité de vie et trouvaient leur alimenta-

GARANTIE DE SATISFACTION

La maîtrise de l'appétit pourrait être le secret d'une perte de poids durable, selon une étude australienne. Des chercheurs ont identifié un certain nombre d'aliments « rassasiants » qui contribuent à nous laisser une impression de satiété. Dans le tableau ci-dessous, tout aliment ayant un coefficient de 100 au minimum (l'équivalent de celui attribué au pain blanc) est considéré comme rassasiant. Les aliments dont le coefficient est inférieur à 100 ne nous remplissent pas l'estomac suffisamment longtemps pour que nous soyons rassasié, ce qui nous amènera probablement à en manger davantage (et donc à prendre du poids).

Aliment	Coefficient	Aliment	Coefficient
Pomme de terre	323	Riz complet	132
Poisson	225	Biscuits salés	127
Bouillie d'avoine	209	Biscuits sucrés	120
Orange	202	Pâtes raffinées	119
Pomme	197	Bananes	118
Pâtes de blé complet	188	Pétales de maïs	118
Steak	176	Bonbons gélatine	118
Haricots blancs sauce tomate	168	Frites	116
Raisins	162	Pain blanc	100
Pain complet	154	Glace	96
Pop-corn	154	Chips de p. de terre	91
Céréales complètes	151	Yaourt	88
Œuf	150	Barre chocolatée	70
Fromage	146	Beignet	68
Riz blanc	138	Gâteau	65
Lentilles	133	Croissant	47

tion plus savoureuse, ce qui n'était pas le cas de celles du deuxième groupe. De plus, sans faire aucun effort particulier, celles qui recevaient une alimentation maigre absorbaient 17% moins de calories que les femmes du deuxième groupe (qui avaient reçu une alimentation faiblement calorique).

Le Dr Curran-Celentano suggère de répartir votre alimentation de la manière suivante : 60% de glucides, 20% de protéines et 20% de matières grasses. « Dans la catégorie des glucides, il est judicieux de choisir des aliments riches en fibres, précise-t-elle. Vous obtiendrez davantage de nutriments en évitant les chutes glycémiques, qui peuvent provoquer des envies alimentaires compulsives et des tiraillements d'estomac. »

DES ALIMENTS TRÈS RASSASIANTS

Si votre conception d'un programme pour perdre du poids consiste à manger allégé, il pourrait être judicieux de faire exactement le contraire. Les recherches suggèrent en effet que pour maîtriser l'appétit et le poids corporel, mieux vaut choisir des aliments rassasiants.

Des chercheurs australiens ont proposé à des volontaires toutes sortes d'aliments, chaque fois sous forme de portions de 240 calories : fruits, produits de boulangerie, amuse-gueules, aliments riches en glucides, aliments riches en protéines, céréales. Après s'être rassasiés en mangeant un seul type d'aliment, les participants devaient évaluer d'un quart d'heure à l'autre leur sensation de faim. Le but de cette étude était de déterminer les aliments les plus rassasiants dans la durée.

Le pain blanc avait reçu arbitrairement au départ une évaluation de 100 points, servant de critère pour l'évaluation de tous les autres aliments. Voilà les résultats. La pomme de terre venait en tête de classement, avec une évaluation de 323 (c'est-à-dire un coefficient de rassasiement plus de trois fois supérieur à celui du pain blanc). Elle était suivie par le poisson (225), la bouillie d'avoine (209), les oranges (202), les pommes (197) et les pâtes de blé complet (188). Comme on pouvait s'y attendre, les produits de boulangerie venaient très loin derrière, mais les chercheurs furent surpris de constater que plus un aliment contenait de matières grasses, plus faible était son coefficient de satiété. Un croissant, par exemple, n'obtenait qu'une évaluation de 47, c'est-à-dire qu'il ne rassasiait même pas moitié autant qu'une tranche de pain blanc. Les aliments contenant davantage de protéines, de fibres et d'eau avaient reçu un coefficient plus élevé.

Afin d'appliquer ces constatations dans la pratique, prenez l'habitude de choisir systématiquement des aliments rassasiants comme les légumes et les fruits, plutôt que d'autres plus gras et moins riches en fibres, recommande le Dr Rolls. Par exemple, choisissez une pomme de terre en robe des champs de préférence à une portion de frites. Entre les repas, grignotez un peu de pop-corn sans matière grasse, plus rassasiant que la même quantité de chips de pommes de terre. Mieux encore, mangez une pomme ou une orange. Le principe consiste à apaiser la faim sans attendre, de manière à mieux maîtriser l'appétit au cours des quelques heures à venir, mais sans pour autant se bourrer de calories indésirables.

LE SYNDROME DU CANAL CARPIEN

PLUS DE SOUPLESSE GRÂCE AUX GRAINES DE LIN

De même que des tunnels permettent au réseau routier de traverser certains obstacles, certaines structures de notre corps, nerfs et ligaments, ont recours à des tunnels pour parvenir à leur but. L'un des tunnels les plus sollicités est le canal carpien, qui permet à un faisceau compliqué comprenant le nerf médian, des vaisseaux sanguins et des ligaments de traverser le poignet jusque dans les doigts.

La plupart du temps, le canal carpien est relativement spacieux. Mais lorsque les mains et les poignets sont constamment sollicités, que ce soit en tapant sur un clavier d'ordinateur, en faisant de la couture ou pour toute autre occupation répétitive, les tissus à l'intérieur de ce canal peuvent s'enflammer et il se produit alors une enflure qui comprime le nerf. Dans ce cas, des douleurs peuvent se manifester dans le poignet, parfois accompagnées de fourmillements ou d'une insensibilité des doigts, commente le Dr James L. Napier, professeur de neurologie clinique. Les médecins parlent alors de syndrome du canal carpien.

L'un des meilleurs remèdes pour ce trouble consiste tout simplement à laisser les poignets se reposer. En outre, certains travaux laissent à penser que l'absorption de graines de lin pourrait contribuer à soulager l'inflammation dans le corps, et notamment dans les poignets, selon le Dr Jack Carter, professeur de botanique et président de l'institut du lin.

Les graines de lin contiennent de l'acide alpha-linolénique, une substance complexe dont il est démontré qu'elle réduit les taux de prostaglandines ; le Dr Carter précise que ces agents chimiques dans l'organisme contribuent à l'inflammation. Ces graines contiennent en outre des lignanes, autre type de substances complexes dotées de propriétés antioxydantes qui peuvent inhiber les effets des radicaux libres (molécules d'oxygène nuisibles). C'est là une considération importante, car les radicaux libres sont générés en quantité chaque fois qu'un processus inflammatoire a lieu, et si rien ne vient leur faire obstacle, ils peuvent aggraver considérablement l'inflammation.

Jusqu'à ce jour, les chercheurs n'ont pas encore vérifié l'efficacité des graines de lin en cas de syndrome du canal carpien et, par conséquent, ajoute le Dr Carter, il est difficile de savoir exactement combien de graines de lin il faudrait absorber pour obtenir un soulagement. Certains travaux suggèrent toutefois qu'il pourrait suffire de prendre 25 à 30 grammes (soit l'équivalent de 3 cuillerées à soupe) de graines de lin moulues, ou 1 à 3 cuillerées à soupe d'huile de lin.

Le corps étant incapable de digérer les graines de lin entières, il est préférable de les acheter moulues en magasin diététique (ou de les moudre soi-même). Les graines moulues peuvent être saupoudrées sur les céréales cuites ou mélangées à la farine utilisée pour la pâte à pain ou les gâteaux.

UN PROBLÈME DE POIDS

Non seulement il pourrait être bénéfique d'absorber davantage de graines de lin, mais il peut être très judicieux d'adopter un régime moins calorique. En effet, de nombreux travaux scientifiques tendent à montrer que les personnes corpulentes sont davantage exposées au syndrome du canal carpien que les individus plus maigres, selon le Dr Peter A. Nathan, chercheur et chirurgien spécialiste de la main et du canal carpien. Les recherches de ce médecin suggèrent d'ailleurs que les individus corpulents sont davantage exposés au risque de ce syndrome que les dactylos, caissiers ou autres personnes dont les mains et poignets sont constamment sollicités par leur travail.

«Chez les personnes corpulentes, il existe une tendance à accumuler davantage de fluides dans les tissus mous et notamment dans les poignets», commente le Dr Nathan. L'accumulation de fluide peut exercer une pression sur le nerf médian à l'intérieur du canal carpien, ce qui diminue également la quantité d'oxygène qui lui parvient.

Le Dr Nathan ajoute qu'une perte de poids n'est pas forcément un «remède» de ce trouble; mais si vous êtes corpulent(e) et que vous avez des problèmes liés au canal carpien, la perte de quelques kilos seulement pourrait procurer quelque soulagement à ce nerf vulnérable.

DES EXCÈS PEU BÉNÉFIQUES

Depuis les années 1970, certains médecins ont cherché à traiter le syndrome du canal carpien en administrant de grandes quantités de vitamine B_6; le corps utilise ce nutriment pour fabriquer la myéline, le tissu adipeux qui entoure les fibres nerveuses. Malheureusement, les doses de vitamine B_6 habituellement prescrites – généralement entre 150 et 300 milligrammes, c'est-à-dire de 70 à 150 fois la Valeur quotidienne (VQ) – pourraient être dangereuses. «Des doses aussi élevées de vitamine B_6 peuvent d'ailleurs provoquer des troubles nerveux», souligne le Dr Alfred Franzblau, professeur de médecine du travail.

Il ne semble pas très probable qu'un apport complémentaire de vitamine B_6 puisse être bénéfique pour soulager le syndrome du canal carpien. Le Dr Franzblau a étudié les cas de 125 employés de deux usines de pièces détachées automobiles, dont 71 présentaient des symptômes de ce trouble, sans trouver aucun lien de cause à effet entre le syndrome du canal carpien et de faibles taux de ce nutriment.

Même s'il ne semble pas qu'un apport complémentaire de vitamine B_6 puisse offrir une solution valable, il ne fait aucun doute que la santé de nos nerfs nécessite un apport suffisant de ce nutriment par le biais de nos aliments. Une portion de blanc de poulet (sans la peau) en est une excellente source, puisqu'elle en contient 0,5 milligramme (26% de la VQ), et une portion de filet de porc en fournit 0,4 milligramme (18% de la VQ). Le jus d'orange en est une bonne source, puisqu'un verre de 100 millilitres en fournit plus de 0,3 milligramme (15% de la VQ).

Le syndrome du côlon irritable

Conserver notre calme intérieur

Les médecins n'ont pas encore découvert la cause de ce trouble intestinal pénible qui provoque fréquemment divers symptômes tels que crampes, gaz, diarrhée et constipation. En revanche, ils savent qu'en absorbant une alimentation saine – ce qui implique aussi de privilégier certains aliments par rapport à d'autres –, il est possible de maîtriser ce syndrome au lieu de le subir.

La plus grande difficulté consiste peut-être à déterminer quels aliments risquent le plus de déclencher une crise. Puisque cela varie d'une personne à l'autre, il faut du temps pour découvrir quels aliments sont sans danger. «C'est surtout par tâtonnements qu'on finit par y arriver», commente le Dr David E. Beck, chef d'un service de chirurgie du côlon et du rectum.

Même si chaque personne atteinte de ce trouble réagit différemment à divers aliments, il existe quelques dénominateurs communs. Les produits laitiers, par exemple, sont souvent problématiques. Il est vrai que la plupart des enfants n'ont pas de difficulté pour absorber de grandes quantités de lait et de fromage, mais jusqu'à 70% des adultes dans le monde génèrent trop peu de lactase, l'enzyme nécessaire à la digestion du lactose (sucre) contenu dans les produits laitiers. Le Dr Beck souligne que pour quelqu'un qui présente ce syndrome, la digestion des produits laitiers peut se révéler particulièrement pénible.

Selon ce médecin, il n'est pas forcément indispensable de renoncer entièrement au lait et au fromage, mais il est cependant fortement recommandé de diminuer la part des produits laitiers dans l'alimentation, afin de voir si cela permet d'obtenir une amélioration des symptômes. Au bout de quelque temps, vous aurez une meilleure idée de la quantité de produits laitiers que vous pouvez absorber sans problème.

Les haricots secs sont une autre source de problèmes en cas de syndrome du côlon irritable. Le Dr Beck souligne une fois de plus qu'il ne s'agit pas de les écarter entièrement, et qu'il est même possible que certains types de légumineuses ne vous posent pas le moindre problème. Peut-être constaterez-vous aussi que certaines variétés sont plus indigestes pour vous que d'autres.

Un soulagement naturel

De même qu'une sélection judicieuse de nos aliments permet dans une large mesure de calmer un côlon irrité, un certain nombre de végétaux peuvent nous aider à mieux maîtriser ce trouble, selon le Dr Daniel B. Mowrey, directeur d'un laboratoire de recherches phytothérapiques. Voici ce qu'il recommande.

Racine de réglisse. Cette plante au goût sucré permet de préparer d'agréables infusions; le Dr Mowrey précise que ses propriétés anti-inflammatoires peuvent contribuer à soulager l'irritation du côlon.

Menthe poivrée. Au cours d'une étude, des patients atteints de syndrome du côlon irritable ont vu disparaître entièrement, ou au moins partiellement, leurs symptômes, après avoir absorbé des gélules de menthe poivrée, selon le Dr Mowrey. Ce dernier ajoute que la tisane de menthe poivrée est également efficace.

Psyllium. Un certain nombre de laxatifs en vente libre sont à base de graines de psyllium. Divers travaux ont montré que ces dernières, dont la teneur en fibres est élevée, pouvaient soulager les douleurs liées à ce syndrome, ainsi que la diarrhée (ou la constipation) dont il s'accompagne parfois.

Un autre aliment peu digeste est le sucre (fructose) présent dans les boissons gazeuses et le jus de pomme et de poire, relève le Dr Samuel Meyers, professeur de médecine. En outre, des édulcorants comme le sorbitol, souvent utilisés dans les bonbons et gommes à mâcher sans sucre, peuvent également être problématiques. Pour beaucoup de gens atteints de ce trouble, précise ce médecin, il se pourrait que le simple fait d'absorber moins de jus et de bonbons sans sucre leur procure déjà un soulagement.

Les matières grasses sont une cause fréquente de crises. En effet, après un repas particulièrement gras, l'intestin se contracte. Chez les personnes atteintes de ce syndrome, explique le Dr Meyers, ces contractions peuvent être extrêmement douloureuses. En adoptant une alimentation où la part des matières grasses ne représente que 30 % de l'apport énergétique total (voire moins encore si possible), ce médecin précise que l'on peut déjà obtenir un soulagement marqué.

De même qu'il est judicieux de réduire la part des matières grasses, il est également utile d'augmenter celle des fibres. Ces dernières contribuent à soulager ce syndrome de plusieurs manières. Elles augmentent le volume du bol fécal de telle sorte que l'intestin n'est pas contraint de se contracter autant au cours du processus d'expulsion, explique le Dr Beck. De plus, des selles plus volumineuses permettent d'évacuer plus rapidement les matières irritantes, avant qu'elles ne puissent provoquer des crampes, des gaz ou d'autres symptômes désagréables. De plus, l'absorption de fibres en plus grande quantité permet de soulager tant la diarrhée que la constipation, fréquentes chez les personnes atteintes de ce trouble, poursuit le Dr Beck.

La Valeur quotidienne pour les fibres s'élève à 25 grammes. Il suffit de manger davantage de céréales complètes, de fruits et de légumes pour augmenter considérablement la quantité de fibres absorbée. «Si tous les Français adoptaient une alimentation maigre et riche en fibres, le syndrome du côlon irritable serait bien moins fréquent», souligne le Dr Meyers.

En outre, mieux vaut éviter de boire trop de café. Pour beaucoup de gens, l'absorption habituelle de café (même décaféiné) rend l'intestin plus sensible, toujours selon le Dr Beck. Ce dernier recommande de ne pas en boire plus d'une ou deux tasses par jour.

Enfin, il est préférable de diminuer les rations absorbées lors des repas. En effet, plus nous ingérons de nourriture d'un seul coup, plus l'intestin est sollicité, ce qui peut être problématique chez les personnes atteintes de ce syndrome. Notre organisme a généralement plus de mal à gérer deux ou trois repas copieux par jour que des prises alimentaires fractionnées en plusieurs petits repas, fait remarquer le Dr Douglas A. Drossman, professeur de médecine et de psychiatrie.

LE SYNDROME PRÉMENSTRUEL
MANGER POUR SOULAGER L'INCONFORT PÉRIODIQUE

Sans doute n'y a-t-il pas une seule femme dans nos pays qui ignore ce syndrome. Pourtant, ce terme décrit un trouble aussi méconnu qu'il est courant.

Selon les statistiques, le syndrome prémenstruel affecte entre le tiers et la moitié des femmes en âge de procréer. Plus de 150 symptômes peuvent se manifester chez les femmes concernées, comme par exemple de l'anxiété, des tensions mammaires et des envies alimentaires compulsives. Chez certaines femmes, cela se limite à un ou deux symptômes, tandis que chez d'autres, ces désagréments sont multipliés par dix ou plus. En général, les manifestations pénibles commencent une dizaine ou une quinzaine de jours avant les règles, pour s'atténuer après le début de ces dernières.

Les médecins ont longtemps cru que «ça se passait dans la tête». Aujourd'hui, tout cela a changé, sans pour autant que l'on sache exactement ce qui provoque ce cortège de troubles physiques et de bouleversements affectifs. Sans doute cela s'explique-t-il par des facteurs très divers, notamment les fluctuations des taux hormonaux (œstrogène et progestérone), glycémiques (sucre dans le sang) ou de sérotonine (un agent chimique dans le cerveau).

Même si ce trouble demeure auréolé d'un certain mystère, une chose est sûre: l'alimentation peut avoir une influence considérable sur l'humeur et le bien-être de la femme juste avant ses règles. Voici quelques stratégies diététiques pour en soulager les symptômes.

LE SOULAGEMENT PAR LES GLUCIDES

Très souvent, le syndrome prémenstruel se manifeste par une envie impérieuse de se gaver de sucreries, ce qui non seulement nous fait grossir, mais provoque en outre dépression et sautes d'humeur.

Il n'est pas étonnant qu'une femme puisse avoir davantage envie de sucre juste avant ses règles. Chez une femme sujette au syndrome prémenstruel, ainsi que l'explique dans son livre *The PMS Self-Help Book* le Dr Susan M. Lark, spécialiste de ce trouble, c'est précisément le moment où les taux de sucre dans le sang sont en baisse. Les raisons n'en sont pas bien connues, mais il semblerait que l'insuline, qui véhicule le glucose à travers le courant sanguin et vers les cellules,

Des choix intelligents

Un certain nombre d'aliments (et de substances qu'ils contiennent) peuvent aggraver les douleurs avant les règles. Beaucoup de femmes se demandent comment faire pour arriver au bout de la semaine (ou de la quinzaine) sans leurs aliments préférés. Voici un certain nombre des aliments les plus souvent incriminés, ainsi que quelques alternatives plus bénéfiques.

- Les tensions mammaires, l'anxiété et la mauvaise humeur proviennent parfois de la caféine. Buvez de préférence du Coca-Cola sans caféine ou du café décaféiné, ou des succédanés du café comme le Postum.
- Tout excès de sel peut entraîner la rétention d'eau, ce qui aggrave l'œdème et la tension mammaire. Prenez l'habitude d'assaisonner vos aliments à l'aide de plantes aromatiques et d'épices, et choisissez des aliments industriels et en conserve à teneur réduite en sel.
- Le chocolat aggrave souvent les sautes d'humeur et la tension mammaire. Utilisez plutôt de la caroube sucrée.

fonctionne plus efficacement peu avant les règles. Les taux de glucose en circulation dans le sang diminuant à ce moment, une plus faible quantité de glucose est disponible pour le cerveau. Ce dernier, en manque de carburant, signale à l'organisme qu'il lui en faut davantage, ce qui signifie à peu près: «Au secours, à l'aide, vite, un biscuit sucré!».

Afin d'apaiser le besoin de sucre de l'organisme sans vider la boîte à biscuits, il est utile de manger des glucides complexes. Ces derniers étant absorbés plus lentement que les sucres des pâtisseries et autres douceurs, ils contribuent à stabiliser la glycémie, ce qui nous aide à maîtriser nos envies impérieuses de sucre.

Les glucides complexes soulagent l'inconfort prémenstruel d'une autre manière encore, car ils augmentent dans le cerveau les taux de sérotonine, un agent chimique calmant qui commande l'humeur et le sommeil. Au cours d'une étude de petite envergure, des chercheurs américains ont constaté que les participantes atteintes de syndrome prémenstruel signalaient qu'après avoir absorbé un repas riche en glucides complexes, elles étaient moins sujettes à divers symptômes prémenstruels comme la dépression, la tension ou la tristesse, et qu'elles se sentaient plus calmes et avaient l'esprit plus vif.

Certains médecins recommandent aux femmes atteintes d'inconfort prémenstruel d'absorber toutes les 3 heures une petite quantité de pâtes, de céréales ou de pain complet, afin d'empêcher leur taux glycémique de s'abaisser excessivement. Au cours d'une étude, 54% des femmes qui absorbaient ainsi toutes les trois heures une collation à base de féculents comme du pain, des biscuits salés ou des céréales, éprouvaient moins d'inconfort prémenstruel.

Pour certaines femmes, en revanche, il est important d'éviter le blé durant cette période. En effet, cette céréale contient du gluten, une protéine qui a tendance à aggraver l'œdème et la prise de poids avant les règles. Si vous pensez être dans ce cas, le Dr Lark vous conseille de manger de préférence, juste avant les règles, du riz, du millet ou toute autre céréale (excepté, bien entendu, le blé).

Si vous souhaitez absorber davantage de glucides, il n'y a aucune raison de vous limiter au pain et aux biscuits salés. Un bol de céréales complètes ou de bouillie d'avoine vous procurera un sentiment de satiété tout en satisfaisant votre besoin de sucre. Les galettes de riz sont également intéressantes entre les repas, surtout si vous les tartinez de beurre de cacahuète ou d'un peu de confiture. Les haricots secs sont également une bonne source de glucides complexes.

Les fruits et les légumes sont aussi d'excellentes sources de glucides complexes. De plus, ils sont

LA CUISINE DE SANTÉ

Beaucoup d'aliments aggravent les désagréments prémenstruels, mais quelques-uns au contraire les soulagent. Le tofu, le tempeh et diverses autres préparations à base de soja peuvent s'avérer d'excellents choix.

Selon le Dr Susan M. Lark, spécialiste du syndrome prémenstruel, les aliments à base de soja contiennent des phyto-œstrogènes; ces substances complexes ressemblent à une version moins concentrée des œstrogènes générés par le corps féminin. Paradoxalement, lorsque nous absorbons ces substances complexes en mangeant du soja (et ses dérivés), les taux d'œstrogènes s'abaissent, ce qui soulage l'inconfort du syndrome prémenstruel.

«Ce trouble est beaucoup moins courant dans les pays asiatiques, où les femmes absorbent beaucoup plus de protéines végétales comme le tofu, et beaucoup moins de protéines animales», commente le Dr Guy Abraham, ancien professeur d'obstétrique et de gynécologie.

peu caloriques et nous pouvons donc en manger souvent sans craindre de prendre du poids. Le Dr Lark recommande tout particulièrement de manger des légumes racines comme les carottes, les panais et les navets, et des légumes verts feuillus comme les feuilles vertes des crucifères et la moutarde germée, qui sont tous d'excellentes sources de magnésium et de calcium, deux nutriments dont il est prouvé qu'ils soulagent l'inconfort avant les règles.

Si la plupart des fruits sont bénéfiques pour les femmes sujettes à ce syndrome, les variétés tropicales telles que la mangue, la papaye et l'ananas ont une teneur en sucre particulièrement élevée, ce qui implique qu'elles pourraient aggraver les envies compulsives de sucre au lieu de les soulager. Vers l'approche des règles, il peut être préférable de manger des fruits tels que pommes, oranges ou pamplemousses.

LE RÔLE DES CORPS GRAS

De même que beaucoup de femmes ont envie de se gaver de sucre juste avant les règles, beaucoup d'autres ont du mal à résister aux aliments gras comme les beignets, chips de pommes de terre ou crèmes glacées. Le Dr Guy Abraham, ancien professeur d'obstétrique et de gynécologie, pense même que chez les femmes sujettes au syndrome prémenstruel, il n'est pas inhabituel que les corps gras représentent jusqu'à 40% de l'apport calorique.

Ce n'est pas seulement une question de calories excédentaires. Le type et la quantité des corps gras absorbés peu avant les règles peuvent également affecter l'intensité des symptômes. Il n'est pas surprenant d'apprendre que parmi tous les corps gras, les pires sont la matière grasse saturée présente dans la viande, les produits laitiers entiers et de nombreux aliments industriels. Les corps gras saturés font monter les taux d'œstrogène, souligne le Dr Abraham, ce qui a pour effet d'aggraver pratiquement tous les symptômes prémenstruels. Inversement, divers travaux suggèrent que les femmes qui mangent beaucoup de fruits, de légumes et de céréales complètes, mais peu ou pas de viande, sont généralement moins sujettes au syndrome prémenstruel que celles qui mangent souvent de la viande.

Il est conseillé à toutes les femmes (pas seulement à celles qui se plaignent du syndrome prémenstruel) de limiter la part des matières grasses dans l'alimentation, lesquelles ne devraient pas fournir plus de 30% de l'apport calorique total, dont 10% seulement consistant en matières grasses saturées et les 20% restants en corps gras insaturés, poursuit le Dr Abraham.

Les chercheurs effectuent actuellement des recherches afin de déterminer si les acides gras de type oméga 3, présents dans certains poissons ainsi que dans les huiles de lin et de colza, jouent un rôle dans le syndrome prémenstruel. Les recherches préliminaires semblent indiquer que de faibles taux d'oméga 3, alliés à un excès d'acide linoléique (corps gras insaturé), pourraient stimuler la production excessive d'un type précis de prostaglandine. Cette substance complexe semblable à une hormone peut provoquer des crampes lors des règles.

Étant donné que nous obtenons de très grandes quantités d'acide linoléique en absorbant des huiles végétales comme celles de maïs et de carthame, certains nutritionnistes suggèrent que nous absorbions davantage d'oméga 3 en mangeant plus fréquemment certains poissons comme le saumon, le maquereau et le thon. Vous pouvez également utiliser un peu d'huile de colza pour cuisiner les aliments, et de l'huile de lin pour les vinaigrettes.

Sur le plan pratique, cela implique également de remplacer le beurre par de l'huile d'olive, et de préférer des petits pains et du fromage blanc maigre aux beignets et autres amuse-gueules très gras. Quelques changements, même modestes, contribueront à maintenir des taux d'œstrogènes plus stables et à soulager les symptômes prémenstruels.

LE CALCIUM SOULAGE LES CRAMPES

Les envies alimentaires sont un symptôme très courant du syndrome prémenstruel, mais elles ne sont de loin pas le seul. Beaucoup de femmes ont également des maux de tête ou des crampes, ainsi que de l'œdème. Si tel est votre cas, pensez à boire régulièrement un verre de lait écrémé, car en absorbant davantage de calcium avant les règles, vous pourriez atténuer ces symptômes.

Au cours d'une étude, des chercheurs américains ont administré à un groupe de femmes une alimentation à faible teneur en calcium (587 milligrammes de calcium par jour), tandis que celles d'un autre groupe en recevaient davantage (1 336 milligrammes par jour). Au terme de cette étude, 70 % des femmes qui recevaient le plus de calcium ont déclaré qu'elles avaient moins de crampes et de maux de tête, 80 % se disaient moins sujettes à la rétention d'eau, et 90 % affirmaient être moins irritables ou déprimées.

L'action du calcium est multiple. Selon le Dr James G. Penland, responsable de cette étude, il se pourrait que cet élément prévienne les contractions musculaires qui sont à l'origine des crampes. De plus, « le calcium a un impact incontestable sur certains agents chimiques dans le cerveau, et sur les hormones dont nous savons qu'elles affectent l'humeur », poursuit-il.

Durant tout leur cycle, le Dr Penland recommande aux femmes d'augmenter l'absorption d'aliments maigres et riches en calcium, tels que le lait écrémé ou demi-écrémé et le yaourt maigre. Il n'est pas nécessaire d'en absorber de très grandes quantités pour qu'ils puissent être bénéfiques. Après tout, les participantes à cette étude qui absorbaient le plus de calcium n'en obtenaient que 336 milligrammes de plus que la Valeur quotidienne (VQ), qui s'élève à 1 000 milligrammes. Cela correspond à peu près à la teneur en calcium d'un verre de lait écrémé.

LE MAGNÉSIUM ÉGALISE LES SAUTES D'HUMEUR

Le calcium n'est pas le seul minéral qui affecte la chimie du cerveau. Un certain nombre d'études ont en effet permis de constater que les femmes sujettes au syndrome prémenstruel présentaient de faibles taux de magnésium. Une carence magnésienne peut entraîner l'abaissement des taux de dopamine, un agent chimique cérébral qui, de même que la sérotonine, contribue à égaliser l'humeur, fait remarquer le Dr Melvyn Werbach, professeur de psychiatrie et auteur des livres *Healing through Nutrition* et *Nutritional Influences on Illness*. « Une carence magnésienne pourrait également gêner le métabolisme de l'œstrogène », qui est une autre cause d'humeur capricieuse avant les règles, ajoute-t-il.

Au cours d'une étude italienne, 28 femmes sujettes au syndrome prémenstruel ont absorbé chaque jour 360 milligrammes de magnésium. Après deux mois, elles se disaient moins sujettes à la dépression, à l'œdème et aux crampes, ainsi qu'à divers autres symptômes prémenstruels.

La VQ pour le magnésium est de 400 milligrammes, et il n'est pas difficile d'obtenir cette quantité par notre alimentation. Une portion de bouillie d'avoine instantanée, par exemple, contient 28 milligrammes de magnésium (7% de la VQ). Une banane en fournit 33 milligrammes (8% de la VQ), et un filet de flétan grillé ou cuit au four en contient 49 milligrammes (12% de la VQ). Le riz complet cuit est également une excellente source de magnésium, puisqu'une portion de 100 grammes nous en apporte 42 milligrammes (11% de la VQ). Les céréales complètes et les légumes verts feuillus en contiennent également de grandes quantités.

SOULAGER L'HUMEUR CAPRICIEUSE GRÂCE À LA VITAMINE B_6

Un autre nutriment bénéfique pour égaliser notre humeur avant les règles est la vitamine B_6. Au cours d'une étude britannique, 32 femmes sujettes au syndrome prémenstruel ont pris 50 milligrammes de vitamine B_6 chaque jour pendant trois mois. Elles se disaient ensuite être moins en proie à la dépression, à l'irritabilité et à la fatigue. Il se pourrait que des doses élevées de vitamine B_6 équilibrent les taux d'hormones avant les règles en abaissant les taux d'œstrogène et en augmentant ceux de progestérone. En outre, l'organisme utilisant la vitamine B_6 pour fabriquer la sérotonine, il se pourrait que l'absorption de compléments alimentaires permette d'atténuer la dépression, selon le Dr Werbach.

Ne vous inquiétez pas à l'idée que la dose de vitamine B_6 administrée dans le cadre de cette étude soit tellement plus élevée que la VQ de 2 milligrammes préconisée pour ce nutriment, poursuit le Dr Werbach. Il affirme que l'absorption de 50 milligrammes par jour est entièrement dénuée de toxicité. En revanche, il est indispensable d'obtenir l'avis de votre médecin habituel avant d'augmenter cette dose.

Il n'est toutefois pas nécessaire d'avoir recours à un complément pour obtenir davantage de vitamine B_6, souligne le Dr Werbach. Un repas comportant 85 grammes de blanc de poulet désossé, une pomme de terre en robe des champs (avec sa peau) et une banane, par exemple, en contient près de 2 milligrammes (100% de la VQ).

LE TABAGISME
VENIR À BOUT DU MORTEL ENNEMI

Il est plutôt rare de voir un fumeur au rayon primeurs du supermarché. Les experts en ignorent la raison, mais les fumeurs n'absorbent pas autant de fruits et de légumes que les non-fumeurs. Pourtant, diverses études montrent que plus nous mangeons de fruits et de légumes, mieux nous sommes protégés contre les ravages des trois grands risques qui menacent les fumeurs : maladies cardiovasculaires, accident vasculaire et cancer.

Ne croyez pas qu'il soit nécessaire d'absorber des quantités de bananes ou de choux de Bruxelles pour obtenir une protection. Il suffit de manger un fruit ou une portion de légumes par jour pour diminuer légèrement le risque de cancer du poumon, et lorsque nous additionnons neuf portions par jour ou davantage de fruits et légumes, l'impact est bien plus grand encore.

Un fumeur devrait faire la part belle aux fruits et légumes pour au moins deux raisons : tout d'abord, ces aliments sont bourrés d'antioxydants, des nutriments complexes qui nous protègent contre divers troubles liés au tabagisme comme les maladies cardiovasculaires et le cancer. De plus, fruits et légumes contiennent quantité de phytonutriments ; ces substances complexes végétales semblent prometteuses pour prévenir, voire même traiter ces maladies.

N'allez pas croire, si vous êtes un grand fumeur qui vide allègrement son paquet par jour, que vous allez pouvoir parer au pire en mangeant beaucoup de fruits et de légumes. Il n'existe qu'un seul moyen d'échapper au risque présenté par les troubles liés au tabagisme, c'est de cesser de fumer. Pourtant, que vous soyez un non-fumeur de fraîche date ou un fumeur presque repenti et prêt à renoncer sous peu au tabac, soyez certain que vous obtiendrez une protection considérable en mangeant davantage de fruits et de légumes.

COMPRENDRE LE DANGER

Les bananes brunissent. Les huiles comestibles deviennent rances. Le corps humain finit par vieillir et s'étioler. Dans tous ces exemples, les dégâts proviennent d'une seule et même cause : les radicaux libres (molécules dangereuses et hautement réactives).

LA MEILLEURE PROTECTION

Le ministère américain de l'Agriculture recommande au public d'absorber au moins cinq portions de fruits et de légumes par jour. En revanche, puisque la fumée de tabac prive l'organisme de précieux nutriments, les fumeurs «devraient en manger au moins deux fois plus», souligne le Dr James Scala, nutritionniste et auteur du livre *If You Can't/Won't Stop Smoking*.

S'il est toujours préférable de varier le plus possible les fruits et les légumes absorbés, les chercheurs ont néanmoins constaté que certains aliments étaient particulièrement bénéfiques.

Agrumes. Lorsque l'on fume une seule cigarette, entre 25 et 100 milligrammes de vitamine C sont détruits, selon le Dr Earl Mindell, pharmacien et professeur de nutrition, auteur du livre *Earl Mindell's Food as Medicine*. «Il serait vraiment judicieux de manger un fruit ou un légume contenant beaucoup de vitamine C chaque fois que l'on fume une cigarette», précise-t-il.

Crucifères. Le brocoli, le chou-fleur et divers autres membres de la famille des crucifères contiennent des indoles et des isothiocyanates; divers travaux en laboratoire ont montré que ces substances complexes ralentissaient l'évolution de certains cancers.

Dérivés du soja. Le tofu, le tempeh et d'autres aliments à base de soja contiennent diverses substances capables de lutter contre le cancer, notamment la génistéine et les inhibiteurs de protéases. Au Japon (où la population absorbe de grandes quantités de soja), plus de 60% des hommes âgés d'au moins 20 ans sont des fumeurs, fait remarquer le Dr Mindell; pourtant, l'incidence de cancer du poumon est bien plus faible que dans nos pays.

Fraises, raisins et cerises. Ces fruits sont d'excellentes sources d'acide ellagique, un agent phytochimique dont il est prouvé qu'il détruit les hydrocarbures (agents potentiellement cancérigènes dans la fumée de cigarette).

Tomates. Il se trouve à l'intérieur des tomates une substance appelée lycopène, dotée d'une puissante action antioxydante. Il semblerait d'ailleurs que la tomate nous procure une meilleure protection contre le cancer que d'autres fruits ou que les légumes verts.

Bien que les radicaux libres apparaissent spontanément dans l'organisme, leur nombre se multiplie considérablement sous l'effet de certains facteurs tels que la pollution et la fumée de tabac. Lorsqu'ils deviennent trop nombreux, ils peuvent déclencher des troubles liés au vieillissement comme le cancer et les maladies cardiovasculaires.

Nos principaux alliés

Afin de parer aux innombrables dégâts que peuvent causer les radicaux libres, la nature a prévu un moyen de défense particulièrement puissant: les antioxydants. Un certain nombre de ces agents protecteurs sont certes présents dans l'organisme sous forme d'enzymes et d'autres substances complexes, mais d'autres nous sont fournis par nos aliments, et surtout par les fruits et les légumes frais.

Les antioxydants ont une importance particulière pour les fumeurs. Dans ses efforts héroïques pour neutraliser les lésions des radicaux libres, le corps puise des antioxydants dans le sang et les poumons, note le Dr Gary E. Hatch, chercheur en toxicologie. «Chez les fumeurs, les cellules pulmonaires sont chargées de beaucoup plus d'antioxydants que chez les non-fumeurs, explique-t-il. Les antioxydants s'efforcent de protéger les voies respiratoires contre les méfaits de ces agents chimiques nocifs.»

Divers travaux ont établi un lien entre une faible incidence de cancer et certains antioxydants: le bêtacarotène, les vitamines C et E, ainsi que le sélénium (un minéral).

Le bêtacarotène. Ce nutriment, présent en abondance dans les fruits et les légumes de couleur orange et jaune, comme les abricots, le melon cantaloup, les carottes et diverses cucurbitacées, semble offrir une protection contre les cancers des fumeurs, c'est-à-dire ceux du côlon, des reins, de la peau et des poumons, selon le Dr James Scala, nutritionniste et auteur du livre *If You Can't/Won't Stop Smoking.* D'innombrables études montrent que de faibles taux de bêtacarotène sont liés à un risque accru de cancer, en particulier le cancer du poumon.

Vitamine C. Il est prouvé que la vitamine C, que l'on trouve dans les fraises, la papaye, les agrumes et de nombreux autres aliments, nous protège contre diverses sortes de cancers, ainsi que les maladies cardiovasculaires et l'accident vasculaire cérébral, note le Dr Earl Mindell, pharmacien et professeur de nutrition, auteur du livre *Earl Mindell's Food as Medicine.*

Vitamine E. Essentiellement présente dans le germe de blé et l'huile de germe de blé, la vitamine E contribue à maintenir intactes les parois de nos cellules; les radicaux libres maraudeurs parviennent donc moins facilement à y pénétrer. Mais surtout, ajoute le Dr Scala, ce nutriment neutralise également les radicaux libres.

Sélénium. Ce minéral que l'on trouve dans la plupart des fruits et des légumes, surtout l'ail, l'oignon et divers autres légumes bulbes, agit en synergie avec la vitamine E pour neutraliser les radicaux libres.

L'avantage des produits frais

Des travaux de plus en plus nombreux ont montré que les personnes qui absorbaient beaucoup de fruits et de légumes présentaient un moindre risque non seulement de cancer du poumon, mais également d'autres types de cancers, que des individus qui en mangeaient moins.

Au cours d'une étude japonaise, par exemple, des chercheurs ont constaté que le risque de cancer du poumon s'abaissait d'environ 36% chez des hommes qui mangeaient chaque jour des légumes crus. Chez ceux qui absorbaient quotidiennement des fruits, le risque de cancer du poumon diminuait de 55%.

Même les fumeurs obtenaient une protection. Chez différents groupes de fumeurs qui mangeaient chaque jour soit des fruits, soit des légumes crus, soit des légumes verts, le risque de cancer du poumon diminuait respectivement de 59%, 44%, et 52%.

Les avantages des fruits et des légumes frais vont d'ailleurs plus loin que la seule protection contre le cancer du poumon, puisque les chercheurs ont établi un rapport causal entre un apport abondant de fruits et de légumes et un risque plus faible de pratiquement tous les types de cancer.

Et le tabagisme passif ?

Un surcroît de protection par l'alimentation s'impose, non seulement pour les fumeurs, mais aussi pour leurs proches. Les recherches ont en effet montré que le tabagisme passif peut être dangereux pour tout l'entourage, que ce soit au foyer ou au bureau. Selon une étude menée à bien par le Dr Susan Taylor Mayne, directrice d'un centre de recherches préventives en cancérologie, l'absorption quotidienne d'une portion et demie supplémentaire de fruits et de légumes frais, mangés crus, pourrait abaisser de 60% le risque de cancer du poumon lié au tabagisme passif.

« Il existe un rapport entre l'absorption de fruits et de légumes et la diminution du risque, quelle que soit la quantité de fumée absorbée par des non-fumeurs », commente le Dr Mayne. Parmi les aliments particulièrement protecteurs, on peut citer le melon cantaloup, les carottes et le brocoli, qui sont d'excellentes sources de bêtacarotène.

LA THYROÏDE
DES ALIMENTS POUR LA SANTÉ DE NOS HORMONES

Le goitre, les yeux exorbités, l'embonpoint – autant de clichés qui nous viennent probablement à l'esprit dès qu'il est question de la thyroïde. Pourtant, rares sont ceux d'entre nous qui connaissent bien la fonction de cette glande, du moins jusqu'à ce qu'elle se dérègle.

La thyroïde est une glande en forme de papillon qui entoure la trachée pour venir buter juste sous la pomme d'Adam. Elle génère des hormones qui contribuent à réguler le métabolisme, c'est-à-dire la combustion des calories et l'utilisation de l'énergie dans l'organisme. Cela signifie que la thyroïde exerce un effet direct sur notre poids corporel, notre niveau d'énergie et notre aptitude à absorber les nutriments fournis par nos aliments. Lorsque la thyroïde génère des taux d'hormones adéquats, tout se déroule parfaitement bien. En revanche, pour peu qu'elle produise soit trop, soit trop peu d'hormones, tous ces processus peuvent s'en trouver perturbés.

Dans pratiquement tous les cas, les maladies thyroïdiennes sont traitées à l'aide de médicaments destinés à réguler les taux d'hormones générés par cette glande. En revanche, il faut parfois des mois avant d'obtenir un résultat. Au cours de cette période, l'organisme n'est pas toujours en mesure de métaboliser correctement certains nutriments tels que l'iode, le calcium, les corps gras et les protéines. Par conséquent, votre médecin pourra vous recommander d'effectuer certains changements dans votre alimentation en attendant que les médicaments fassent effet.

«Lorsque les médicaments auront corrigé ce trouble, vous pourrez avoir à nouveau une alimentation saine parfaitement normale», ajoute le Dr Robert Volpe, professeur émérite d'endocrinologie et de métabolisme.

UN ÉQUILIBRE DÉLICAT

Nous l'avons vu, la tâche principale de la thyroïde consiste à réguler le métabolisme. Lorsque les taux d'hormones thyroïdiennes dans le sang sont suffisants, la thyroïde se met au repos, à la manière d'un climatiseur dont le fonctionnement s'interrompt aussitôt que la température ambiante atteint le degré prévu. La thyroïde se remet à l'œuvre dès que le corps a besoin d'un surcroît d'hormones thyroïdiennes.

Chez les personnes qui présentent un dérèglement thyroïdien, ce mécanisme interne de « mise en veilleuse » ne fonctionne pas bien. En cas d'hypothyroïdisme, la thyroïde ne génère pas assez d'hormones thyroïdiennes. Tous les processus ralentissent dans l'ensemble de l'organisme. La personne concernée peut alors se sentir frileuse ou épuisée, ses cheveux et sa peau peuvent devenir excessivement secs, elle peut prendre du poids. Pour des raisons encore mal connues, les femmes sont 10 fois plus sujettes à ce trouble que les hommes.

Par contraste, les personnes atteintes d'hyperthyroïdisme génèrent trop d'hormones thyroïdiennes, ce qui amène le corps à s'accélérer. Les symptômes les plus courants se manifestent par une perte de poids, de violents battements de cœur, un épiderme chaud qui transpire facilement. Une fois de plus, les femmes sont beaucoup plus exposées que les hommes.

Bien évidemment, les différents types de troubles thyroïdiens nécessitent des stratégies diététiques différentes en attendant que les médicaments agissent, précise le Dr Volpe.

LE RÔLE DÉLICAT DE L'IODE

La thyroïde a besoin de très petites quantités d'iode pour pouvoir générer les hormones thyroïdiennes. L'iode contenu dans le corps humain représente moins de 0,00001 % de notre poids corporel. En revanche, la thyroïde est incapable de remplir son rôle sans cette minuscule quantité de ce minéral trace.

En fait, la thyroïde est si avide d'iode que pour peu qu'elle n'en obtienne pas suffisamment, elle finit par augmenter de volume du fait qu'elle s'efforce d'en absorber le plus possible. En fin de compte, la glande devient si volumineuse qu'elle se voit même à l'œil nu. On parle alors d'un goitre.

Dans les pays en voie de développement où les aliments ne contiennent pas assez d'iode, le goitre est courant. Aux États-Unis comme en France, en revanche, où les aliments contiennent suffisamment d'iode, non seulement dans le sel iodé, mais par addition dans le pain et le lait, ce type de goitre est rare.

Pourtant, même dans notre pays, l'iode demeure problématique. Selon le Dr Volpe, d'ailleurs, nous en absorbons en général trop. Cela ne pose pas de problème lorsque la thyroïde fonctionne normalement, mais pour les personnes qui présentent un trouble thyroïdien, cela peut vouloir dire que cette glande génère trop (ou pas assez) de ses hormones vitales.

S'il n'y a pas longtemps que vous prenez un médicament pour la thyroïde, votre médecin vous recommandera peut-être d'éviter certains aliments contenant de l'iode, comme par exemple les fruits de mer et les épinards, note le Dr Volpe. Mais aussitôt que le médicament aura commencé à faire effet, ce spécialiste précise que vous pourrez retrouver votre alimentation habituelle.

Un autre aliment qu'il est parfois préférable d'écarter est le kelp. Il est vrai que certains thérapeutes parallèles recommandent cette algue pour traiter les troubles thyroïdiens, mais la majorité des médecins classiques déconseillent d'en absorber. En effet, le kelp contient de grandes quantités d'iode, qui pourraient aggraver la situation, selon le Dr Volpe.

DES FIBRES POUR LE TRANSIT

Chez les personnes dont la thyroïde fonctionne au ralenti, l'ensemble du corps, et notamment la digestion, se met en veilleuse. Cela peut provoquer la constipation, qui se produit fréquemment dans ce cas.

Afin de favoriser un transit régulier, le Dr Volpe recommande d'absorber beaucoup d'aliments riches en fibres. «Les fibres des fruits, des légumes et des céréales favorisent le transit du bol alimentaire», précise-t-il.

Toujours selon le Dr Volpe, il est judicieux d'absorber entre 20 et 35 grammes de fibres par jour. Il suffit d'absorber chaque jour 3 à 5 portions de légumes (de préférence crus), 2 à 4 portions de fruits frais, et 6 à 11 portions de pain et céréales complets ou de graines pour obtenir une quantité adéquate de fibres.

DU CALCIUM POUR LES OS

Jusqu'ici, nous n'avons parlé que des personnes dont la thyroïde n'est pas assez active. Les considérations ne sont pas les mêmes pour celles dont la thyroïde est, au contraire, trop active. L'un des principaux dangers est la menace d'ostéoporose (trouble provoquant une fragilisation osseuse), selon le Dr Deah Baird, naturopathe.

En cas d'hyperactivité thyroïdienne, explique le Dr Baird, le calcium est soustrait au sang et excrété par l'urine. Cela entraîne des conséquences graves, car l'organisme cherche alors à compenser en retirant le calcium des os.

Afin de prévenir ce type de problème, il est important d'adopter une alimentation riche en calcium, poursuit-elle. Les produits laitiers, notamment le lait, le fromage et le yaourt, en sont autant d'excellentes sources, de même que les légumes verts feuillus tels que les feuilles vertes des crucifères et les épinards. L'absorption de deux yaourts maigres et d'une portion de feuilles vertes (cuites) de légumes (200 grammes de feuilles de navet, par exemple), avec un verre de lait écrémé comme boisson, nous fournit la Valeur quotidienne pour le calcium qui s'élève à 1 000 milligrammes. Puisqu'il est fréquent que les personnes atteintes de ce trouble perdent du poids, il est important d'absorber une alimentation bien équilibrée et suffisamment calorique pour maintenir un poids sain. Pour ceux qui sont allergiques aux produits laitiers, il est judicieux de prendre un complément de calcium ou de compléter l'alimentation par d'autres sources de cet élément, ajoute-t-elle.

Nourrir une thyroïde défaillante

Si les dangers que cela comporte n'étaient pas aussi grands, l'hyperactivité thyroïdienne pourrait passer pour un régime amaigrissant absolument génial. «Un patient en hyperthyroïdie grave perd du poids en un rien de temps, commente le Dr Volpe. En effet, le métabolisme s'accélère et il est souvent difficile d'absorber suffisamment de calories pour répondre aux besoins de l'organisme.»

Au moins jusqu'à ce que les médicaments commencent à faire effet, la plupart des personnes atteintes d'hyperthyroïdie doivent absorber davantage de calories – de 15 à 20% de plus — qu'un individu sans trouble thyroïdien, selon le Dr Volpe. En cas d'hyperthyroïdie grave, il pourrait même être nécessaire de manger jusqu'à deux fois autant, plus de 3 000 calories par jour, simplement pour maintenir le niveau d'énergie et le poids habituels.

Le Dr Volpe conseille à ses patients d'absorber des aliments riches en protéines et en corps gras afin d'éviter que leur métabolisme excessivement actif ne brûle les tissus adipeux et les muscles. La viande, le poisson, la volaille, le lait entier, le fromage, le beurre, les noix et les graines sont autant de bonnes sources de corps gras et de protéines.

Bien entendu, une telle stratégie alimentaire sans restriction aucune ne saurait s'appliquer qu'à court terme. Lorsque les médicaments prescrits commenceront à faire de l'effet et que les taux d'hormones thyroïdiennes redeviendront normaux, «vous devrez absorber moins de calories, sinon vous prendrez du poids», ajoute le Dr Volpe.

Inversement, les personnes dont l'activité thyroïdienne est trop faible peuvent n'avoir besoin que de la moitié des calories absorbées par d'autres adultes. Il pourrait également leur être bénéfique de limiter l'absorption d'aliments gras. «Les personnes en hypothyroïdie ont généralement des taux plus élevés de cholestérol et de triglycérides», commente le Dr Volpe, ce qui augmente leur risque de maladie cardiovasculaire. Ce médecin recommande de manger beaucoup de glucides complexes, comme du pain complet, des céréales, des fruits et des légumes, ainsi que du lait écrémé, du fromage et du yaourt écrémé ou maigre.

Dans ce cas également, cette alimentation un peu spéciale n'est valable qu'à court terme. «Avec les médicaments appropriés, les taux d'hormones thyroïdiennes reviendront à la normale et vous pourrez à nouveau absorber autant de calories que vous le faisiez avant l'hypothyroïdie», conclut le Dr Volpe.

Les bienfaits des fruits et des légumes frais

Nous avons déjà vu de quelle manière les fibres contenues dans les fruits et les légumes peuvent contribuer à soulager les symptômes dus à l'hypothyroïdie. Les plus récentes recherches indiquent également que certaines substances encore peu connues, présentes dans certains légumes et en particulier le chou, pourraient également être bénéfiques en cas d'hyperthyroïdie. Ces travaux suggèrent que de telles substances complexes pourraient aider la thyroïde à ralentir son fonctionnement de manière naturelle, souligne le Dr Baird.

Les membres de la famille des crucifères comme le brocoli, le chou, les choux de Bruxelles, le chou-fleur, le chou frisé, la moutarde germée et le navet, ainsi que d'autres végétaux, comme la graine de soja, la cacahuète, le millet et les épinards, contiennent des goitrigènes. Ces substances chimiques inhibent l'aptitude de la thyroïde à tirer parti de l'iode. Lorsque l'iode est moins abondante, la thyroïde génère tout naturellement moins d'hormones thyroïdiennes, explique le Dr Baird.

La cuisson risquant de rendre inactifs les goitrigènes des végétaux, il est préférable en cas de trouble thyroïdien de manger les légumes crus. Si vous n'aimez pas les végétaux crus, n'oubliez pas les jus frais qui contiennent de grandes quantités de ces substances complexes thérapeutiques. Les spécialistes ne savent pas encore quelle quantité de jus il faudrait boire pour que cela ait un effet bénéfique sur la thyroïde, mais pour commencer, vous pourriez boire chaque jour un verre de jus frais de 225 millilitres.

Les jus sont très faciles à préparer. Rincez soigneusement les légumes, débitez-les en tronçons de dimensions adaptées à l'ouverture de la centrifugeuse et faites-les passer un à un. Vous pouvez soit préparer un jus à partir d'un seul ingrédient, soit mélanger vos légumes de manière à obtenir des saveurs diverses. Beaucoup de gens ajoutent à leurs jus de légumes des carottes et du céleri, car le goût de ces végétaux s'harmonise bien à celui des autres légumes.

Même si, pour la plupart d'entre nous, il est bénéfique d'absorber beaucoup de légumes, en cas d'hypothyroïdie, soyez prudent avant d'inclure trop de crucifères dans votre alimentation – tout au moins jusqu'à ce que les médicaments prescrits commencent à faire effet. Ensuite, précise le Dr Volpe, vous pourrez à nouveau manger tous les légumes en abondance.

Les ulcères

Le soulagement dans notre assiette

Autrefois, les médecins soignaient un ulcère en préconisant un régime fade comportant essentiellement du lait, de la crème et des œufs. Selon leur raisonnement, ces aliments de goût peu marqué devaient permettre de neutraliser l'excès d'acide gastrique, dû (pensait-on) au stress ou à l'absorption trop fréquente de piment fort, et donneraient ainsi aux ulcères une chance de guérir.

Nous savons aujourd'hui que la majorité des ulcères sont d'origine bactérienne, ce qui explique que le régime fade soit resté si inefficace. Pourtant, si vous avez un ulcère, il est certain que les aliments et les boissons absorbés affectent votre état de santé, précise le Dr Isadore Rosenfeld, professeur de médecine et auteur du livre *Doctor, What Should I Eat?* Certains aliments comme le café (même décaféiné) stimulent dans l'estomac la sécrétion du suc gastrique, ce qui peut retarder la guérison des ulcères et aggraver les douleurs qu'ils provoquent. D'autre part, un certain nombre d'aliments renforcent la muqueuse gastrique et la rendent moins vulnérable. En choisissant judicieusement nos aliments, nous pouvons favoriser la guérison des ulcères et prévenir une récidive.

Le champion des thérapeutes

Le chou est l'un des plus anciens remèdes empiriques traditionnels pour soigner les ulcères; son emploi remonte à l'époque romaine. En 1949, des chercheurs américains ont décidé de procéder à une série de tests portant sur ce crucifère bénéfique. Au cours de cette étude, 13 personnes atteintes d'ulcère ont bu chaque jour 1 litre de jus de chou cru. Leur guérison s'est produite six fois plus vite que chez d'autres personnes dont le seul traitement était l'alimentation fade habituelle.

Le chou contient de la glutamine, un acide aminé qui augmente l'irrigation sanguine vers l'estomac et contribue à renforcer la muqueuse gastrique.

Il s'agit d'un remède extrêmement efficace pour soigner les ulcères, souligne le Dr Michael T. Murray, naturopathe et auteur du livre *Natural Alternatives to Over-the-Counter and Prescription Drugs*. Ce médecin précise que la guérison se produit généralement en moins d'une semaine.

Lorsqu'un ulcère se réveille, ajoute le Dr Murray, il convient de boire chaque jour le jus d'une demi-tête de chou (l'équivalent de deux portions environ). Si vous préférez mastiquer votre remède, il est tout aussi efficace de manger la même quantité de chou cru. En revanche, évitez de cuire le chou, car la chaleur détruit son pouvoir thérapeutique contre les ulcères.

UNE SOLUTION SUCRÉE

En cas d'ulcères douloureux, la majorité des gens prendront plus volontiers leur antiacide habituel qu'une cuillerée de miel. Pourtant, une ration de miel est bien plus agréable que le médicament blanc de consistance crayeuse, et pourrait aussi s'avérer extrêmement bénéfique.

Le miel est traditionnellement utilisé pour toutes sortes de troubles gastriques. Des chercheurs en Arabie saoudite ont découvert que le miel cru, non traité et non chauffé, renforçait la muqueuse gastrique. En outre, une étude en laboratoire effectuée en Nouvelle-Zélande a permis de constater qu'une solution diluée de miel butiné sur une fleur originaire de Nouvelle-Zélande, appelée manuka, permettait de stopper complètement la prolifération des bactéries qui provoquent les ulcères. En effet, non seulement cette variété de miel contient des substances qui semblent renforcer la muqueuse gastrique, mais, de surcroît, elle semble posséder un pouvoir antibactérien très puissant, selon le Dr Patrick Quillin, nutritionniste et spécialiste du cancer.

Le Dr Quillin recommande de n'utiliser pour soulager un ulcère que du miel cru et non pasteurisé, car le miel traité et chauffé ne contient plus aucune de ces substances bénéfiques. Pour soigner un ulcère, absorbez chaque soir avant d'aller vous coucher une cuillerée à soupe de miel cru non pasteurisé; ne mangez rien d'autre à ce moment-là. Vous pourrez continuer indéfiniment ce traitement délicieux afin de prévenir toute récidive, ajoute-t-il.

DES CULTURES QUI GUÉRISSENT

Le yaourt est l'un des meilleurs aliments guérisseurs. Il est souvent employé avec succès pour traiter les infections mycosiques, soulager l'intolérance au lactose et renforcer l'immunité. Divers travaux laissent également entendre qu'il pourrait jouer un rôle dans la prévention des ulcères.

Le pouvoir thérapeutique du yaourt est lié aux bactéries vivantes et bénéfiques qu'il contient. «Ces bactéries utiles entrent en compétition avec les bactéries qui sont à l'origine des ulcères», commente le Dr Quillin. Les bonnes bactéries du yaourt, comme par exemple *Lactobacillus bulgaricus* et *L. acidophilus*, se multiplient rapidement dans l'estomac. Lorsqu'elles sont suffisamment nombreuses, les bactéries qui provoquent les ulcères sont submergées et ne parviennent plus à se reproduire.

De plus, le lactose – sucre naturel – du yaourt se décompose en acide lactique au cours de la digestion, ce qui contribue à favoriser dans l'intestin un milieu acide bénéfique et sain, poursuit le Dr Quillin.

Si vous avez un ulcère, le Dr Rosenfeld vous recommande d'absorber trois ou quatre fois par jour un yaourt, et de continuer ainsi pendant une ou deux semaines.

En alliant cette thérapie par le yaourt avec les médicaments éventuellement prescrits, le Dr Quillin précise qu'il est possible de réduire d'un tiers environ la survie d'un ulcère.

Bien entendu, il est important de vérifier lors de l'achat que le yaourt choisi contient bien des «cultures lactiques vivantes et actives» comportant les bactéries vivantes bénéfiques.

UNE ALIMENTATION GLOBALEMENT BÉNÉFIQUE

Il est certes possible de soulager un ulcère en absorbant certains aliments spécifiques particulièrement bénéfiques, mais rien ne saurait remplacer une alimentation saine et équilibrée. Peu importe que vous preniez ou non des médicaments, «une nutrition saine vous donnera des ailes lorsqu'il s'agit de soulager un ulcère», affirme le Dr Quillin.

Pour commencer, achetez-vous une banane plantain. Ce végétal contient en effet une enzyme qui stimule la production de mucus dans la muqueuse gastrique, renforçant ainsi les défenses naturelles de cette dernière. Choisissez une banane plantain encore verte et pas tout à fait mûre, car sous cette forme elle contient davantage d'enzymes bénéfiques.

Il est également judicieux d'absorber plus de fibres. En mangeant beaucoup de fruits et de légumes, de céréales complètes et de légumineuses, il est possible de prévenir, voire de guérir les ulcères. En effet, ces aliments contiennent de généreuses quantités de fibres alimentaires, qui stimulent la formation sur la muqueuse gastrique d'une couche protectrice de mucus. Le Dr Rosenfeld recommande d'absorber chaque jour au moins 35 grammes de fibres.

Beaucoup de médecins ont certes préconisé le lait comme base d'un régime destiné à soulager les ulcères, mais le remède était pire que le mal. Non seulement le lait augmente la production d'acide gastrique, mais en outre, selon le Dr Murray, chez certaines personnes allergiques au lait, ce dernier peut même provoquer des ulcères, puisque les allergies alimentaires sont l'une des causes de ce trouble.

Lorsque vous procéderez à la réforme alimentaire qui s'impose, n'oubliez pas certaines causes possibles du problème. La caféine du café, certes, ne provoque pas d'ulcères mais elle peut vous rendre plus vulnérable sur ce plan. Le Dr Rosenfeld nous rappelle que, de même que la cigarette et l'alcool, le café peut également aggraver un ulcère.

LE VIEILLISSEMENT
GOMMER LES ANNÉES PAR L'ALIMENTATION

Lorsque Jeanne Louise Calment est née, les Parisiens ne connaissaient pas la tour Eiffel, Ulysses S. Grant était encore président des États-Unis et Vincent Van Gogh venait acheter des crayons de couleur au magasin appartenant à la famille de Jeanne. Cette dernière, qui atteignit l'âge vénérable de 122 ans, c'est-à-dire 45 ans de plus que l'espérance de vie moyenne, a été la doyenne de l'humanité jusqu'en août 1997.

La majorité d'entre nous pouvons espérer vivre environ 75 ans. Par rapport à quelqu'un comme Mme Calment, cela reste bien modeste, mais malgré tout, l'espérance de vie actuelle dépasse de près de 20 ans celle de nos ancêtres.

Chaque année, l'âge moyen de la population augmente quelque peu. Cela est dû en partie aux progrès médicaux, surtout vis-à-vis de maladies d'enfance comme la polio ou de troubles survenant à l'âge adulte, comme les maladies cardiovasculaires et le diabète. D'autre part, c'est également grâce au fait que les scientifiques commencent à mieux comprendre le processus de vieillissement lui-même. Ils découvrent peu à peu pour quelle raison notre organisme dégénère et comment freiner cette autodestruction. Dans l'intervalle, non seulement notre espérance de vie augmente, mais nous prolongeons également ce que les scientifiques ont baptisé notre «espérance de vie en bonne santé», c'est-à-dire le nombre d'années d'existence que nous pouvons espérer avoir tout en restant en bonne santé.

«Lorsque nous comprendrons pleinement de quelle manière notre corps génère des molécules nuisibles, qui sont un facteur majeur du vieillissement biologique, et que nous parviendrons à mieux gérer ce processus, nous pourrons espérer vivre jusqu'à 120 ans», affirme le Dr William Regelson, professeur de médecine.

LE POUVOIR DES ANTIOXYDANTS

Certains chercheurs ont enfin identifié l'une des principales causes des maladies cardiovasculaires, des rides, du cancer, de l'arthrite et de quantité d'autres troubles liés au vieillissement. «C'est la rouille qui s'installe dans l'organisme», commente le Dr Regelson.

Paradoxalement, le même air qui soutient notre existence est également ce qui fait que le fer finit par rouiller, que les fruits s'oxydent, et que les cellules de notre corps se détériorent et vieillissent. Toutes sortes de modifications chimiques font que certaines molécules d'oxygène dans l'organisme perdent leurs électrons, ce qui les rend instables. Ces molécules déstabilisées sont alors appelées radicaux libres.

Dans leurs efforts désespérés pour se stabiliser, les radicaux libres se mettent en quête d'électrons de remplacement à travers tout le corps, pillant les cellules saines au passage. Chaque fois qu'ils s'emparent d'un électron, deux choses se produisent: une molécule saine est endommagée, et davantage de radicaux libres sont générés. Si rien n'est fait pour mettre fin à ce processus, des cellules toujours plus nombreuses sont endommagées chaque jour et notre santé en fait les frais.

Afin de maîtriser ce processus, la nature a créé un gigantesque arsenal d'antioxydants; ces substances complexes présentes dans nos aliments peuvent empêcher les radicaux libres de faire des dégâts. Les antioxydants s'interposent entre les cellules saines de l'organisme et les radicaux libres en maraude, auxquels elles offrent leurs propres électrons afin de protéger du pillage les cellules saines du corps.

L'organisme génère ses propres antioxydants de manière naturelle, mais diverses études ont montré que les antioxydants de nos aliments nous offrent une meilleure protection. Trois des plus efficaces sont le bêtacarotène et les vitamines C et E.

Il est prouvé que chacun de ces nutriments est très efficace contre les troubles liés au vieillissement, comme le cancer et les maladies cardiovasculaires. Il est certes possible d'obtenir quelque protection en absorbant des antioxydants sous forme de compléments alimentaires, mais la majorité des médecins s'accordent à dire que les antioxydants fournis par nos aliments sont préférables et qu'ils devraient constituer notre première stratégie défensive.

«Le problème, c'est que lorsqu'on absorbe trop d'un type d'antioxydant, les autres se mettent en veilleuse, explique le Dr Richard Cutler, chimiste et chercheur retraité. Il est bien préférable d'obtenir les antioxydants dont nous avons besoin en mangeant des aliments comme les fruits et les légumes, où ils existent dans les proportions prévues par la nature.»

Tant de nos aliments sont bourrés d'antioxydants qu'il n'est de toute façon pas nécessaire de prendre des compléments. La manière la plus rapide pour absorber de la vitamine C, par exemple, consiste à boire un verre de jus de pamplemousse ou à manger une orange ou un demi-poivron rouge, puisque chacun de ces aliments fournit plus de 100% de la Valeur quotidienne (VQ) de ce nutriment. Quant au bêtacarotène, les fruits et les légumes vert foncé ou orange vif en sont les meilleures sources. Une patate douce ou une grosse carotte en fournit de 12 à 15 milligrammes, ce qui dépasse légèrement les 6 à 10 milligrammes préconisés par les experts.

Contrairement à la vitamine C et au bêtacarotène, la vitamine E est un peu moins facile à obtenir par l'alimentation, puisqu'elle est surtout présente dans des aliments à teneur élevée en corps gras comme certaines huiles comestibles, qu'il est préférable de n'absorber qu'en petite quantité. Vous pouvez toutefois obtenir une bonne quantité de vitamine E en prenant du germe de blé, puisqu'une portion de 20 grammes contient 4 milligrammes de ce nutriment (20% de la VQ). Les noix et les graines sont également de bonnes sources de vitamine E.

Ces trois antioxydants sont certes les mieux connus, mais il en existe d'autres. Les fruits et les légumes sont bourrés de substances complexes thérapeutiques appelées phytonutriments, qui possèdent également des vertus antioxydantes. Certains travaux ont même démontré qu'il existait des phytonutriments capables d'inhiber les substances cancérigènes.

Au cours d'une étude, des chercheurs américains ont constaté que les participants qui absorbaient le plus de glutathion, un phytonutriment présent dans l'avocat, le pamplemousse, les courges d'hiver, les oranges, les tomates et les pommes de terre, avaient une pression sanguine plus basse et de plus faibles taux de cholestérol et qu'ils parvenaient mieux à garder la ligne que ceux des participants qui en absorbaient le moins.

«Même si vous obtenez suffisamment de tous ces antioxydants, cela ne veut pas forcément dire que vous vivrez jusqu'à 150 ans, commente le Dr Cutler. En revanche, ces nutriments vous aideront à prolonger le plus possible votre espérance de vie et pour quelqu'un qui peut espérer atteindre, disons 60 ans, l'idée de gagner 15 années supplémentaires pourrait avoir du charme.»

LA FONTAINE DE JOUVENCE

S'il est important de manger pour prévenir le vieillissement, nous devons également modifier nos habitudes alimentaires à mesure que nous prenons de l'âge. Avec les années, nos besoins nutritionnels peuvent en effet changer radicalement.

«Nous produisons moins de salive en vieillissant et, par conséquent, nos aliments deviennent plus indigestes et la déglutition se fait avec plus de difficulté, explique le Dr Susan A. Nitzke, professeur de science alimentaire. D'autre part, le goût et l'appétit se modifient et nous avons donc tendance à manger moins. De plus, nous produisons moins de suc gastrique, si bien que nous ne digérons plus aussi bien qu'autrefois et que l'absorption des nutriments ne se fait plus de la même façon.»

Au cours d'une étude portant sur 205 adultes d'un certain âge, dont beaucoup présentaient un déficit immunitaire, des chercheurs de Terre-Neuve ont constaté que près d'un tiers des participants présentaient de faibles taux de fer, zinc, folate, vitamine B_{12} ou de protéines – voire une carence dans plusieurs de ces nutriments. Heureusement, il fut facile d'y remédier: dès que les participants reçurent à nouveau les nutriments indispensables, leurs taux de cellules immunitaires chargées de lutter contre la maladie ne tardèrent pas à grimper de manière tout à fait frappante.

Les médecins ne pensent pas toujours à vérifier chez l'adulte l'existence d'éventuelles carences alimentaires. Cela est bien dommage, car de faibles taux de tel ou tel nutriment peuvent facilement entraîner des symptômes trompeurs, faciles à confondre avec un quelconque trouble bien plus grave, selon le Dr Regelson. «Il m'est arrivé d'examiner des personnes qui croyaient devenir séniles et dont l'entourage jugeait qu'elles n'étaient plus en mesure de s'assumer sans aide, alors que la cause n'était rien de plus grave qu'un trop faible taux de tel ou tel nutriment», ajoute-t-il.

Le zinc, par exemple, est un minéral essentiel pour maintenir un système immunitaire vigoureux. En outre, l'absorption de ce minéral nécessite des quantités suffisantes de suc gastrique. Si ce dernier n'est plus assez abondant, nous risquons de ne plus obtenir suffisamment de zinc, souligne le Dr Nitzke, surtout si nous prenons des médicaments antiacides.

Une assiette d'huîtres cuites à la vapeur est le meilleur moyen d'obtenir tout le zinc dont nous avons besoin. Six de ces mollusques contiennent en effet 77 milligrammes de zinc (513% de la VQ). Le crabe en est une autre source intéressante, puisque 85 grammes en fournissent 7 milligrammes (47% de la VQ).

Beaucoup de personnes du troisième âge ont du mal à obtenir suffisamment de vitamines du groupe B, indispensables pour maintenir en bonne santé les nerfs et le cerveau. «Lorsque nous prenons de l'âge, la muqueuse gastrique se modifie et l'absorption de ces nutriments se fait moins facilement, commente le Dr Regelson. Après 55 ans, les carences en vitamine B_6 sont particulièrement fréquentes.»

Les pommes de terre et les bananes sont d'excellentes sources de vitamine B_6. Une pomme de terre en fournit 0,5 milligramme (25% de la VQ), et une banane, 0,7 milligramme (35% de la VQ). Pour obtenir davantage de folate (autre vitamine du groupe B), il est important de manger des légumes verts et des légumineuses, notamment les haricots blancs et les haricots rouges. Une portion de 150 grammes de ces deux types de haricots secs fournit plus de 100 milligrammes de folate (plus de 25% de la VQ).

Les épinards sont également une bonne source de folate, puisqu'une portion en fournit autant que la même quantité de haricots secs.

Enfin, les viandes et autres aliments d'origine animale sont de bonnes sources de vitamine B_{12}. Les palourdes viennent en tête de liste, 20 petites palourdes à la vapeur fournissant le chiffre étonnant de 89 microgrammes de vitamine B_{12} (1 483% de la VQ).

Avec le vieillissement de notre ossature, il est essentiel d'absorber davantage de calcium afin d'éviter qu'elle se fragilise, souligne le Dr Nitzke. «Beaucoup de gens pensent qu'ils ne peuvent pas manger de produits laitiers parce qu'ils sont atteints d'intolérance au lactose, mais en réalité, dans la plupart des cas, il est possible d'absorber sans inconvénient de petites quantités de produits laitiers», précise-t-elle.

Le lait écrémé et les fromages et yaourts maigres sont nos meilleures sources de ce nutriment indispensable pour avoir des os robustes. Deux yaourts et demi contiennent 415 milligrammes de calcium (41% de la VQ). Le lait écrémé en est également une bonne source, puisqu'un verre en fournit 302 milligrammes (30% de la VQ).

Le fer est un autre minéral parfois difficile à obtenir en quantité suffisante. Certaines personnes n'en obtiennent pas assez, souligne le Dr Nitzke, tandis que pour d'autres, c'est l'inverse. Elle recommande, par prudence, de demander à votre médecin de vous prescrire une analyse de sang afin de déterminer l'existence éventuelle d'une anémie. S'il s'avère que vos taux de fer sont trop bas, vous n'aurez pas de mal à en obtenir davantage. La viande maigre et les fruits de mer contiennent une abondance de fer, souligne-t-elle. La crème de blé et diverses autres céréales vitaminées en sont également de bonnes sources, avec 5 milligrammes de fer par portion (29% de la VQ).

MANGER MOINS POUR VIVRE PLUS LONGTEMPS

Il est possible que nous ayons besoin d'absorber plus de certains types d'aliments afin de vivre plus longtemps, mais les chercheurs s'aperçoivent aujourd'hui que l'inverse est également vrai. En effet, certaines personnes qui ont l'habitude de manger légèrement moins peuvent avoir une longévité plus grande.

Les recherches ont montré que les animaux de laboratoire qui absorbaient un régime peu calorique avaient une pression sanguine plus faible, des taux plus élevés de cholestérol HDL bénéfique et des taux plus faibles de triglycérides (lipides sanguins potentiellement dangereux) que d'autres cobayes qui recevaient une alimentation pantagruélique, selon le Dr George Roth, spécialiste en gérontologie. On peut même dire que la longévité des rongeurs frugaux dépasse de près de 30% celle des cobayes qui peuvent se gaver à satiété.

«Nous pensons que si les restrictions alimentaires sont aussi efficaces, c'est en partie dû au fait que le métabolisme des cobayes passe en mode de survie, c'est-à-dire que l'énergie absorbée est utilisée le plus efficacement possible, commente le Dr Roth. En ce moment, nous procédons à des tests pour vérifier l'efficacité des restrictions alimentaires sur des primates, ce qui nous permettra de mieux savoir si ce type d'alimentation peut être appliqué à l'être humain.» Jusqu'à présent, ajoute-t-il, tous les signes – comme l'abaissement de la pression sanguine ou des taux de cholestérol – nous portent à croire qu'un tel régime devrait être bénéfique.

Les recherches n'en sont encore qu'au stade préliminaire, et pour quelqu'un dont le poids se situe aux alentours de l'idéal, il serait donc dommage de réduire l'apport calorique. En revanche, souligne le Dr Roth, il semble vraisemblable que nous puissions prolonger quelque peu notre espérance de vie en nous passant des calories superflues.

LISTE DES EXPERTS CONSULTÉS

Dr Robert Abbott, Ph.D., professeur de biostatistique à la faculté de médecine de l'université de Virginie à Charlottesville

Dr Guy Abraham, ancien professeur d'obstétrique et de gynécologie à l'université de Californie à Los Angeles

Dr David G. Addiss, épidémiologiste médical dans le service des parasitoses des centres pour la maîtrise et la prévention des maladies, à Atlanta

Dr James W. Anderson, professeur de médecine et de nutrition clinique au centre médical des Anciens Combattants à la faculté de médecine de l'université du Kentucky à Lexington

Dr John Anderson, chef du service d'allergologie et d'immunologie clinique de l'hôpital Henry Ford à Detroit

Dr Richard A. Anderson, Ph.D., biochimiste auprès du Centre de recherches sur la nutrition humaine, au sein du ministère américain de l'Agriculture à Beltsville, dans le Maryland

Dr Lawrence Appel, professeur adjoint de médecine et d'épidémiologie à la faculté de médecine de l'université Johns Hopkins à Baltimore

Dr Gertrude Armbruster, R.D., Ph.D., directrice du Programme diététique de l'université Cornell à Ithaca (New York)

Lynn B. Bailey, Ph.D., spécialiste du folate et chercheur, professeur de nutrition à l'université de Floride à Gainesville

Dr Steven Bailey, naturopathe non conventionné à Portland (Oregon)

Dr Deah Baird, naturopathe non conventionnée à Norwich (Vermont)

Dr Daniel Baran, professeur de médecine, d'orthopédie et de biologie cellulaire au Centre médical de l'université du Massachusetts à Worcester

Dr Stephen Barnes, Ph.D., professeur de pharmacologie et de toxicologie à l'université de l'Alabama à Birmingham

Dr Tapan K. Basu, Ph.D., professeur de nutrition à l'université d'Alberta à Edmonton (Canada)

Dr Carol G. Baum, allergologue et immunologiste clinicienne à Kaiser Permanente à White Plains (New York)

Dr David E. Beck, chef du service de chirurgie du côlon et du rectum de la clinique Ochsner à la Nouvelle-Orléans

Dr John Bilezikian, professeur de médecine au service d'endicronologie et directeur du programme des maladies métaboliques des os du Collège des médecins et chirurgiens de l'université Columbia à New York City

Dr Eleonore Blaurock-Busch, Ph.D., présidente de la firme Trace Mineral International à Boulder (Colorado)

Dr Erich Block, Ph.D., professeur de chimie à l'université d'État de New York à Albany

Dr Gladys Block, Ph.D., professeur d'épidémiologie et directrice du programme de santé publique et de nutrition à l'université de Californie à Berkeley

Dr Keith Block, directeur médical de l'institut du cancer de l'hôpital Edgewater à Chicago

Mme Leslie Bonci, diététicienne au centre médical de l'université de Pittsburgh et porte-parole de l'Association américaine de diététique

Dr Michael Bonnet, Ph.D., spécialiste du sommeil et directeur du centre médical Veterans Affairs à Dayton (Ohio)

Dr Marie Borum, professeur adjoint de médecine au centre médical de l'université George Washington à Washington, D.C.

Dr Carol Boushey, R.D., Ph.D., professeur adjoint en alimentation et en nutrition à l'université de l'Illinois du Sud à Carbondale

Dr Mary Bove, naturopathe et directrice de la clinique de naturopathie de Brattleboro (Vermont)

Andrea S. Boyle, déléguée des producteurs américains de pamplemousses

Dr Leon Bradlow, Ph.D., directeur du service d'endocrinologie bio-chimique du laboratoire Strang de recherche sur le cancer à New York City

Dr Debra Brammer, médecin naturopathe et membre du corps enseignant de la clinique de santé naturelle de l'université Bastyr à Seattle

Donald J. Brown, naturopathe, chargé de cours à l'université Bastyr de Seattle et auteur du livre *Herbal Prescriptions for Better Health*

Dr Lynne Brown, Ph.D., professeur adjoint en sciences alimentaires à l'université d'État de Pennsylvanie à University Park

Dr Susan Broy, directrice du centre de l'ostéoporose de l'Advocate Medical Group à Chicago

Dr Alfred A. Bushway, Ph.D., professeur de sciences alimentaires à l'université du Maine à Orono

Dr Ritva Butrum, Ph.D., vice-présidente pour la recherche à l'Institut américain de la recherche en cancérologie à Washington, D.C.

Dr Mary Ellen Camire, Ph.D., professeur titulaire adjoint au service des sciences alimentaires et de la nutrition humaine à l'université du Maine, à Orono

Dr Eve Campanelli, Ph.D., médecin holistique à Beverly Hills (Californie)

Dr Jack Carter, Ph.D., professeur de science botanique à l'université d'État du Dakota du Nord à Fargo et président de l'Institut américain du lin

Dr Arturo Cedeño-Maldonado, Ph.D., professeur de physiologie des végétaux à l'université de Porto Rico à Mayagüez

Dr James Cerda, professeur de médecine à la faculté de médecine de l'université de Floride à Gainesville

Dr Robert Charm, professeur clinicien adjoint de médecine et gastro-entérologue à Walnut Creek (Californie)

Dr Larry Christensen, Ph.D., président du département de psychologie de l'université de l'Alabama du Sud à Mobile et spécialiste des effets du sucre et de la caféine sur l'humeur

Dr Fergus Clydesdale, Ph.D., professeur et directeur du département de science alimentaire de l'université du Massachusetts à Amherst

Dr Leonard A. Cohen, directeur du programme expérimental américain sur le cancer du sein à la Fondation américaine pour la santé à Valhalla (New York)

Dr Doyt Conn, vice-président chargé des affaires médicales de la Fondation américaine de l'arthrite à Atlanta

Dr John R. Crouse, professeur de médecine et de sciences de la santé publique à la faculté de médecine Bowman Gray de l'université Wake Forest à Winston-Salem (Caroline du Nord)

Dr Pamela Crowell, Ph.D., professeur adjoint en biologie à la faculté de médecine de l'Indiana à Indianapolis

Dr Joanne Curran-Celentano, R.D., Ph.D., professeur adjoint de sciences de la nutrition à l'université du New Hampshire à Durham

Dr Richard Cutler, Ph.D., retraité, autrefois chimiste chargé de recherches au centre de recherches en gérontologie de l'Institut national américain sur le vieillissement et fondateur de la corporation Genox (organisme cherchant des stratégies pour mettre fin aux dégâts des radicaux libres), tous deux à Baltimore

Dr Elligton Darden, Ph.D., auteur du livre *A Flat Stomach ASAP*

Dr Michael H. Davidson, M.D., président du centre de Chicago pour la recherche clinique

Dr Carolyn DeMarco, médecin à Toronto et auteur du livre *Take Charge of Your Body: Woman's Health Advisor*

Dr Dominick DePaola, D.D.S., Ph.D., président du collège Baylor de médecine dentaire à Dallas

Dr Ara H. DerMarderosian, Ph.D., professeur de pharmacognosie et de chimie médicinale au collège de pharmacie et science de Philadelphie

Mme Barbara Dixon, R.D., nutritionniste à Baton Rouge (Louisiane) et auteur du livre *Good Health for African Americans*

Dr Douglas A. Drossman, professeur de médecine et de psychiatrie à la faculté de médecine de l'université de Caroline du Nord à Chapel Hill

Mme Anne Dubner, R.D., porte-parole de l'Association américaine de diététique et expert-conseil en nutrition à Houston

Dr James Enstrom, Ph.D., professeur adjoint chargé de recherches à la faculté de la santé publique de l'université de Californie, à Los Angeles

Dr John Erdman, Ph.D., directeur du service des sciences de la nutrition de l'université de l'Illinois à Urbana

Dr Michael Eskin, Ph.D., chercheur spécialiste du sarrasin et professeur de chimie alimentaire à l'université de Manitoba à Winnipeg

Dr Suzette Evans, professeur adjoint au collège des médecins et chirurgiens de l'université Columbia et à l'institut psychiatrique de l'État de New York, tous deux à New York City

Dr Vincent Falanga, professeur de médecine et de dermatologie à la faculté de médecine de l'université de Miami

Dr Elaine Feldman, professeur émérite de médecine, physiologie et endocrinologie

Dr Susan Finn, Ph.D., directrice des services de nutrition des laboratoires Ross à Cleveland

Dr Richard N. Firshein, D.O., ostéopathe et professeur de médecine familiale au collège de médecine ostéopathique de New York, directeur médical de la fondation Paul Sorvino pour l'asthme et auteur du livre *Reversing Asthma*

Dr Carol Fleischman, professeur adjoint de médecine aux hôpitaux de l'université Allegheny à Philadelphie

Dr John D. Folts, Ph.D., professeur de médecine et directeur du laboratoire de la thrombose coronaire à la faculté de médecine de l'université du Wisconsin, à Madison

Dr Joseph V. Formica, Ph.D., professeur de microbiologie au collège médical de la faculté de médecine de l'université Virginia Commonwealth à Richmond

Dr Arthur Frank, directeur du programme de gestion de l'obésité de l'hôpital universitaire George Washington, à Washington D.C.

Dr Alfred Franzblau, professeur de médecine du travail au service des sciences de la santé liés à l'environnement et à l'industrie à l'université du Michigan à Ann Arbor

Dr Jeanne Freeland-Graves, Ph.D., professeur de nutrition à l'université du Texas à Austin

Dr Balz Frei, Ph.D., directeur de l'institut Linus Pauling à l'université d'État de l'Oregon, à Corvallis

Dr Simone French, Ph.D., professeur d'épidémiologie à l'université du Minnesota à Minneapolis

Dr Marianne Frieri, Ph.D., directrice du programme de formation aux allergies et à l'immunologie à l'hôpital universitaire Nassau County Medical Center-North Shore à East Meadow et Manhasset (New York)

Dr Joel Fuhrman, spécialiste en médecine nutritionnelle au centre Amwell Health à Belle Mead (New Jersey)

Dr Christopher Gardner, Ph.D., chargé de recherches au centre universitaire de Stanford pour la recherche sur la prévention des maladies à Palo Alto (Californie)

Dr Harinder Garewal, M.D., Ph.D., directeur adjoint en prévention et maîtrise du cancer à l'hôpital des Anciens Combattants et spécialiste du cancer au centre du cancer de l'université de l'Arizona à Tucson

Dr Abhimanyu Garg, M.D., professeur adjoint en médecine interne et en nutrition clinique au centre médical Southwestern de l'université du Texas à Dallas

Dr Michael Gaziano, directeur du service d'épidémiologie cardiovasculaire de l'hôpital Brigham and Women's à Boston

Mme Patti Bazel Geil, R.D., auteur du livre *Magic Beans* et nutrithérapeute spécialisée dans le domaine du diabète à l'université du Kentucky à Lexington

Dr Robert M. Giller, auteur du livre *Natural Prescriptions*

Dr Michele Gottschlich, R.D., Ph.D., directrice du service de nutrition de l'institut Shriners des grands brûlés à Cincinatti

Dr Michael Gould, Ph.D., professeur d'oncologie humaine à la faculté de médecine de l'université du Wisconsin à Madison

Mme Deborah Gowen, infirmière et sage-femme diplômée auprès du Harvard Community Health Plan à Wellesley (Massachusetts)

Mme Diane Grabowski-Nepa, R.D., diététicienne et expert-conseil en nutrition au centre Pritikin de la longévité à Santa Monica (Californie)

Dr Robert M. Grodner, Ph.D., professeur émérite au département des sciences alimentaires de l'université d'État de Louisiane à Baton Rouge

Dr Elson Haas, directeur du centre de médecine préventive de Marin à San Rafael (Californie) et auteur du livre *Staying Healthy with Nutrition*

Dr Georges Halpern, Ph.D., professeur émérite au département de médecine interne de l'université de Californie

Dr Barbara Harland, Ph.D., professeur de nutrition à l'université Howard de Washington, D.C.

Mme Pat Harper, R.D., expert-conseil en nutrition dans la région de Pittsburgh

Dr Gary E. Hatch, Ph.D., chercheur en toxicologie au service de toxicologie pulmonaire de l'Agence américaine pour la protection de l'environnement

Dr Jiang He, Ph.D., épidémiologiste à l'école Johns Hopkins d'hygiène et de santé publique de Baltimore

Dr Stephen Hecht, professeur de prévention du cancer au centre du canter de l'université du Minnesota, à Minneapolis

Dr Maren Hegsted, Ph.D., professeur de nutrition humaine et d'alimentation à l'université d'État de Louisiane à Baton Rouge

Dr Victor Herbert, professeur de médecine à la faculté de médecine Mount Sinai et au centre médical Bronx Veterans Affairs, tous deux à New York, et corédacteur de *Total Nutrition*

Dr Michael Hertog, Ph.D., de l'Institut national néerlandais pour la santé publique et la protection de l'environnement

Dr John Hibbs, naturopathe et professeur adjoint en médecine clinique à l'université Bastyr à Seattle

Mme Joan V.C. Hill, R.D., directrice des services et programmes pédagogiques au centre Joslin du diabète à Boston

Dr Eileen Hilton, spécialiste des maladies infectieuses au Long Island Jewish Medical Center à New York

Dr Ronald L. Hoffman, directeur du centre Hoffman pour la médecine holistique à New York City et auteur du livre *Seven Weeks to a Settled Stomach*

Mme Edith Hogan, R.D., porte-parole de l'Association américaine de diététique

Dr Joseph Hotchkiss, Ph.D., professeur de chimie alimentaire et de toxicologie à l'université Cornell à Ithaca (New York)

Michael Hughes, président du ranch Broken Arrow et distributeur de gibier à Ingram (Texas)

Dr Janet R. Hunt, R.D., Ph.D., nutritionniste chargée de recherches au centre des ressources pour la nutrition humaine du ministère de l'Agriculture des États-Unis

Dr Pauline M. Jackson, psychiatre au Gunderson Lutheran Medical Center à La Crosse (Wisconsin)

Dr Michael Janson, M.D., auteur du livre *The Vitamin Revolution in Health Care*

Dr David J. A. Jenkins, M.D., Sc.D., Ph.D., professeur de sciences de la nutrition et de médecine à l'université de Toronto

Dr Robert R. Jenkins, Ph.D., professeur de biologie au collège Ithaca à New York

Dr Timothy Johns, Ph.D., professeur adjoint à l'école de diététique et de nutrition humaine de l'université McGill à Montréal (Canada)

Dr Lucia Kaiser, R.D., Ph.D., professeur adjoint de nutrition et spécialiste en développement collectif à l'université de Californie à Davis

Dr Mark Kantor, Ph.D., professeur adjoint de nutrition et de sciences de l'alimentation à l'université du Maryland à College Park

Dr Norman Kaplan, professeur de médecine interne et chef du service de l'hypertension du centre médical Southwestern de l'université du Texas à Dallas

Mme Wahida Karmally, R.D., directrice de la nutrition au centre médical Columbia-Presbyterian à New York City

Carl Karush de la firme Maine Coast Sea Vegetables à Franklin

Dr William J. Keller, Ph.D., professeur titulaire au service des sciences pharmaceutiques à l'école de pharmacie de l'université Samford, à Birmingham (Alabama)

Dr James Kenney, R.D., Ph.D., chercheur spécialisé en nutrition au centre Pritikin de la longévité à Santa Monica (Californie)

Dr Thomas Kensler, Ph.D., professeur au service des sciences de la santé et de l'environnement de l'école de santé publique de l'université Johns Hopkins à Baltimore

Dr Mark Kestin, Ph.D., président du programme de nutrition de l'université Bastyr et professeur adjoint d'épidémiologie à la faculté de médecine de l'université de Washington, toutes deux à Seattle

Dr Frederick Khachik, Ph.D., chimiste chargé de recherches au laboratoire de la composition des aliments du ministère américain de l'Agriculture à Beltsville (Maryland)

Dr Arun Kilara, Ph.D., professeur de sciences alimentaires à Penn State

Dr Susan Kleiner, R.D., Ph.D., propriétaire de la firme High Performance Nutrition de Mercer Island (Washington)

Dr Edwin H. Krick, professeur adjoint de médecine à l'université Loma Linda en Californie

Dr Beth Kunkel, R.D., Ph.D., professeur d'alimentation et de nutrition à l'université Clemson en Caroline du Sud

Dr Lawrence H. Kushi, Sc.D., professeur adjoint en santé publique, épidémiologie et nutrition à l'université du Minnesota à Minneapolis

Dr Paul Lachance, Ph.D., professeur de nutrition et président du département des sciences alimentaires de l'université Rutgers à New Brunswick (New Jersey)

Dr Susan M. Lark, directrice du Centre du syndrome prémenstruel et de la ménopause à Los Altos (Californie), auteur du livre *The PMS Self-Help Book*

Dr Chang Lee, professeur de sciences alimentaires et de technologie à la station d'expérimentation agricole de l'université Cornell à Geneva (New York)

Dr David Levitsky, Ph.D., professeur de nutrition et de psychologie au sein de l'université Cornell à Ithaca (New York)

Dr Michael Liebman, Ph.D., professeur de nutrition humaine à l'université du Wyoming à Laramie

Dr Robert I. Lin, chercheur et vice-président de la firme Nutrition International à Irvine (Californie)

Dr Pao-Hwa Lin, Ph.D., directeur de l'unité de recherches en nutrition clinique du centre Sarah W. Stedman pour les études de nutrition au centre médical de l'université Duke à Durham (Caroline du Nord) et coauteur du livre *Eating Well, Living Well with Hypertension*

Dr Charles Lo, praticien non conventionné de médecine chinoise à Chicago

Dr William Lovallo, Ph.D., professeur de psychiatrie et de sciences du comportement au centre des sciences de la santé de l'université de l'Oklahoma à Oklahoma City

Dr Henry C. Lukaski, Ph.D., médecin chargé de recherches au centre de recherches sur la nutrition humaine du ministère de l'Agriculture des États-Unis à Grand Forks, dans le Dakota du Nord

Dr Vernon Mark, auteur du livre *Reversing Memory Loss*

Dr Maurie Markman, directeur du centre du cancer de la clinique de Cleveland

Dr Susan Taylor Mayne, Ph.D., directeur adjoint des recherches préventives et de maîtrise du cancer du centre de cancérologie de l'université Yale

Dr Charles Mazel, Ph.D., ingénieur et biologiste marin, auteur de *Heave Ho! My Little Green Book of Seasickness*

Dr Timothy McAlindon, professeur adjoint de médecine à la faculté de médecine de l'université de Boston

Dr Mark McCune, dermatologue non conventionné à Overland Park dans le Kansas

Dr John A. McDougall, directeur médical du programme McDougall de l'hôpital St Helena à Napa Valley (Californie), auteur du livre *The McDougall Program for a Healthy Heart*

Dr Robert McLean, professeur clinicien adjoint de médecine à la faculté de médecine de l'université Yale

Dr Mark McLellan, Ph.D., professeur de sciences alimentaires à l'université Cornell et directeur de l'institut Cornell's des sciences alimentaires à Geneva (New York)

Dr Mark Messina, Ph.D., ancien président du programme alimentaire de l'Institut national américain du cancer

Dr Curtis Mettlin, Ph.D., chargé des recherches épidémiologiques au sein de l'institut Roswell Park du cancer à Buffalo (New York)

Dr Samuel Meyers, professeur clinicien de médecine à la faculté de médecine Mount Sinai à New York City

Dr Jon Michnovicz, M.D., Ph.D., président de la Fondation pour l'oncologie préventive et de l'Institut pour la recherche hormonale, tous deux à New York City

Dr Elliott Middleton Jr, M.D., professeur émérite de médecine et de pédiatrie à la faculté de médecine et de sciences biomédicales de l'université d'État de New York à Buffalo

Dr Peter Miller, Ph.D., directeur de l'institut de santé Hilton Head Health Institute à l'île Hilton Head (Caroline du Sud)

Dr John Milner, Ph.D., professeur de nutrition et directeur du service de nutrition de l'université d'État de Pennsylvanie

Dr Earl Mindell, pharmacien et professeur de nutrition à l'université Pacific Western de Los Angeles, également auteur de l'ouvrage Earl Mindell's Food as Medicine

Dr Stanley Mirsky, professeur clinicien adjoint en troubles du métabolisme à la faculté de médecine Mount Sinai à New York City, auteur du livre *Controlling Diabetes the Easy Way*

Dr Peter Molan, Ph.D., professeur de biochimie et directeur du laboratoire spécialisé en recherches sur le miel de l'université de Waikato à Hamilton (Nouvelle-Zélande)

Dr Mark Monane, professeur adjoint de médecine à l'école médicale Harvard

Dr Antonio Montanari, Ph.D., chercheur spécialiste des citrons auprès du centre de recherches sur les agrumes du ministère de Floride à Lake Alfred

Dr Frank G. Moody, professeur de chirurgie à l'école médicale de l'université du Texas à Houston

Mme Cindy Moore, R.D., directeur de nutrithérapie à la Cleveland Clinic Foundation dans l'Ohio

Dr Dexter L. Morris, M.D., Ph.D., vice-président et professeur adjoint au service de médecine d'urgence de la faculté de médecine de l'université de Caroline du Nord à Chapel Hill

Dr Steven R. Mostow, président du comité pour la prévention de la pneumonie et de la grippe de l'American Thoracic Society

Dr Daniel B. Mowrey, Ph.D., directeur du Laboratoire américain de recherches phytothérapiques à Salt Lake City

Dr Hasan Mukhtar, Ph.D., professeur de dermatologie et de sciences de la santé et de l'environnement à la faculté de médecine de l'université Case Western Reserve

Robert Murphy, R.N., médecin naturopathe non conventionné à Torrington (Connecticut)

Dr Michael T. Murray, naturopathe à Bellevue (Washington), auteur du livre *Natural Alternatives to Over-the-Counter and Prescription Drugs*

Dr Michael D. Myers, médecin non conventionné à Los Alamitos (Californie)

Dr James L. Napier Jr., professeur adjoint de neurologie clinique à la faculté de médecine de l'université Case Western Reserve à Cleveland

Dr Peter A. Nathan, chirurgien spécialiste de la main et chercheur dans le domaine du canal carpien au centre Portland de chirurgie de la main et de rééducation dans l'Oregon

Mme Christine Negm, nutritionniste et directrice des services techniques de l'établissement agricole Lundberg Family Farms, qui cultive le riz à Richvale (Californie)

Dr Gary J. Nelson, chimiste chargé de recherches au centre de recherches sur la nutrition humaine de type occidental du ministère américain de l'Agriculture à San Francisco

Dr Jeri W. Nieves, Ph.D., épidémiologiste nutritionniste à l'université Columbia de New York et directeur du laboratoire de mesure des minéraux osseux à l'hôpital Helen Hayes à West Haverstraw (New York)

Dr Susan A. Nitzke, R.D., Ph.D., professeur adjoint au service des sciences alimentaires de l'université du Wisconsin à Madison

Dr Daniel W. Nixon, directeur adjoint du centre Hollings de prévention et de maîtrise du cancer à Charleston (Caroline du Sud) et auteur du livre *The Cancer Recovery Eating Plan*

Dr Dominic Nompleggi, Ph.D., professeur adjoint de médecine et de chirurgie et directeur du service de soutien nutritionnel du centre médical de l'université du Massachusetts à Worcester

Dr Talal M. Nsouli, professeur clinicien adjoint d'allergologie et d'immunologie à la faculté de médecine de l'université de Georgetown et directeur du centre de l'allergie et de l'asthme de Watergate, tous deux à Washington D.C.

Mme Donna Oberg, R.D., nutritionniste au sein du programme pour la santé dentaire du service de la santé publique de Seattle-King County à Kent (Washington)

Alfred Ordman, Ph.D., professeur de biochimie au collège de Beloit (Wisconsin)

M. Clifford Orr, directeur de l'Institut du sarrasin à Penn Yan (New York)

Dr Robert S. Parker, Ph.D., professeur de sciences de la nutrition et de l'alimentation à l'université Cornell à Ithaca (New York)

Dr Frederick F. Paustian, gastro-entérologue au centre médical de l'université du Nebraska et membre du conseil consultatif médical de l'association Sprue de la maladie cœliaque, deux institutions basées à Omaha

Dr Thomas A. Pearson, Ph.D., professeur et président du département de médecine préventive de l'université de Rochester à New York, et porte-parole de l'Association américaine du cœur

Dr James G. Penland, Ph.D., psychologue chargé de recherches auprès du centre de recherches sur la nutrition humaine du ministère de l'Agriculture des États-Unis à Grand Forks, dans le North Dakota

Dr Thomas Petro, Ph.D., professeur adjoint de microbiologie et d'immunologie au centre médical de l'université du Nebraska à Lincoln

Dr Judith Petry, directeur médical du projet Vermont Healing Tools à Brattleboro

Dr David Pisetsky, Ph.D., codirecteur du centre de l'arthrite de l'université Duke à Durham (Caroline du Nord) et conseiller médical de la Fondation américaine de l'arthrite

Dr Henry Pitt, directeur du centre des calculs et des troubles biliaires de l'hôpital Johns Hopkins à Baltimore

Dr Richard Podell, professeur clinicien en médecine générale à la faculté de médecine Robert Wood Johnson à New Providence (New Jersey)

Mme Melanie Polk, R.D., directrice de l'éducation à la nutrition à l'Institut américain de recherches sur le cancer

Dr Ananda Prasad, Ph.D., professeur de médecine à la faculté de médecine de l'université d'État Wayne à Detroit

Dr Joel Press, directeur médical du centre de rééducation du rachis, de réhabilitation sportive et du travail à l'institut de rééducation de Chicago

Ronald L. Prior, responsable de recherches scientifiques au centre Jean Mayer de recherches sur la nutrition humaine et le vieillissement du ministère américain de l'Agriculture à l'université Tufts de Boston

Dr Patrick Quillin, Ph.D., vice-président pour la nutrition des centres américains de traitement du cancer

Dr Venket Rao, Ph.D., professeur de nutrition à l'université de Toronto

Dr Alan M. Rapoport, cofondateur et directeur du centre de Nouvelle-Angleterre pour les maux de tête à Stamford (Connecticut) et professeur clinicien adjoint de neurologie à la faculté de médecine de l'université Yale

Mme Sheah Rarback, R.D., porte-parole de l'Association diététique américaine à Miami

Dr Bandaru S. Reddy, Ph.D., chef du service de carcinogenèse nutritionnelle de la Fondation américaine pour la santé à Valhalla (New York)

Dr William Regelson, M.D., professeur de médecine au collège médical de l'université Virginia Commonwealth à Richmond

Dr Paul Reilly, naturopathe à Tacoma (Washington) et enseignant adjoint à l'université Bastyr de Seattle

Dr Russell Reiter, Ph.D., professeur de neuro-endocrinologie au centre des sciences de la santé de l'université du Texas à San Antonio et auteur du livre *Melatonin: Your Body's Natural Wonder Drug*

Dr Stephen Rennard, professeur au service de médecine interne du centre médical de l'université du Nebraska à Omaha

Dr Killian Robinson, cardiologue à la Cleveland Clinic Foundation dans l'Ohio

Dr Barbara Rolls, Ph.D., professeur de nutrition à l'université d'État de Pennsylvanie à University Park

Dr Suzanne Rose, gastro-entérologue et directrice du centre des troubles de l'œsophage et de la déglutition du centre médical de l'hôpital Cornell de New York

Dr Robert Rosen, Ph.D., directeur adjoint du Center for Advanced Food Technology au Collège Cook de l'université Rutgers, à New Brunswick (New Jersey)

Dr Isadore Rosenfeld, professeur clinicien de médecine au Centre médical de l'hôpital Cornell de New York, auteur du livre *Doctor, What Should I Eat?*

Dr Donald L. Rosenstein, chef du service de consultation psychiatrique des Instituts nationaux américains de la santé

Dr George Roth, Ph.D., scientifique au sein du Centre de recherches en gérontologie

Dr Leon Rottmann, Ph.D., directeur de l'association Sprue de la maladie coeliaque

Dr William Ruderman, gastro-entérologue et médecin non conventionné à Orlando (Floride)

Dr Lisa Ruml, professeur adjoint de médecine au centre médical Southwestern de l'université du Texas à Dallas

Dr Joan Sabaté, Dr. Ph., présidente du service de nutrition et professeur adjoint en épidémiologie et en nutrition à l'école de santé publique de l'université Loma Linda, en Californie

Dr Paul Saltman, Ph.D., professeur de biologie à l'université de Californie à San Diego

Dr Michelle S. Santos, Ph.D., chargée de recherches au centre Jean Mayer de recherches sur la nutrition humaine et le vieillissement du ministère américain de l'Agriculture à l'université Tufts de Boston

Mme Pamela Savage-Marr, R.D., porte-parole de l'Association américaine de diététique et spécialiste en pédagogie de la santé à Oakwood Healthcare System à Dearborn (Michigan)

Dr James Scala, Ph.D., nutritionniste et auteur du livre *If You Can't/Won't Stop Smoking*

Dr Isaac Schiff, chef du service d'obstétrique et de gynécologie de l'hôpital général du Massachusetts à Boston, auteur du livre *Menopause*

Dr Donald V. Schlimme, Ph.D., professeur de nutrition et de sciences alimentaires à l'université du Maryland à College Park

Steve Schumacher, kinésiologue à Louisville dans le Kentucky

Dr Marvin Schuster, directeur du centre Marvin M. Schuster des troubles digestifs et de l'élimination au centre médical Bayview de l'université Johns Hopkins à Baltimore

Dr Stanley Segall, Ph.D., professeur de nutrition et de sciences alimentaires à l'université Drexel de Philadelphie

Dr Khem Shahani, Ph.D., professeur de sciences alimentaires et de technologie à l'université du Nebraska à Lincoln

Dr Dan Sharp, M.D., Ph.D., directeur du programme cardiovasculaire de Honolulu

Dr Fred Sheftell, cofondateur et directeur du centre de Nouvelle-Angleterre pour les maux de tête à Stamford (Connecticut)

Dr Terry Shintani, directeur de la médecine préventive au centre Wainae Coast Comprehensive Health Center de médecine préventive à Hawaï

Dr Joanne L. Slavin, Ph.D., professeur de nutrition à l'université du Minnesota à Saint Paul

Mme Belinda Smith, R.D., chercheur et diététicienne au centre médical de l'administration des Anciens Combattants

Mme Elizabeth Somer, auteur des livres *Food and Mood et Nutrition for Women*

Dr Won Song, R.D., Ph.D., professeur adjoint de nutrition humaine à l'université d'État du Michigan à East Lansing

Dr Meir Stampfer, professeur d'épidémiologie et de nutrition à l'école de santé publique de Harvard

Christina M. Stark, R.D., nutritionniste au service des sciences de la nutrition à l'université Cornell d'Ithaca (New York)

Dr Gary D. Stoner, Ph.D., directeur du programme de chimioprévention du cancer au centre polyvalent du cancer de l'université d'État de l'Ohio, à Columbus

Mme Mona Sutnik, R.D., conseillère en nutrition à Philadelphie et porte-parole de l'Association américaine de diététique

Dr Marilyn A. Swanson, R.D., Ph.D., professeur au département de nutrition et de sciences alimentaires (dont elle est également la directrice) de l'université d'État du Dakota du Sud à Brookings

Dr Rup Tandan, neurologue à l'université du Vermont à Burlington

Dr Allen Taylor, Ph.D., directeur du laboratoire de recherches sur la nutrition et la vision au centre Jean Mayer de recherches sur la nutrition humaine et le vieillissement du ministère américain de l'Agriculture, à l'université Tufts de Boston

Dr Joe Tecce, Ph.D., neuropsychologue et professeur de psychologie au collège de Boston à Chestnut Hill (Massachusetts)

Mme Susan Thom, R.D., déléguée sur le plan des ressources pour l'Association américaine de diététique et expert-conseil en nutrition à Brecksville (Ohio)

Dr Lilian Thompson, Ph.D., professeur de sciences de la nutrition à l'université de Toronto

Dr Dimitrios Trichopoulos, professeur d'épidémiologie et de prévention du cancer à l'école de santé publique de Harvard

Dr Varro E. Tyler, Ph.D., professeur émérite en pharmacognosie (l'étude des médicaments d'origine naturelle) à l'école de pharmacie de l'université Purdue de West Lafayette (Indiana)

Mme Frances Tyus, R.D., consultante auprès de l'équipe des blessures de la Cleveland Clinic Foundation dans l'Ohio

Dr Wulf H. Utian, Ph.D., directeur du service d'obstétrique et de gynécologie à l'hôpital universitaire MacDonald Womens et professeur titulaire au service de biologie de la reproduction à l'université Case Western Reserve, deux institutions de Cleveland (Ohio)

Dr Joe A. Vinson, Ph.D., professeur de chimie à l'université de Scranton en Pennsylvanie

Dr Robert Volpe, professeur émérite d'endocrinologie et de métabolisme au service médical de l'université de Toronto et directeur du laboratoire de recherches endocriniennes de l'hôpital Wellesley à Toronto

Dr Joan Walsh, R.D., Ph.D., nutritionniste au collège San Joaquin Delta de Stockton (Californie)

Dr Michael J. Wargovich, Ph.D., professeur de médecine au centre du cancer M.D. Anderson à l'université du Texas, à Houston

Dr Stephen Warshafsky, professeur adjoint de médecine au collège médical de New York à Valhalla

Dr Andrew L. Waterhouse, Ph.D., professeur adjoint au département de viticulture et d'œnologie de l'université de Californie à Davis

Dr Densie Webb, R.D., Ph.D., coauteur du livre *Foods for Better Health*

Dr Georg Webb, Ph.D., professeur adjoint de physiologie et de biophysique à la faculté de médecine de l'université du Vermont à Burlington

Mme Donna Weihofen, R.D., diététicienne clinique à l'hôpital universitaire du Wisconsin à Madison

Dr Andrew Weil, directeur adjoint du service des perspectives sociales de la faculté de médecine de l'université de l'Arizona à Tucson

Dr John H. Weisburger, Ph.D., membre de longue date de la Fondation américaine pour la santé à Valhalla (New York)

Dr Melvyn Werbach, professeur clinicien adjoint de psychiatrie à l'université de Californie à Los Angeles, auteur des livres *Healing through Nutrition Rom Nutritional Influences on Illness*

Dr Bill Widmer, Ph.D., chercheur auprès du centre de recherches sur les agrumes pour la Floride à Lake Alfred

Dr Walter Willett, M.D., Dr. Ph., professeur d'épidémiologie et de nutrition et professeur titulaire du service de nutrition de l'école de santé publique de Harvard

Dr Judith Wurtman, Ph.D., chercheur nutritionniste au sein de l'institut de technologie du Massachusetts, à Cambridge, et auteur du livre *The Serotonin Solution*

Dr Yu-Yan Yeh, Ph.D., professeur de sciences de la nutrition à l'université d'État de Pennsylvanie à University Park

Dr David B. Young, Ph.D., professeur de physiologie et de biophysique au centre médical de l'université du Mississippi à Jackson

Dr William Ziering, allergologue au centre Ziering de l'allergie et des troubles respiratoires, et professeur clinicien adjoint à la faculté de médecine de l'université de Californie, deux établissements de Fresno (Californie)

Dr Irwin Ziment, professeur de médecine à l'université de Californie à Los Angeles

Dr Craig Zunka, D.D.S., ancien président de l'Association holistique de médecine dentaire et chirurgien dentiste à Front Royal (Virginie)

Index

Les chiffres souligné désignent les encadrés. Les chiffres **en gras** correspondent aux tableaux. Le symbole ** sert à identifier les médicaments délivrés uniquement sur ordonnance.

Caillots sanguins (suite)
  nutrition préventive:
    fenugrec, 174
    gingembre, 174, 188, 191
    ginkgo, **204**
    oméga 3, 227, 513
    piment rouge, 174, 293
Calcium
  absorption perturbée par:
    Cola, 527
    fer, 391
  aliments contenant -:
    babeurre, <u>214</u>
    brocoli, 119, 412, 500, 526
    céleri, 129
    côtes de bettes, 223, 500
    fromage, 523, 525, 575
    lait, <u>214</u>, 217, 522-524, 500
    légumes verts feuillus, 223, 526, 555
    poisson, 526
    soja et dérivés, 345
    yaourt, 375-376, 495, 507, 575
  calculs (cause de -), 412
  compléments alimentaires, 391, 496, <u>525</u>
  interaction avec magnésium, 438
  intérêt pour:
    calculs rénaux, 412
    crampes, 438
    dentition saine, 440, 442
    fragilisation osseuse, 574
    hypertension artérielle, 214, 217
    mal de tête, 500
    ménopause, 521, 522
    ostéoporose, 522, 523
    syndrome prémenstruel, 557
    troubles thyroïdiens, 565
  Valeur quotidienne, 522, 557, 565
Calculs biliaires, 407
Calculs rénaux, 410
  causes:
    goutte, 469
    légumes verts feuillus, <u>224</u>
    rhubarbe, <u>330</u>
Cancer, 413. *Voir aussi* nom des organes spécifiques

causes:
  corps gras, 217
  radicaux libres, 3, 53-57
  tabagisme, 559
immunité (rôle de l' -), 478
laetrile pour traiter - , <u>63</u>
nutriments protecteurs, **46-47**
  acide ellagique, <u>9</u>, 97-98, 253-254
  acide phytique, 196
  alcool périllyle, 134-135
  antioxydants, 5, 7-8, 153
  bêtacarotène, 13-14, 45, 153, 561
  caroténoïdes, 11-13, 45, 185, 209
  complexes phénoliques, 51-52
  daidzéine, 196
  fibres, 26-27
  flavonoïdes, 34-35
  génistéine, 196
  indoles, 48, 560
  inhibiteurs des protéases, 196
  isoflavones, 196
  isothiocyanates, **560**
  lignanes, 50, 196
  limonène, 151
  lycopène, 7, 186
  monoterpènes, 50
  phytonutriments, 40-52
  quercétine, 309
  saponines, 51-52, 196
  sélénium, 561
  vitamine C, 5, 415, 561
  vitamine E, 5-6, 17, 561
nutrition préventive:
  abricot, <u>63</u>, 561
  agrumes, 150-151, 273, 561
  ail, 67, 68
  algues, 72
  asperge, 84
  avoine, 94
  baies, 97-98
  basilic, 104
  betterave rouge, 106-107
  blé et boulgour, 113-114, 116
  brocoli, 42, 117-118
  canneberge,
  carotte, 121
  cassis, 125-126

I

I3C. *Voir* Indole-3-carbinol
Ibuprofène, 266
Immunité, 478
  aliments bénéfiques :
    ail, 537
    antioxydants, 479
    bêtacarotène, 487
    brocoli, 480-481, 484
    canneberge, 537
    champignons, 138, 140
    chou-fleur, 142
    fruits de mer, 181
    jeûne avec jus, 210
    vitamine C, 487, 537
    vitamine E, 415, 487
    yaourt, 374
    zinc, 181, 371
  importance dans :
    polyarthrite, 395
    vieillissement, 573
    régime gras et - , 481
Indigestion, 77-78, 101.
    Voir aussi Troubles gastriques
  aliments remèdes :
    achillée, **204**
    camomille, **204**
Indole-3-carbinol, 48-50
  crucifères, 117, 119, 143, 146
Indoles, **46-47**, **560**
  aliments contenant - :
    crucifères, 119, 144, 146, 164, 166
Infarctus, 347
Infections, 431, 483
  aliments remèdes, 483
  types :
    - bactériennes
      ail, 484
      miel manuka, 569
    - intestinales
      vin (prévention), 457
    - virales,
      millepertuis, **205**
    otite
      ail pour traiter, 65, 68
      due à allergie alimentaire, **387**

Infections mycosiques, 486
  aliments remèdes :
    ail, 483
    miel, 480
    yaourt, 374-375, 486
Infections urinaires, 489
  aliments remèdes :
    aliments acides, 490
    busserole, **204**
    canneberge (jus), 489, 490
    myrtille, 489
    persil, 285
Inhibiteur des protéases, 101, 196, **560**
Insomnie, 443, 491
  valériane, **205**
Insuline, 447-448, 449, 452, 464
  rôle dans insomnie, 492
  syndrome prémenstruel, 553
Interactions médicamenteuses, 273
  avocat, 88
  pamplemousse, 273
Interféron, 480
Interféron gamma, 375
Interleukine 2, 481
  intérêt pour l'immunité, 481
  rapport avec vitamine E, 481
Intervention chirurgicale, 250
  silymarine avant - , 35
Intolérance au glucose, 94-95
  avoine pour maîtriser - , 95
Intolérance au lactose, 495, 574
  cause de troubles :
    côlon irritable, 550
    diarrhée, 457
  intérêt du yaourt, 458
  rôle dans maladie cœliaque, 507
Intoxication alimentaire, due à :
  fruits de mer, 181
  volaille, 372
Iode
  aliments contenant - :
    algues, 72
    épinards, 564
    fruits de mer, 564
  dose maximum, 72
  rôle dans troubles thyroïdiens, 564, 567
Isoflavones, 43, **46-47**, 49

IMPRESSION
IMPRIMERIE GAGNÉ

IMPRIMÉ AU CANADA